目 次 Contents

第一章 名 詞 (Nouns)

第二章 代 名 詞 (Pronouns)

第三章 冠 詞（Articles）

第四章 形 容 詞(Adjectives)

第五章 動 詞(Verbs)

第六章 副 詞(Adverbs)

第七章 介系詞(Prepositions)

第八章 連 接 詞 (Conjunctions)

第九章 感 嘆 詞 (Interjections)

第十章 句 (Sentence)

序

傳統英文法之缺點爲，使用已過時的拉丁文法式文法規則，偏重文章閱讀，而忽略活用英語語法，且與現代英語形成脫節現象。因此在英美日各國，已有改取較實用的新式英文法以代替傳統英文法之趨勢。爲此，編者乃根據最新之英文法理論與英語教學原理，配合國內英語科教學之實際需要，兼採新式文法與傳統文法兩者之優點，採用科學方法而編成此「**新英文法**」一書，期對老師與同學有所裨益，以收事半功倍之效。

本書適用範圍

1. 可供初三程度學生學習英文法或參考複習之用。
2. 高中生用於複習英文法，亦甚有助益，書中註有*記號者，爲內容較深而專供高中生或程度較佳之初中生參考研究者。

本書特點

1. **內容新穎實用**，根據最新的英語教學原理，普遍應用**句型**（Sentence Pattern）於書中，文法書採用此法尙屬創舉。
2. 以**最新方法**處理舊文法書所忽視之肯定句、否定句、疑問句、簡答句、附帶問句等**基本語法**。
3. **例句簡明恰當**，亦可兼作句型之用。爲幫助讀者了解，例句多用比較說明之方式，並對語法之要點有簡要提示，可一目瞭然。
4. 力求避免繁瑣無味的說明，採用科學方法，將**文法要點**整理爲**公式**與**表解**，以便讀者易於了解與記憶，期能於最短期間內獲致最大的效果。
5. **習題種類豐富**，質量並重，全部習題成一完整系統，使讀者能於練習中體會所有文法要點。本書習題亦爲本書最大特色之一。
6. 本書之編排，經編者精心設計，各頁**重點一目瞭然**，切合讀者之需要，故必能提高讀者之學習興趣，並增加學習效果。
7. 本書內容對於**閱讀**與**口語**兩者兼顧，而與語法有關之**發音**要領，亦多加以講解。
8. 本書例句均附有譯文，遇有難字則儘量加以注音，以便於學者自修及學生在家預習。

本書使用法

㈠預習與複習並重：

自動學習爲研究學問成功之必要條件。深望在學中之讀者於未上課之前，先行研讀新課，如此，於上課中必能幫助瞭解，且能提高學習興趣。若能利用空暇，自動讀完全書，對英文文法必能樹立相當之基礎。習題務必親自作答，千萬不可抄襲別人。做錯的題目必須重做，直至全部融會貫通爲止。

㈡眼到・口到・手到・心到：

根據最新之英語教學原理，學習英語必須注重口說練習，尤須反覆練習句型，直至完全熟記而成自然的習慣爲止。本書之例句多可兼作句型之用。書上習題除作書寫練習外，亦請多作誦讀練習，以加强印象。但註有〔誤〕字之參考用句及習題中之改錯題，則請勿朗讀，以免受其影響。

㈢設法了解文法規則，把握文法要點，養成應用能力：

不可光死記文法規則，必須懂得如何應用。譬如學習「語態」時，除了必須熟記「be動詞＋過去分詞＝被動語態」的公式和反覆練習誦讀「句型」及「主動語態與被動語態互換表」之外，還需要注意把握住下列文法要點：①凡是被動句，必有一個"be動詞"和"過去分詞"。②被動進行式句中必有一個"being"。③被動完成式除了句中必有"have動詞"外，一定還有一個"been"。掌握了以上這些要點，有關語態之根本問題，即已獲解決，不致再發生混亂的情形，然後再知道一些其餘有關事項，則所有關於語態的試題，全可迎刃而解。

㈣本書視讀者之需要，可自第一章名詞讀起，或先行研讀第五章動詞之一至四節後，再自第一章讀起。

本書曾參考現行各種中學英語讀本，並參考國內外出版之英文法、英語教學法等書籍多種。尤其自英國英文法及英語教學權威 Dr. Harold E. Palmer, Dr. A. S. Hornby，英國英文法專家 Mr. A. J. Thomson, Mr. A. V. Martinet, Mr. E. Frank Candlin, Mr. W. Stannard Allen，美國英文法專家 Mr. Robert J. Dixson，美國英語教學專家 Dr. Faye L. Bumpass 等諸權威專家之著作得益之處特多。編者於此謹向有關諸位表示謝意。

編 者 謹 識

修訂版序

本書自民國四十九年初版發行以來，承蒙讀者愛護與支持，得以於三十七年之間再版一百一十九次，深感榮幸。本書流通範圍之廣有目共睹，編者亦深感責任重大，力求不斷改進，期能更符合讀者需要。

前此，編者曾多次增補及修訂內容，以求不負厚愛。此次改版著重在引入先進的科技以提高編排與印刷品質。全書使用電腦打字排版並配合紙質的改善，使版面更爲清晰流暢，閱讀上更爲省力輕鬆。

本書多次改訂承蒙採用本書之老師賜教之處甚多，謹此聊表謝忱。

編者又識

民國八十五年八月

第一章 名詞

Nouns

第一節　名詞的種類
第二節　名詞的數
第三節　名詞的性
第四節　名詞的格

第一節　名詞的種類(Kinds of Nouns)

名詞是人、動物、事物、地方等的名稱，通常分類如下：

A. **可數名詞(Countable Nouns)——有單複數**之別的名詞，包括普通名詞和集合名詞等。

> 1. **普通名詞**(Common Noun)
> 如：**boy** (男孩), **desk** (書桌), **country** (國家)等
> 2. **集合名詞**(Collective Noun)
> 如：**family** (家庭, 家族), **people** (民族, 人民, 人們)等

B. **不可數名詞(Uncountable Nouns)——因不能數**而無單複數之別的名詞，包括大多數的專有名詞、物質名詞、抽象名詞等。

> 3. **專有名詞**(Proper Noun)
> 如：**China** (中國), **Taiwan** (臺灣), **John** (約翰)等
> 4. **物質名詞**(Material Noun)
> 如：**water** (水), **air** (空氣), **iron** (鐵)等
> 5. **抽象名詞**(Abstract Noun)
> 如：**health** (健康), **happiness** (幸福), **honesty** (誠實)等

(1)普通名詞

同種類的人、動物、事物或地方所共有的**名稱**叫做普通名詞。

如：			
a **student**	一個學生	many **students**	許多學生
the **cat**	這隻貓	a few **cats**	幾隻貓
this **book**	這本書	these **books**	這些書
an **office**	一個辦公室	some **offices**	一些辦公室
one **day**	一天	two **days**	兩天

● 普通名詞的用法 ●

1. 普通名詞有**單複數**之別。
單數普通名詞前面須加 **a, an** 或 **the** 等冠詞；**複數**普通名詞字尾通常要加 **"s"**或**"es"**，而前面可以不加冠詞。

a, an, the＋單數普通名詞

This is *a* **book.** （這是一本書）

This is *the* **book** (*which I bought yesterday*).

（這一本就是〔我昨天買的〕那本書）

These are **books.** （這些是書）

2. | a（一個）＋子音；an（一個）＋母音 |
|---|

如：*a* **boy**　一個男孩　　*an* **apple**　一個蘋果

（〔b〕爲子音）　　（〔æ〕爲母音）

3. 普通名詞前如有 **this, these, my, our, every, some, whose, which, John's** ……等冠詞相等語，則不再加冠詞 **a, an, the**。

〔誤〕　This is *a my* notebook.

〔正〕　This is **a** notebook.　（這是一本筆記簿）

〔正〕　This is **my** notebook.　（這是我的筆記簿）

〔正〕　This is **a** notebook **of mine.**　（這是我的筆記簿之一）

〔正〕　**Which** pen is yours?　（那一枝鋼筆是你的？）

〔誤〕　*Which a* pen is yours?

〔誤〕　*Which the* pen is yours?

4. 複數普通名詞用 **many**（許多）, **few**（少數）等字修飾，而不用 *much*（多量）, *little*（少量）等。

many（許多）, **a lot of**（許多） **few**（極少數）, **a few**（少數） } ＋複數名詞

〔正〕　**Many** *students* know it.　（許多學生知道這個）

〔正〕　**Few** *boys* have it.　（很少幾個男孩有它）

〔誤〕　*Much*〔*Little*〕students know it.

〔正〕　He has **a lot of** *magazines.*　（他有很多雜誌）

〔誤〕　He has a lot of *magazine.*

【句型】

	冠詞，冠詞相等語	單數普通名詞
This is	a an the your	pen. orange. picture. book.

	冠詞，冠詞相等語	複數普通名詞
1. We are		students.
2. These are	John's	notebooks.
3. I like	those	pictures.
4. You have	many	books.
5. He has	few	friends.
6. She has	a few	oranges.

5. ① **a, an, the＋單數名詞** } 可用以表同種類的全體
② 不加冠詞的**複數名詞** } （總稱用法）

A horse is a useful animal.
= *The horse* is a useful animal.
= *Horses* are useful animals.
(馬是有用的動物)〔三句意義相同〕

(2) 集合名詞

同種類的人或動物等的**集合體的名稱**叫做集合名詞。

如：family 家庭，家族　people 民族，人民，人們
crowd 羣衆　nation 國家，國民，民族
army 軍隊　party 黨
class 班級　team 隊，組
*committee 委員會，委員們　mankind 人類
police〔pə′lis〕警察　cattle 牛，牲畜

● 集合名詞的用法 ●

1. 若把集合名詞視爲**一整體**，則其用法和普通名詞的用法完全相同。

His **family** *is* a large one.
(他的家庭是一個大家庭)……〔單數〕
Two **families** *live* in this house.
(這房子裏住有兩家)……〔複數〕

The Chinese are **a** peace-loving **people**.
(中國人是一個愛好和平的民族)……〔單數〕
There are **many** different **peoples** in Asia.
(亞洲有許多不同的民族)……〔複數〕

2. 集合名詞如用以指集合體的**構成分子**，則以單數形作複數 (特稱之爲**羣衆名詞**)。

My **family** *are* all well.
(= *The members of my family* are all well.)
(我家裏的人都好)　【註】member 人員、成員

Many **people** (=persons) *were* waiting there.
(有許多人在那裏等著)

〔正〕 Most **people** *like* music. (大多數人都喜歡音樂)
〔誤〕 Most people *likes* music.
〔誤〕 Most *peoples* like music.

*The **committee** (= the members of the committee) *are* opposed to the plan. (委員們反對這計劃)

【句型】

羣　衆　名　詞	複數動詞	
1. His **family**	*are*	all well.
2. Many **people**	*were*	there.
3. These **cattle**	*are*	mine.
4. **Mankind**	*are*	progressive. (進步的)

【提示】

1.
① **people** (人們)〔複數〕+**複數動詞**〔**are** 等〕
*② { **a people** (一個民族)〔單數〕+**單數動詞**〔**is** 等〕
　　 peoples (〔許多〕民族)〔複數〕+**複數動詞**〔**are** 等〕

*2. *mankind* (人類), *cattle* (牛), *police* (警察)等只用作羣衆名詞，故恆以單數形用作複數，不加"s"。

mankind (人類)
police (警察)　} +**複數動詞**(**are** 等)
cattle (牛，牲畜)

(3)專有名詞

一個人、物或地專有的名稱叫做專有名詞。如：

a. 人名：

John　約翰　　Mary　瑪麗　　Mr. Wang　王先生
Mrs. Smith〔ˊmɪsɪz smɪθ〕　史密斯夫人　Miss White　白小姐

b. 地名：

Taipei　臺北　　Kaohsiung　高雄　　Taiwan　臺灣
Chungshan Road　中山路　　Nanking　南京　　Tokyo　東京
Hongkong　香港　　Washington　華盛頓

Asia〔ˊeʃə;ˊeʒə〕亞洲　　Europe〔ˊjurəp〕歐洲

c. 國名：

China 中國　　Japan 日本　　America 美國
England 英國　　Germany 德國　　France 法國

d. 國民・國語名稱：

Chinese 中文，中國人　　Japanese 日語，日本人　　English 英語
American 美國人　　German 德文，德國人　　French 法文

e. 月名・週日名・節日名：

February 二月　　Wednesday 星期三　　Christmas 聖誕節

● 專有名詞的用法 ●

1. 專有名詞須以大寫字母起首。
2. 專有名詞通常不加冠詞 **a, an, the** 等。
3. 專有名詞通常無複數。

I'll go fishing with **George** on **Sunday**.
(星期天我要跟喬治去釣魚)

Chinese is spoken in **China**.
(在中國講的是中國話)

〔正〕 **Mr. Wilson** lives in **New York City.**
(威爾遜先生住在紐約市)
〔誤〕 *Mr. wilson* lives in *the new york city.*

【句型】

專 有 名 詞		專 有 名 詞
1. **London**	is the capital of	**England.**
2. **Japanése**	is spoken in	**Japan.**
3. **John**	lives on	**Lincoln Street.**
4. **Mr. and Mrs. A**	are not	**Chinese.**
5. **Miss Green**	will come to see	**Mother.**
6. **Thursday**	comes after	**Wednesday.**
7. **October**	comes before	**November.**

〔註〕London〔ˊlʌndən〕 倫敦　　capital 首都
Lincoln〔ˊlɪŋkən〕Street 林肯街

【例外】*the* Yellow River 黃河　〔河名加 *the*〕
the Pacific Ocean 太平洋　〔海洋名加 *the*〕

the Republic of China　中華民國　〔國家名有 of 片語時加 *the*〕
the United States of America（＝*the* U.S.A.）　北美合衆國
〔聯邦國家名加 *the*〕
the Americans　美國人民　〔全體國民用複數並加 *the*〕
the Chinese　中國人民　〔同　上〕
the Alps　阿爾卑斯山脈　〔山脈名用複數並加 *the*〕
the Philippine Islands ＝*the* Philippines　菲律賓羣島
〔羣島名用複數並加 *the*〕
the Wangs　王先生家的人們　〔*the*＋姓＋*s*＝～家的人們〕
【詳閱第三章冠詞】

【句型】

專　有　名　詞	
1. **The Republic of China**	*is* a large country.
2. **The United States of America**	
3. **The Pacific** (Ocean)	*is* the largest ocean.
4. **The Yangtze** (River)	*is* the longest river in China.
5. **The Chinese**	*are* a wise people.
6. **The Germans**（德國人）	*are* a brave and wise people.
7. **The Browns**（布朗先生一家）	*are* happy.

—— 習 題 1 ——

(一)*Correct the mistakes*：(改錯)

1. This is nice book.
2. Dog is more faithful than a cat.
3. We saw a lot of animal in the zoo.
4. These are the magazine which he gave me.
5. How many teacher do you have in your school?
6. How many peoples are there in your family?
7. The Taiwan is a island.
8. John was born in the february.
9. Mr. green came from united states of america.
10. The Lin live on the Chunghua Road（中華路）.
11. The ship sailed across atlantic ocean（大西洋）.
12. The Yangtze River（揚子江，長江）is longer than yellow river.

㈡*Choose the correct words*:(選擇)

1. George Brown is (a, an) English boy.
2. The poor boy has very few (book, books).
3. All my family (is, are) hard workers.
4. Our class (was, were) all present.
5. Most people (is, are) fond of music.
6. We can see some (cattle, cattles) in the picture.
7. Mankind (is, are) happier than before.
8. Where is (Father, father)?

㈢*Translation*:翻譯(每個空格填一個單字)

1. 鳥能飛。______ can fly.
2. 她來自中華民國。
   She comes from ______ ______ ______ ______.
3. 日本人是勤奮的民族。
   ______ Japanese ______ a diligent ______.
4. 亞洲有許多民族。
   There are many (*P*)________ in ______.
5. 星期三在星期二與星期四之間。
   ______ comes between ______ and ______ .
6. 星期六在星期五之後。
   ______ comes after ______.
7. 四月、六月、九月和十一月有三十天。
   There are thirty days in ______, ______, ______ and ______.
8. 一月、三月、五月、七月、八月、十月、十二月各有三十一天。
   ______, ______, ______, ______, ______, ______, and ______ have thirty-one days each.

(4) 物質名詞

沒有一定形態的**物質**的名稱叫做物質名詞。

This bottle is made of **glass**.

(這隻瓶子是玻璃做的)——"*bottle*"(瓶子)是普通名詞,"*glass*"(玻璃)是物質名詞。

〔例〕a. 食品・飲料:

food 食物	meat 肉	fish 魚	rice 米
wheat 小麥	flour 麵粉	bread 麵包	butter 奶油
fruit 水果	sugar 糖	salt 鹽	milk 牛奶

tea　茶	coffee 咖啡	wine　酒	beer　啤酒
water 水			

b. 材料：

wood 木	stone　石	brick　磚	glass　玻璃
cotton 棉花	cloth　布	paper　紙	grass　草
chalk　粉筆	metal　金屬	gold　金	silver　銀
iron　鐵	copper銅	coal　煤	money金錢

c. 液體・氣體：

air　空氣	gas　氣體	water 水	oil　油
ink　墨水	rain　雨	snow　雪	

● 物質名詞的用法 ●

1. 物質名詞是不可數名詞，通常無複數，不加 **a, an** 等，表示總稱時不加 **the**。

〔正〕 **Gold** is more precious 〔ˊprɛʃəs〕 than **silver.**
(金比銀貴重)
〔誤〕 *The gold* is more precious than *the silver.*

〔正〕 Give him some **food** and **wine.**
(給他一些食物和酒)
〔誤〕 Give him some *foods* and *wines.*

【句型】

	物　質　名　詞
The box is made of	**wood.** **glass.** **iron.**

2. 要表示數量時，須在物質名詞前另加計量的名詞，如：

a cup 〔two **cups**〕 *of* tea　一杯〔兩杯〕茶
a glass 〔two **glasses**〕 *of* milk　一(玻璃)杯〔兩杯〕牛奶
a sheet 〔two **sheets**〕 *of* paper　一張〔兩張〕紙
a piece 〔two **pieces**〕 *of* { paper　一片〔兩片〕紙片 / chalk　一枝〔兩枝〕粉筆 / meat　一塊〔兩塊〕肉 }
a loaf 〔two **loaves**〕 *of* bread　一大塊〔兩大塊〕麵包
a bag 〔two **bags**〕 *of* flour　一袋〔兩袋〕麵粉
a pound 〔two **pounds**〕 *of* sugar　一磅〔兩磅〕糖
a bottle 〔two **bottles**〕 *of* wine　一瓶〔兩瓶〕酒

3. **much（多量）, little（少量）＋物質名詞**

〔正〕 Don't spend too **much money.**
（錢不要花費太多）
〔誤〕 Don't spend too *many moneys.*
〔正〕 We had very **little rain** last year.
（去年雨下的很少）
〔誤〕 We had very *few rains* last year.

【句型】

		物 質 名 詞
1. He wants	*some*	**food.**
	a glass of	**milk.**
	a piece of	**chalk.**
	two pieces of	**bread.**
	a little	**meat.**
2. There was	*little*	**rain.**
3. I don't have	*much*	**money.**

4. 物質名詞如用以指特定的東西，則須加 **the**：

〔比較〕 We can not live without **water.**
（沒有水不能生存）〔總稱用法〕
The **water** *in this glass* is not clean.
（這玻璃杯裏面的水不清潔）〔特定用法〕

【句型】

物質名詞（特定用法）		
1. *The* **milk**	*in this glass*	is sour.
2. *The* **air**	*in this room*	is good.
3. *The* **money**	*which you lost*	is here.

(5) 抽象名詞

性質、狀態、動作、概念等的名稱叫做抽象名詞。

如：kindness　仁慈　　wisdom　智慧　　health　健康
peace　和平　　movement〔ˈmuvmənt〕　運動，動作
height〔haɪt〕　高度　　freedom　自由　　history　歷史
knowledge〔ˈnɑlɪdʒ〕　知識　　grammar　文法

● 抽象名詞的用法 ●

1. 抽象名詞是不可數名詞，無複數，不加 **a, an** 等，表示總稱時不加 **the**。

〔正〕 **Health** is above **wealth.** （健康勝於財富）
〔誤〕 *The* health is above *the* wealth.

〔正〕 We all learn by **experience.**
（我們都是從經驗中學習）
〔誤〕 We all learn by *experiences.*

〔正〕 **Knowledge** is **power.** （知識即是力量）
〔誤〕 *The* knowledge is *a* power.

【句型】

抽　象　名　詞		抽　象　名　詞
1. **Knowledge**	is	**power.**
2. **Necessity**	is the mother of	**invention.**（發明）
3. **Failure**（失敗）	is the mother of	**success.**（成功）

2. **much**（多量）, **little**（少量）＋抽象名詞

〔正〕 He has not **much knowledge** of history.
（他對於歷史所知不多）
〔誤〕 He has not *many knowledges* of history.

〔正〕 It is of **little use.** （那沒有多大用處）
〔誤〕 It is of *few uses.*

【句型】

		抽　象　名　詞
1. There is not	*much*	**time.**
2. There is	*a little*	**hope.**
3. I know very	*little*	**grammar.**
4. He has	*some*	**experience.**
5. It is of	*no* / *great* / *little*	**use.** / **importance.** / **value.**

3. 抽象名詞如用以指特定的事物，則須加 **the**：

〔比較〕 **Happiness** cannot be bought with money.
（幸福是用金錢買不到的）〔總稱用法〕
People envy **the happiness** *of his family.*
（大家羨慕他家庭的幸福）〔特定用法〕

【句型】

	抽象名詞（特定用法）	
I don't know	*the* **value** / *the* **importance**	*of health.*
	the **depth**	*of the river.*
	the **height**	*of the mountain.*

●＊抽象名詞的形成●

1. 形容詞＋**ness, ity, ty**＝抽象名詞

good〔形〕→goodness　善良
happy〔形〕→happiness　幸福
ill〔形〕→illness　疾病
nécessary〔形〕→necéssity　需要
safe〔形〕→safety　安全
honest〔形〕→honesty　誠實
able〔形〕→ability〔əˊbɪlətɪ〕　能力
dífficult〔形〕→dífficulty　困難
beautiful〔形〕→beauty　美，美人

2. 形容詞・動詞＋**th, t**＝抽象名詞

long〔形〕→length　長度
deep〔形〕→depth　深度
high〔形〕→height　高度
strong〔形〕→strength　力
bear〔動〕→birth　誕生
grow〔動〕→growth　生長
die〔動〕dead〔形〕→death　死
true〔形〕→truth　眞實，眞理
think〔動〕→thought　思想
breathe〔brið〕〔動〕→breath〔brɛθ〕　呼吸
healthy〔形〕→ health　健康
wealthy〔形〕→wealth　財富
thirsty〔形〕→thirst　口渴
(hungry〔形〕→hunger　饑餓)

3. 名詞・形容詞＋**dom, hood, ism**＝抽象名詞

wise〔形〕→wisdom　智慧
free〔形〕→freedom　自由
king〔名〕→kingdom　王國
child〔名〕→childhood　幼年時代
false〔fɔls〕〔形〕→falsehood　虛僞
national〔形〕→nationalism　民族主義，愛國心

4. 名詞・形容詞・動詞＋**ship,**（**e**）**ry**＝抽象名詞

friend〔名〕→friendship　友誼
discover〔動〕→discovery　發現

5. **動詞＋al, ment, ation, ion＝抽象名詞**

arrive〔動〕→arrival　到達　　invite〔動〕→invitátion　邀請
improve〔動〕→improvement　改進
exámine〔動〕→examinátion　考試
invent〔動〕→invention　發明　　add〔動〕→addítion　增加

6. **～ce, ～cy, ～ess＝抽象名詞**

dístant〔形〕→dístance　距離
impórtant〔形〕→impórtance　重要
persevére〔動〕→persevérance　堅忍
díligent〔形〕→díligence　勤勉
dífer〔動〕→dífferent〔形〕→dífference　差別
ábsent〔形〕→ábsence　缺席　　just〔形〕→justice　正義
advíse〔動〕→advíce　勸告　　practise〔動〕→practice　練習
succéed〔動〕→succéss　成功

7. **-ve→-f, -fe＝抽象名詞**

live〔動〕→life　生活，生命
believe〔動〕→belief　信仰

8. 其他：

hono(u)rable〔形〕→hono〔u〕r　光榮
valuable〔形〕→value　價值　　fail〔動〕→failure〔ˊfeljɚ〕　失敗
please〔動〕→pleasure〔ˊplɛʒɚ〕　愉快的事
conquer〔動〕→conquest　征服　　proud〔形〕→pride　自尊心
know〔動〕→knowledge　知識

9. **動名詞(～ing)＝抽象名詞**

read〔動〕→reading　讀書
swim〔動〕→swimming　游泳

10. **學科名＝抽象名詞**

art　藝術　　science〔ˊsaɪəns〕　科學　　physics〔ˊfɪzɪks〕　物理學
mathematics　數學　　civics　公民科　　history　歷史
geography　地理　　geometry　幾何學　　chemistry　化學
algebra〔ˊældʒəbrə〕　代數學　　English　英語　　grammar　文法

(6)名詞的轉用

***1. 專有名詞→普通名詞：**

①專有名詞如用以表示「名叫～的人」，其用法與普通名詞相同。

A Mr. **White** came to see you.
(有一位懷特先生來看你)

There are *three* **Johns** in our class.
(我們班裏有三個名叫約翰的)

專有名詞如用以表示「像～的人」或「像～的地方」等意思，其用法與普通名詞相同。

He is *an* **Edison** (＝a great inventor like Edison).
(他是一個大發明家)〔愛迪生＝大發明家〕

He is *the* **Confucius** of our time.
(他是我們這個時代的聖人)〔孔子＝聖人〕

Tainan is *the* **Peiping** of Taiwan.
(臺南是臺灣的北平)〔北平＝古都〕

2. 物質名詞→普通名詞：

①種類：a good **wine** 一種好酒　some **wines** 幾種酒
a nice **food** 一種好食物　many **fruits** 多種水果

②製品：two **glasses** 兩個玻璃杯

③個體：a **stone** 一塊石頭

It is made of **metal**.
(它是金屬製的)……〔物質名詞〕
Gold is *a* precious **metal**.
(金是一種貴金屬)……〔普通名詞〕

He does not eat *much* **fruit**.
(他不大吃水果)……〔物質名詞〕
We get *a lot of* **fruits** from South America.
〔*a lot of*＝*many*〕(我們從南美運來很多種的水果)……〔普通名詞〕

Paper is very useful.
(紙很有用)……〔物質名詞〕
Give me *today's* **paper** (＝newspaper).
(給我今天的報紙)……〔普通名詞〕

The bridge is made of **stone**.
(這座橋是石造的)……〔物質名詞〕
He threw *a* **stone** at the dog.
(他向這隻狗丟了一塊石頭)……〔普通名詞〕

Windows are made of **glass**.
　(窗子是玻璃做的)……………………………………………〔物質名詞〕
There are *two* **glasses** on the table.
　(桌子上有兩個玻璃杯)………………………………………〔普通名詞〕

3. **抽象名詞⇄普通名詞：**

many **times** 許多次，好幾倍　　many **thanks** 多謝

How *many* **rooms** are there in this house?
　(這個房子有多少房間？)………………………………………〔普通名詞〕
This table takes up too *much* **room**.
　(這張桌子佔去太多的地方)……………………………………〔抽象名詞〕

What **time** is it?
　(現在幾點鐘？)…………………(時間)………………〔抽象名詞〕
I have seen it *many* **times**.
　(我已見過多次)…………………(次)…………………〔普通名詞〕

—— 習　題　2 ——

(一)*Choose the correct words*：(選擇)

1. Books are made of (paper, papers).
2. Give the boy some (bread, breads).
3. She bought two beautiful (glass, glasses).
4. Don't throw (stone, stones) at him.
5. Please give me a sheet of (meat, paper, sugar).
6. I have been there several (time, times).
7. There is not much (time, times) left.
8. Is there (room, rooms) for me in the car?
9. I don't know (many, much) English.
10. (Ill, Illness) prevented him from coming.
11. (Honest, Honesty) is the best policy.
12. (Necessary, Necessity) is the mother of invention.
13. The man died of (thirst, thirsty).
14. You had better follow my (advice, advise).
15. Mr. Smith called during your (absence, absent).

(二)*Correct the errors*：(改錯)

1. Table is made of the wood.
2. Is it made of a metal or a glass?
3. Iron is useful metal.
4. He prefers the tea to the coffee.

5. We cannot live without foods and airs.
6. How many moneys do you want?
7. I want some waters to drink.
8. Wine we had last night was very good.
9. The time is the money.
10. We don't know value of health until we lose it.
11. I wish to be Newton (牛頓).
12. Shanghai (上海) is New York of the China.

(三) *Translation*:(每個空格填一個單字)

1. 我要兩瓶墨水。 I want two ______ of ______.
2. 他要兩三枝粉筆。 He wants a few ______ of ______.
3. 去年雨下的多。 We had ______ ______ last year.
4. 成功端賴一個人的堅忍與勤勉。
   ______ depends upon one's ______ and ______.
5. 臨危要鎮靜。 Be calm in the (*p*) ______ of ______.

(四) *Substitution*:換字(每個空格填一個單字)

1. There are many oxen and cows in the field.
   =There are many ______ in the field.
2. The Wilson family went to Japan.
   =The ______ went to Japan.
3. Bring me something to eat.
   =Bring me some ______.
4. What one thinks cannot be seen.
   =One's ______ cannot be seen.
5. It grows slowly.
   =Its ______ is slow.
6. Do you know how long it is?
   =Do you know its ______?
7. The door is seven feet high.
   =The door is seven feet in ______.
8. It is very important.
   =It is of great ______.

(五) *Change the following words to abstract nouns*:
(試將下列各單字改爲**抽象名詞**)〔*-ing* 除外〕
Example: *good→goodness*

1. kind	2. true	3. strong
4. safe	5. wealthy	6. discover

7. hungry　8. just　9. happy
10. differ　11. invite　12. live
13. fail　14. free　15. die
16. difficult　17. please　18. conquer
19. know　20. wise

(六)*Point out the nouns and classify them*：
(指出下列句中的名詞並加以分類)
Example：I bought a new book.
book——*Common Noun* (普通名詞)
1. Taipei is the largest city in Taiwan.
2. Children like milk.
3. The house is built of stone.
4. Sleep is necessary to health.
5. Mary likes to study mathematics.
6. People were longing for peace and liberty (自由).
7. He gave me some money to buy a paper (報紙).
8. I like fish better than meat.

第二節　名詞的數(Numbers of Nouns)

單數(Singular Number)……用以表示"一個"事物 複數(Plural Number)……用以表示"兩個以上"的事物

There *is* a **school**. (有一所學校)　——"*school*"(學校)爲單數。
There *are* a lot of **students** in it.　(有許多學生在裏面)
〔*a lot of*=*many*〕　——"*students*"(學生)爲複數。

A. 複數的形成

1. 一般名詞+s

單數	複數〔發音〕	單數	複數〔發音〕
pencil (鉛筆)	pencils 〔-lz〕	pen (鋼筆)	pens 〔-nz〕
dog (狗)	dogs 〔-gz〕	room (房間)	rooms 〔-mz〕
thing (東西)	things 〔-ŋz〕	bird (鳥)	birds 〔-dz〕
book (書)	books 〔-ks〕	cat (貓)	cats 〔-ts〕
cap (帽)	caps 〔-ps〕	horse (馬)	horses 〔-sɪz〕

◇ 複數字尾～s, ～es的發音 ◇

①單數名詞字尾爲**無聲音**〔p〕〔k〕〔f〕〔t〕時, ～s之發音爲〔s〕。
②單數名詞字尾爲**有聲音**(母音和〔l〕〔m〕〔n〕〔g〕〔ŋ〕〔b〕〔v〕〔d〕等音)時, ～s之發音爲〔z〕。
③單數名詞字尾爲〔s〕〔z〕〔ʃ〕〔tʃ〕〔dʒ〕等音時, ～es之發音爲〔ɪz〕。
【註】**house**〔haus〕(房屋)的複數"**houses**"的發音是特殊例，須讀〔ˈhauzɪz〕。
④(a)子音或短母音＋**ths**時發音爲〔θs〕
如：months〔mʌnθs〕(月)
Smiths〔smɪθs〕(史密斯家的人們)
(b)長母音＋**ths**時發音爲〔ðz〕
如：mouths〔mauðz〕(嘴)
clothes〔kloðz〕(衣服)

2. 字尾 **s, x, z, sh**〔ʃ〕, **ch**〔tʃ〕＋ **es**〔ɪz〕

bus (公共汽車) buses〔-sɪz〕
class (班級) classes〔-sɪz〕
box (盒子) boxes〔-siz〕
brush (刷子) brushes〔-ʃɪz〕
bench (長凳子) benches〔-tʃɪz〕
watch (錶) watches〔-tʃɪz〕
church (教堂) churches
*buzz (嗡嗡聲) buzzes〔ˈbʌzɪz〕

【例外】 字尾 **ch**〔k〕＋ **s**

stomach (胃) stomachs〔ˊstʌməks〕
*monarch (君主) monarchs〔ˊmɑnɚks〕

3. (a) 子音＋ **o** ＋ **es**

hero (英雄) heroes〔-oz〕
*negro (黑人) negroes
potato (馬鈴薯) potatoes
tomato (蕃茄) tomatoes
【例外】piano (鋼琴) pianos
photo (相片) photos

(b) **oo, io** ＋ **s**

zoo (動物園) zoos〔-uz〕
bambóo (竹) bambóos

radio（收音機）radios〔-oz〕

(c) 子音＋o＋s或es

mosquíto（蚊子）mosquíto(e)s〔-oz〕
*volcáno（火山）volcáno(e)s　　zero（零）zero(e)s
búffalo（野牛，水牛）búffalo(e)s

4. **字尾 f, fe → ves**

knife（小刀）	knives〔-vz〕	half（一半）	halves〔-vz〕
leaf（樹葉）	leaves〔-vz〕	wolf（狼）	wolves〔-vz〕
life（生命）	lives〔laɪvz〕	wife（妻）	wives〔-vz〕

【例外】roof（屋頂）roofs〔rufs〕　chief（首領）chiefs〔-fs〕
handkerchief（手帕）handkerchiefs〔-fs〕

5. (a) 子音＋y → **ies**

baby（嬰孩）	babies〔-z〕	country（國家）	countries〔-z〕
lady（女士）	ladies〔-z〕	fly（蒼蠅）	flies〔-z〕

(b) 母音＋y → ys

boy（男孩）	boys〔-z〕	key（鑰匙）	keys〔-z〕
monkey（猴子）	monkeys〔-z〕	valley（山谷）	valleys〔-z〕

6. 不規則的複數

(a) 變母音

man（男人）men　　woman（女人）women〔ˊwimɪn〕
foot（腳，呎）feet　　tooth（牙齒）teeth
goose（鵝）geese　　mouse（小種鼠）mice

(b) 字尾＋**en**或**ren**

ox（公牛）oxen　　child（小孩）children

(c) 單複數同形

deer（鹿）deer　　fish（魚）fish（fishes 多種魚）
sheep（綿羊）sheep　　Chinese（中國人）Chinese

7. 複合名詞的複數

(a)把其中主要的字改爲複數：

father-in-law（岳父）	fathers-in-law
son-in-law（女婿）	sons-in-law
boy-friend（男朋友）	boy-friends
girl-student（女學生）	girl-students
maid-servant（女僕）	maid-servants
*passer-by（行人）	passers-by

(b)前後兩字均改爲複數：

man-servant（男僕）	men-servants
woman-servant（女僕）	women-servants

【句型】

	複　數　名　詞	（＋複數動詞）
Many	**foxes**（狐） **oxen** **cattle** **sheep** **wolves**（狼） **mice**（老鼠） **women** **children** **Japanese** **people**	*are* in the field.

B. 較難的數的用法

1. 單數與複數的意義不同者：

arm　手臂	arms　手臂，武器
cloth〔klɔθ〕　布	clothes〔kloðz〕　衣服
glass　玻璃，玻璃杯	glasses　玻璃杯，眼鏡
good　善行，益處	goods　貨物
letter　字母，信	letters　字母，信，文學
manner　方法，樣子	manners　禮貌
mean　中庸	means　方法，手段
wood　木	woods　樹林
work　工作	works　工廠

2. 通常使用複數者〔＋複數動詞 **are** 等〕：

chopsticks　筷子　　scissors　剪刀　　shoes　鞋子
stockings　長襪　　trousers　褲　　spectacles　眼鏡

【提示】此類複數名詞常用 *pair*（雙）以表示數量。
如：*a pair of* glasses（＝spectacles）　一副眼鏡
a pair of trousers　一條褲子
two pairs（或 *pair*）*of* shoes　兩雙鞋子

【句型】

		複 數 名 詞
I want	{ *a pair of* *two pair(s) of* }	{ **glasses.**（眼鏡） **chopsticks.** **shoes.**

3. 複數形用作單數者〔＋單數動詞 **is** 等〕：

news　消息　　mathematics　數學　　physics　物理學
civics　公民科　　the United States　合衆國

【句型】

複 數 形		(＋單數動詞)
The	{ **news** **iron works**（鐵工廠） **United States** }	*is* nice.
	Mathematics（數學） **Physics**（物理學） }	*is* difficult.

4. **dozen**（打），**score**（二十），**hundred**（百），**thousand**（千）等字前有數詞時不加 "**s**"：

two dozen（*of*）eggs　兩打蛋　　**three hundred**　三百
four thousand　四千　　**four score**　八十

【提示】前面無數詞而約略地表多數時須加"**s**"。
如：**hundreds of** people　好幾百個人
thousands of soldiers　數以千計的兵

【句型】

	數　量	複 數 名 詞
There are	{ two dozen	watches.
	three hundred	men.
	five thousand	people.
	hundreds of thousands of }	heroes.

5. 字母、數字、簡寫等＋'s＝複數

three **t's**（三個 t）　　five **9's**（五個 9）

6. 複數名詞作形容詞用時通常省去"s"：

ten dollars（十元）→a **ten-dollar** note（一張十元鈔票）

five years old（五歲）

→a **five-year-old** boy（一個五歲的男孩）

two stories（二層樓）→a **two-story** building（一幢二層樓）

eight days→an **eight-day** clock（八天上一次發條的鐘）

◇ 複數名詞的慣用語 ◇

make friends with　與～爲友

He made **friends** with John.（他跟約翰做朋友）

shake hands　握手

John shook **hands** with him.（約翰同他握手）

—— 習 題 3 ——

(一)*Give the plural form:*（寫出複數形）

1. child	2. woman	3. gentleman
4. German	5. American	6. Japanese
7. sheep	8. deer	9. goose
10. tooth	11. month	12. mouse
13. bus	14. dish	15. inch
16. church	17. stomach	18. box
19. ox	20. hero	21. radio
22. tomato	23. lady	24. day
25. city	26. fly	27. valley
28. wife	29. roof	30. leaf
31. thief（賊）	32. man-servant	

(二)*Phonetic Symbols*：發音符號(寫出劃底線部分的發音記號)

Example: teachers〔z〕

1. boys 〔　〕	2. apples 〔　〕	3. watches 〔　〕
4. caps 〔　〕	5. beds 〔　〕	6. knives 〔　〕
7. physics 〔　〕	8. zoos 〔　〕	9. chiefs 〔　〕
10. laughs 〔　〕	11. Smiths 〔　〕	12. clothes 〔　〕

㈢ *Underline the right words:*（在對的字下面劃一橫線）

1. We caught three (mouses, mice, mices).
2. John is six (foot, foots, feet) tall.
3. There are two (piano, pianos, pianoes).
4. We saw five (monkey, monkeys, monkeies).
5. Are they (Chinese, Chineses, Chinesemen)?
6. The United States (is, are) a rich country.
7. No news (is, are) good news.
8. The number of the students is never under twelve (hundred, hundreds).
9. (Hundred, Hundreds) of people were killed.
10. I bought a new pair of (shoe, shoes).
11. In Japan most (house, houses) are built of (wood, woods).
12. I want to buy two (dozen, dozens) pencils.
13. My uncle gave me a (two-week, two-weeks) watch.
14. Pupils should learn (manner, manners).
15. She is dressed in fine (cloth, cloths, clothes).
16. His (mean, means, meanings) of making money is not right.

㈣ *Correct the errors:*（改錯）

1. I want two thousands dollar.
2. I can see many oxes and sheeps.
3. Mathematics are easy to learn.
4. These handkerchieves are made of cottons.
5. Both the childs wear glass.
6. No one likes to make friend with a selfish man.
7. I shook hand with Mr. Hall.
8. He has a five-stories building.
9. Mary has three brother-in-laws.
10. There is a glass work near the station.

㈤ *Vocabulary in Context:* 文意語彙（在各題中選擇正確的解釋，把它的號碼填在題前括弧內）。

(　)1. She bought two *glasses.*

①玻璃　②玻璃杯　③眼鏡

(　)2. Where did you buy this pair of *glasses?*

①玻璃　②玻璃杯　③眼鏡

(　)3. Don't spend too much money on *clothes.*
①布　②衣料　③衣服

(　)4. What do the *papers* say about it?
①紙　②紙片　③報紙

(　)5. The Chinese are a wise *people.*
①民族　②人　③人們

(　)6. Is there any *means* of doing it?
①意思　②方法　③財富

(　)7. It is a house of three *stories.*
①故事　②傳說　③層樓

(　)8. How many *times* have you been there?
①時間　②次　③空位

(　)9. They took up *arms* against their enemy.
①臂　②臂章　③武器

(　)10. A *man of letters* said, "Life is short; art is long."
①文學家　②寄信人　③郵差

第三節　名詞的性(Genders of Nouns)

1. 陽性(男性)(Masculine Gender)
   如：father, man, boy, tiger (雄虎), *etc.*
2. 陰性(女性)(Feminine Gender)
   如：mother, woman, girl, tigress (雌虎), *etc.*
3. 通性(Common Gender)
   如：friend, student, teacher, parent (雙親), cousin [kʌzn] (堂表兄弟姊妹), *etc.*
4. 無性(中性)(Neuter Gender)
   如：book (書), house (房屋), pen (鋼筆), *etc.*

陽性與陰性

A. 改語尾者：

(1) ＋ess

actor	男演員	actress	女演員
author	著作家	(authoress	女作家)
emperor	皇帝	empress	皇后

god	男神	goddess	女神
host〔host〕	主人，東家	hostess	女主人，主婦
master	主人	mistress	主婦
waiter	男侍者	waitress	女侍者
prince	太子	princess	公主
lion	雄獅	lioness	雌獅
tiger	雄虎	tigress	雌虎

(2)hero〔ˊhɪro〕　英雄，小說中男主角

heroine〔ˊhɛroɪn〕　女英雄，小說中女主角

B. 附加一字以表示性者：

grandfather	祖父	grandmother	祖母
grandson	孫子	granddaughter	孫女
father-in-law	岳父	mother-in-law	岳母
boy-student	男學生	girl-student	女學生
man-servant	男僕	maid-servant	女僕
he-goat	雄山羊	she-goat	雌山羊

C. 完全不同者：

man	男人	woman	女人
male	男性	female	女性
gentleman	男士	lady	女士
sir	先生	madam	太太
father	父親	mother	母親
papa	爸爸	mama	媽媽
king	國王	queen	女王
husband	丈夫	wife	妻
son	兒子	daughter	女兒
boy	男孩	girl	女孩
brother	兄弟	sister	姊妹
uncle	伯父、叔父、舅	aunt	伯母、叔母、姑母
nephew〔ˊnɛfju, ˊnɛvju〕	姪兒	niece〔nis〕	姪女
cock	公雞	hen	母雞
ox（或 bull）	公牛，牡牛	cow	母牛，牝牛
dog	雄狗	*bitch	母狗

● 應注意事項 ●

1. 單數男性名詞用 *he, his, him,* 女性名詞用 *she, her,* 無性名詞用 *it*（它），

its（它的）作代名詞。**通性名詞**視其實際情形而分別用 *he* 或 *she* 作代名詞，若兼指男女兩性時，則多用 *he* 代表之。

The **boy** is reading *his* magazine and the **girl** is writing *her* letter.
（男孩在讀雜誌，女孩在寫信）

Do you like this **book**? Yes, I like *it* very much.
（你喜歡這本書嗎？是的，我很喜歡它）

My **friend** took off *his* (or *her*) hat.
（我的朋友脫了他的〔或她的〕帽子）

A **student** should respect *his* teachers.
（學生應該尊敬老師） —包括男女學生

2. *baby*（嬰孩）和 *child*（小孩）可作無性而以 *it* 表示之。

The **child** seems to have lost *its* way.
（這小孩似乎迷了路）

3. ①動物除按照其性別，分別用 *he, she* 外，亦可不分雌雄概以 *it*（牠）表示之。
②較爲強壯的動物可視爲男性而以 *he* 表示之，較爲柔和的動物可視爲女性而以 *she* 表示之。

The fox caught a **hen** and killed *it* (or *her*).
（狐狸抓到一隻母雞並且把牠弄死）

The **lion** was very proud of *his* (or *its*) beard.
（這獅子很以牠的鬍爲榮）

The **bird** is building *her* (or *its*) nest.
（鳥正在築巢）

4. 動物通常以男性名詞代表雌雄兩性，但 *cow*（母牛, 牛）, *hen*（母雞, 雞）, *duck*（母鴨, 鴨）等以女性名詞代表全體，則係例外。

The **horse** is a useful animal.
（馬是有用的動物） —包括 *mare*（雌馬）

A **cow** has no front teeth.
（牛無前齒〔門牙〕） —包括 *ox* 或 *bull*（牡牛）

5. 無生物與抽象的事物原則上屬於無性，但在詩文中常將其擬人化而把強大或可怖的事物當作男性，把優美、柔和的事物當作女性。

【男性】 the Sun（太陽）, Summer（夏）, Winter（冬）, War（戰爭）, Death（死）等……〔用 *he* 表示之〕

【女性】 ①ship（船）, airplane（飛機）, train（火車）
②the Moon（月亮）, Spring（春天）, Nature（自然）, Peace（和平）, the Earth（地球）, Night（夜）
③country（國家）, city（都市）等……〔用 *she* 表示之〕

6. “*country*”若指「國家與國民」即作女性而以 *she, her* 等表示之，若指「國土」即以 *it* 表示之。

England took up arms against *her* enemy.
(英國向敵人開戰)
Japan is famous for *its* scenery〔ˊsinərɪ〕.
(日本以風景聞名)

── 習　題　4 ──

(一) *Tell the gender of each of the following nouns:*
(指出下列各名詞的性)

Example: father──*masculine gender*(男性)

1. school　2. parent　3. cousin　4. nephew
5. aunt　6. friend　7. child　8. waiter
9. room　10. maid-servant

(二) *Give the opposite gender:*(寫出相對的性)

Example: cock──*hen*

1. man　2. gentleman　3. son
4. grandfather　5. brother-in-law　6. papa
7. nephew　8. sir　9. master
10. host　11. hero　12. boy-student
13. king　14. emperor　15. prince
16. actor　17. masculine　18. lion
19. tiger　20. he-goat

(三) *Choose the right words:*(選擇對的字)

1. She is my (uncle, aunt).
2. (Mr., Mrs.) Chen is a woman writer.
3. Mary's (brother, sister) is an actor.
4. Her (husband, wife) is a musician.
5. The baby cries when (he, she, it) is hungry.
6. The bull is (male, female).
7. The (ox, cow) gives us milk.
8. Our (cock, hen) lays an egg every day.
9. The fox has lost (his, her) tail.
10. The city is famous for (his, her) beauty.
11. England is proud of (his, her) poets (詩人).
12. The ship sank with all (his, her) crew (船員).

㈣*Fill in the blanks with suitable words:*(用適當的字填在空白裏)

1. My father's mother is my __________.
2. My mother's brother is my __________.
3. My father's sister is my __________.
4. My uncle's son or daughter is my __________.
5. My brother's son is my __________.
6. My sister is my uncle's __________.
7. Your father and mother are your __________.
8. Your brother's wife is your __________.
9. The mother of one's wife is one's __________.
10. Your father is your mother's __________.
11. The son of a king or emperor is called a (*p*)__________.
12. A very young child is called a (*b*)__________.

第四節　名詞的格(Cases of Nouns)

名詞(或代名詞)和句中其他相關之字間的關係叫做「格」，通常分爲下列三種：

1.主　格(Nominative case)
2.所有格(Possessive case)
3.受　格(Objective case)

Mary is a girl.　(瑪麗是個女孩)——主詞 *Mary* 是主格。
This is **Mary's** book.
　　(這是瑪麗的書)——*Mary's* 表示瑪麗所有的，是所有格。
I love **Mary.**　(我愛瑪麗)——及物動詞 *love* 的受詞 *Mary* 是受格。

(1)主格的用法

1. 主詞(Subject)是主格。
   John has a bicycle.　(約翰有一部腳踏車)——主詞 *John* 是主格。
2. 主詞補語(Subjective Complement)(＝主格補語)是主格。
   John is a good **boy**.
   　(約翰是個好男孩)——*boy* 是用以說明主詞 *John* 的補語，也是主格。
3. 用以稱呼的名詞是主格。
   Boys, be honest.

(孩子們，要誠實)——*Boys* 用以稱呼，是主格。

Come here, **Tom.**

(湯姆，到這兒來)——*Tom* 用以稱呼，是主格。

4. 主詞的**同格語**(Appositive)是主格。

——與其他名詞連用而具有補述作用的名詞叫做同格語。

Mr. Lin, **our English teacher,** is very kind.

(我們的英文老師林先生很和善)

——*our English teacher* 是主詞 *Mr. Lin* 的同格語，也是主格。

(2) 受格的用法

1. 及物動詞的**受詞**(Object)是受格。

Mary *likes* **John.**

(瑪麗喜歡約翰)——及物動詞 *likes* 的受詞 *John* 是受格。

She *told* the **boy** a **story.** (她講一個故事給這男孩聽)

——間接受詞 *boy* 與直接受詞 *story* 均為受格。

2. 介系詞的**受詞**是受格。

She is fond *of* **music.**

(她愛好音樂)——介系詞 *of* 的受詞 *music* 是受格。

3. 不完全及物動詞的**受詞補語**(Objective Complement)(＝受格補語)是受格。

We call the *boy* **George.** (我們叫這男孩喬治)

——*George* 是“受詞 *boy*”的補語，也屬於受格。

They elected *him* **chairman.** (他們選他為主席)

——*chairman* 是用以補充“受詞 *him*”的受格補語。

4. 受詞的**同格語**是受格。

We like *Mr. Chang*, **our new teacher.** (我們喜歡我們的新老師張先生)

——*our new teacher* 是受詞 *Mr. Chang* 的同格語，也是受格。

(3) 所有格的形成及用法

A. 生物(人和動物)的所有格

1. **單數名詞**——在字尾加 ’s (讀 apostrophe“s”)以表示所有。

單數生物名詞＋’s＝“～的”

Mary’s brother　瑪麗的兄弟
the **lady’s** hat　這位女士的帽子

James's〔ˊdʒemzɪz〕school　詹姆士的學校
a **dog's** tail　狗的尾巴
the **horse's**〔ˊhɔrsɪz〕legs　馬腿

2. 複數名詞

①複數名詞字尾有 **s** 時，只加(')即成所有格。

複數生物名詞字尾 s＋(')＝"～的"

ladies' hats　女士們用的帽子
a **girls'** middle school　一所女子中學
the **teachers'** room　教員辦公室
birds' nest(s)　鳥巢

②複數名詞字尾沒有 **s** 時，仍須加 **'s**。

複數生物名詞非 s 字尾＋'s＝"～的"

women's club　婦人俱樂部
children's toys 小孩的玩具

3.

複合名詞或字羣的所有格……最後一字字尾＋'s

my **father-in-law's** house　我的岳父的房子
the **maid-servant's** name　女僕的名字
somebody else's umbrella　其他某人的雨傘

4. 以 **and** 連結兩名詞時，所有格用法如下：

①

共同所有……最後一名詞加 's

John and Mary's *class*
(約翰和瑪麗兩人的班級)……〔同一班級〕

Bill and Betty's *father*
(比爾和貝蒂的父親)…………〔同一父親〕

②

各自所有……各加 's

John's and **Mary's** *schools*
(約翰的學校和瑪麗的學校)…………〔兩個學校〕

Mary's and **Betty's** *hats*
(瑪麗的帽子和貝蒂的帽子〕…………〔兩頂帽子〕

◆ 所有格 's 的發音 ◆

①無聲子音〔f〕〔k〕〔p〕〔θ〕＋'s 時讀〔s〕：

his **wife's** 〔waɪfs〕 letter（他太太的信）

a **month's** 〔mʌnθs〕 holidays（一個月的假期）

②有聲子音或母音＋'s 時讀〔z〕：

the **boy's** 〔bɔɪz〕 father（這男孩的父親）

③**s, x, ch, sh**＋'s 時，讀〔ɪz〕：

the **fox's** 〔ˊfɑksɪz〕 tail（狐狸的尾巴）

【註】fox's, foxes, foxes' 三字發音相同。

Charles's 〔ˊtʃɑrlzɪz〕 shoes（查理的鞋子）

B. 無生物的所有格

所有物＋of＋所有者

the cover of the book　書的封面

the principal of this school　本校的校長

【句型】

所　　有　　物		所　　有　　者	
1. The cover	of	the book	*is* broken.
2. The roof	of	the house	
3. One leg	of	the table	
4. The legs	of	my desk	*are* green.
5. The leaves	of	the tree	

	所　　有　　物		所　　有　　者
1. Tokyo is	the capital	of	Japan.
2. This is	the name	of	the man.
3. Mr. A is	the principal	of	this school.
4. Mrs. B was	a teacher	of	our school.

【例外】①　擬人化的名詞等＋('s)

Nature's law　自然的法則

Heaven's will　天意

Fortune's smile　幸運的微笑
the **world's** people　世界的人民
the **earth's** surface　地球的表面

② 表示時間、距離、重量、價格等的名詞＋'s

today's paper　今天的報紙
a day's work　一天的工作
two hours' trip　兩小時的旅行
three months' journey　三個月的旅行
a hundred yards' distance　一百碼的距離
twenty pounds' weight　二十磅重
a dollar's worth of sugar　值一元的糖

【提示】生物名詞有時也可以用 **of** 表示所有。
如：**the boy's** name＝the name **of the boy**
（這男孩的名字）
a dog's tail＝the tail **of a dog**
（狗的尾巴）

C. 所有格後面名詞的省略

1. 第二次使用同一名詞時可將其省去以避免重複。
This pen is Bill's〔*pen*〕.　（這枝鋼筆是比爾的）
Your watch is better than John's〔*watch*〕.
（你的錶比約翰的好）

2. 所有格後面的 **house**（家）, **shop**（店）, **store**（店）等字常被省略。
He is staying at his uncle's.
（他住在他伯父的家）〔*uncle's*＝*uncle's house*〕
I am going to the **barber's**〔ˈbɑrbɚz〕.
（我要去理髮）〔*barber's*＝*barber's shop* 理髮廳〕

【句型】

	所　有　格
1. This book is	**Mary's**（book）.
2. My pen is newer than	**Tom's**（pen）.
3. I saw John at his	**uncle's**（house）. **brother's**（house）.
4. He went to	the **barber's**（shop）. the **shoemaker's**（store）.（鞋店） the **dentist's**（office）.（牙醫診所）

D. 雙重所有(Double Possessive)

this, that, any, no, a, which 等字與生物所有格名詞(如 **John's, father's** 等)共同修飾一名詞時須用雙重所有。

this, that, any, a,……等 } ＋名詞＋**of**＋所有格＝雙重所有

如：
- 我父親的這枝鋼筆＝"**this** pen **of my father's**"
- *my father's this* pen〔誤〕*this* pen *of my father*〔誤〕
- *this my father's* pen〔誤〕

He is **a** friend **of my brother's.**
(他是我哥哥的一個朋友)

Any friend **of John's** is welcome.
(約翰的朋友均受歡迎)

【句型】

		所　有　格	
This *That* *A* *Any* *No* *Which*	book of	**John's** **his sister's** **Miss Lee's**	is new.(?)

—— 習 題 5 ——

(一)*Tell the case of each underlined noun:*
(指出劃底線各名詞所屬的格)

Example: John goes to school every day.
主 格

1. Bob is an American schoolboy.
2. She gave George a watch.
3. Does the teacher know those students' names?
4. Please sit down, Mr. White.
5. Desks are made of wood.
6. I called at my uncle's yesterday.

(二)*Substitution*：換字(每個空格塡一個單字)

1. the room of the principal=the _________ room
2. the room of the teachers=the _________ room
3. the names of the boys=the _________ names
4. the sons of Mr. Smith=_________ sons
5. a library for children=a _________ library
6. the tail of a fox=a _________ tail
7. the dictionary of Jones=_________ dictionary
8. the name of my brother-in-law=my _________ name
9. the people of the world=the _________ people
10. the course for next year=next _________ course

(三)*Correct the errors*：(改錯)

1. This is a girl's middle school.
2. My house is five minutes's walk from here.
3. Have you read today paper?
4. He came back to school after two months absence.
5. My cap is bigger than George.
6. This book's cover is very nice.
7. The house's roof is new.
8. Tom and Mary's shoes were stolen.
9. Mr. Brown is John's and Jane's father.
10. It's someone else pen.
11. I met a friend of my father at the shoemaker.
12. I like Tom's this bicycle very much.

第二章

代名詞

Pronouns

第一節　人稱代名詞

第二節　指示代名詞(附指示形容詞)

第三節　不定代名詞(附不定形容詞)

第四節　疑問代名詞(附疑問形容詞)

第五節　關係代名詞

代名詞是用以代替名詞的字，通常分爲下列五種：

1. 人稱代名詞(Personal Pronoun)
　　如：I, you, he, *etc.*（等）
　所有代名詞(Possessive Pronoun)
　　如：mine, yours, *etc.*
　複合人稱代名詞(Compound Personal Pronoun)
　　如：myself, yourself, himself, *etc.*
2. 指示代名詞(Demonstrative Pronoun)
　　如：this, that, *etc.*
3. 不定代名詞(Indefinite Pronoun)
　　如：one, some, all, *etc.*
4. 疑問代名詞(Interrogative Pronoun)
　　如：who, what, *etc.*
5. 關係代名詞(Relative Pronoun)
　　如：who, which, what, *etc.*

第一節　人稱代名詞(Personal Pronouns)

(1)人稱代名詞

有人稱的區別的代名詞叫做人稱代名詞。

第一人稱(First Person)——指「說話的人」，如*I, we*
第二人稱(Second Person)——「說話的對方」，如*you*
第三人稱(Third Person)——指「被說及的人或物」，如*he, she, it, they*

【提示】 一切名詞均可改爲人稱代名詞。

John (→*He*) is a student.（約翰〔他〕是個學生）

John and Mary (→*They*) are good friends.
（約翰和瑪麗〔他們〕是好朋友）

I like *Betty* (→*her*).（我喜歡貝蒂〔她〕）

I know *Tom's* (→*his*) brother.
（我認識湯姆的〔他的〕哥哥）

The house（→*It*）is very large.
（這房子〔它〕很大）

人稱代名詞的形態按照其“數”(Number)，“性”(Gender)，“格”(Case)，分類如下表：

		主　　格	所　有　格	受　　格
第一人稱	單數	I 我	my我的	me我
	複數	we我們	our我們的	us我們
第二人稱	單數	you你	your你的	you你
	複數	you你們	your你們的	you你們
第三人稱	單數	he他	his他的	him他
		she她	her她的	her她
		it牠，它	its牠(它)的	it牠，它
	複數	they 他們，她們 牠們，它們	their 他(她，牠，它)們的	them 他(她，牠，它)們

● 用法(一) ●

A.主格——用作**主詞**或**主詞補語**（主格補語）

I have a dog.

(我有一隻狗)——主詞 *I* 是主格。

Who are **they**?

(他們是誰？)——主詞 *they* 是主格。

It is **he**.

(那是他)——*he* 是用以說明主詞 *it* 的補語，是主格。

He is taller than **she**.

(他的身材比她高)——兩主詞 *he* 與 *she* 均屬於主格。

【句型】

主格(主詞)		
I / **We** / **You** / **They**	like	him.
He / **She** / **It**	likes	

		主格(主詞)
Who / What / How	is	he? / she? / it?
	are	we? / you? / they?

	主格(主詞補語)
It is / It's / He thought is was	I. / you. / he. / she. / we. / they.

【註】 口語中常以"It's *me*."(是我)代替"It's *I*."；但代名詞之後如接子句時，則非用主格不可，如：

〔正〕It is *I* who did it.(做那事的是我)
〔誤〕It is *me* who did it.

● 應注意事項 ●

1. 「我」不論在句中何處均使用**大寫字母"I"**。
2. 第三人稱單數代名詞**he, she, it**的複數都是**they**。
3. **兩主詞的比較**均用**主格**。

He is older than **I** (am). (他的年紀比我大)
He is as tall as **you** (are). (他的身材同你一樣高)
I am not so tall as **she** (is). (我沒有她那樣高)

【句型】

主格(主詞)		主格(主詞)
He	is taller than / as tall as / not so tall as	**I** (am). / **you** (are). / **she** (is). / **we** (are).

4. 兩個以上的人稱代名詞並用時，**禮貌上其次序**爲：

單數①**you**　②**he, she**　③**I**
複數①**we**　②**you**　③**they**

Mary and **I** are classmates.
(瑪麗和我是同班同學)

You, he and **I** are good friends.
(你、他和我是好朋友)

Both **we** and **they** know it.
(我們和他們都知道它)

【註】承認過失時，其次序則相反。
It was *I* and *John* that broke the window.
(窗子是我跟約翰打破的)

B. 受格——用作受詞或受詞補語(受格補語)

I *know* **him.**
(我認識他)——及物動詞 *know* 的受詞 *him* 是受格。

He is afraid *of* **me.**
(他怕我)——介系詞 *of* 的受詞 *me* 是受格。

He took *John* to be **me.**
(他誤認爲約翰是我)——*me* 是受詞 *John* 的補語，也屬於受格。

【句型】

	及物動詞或介系詞	受格(受詞)
John He is fond	*likes* *of*	**me.** (我) **you.** (你) **him.** (他) **her.** (她) **it.** (牠，它) **us.** (我們) **you.** (你們) **them.** (他們)

● 應注意事項 ●

1. 主要的受詞有兩種 ①及物動詞＋受詞　②介系詞＋受詞

句中如有**及物動詞**或**介系詞**，則必有其受詞。受詞或受詞補語的格是受格。非受詞或受詞補語者不可能爲受格。

【句型】

	(不完全及物動詞)	受詞(受格)	
He'll	*let* (讓) *make*(使)	**me** **you** **him** **her** **it** **us** **them**	go.

	介系詞	受詞(受格)
He'll go	*with*	**me.**
She is	*behind*	**you.**
This is	*for*	**him.**
He sent flowers	*to*	**her.**
No one was absent	*except* *but*	**it.** **us.** **them.**

2. 補語的格須和有關的名詞或代名詞的格一致。

It is *she* that is wrong. (是她錯)

——主詞 *It* 和主詞補語 *she* 的格一致。

I thought (that) *it* was *he.* (我以爲那是他)

——主詞 *it* 和主詞補語 *he* 的格一致。

I thought *it* to be *him.* (我以爲那是他)

——受詞 *it* 和受詞補語 *him* 的格一致。

They took *him* to be *me.* (他們誤認爲他是我)

——受詞 *him* 和受詞補語 *me* 的格一致。

He was taken to be *I.* (他被誤認爲是我)

——主詞 *He* 和主詞補語 *I* 的格一致。

【句型】

	受詞		受詞補語(受格)
He thought	*it*	to be	**me.** **you.**
They took	*my cousin*		**him.** **her.**

C.**所有格**(＝所有形容詞)——用以**修飾其後面的名詞**

This is **my** *pencil.* (這是我的鉛筆)

Thank you for **your** *coming.* (謝謝你的光臨)

【句型】

	所有格(所有形容詞)	名　　詞
This is	**my** (我的) **your** (你的) **his** (他的) **her** (她的) **its** (牠，它的) **our** (我們的) **your** (你們的) **their** (他們的)	*pen.* *book.*

● 應注意事項 ●

1. **its**＝牠(它)的　　**it's**＝**it is** 牠(它)是
2. ①人稱代名詞的所有格(my, your……等)有形容詞的作用，故亦稱**所有形容詞**。

   ②人稱代名詞的**所有格**(＝所有形容詞)**後面必須接名詞**。

   所有形容詞＋名詞

   〔誤〕These books are *my.*
   〔正〕These are **my** *books.* (這些是我的書)

—— 習 題 6 ——

(一)*Fill in the blanks with the correct possessive form of the personal pronoun corresponding with the words in italics*:

(試填與斜體字相符的所有格人稱代名詞)

Example: *John* likes his bicycle.

1. *I* put ______ book on the desk.
2. *We* study ______ lessons every day.
3. *You* write many words in ______ notebook.
4. *The girl* likes ______ class.
5. *John and Mary* like ______ school.
6. *Mrs. Green* is driving ______ car.

7. *The Greens* are in ______ car.
8. *The baby* has a toy in ______ hand.

(二)*Change the words in italics to pronouns*:
(將斜體字改爲代名詞)

Ex. John likes *Mary*, (*He, her*)

1. *Mary* likes *John.*
2. *You and I* are good friends.
3. *Mary and I* like *Miss Brown.*
4. *Miss Brown* is talking to *Mary and me.*
5. *Mr. Smith* knows *Bob and his brother.*
6. I know *you and your brother.*
7. *Mary and her sister* went to Kaoshiung (高雄).
8. *Their uncle* is an English teacher.
9. *My mother* showed *the pictures* to *John's aunt.*
10. *Our car* is new.
11. *Mr. and Mrs. White* love *their children.*
12. *The Johnsons* enjoyed *the movie* very much.

(三)*Change the words in italics to the plural*:(將斜體字改爲複數)

Ex. I am here.→ *We are* here.

1. This is *my* school.
2. *He* gave *me* some books.
3. Do *you* know *him*?
4. *She* likes *her* teacher.
5. I have *it.*

(四)*Choose the right words*:(選擇題)

1. I often go to the movies with (she, her).
2. I bought it for you and (she, her).
3. She is sitting behind (I, me).
4. John is standing between you and (I, me).
5. No one was absent except (he, him).
6. I like (he, him) very much.
7. I want you and (they, them) to do it.
8. Both (he, him) and (I, me) are students.
9. I know both (she, her) and (she, her) brother.
10. They know (we, us) Chinese well.

11. Let (we, us) go.
12. Let (I, me) see (they, them) do it.
13. His father would not let (he, him) go.
14. I will make (they, them) go.
15. Who is (she, her)?
16. One of (we, our, us) has to go.
17. Where is (they, their, them) school?
18. Thank you for (you, your) letter.
19. I insist on (he, his, him) doing it.
20. You are stronger than (he, him).
21. He can run as fast as (I, my, me).
22. He is not so tall as (I, my, me).
23. I have never seen such a man as (he, him).
24. It was (he, him) that broke the window.
25. I am sure it was (they, them).
26. We thought it to be (he, him).
27. They took (I, me) to be (she, her).
28. If I were (he, him), I would not go.
29. (Its, It's) a blue bird. (It, Its, It's) wings are broken.
30. Do you like this book? Yes, I like (one, it, its).

(五)*Correct the errors*：(改錯)

1. I am older than her.
2. I and John are schoolmates.
3. Nobody was there but I.
4. Can it be him that has taken my pen?
5. Do you think him is honest?
6. I thought it to be she.
7. It is you that is dishonest.

● 用法(二) ●

A. It 的用法

1. 指已提過的特定的事物、動物、或嬰孩：

Where is { **the book**? 書 / **the dog**? 狗 / **the baby**? 嬰兒 } 在那裏？

It is in the room. (它〔牠，他〕在室內)

〔比較〕 { Have you *a knife*? (你有小刀嗎？)
Yes, I have *one*. (有的，我有一把)

【提示】 **one＝a＋名詞** **it＝the＋名詞**

2. 用以代表談論中的人或事物，亦可含糊地代表某人或某事：

Who is *that*? **It**'s John. (那是誰呀？〔那〕是約翰)
That's **it.** (＝That's *the point*) (對了；就是啦)

3. 用以代替前面的片語或子句：

He tried *to be happy*, but found **it** impossible.
(他雖曾設法快樂，但發覺那是不可能的)
He says *that Tom is honest*, but I don't believe it.
(他說湯姆是誠實的，可是我不相信它)

4. 「**塡補詞It**」作「**形式主詞**」(Formal Subject)(亦稱**假主詞**)以代替後述之**眞主詞**(通常爲動名詞，不定詞，名詞子句)；或作「**形式受詞**」(Formal Object)(亦稱**假受詞**)以代替後述之**眞受詞**：

{ **It** is no use *crying*. (＝*Crying* is no use.)
(哭是無濟於事的)
——*It* 是假主詞，用以代替後述的眞主詞 *crying*

{ **It** is wrong *to tell a lie*.
＝*To tell a lie* is wrong.
(說謊是不該的)——假主詞 *It*＝*to tell a lie*

I make **it** a rule *to get up early*.
(我慣常早起)——假受詞 *it*＝*to get up early*

{ **It** is certain *that he came here*.
＝*That he came here is certain*.
(他確實來過這裏)——假主詞 *It*＝*that he came here*
I think **it** is certain *that he came here*.
(我想他確實來過這裏)——假受詞 *it*＝*that he came here*

5. 用以**加强語氣**： **It……that** (*or* **who, which**)

{ You are wrong. (你錯了)
It is *you* **that** 〔or **who**〕 are wrong.
(錯的是你)——强調"你"

He came here yesterday. （昨天他來過這裏）
It was *he* **that** 〔*or* **who**〕 came here yesterday.
（昨天來這裏的就是他）——强調"他"
It was *yesterday* **that** he came here.
（他來這裏是昨天的事）——强調"昨天"

【句型】

It is	主 格	子 句
It is	**I** **you** **he** **we** **they**	that *am* that *are* that *is* that *are* that *are* (who) } wrong.

6. 用以表示季節、天氣、時間、距離等：
It is autumn now. （現在是秋天）
It is fine today. （今天天氣好）
It is hot. （天氣熱）
It is raining. （天在下雨）
It blows hard. （刮大風）
It is half past nine. （是九點半）
It is ten miles from here. （離這裏有十哩路）

B. We, You, They 等的總稱用法

1. "we", "you"可用作「人」，「大家」：
We should respect the teachers.
＝**One** should respect the teachers.
（大家應該尊敬老師）
Work while **you** work.
（工作的時候〔大家〕工作）

2. "**they**"可用作「有關的人」，「人們」(＝people)：
They say (that) he is very rich.
＝*People say* (that) he is very rich.
＝*It is said* that he is very rich.
（據說他很有錢）
They speak English in America.
（在美國，他們講英語＝美國人講英語）

3. **He who……＝A man who……(～的人)**

He who works hard will succeed.
＝**A man who** works hard will succeed.
(努力工作者將獲成功)

—— 習 題 7 ——

(一)*Rewrite the following sentences. Begin each sentence with "it"*：
(將下列各句改寫為以 it 領頭的句子)

Ex. To speak English is easy.→It is easy to speak English .

1. Talking like that is foolish.
2. To learn a new language is interesting.
3. To serve the country is our duty.
4. To understand what he said was difficult.
5. To study hard is necessary for us.
6. To have some friends is good for you.
7. That he was here is true.
8. That they would fail was certain.

(二)*Translation*：翻譯(每個空格填一單字)

1. 現在幾點鐘？ What ______ is ______ now?
2. 明天天會晴嗎？ Will ______ be fine tomorrow?
3. 寫信給我們的就是她。
______ was ______ that wrote letter to ______.
4. 地球是圓的，這是確實的。
______ is certain ______ the earth is round.
5. 他這樣做是很聰明的。
______ is very wise of him ______ do so.
6. 據說他會說德語。
______ say ______ can speak German.
7. 據說他非常富有。
______ is said ______ she is very rich.

(三)*Substitution*：換字(每個空格填一個單字)

1. These houses belong to them.
＝These are ______ houses.

2. I am sure that you will succeed.
　=I am sure of ______ success.
3. What is the distance?
　=How far is ______?
4. He seems to be rich.
　=______ seems ______ he is rich.
5. ______rained a lot here last summer.
　=______had a lot of rain last summer.
6. One should obey one's parents.
　=We should obey ______ parents.
7. English is spoken in the United States.
　=______ speak English in the United States.

(2) 所有代名詞 (*Possessive Pronouns*)

所有代名詞是「人稱代名詞所有格」(即所有形容詞)的變形，用作代名詞以表示「所有物」。其形態如下：

mine	我的(東西)	**ours**	我們的(東西)
yours	你的(東西)	**yours**	你們的(東西)
his	他的 (東西)		
hers	她的 (東西)	**theirs**	他們的(東西)
its	牠〔它〕的 (東西)		

【提示】 除 *mine* 及原字尾爲 *s* 者(如 *his, its*)外，其餘「所有代名詞」均以所有形容詞(如 *your, our,*……等)字尾加 *s* 而成。

● 用　　法 ●

1. ①所有代名詞用以代替「人稱代名詞所有格(所有形容詞)+名詞」以避免重複。

所有代名詞＝{ 人稱代名詞所有格 (所有形容詞) } ＋名詞

mine ＝ my＋名詞　　**ours ＝ our**＋名詞
his ＝ his＋名詞　　**yours ＝ your**＋名詞
hers ＝ her＋名詞　　**theirs ＝ their**＋名詞
its ＝ its＋名詞

②所有代名詞後面不可接名詞。

This pen is **mine** (=*my pen*).

(這枝鋼筆是我的)

〔誤〕This pen is *my*. 〔正〕This is my pen.

〔誤〕This is *mine pen*.

His hat is old, but **hers** (=*her hat*) is new.

(他的帽子是舊的,但她的是新的。)

My shoes are newer than **yours** (=*your shoes*).

(我的鞋子比你的鞋子新)

〔誤〕My shoes are newer than *you*.

(我的鞋子比你新)……不合理

2. ①所有代名詞**單複數同形**。

This book is **mine** (=*my book*).〔單數〕

(這本書是我的)

These books are **mine** (=*my books*).〔複數〕

(這些書是我的)

Ours { *is* / *are* } as good as **theirs.**

(我們的跟他們的一樣好)

②所有代名詞的**主格和受格同形**。

Yours is 〔*or* are〕 better than **ours.**

(你〔們〕的比我們的好)——*yours* 與 *ours* 均為主格。

I like **yours.**

(我喜歡你〔們〕的)——*like* 的受詞 *yours* 是受格。

【句型】

	所有代名詞
This is not These are Which is He likes	**mine.**(?) **yours.**(?) **his.**(?) **hers.**(?) **its.**(?) **ours.**(?) **theirs.**(?)

3. **雙重所有(Double Possessive)**

my, your……等所有形容詞不可以和 *a, this, that, these, those, any, some, no, which* 等形容詞一起修飾同一名詞,而應該用雙重所有「**of+所有代名詞**」的形式以代替所有形容詞。

a, any, some, no, this, that, these, those, which等	＋名詞＋of＋所有代名詞（mine等）

〔正〕I met **a** friend **of mine.**
（我遇到一個我的朋友）
〔誤〕I met *a my* friend.
〔誤〕I met a friend of *me.*

〔正〕I don't know **that** brother **of hers.**
（我不認識她的那個兄弟）
〔誤〕I don't know that brother of *her.*
〔誤〕I don't know *her that* brother.

〔正〕I like **those** books **of his.**
（我喜歡他的那些書）
〔誤〕I like those books of *him.*
〔誤〕I like *his those* books.

〔正〕This is **no** business **of yours.**
（這不關你的事）
〔誤〕This is no business of *you.*
〔誤〕This is *no your* business.

【句型】

		所有代名詞	
A / *No* / *Any* / *This* / *That* / *Which*	friend		
	of	**mine** / **yours** / **his** / **hers** / **its** / **ours** / **theirs**	went there.(?)
These / *Those* / *Some*	friend		

—— 習　題　8 ——

(一)*Change the words in italics to possessive pronouns*：
（將斜體字改爲所有代名詞）
Ex. This is *my book.* (*mine*)

1. These pencils are *my pencils*.
2. Those books are *our books*.
3. Is this *your pen*?
4. That office is *his office*.
5. *Her hat* is here.
6. This is not *their car*.

(二)*Choose the correct words*：(選擇正確的字)

1. Is that (our, ours, our's)?
2. It's not (me, my, mine), it's my brother's.
3. His watch is as nice as (you, your, yours).
4. My hair is black; (she, her, hers) is brown.
5. Our school stands on the hill, and (they, their, theirs) is by the sea.
6. It belongs to (he, his, him).
7. Any friend of (him, his, her) is welcome.
8. This composition of (her, hers, her's) is very good.

(三)*Correct the mistakes*：(改錯)

1. What is my is your.
2. Their team is stronger than our.
3. He is mine friend, faithful and just to me.
4. This doesn't look like hers book. It must be his.
5. I saw a cousin of you in the street this morning.
6. This is no business of them.
7. I don't like his those friends.
8. Where did she buy her that pen?

(四)*Substitution*：換字(每個空格填一個單字)

1. This land belongs to us.
   =This is ______ land. =This land is ______.
2. That nest does not belong to it.
   =That is not ______ nest. =That nest is not ______.
3. Do these houses belong to them?
   =Are these ______ houses? =Are these houses______?
4. Is that your bag or her bag?
   =Is that bag ______ or ______?
5. His school is not so large as ______.
   =My school is larger than ______.

(3) 複合人稱代名詞
(Compound Personal Pronouns)

「人稱代名詞＋self(或 selves)」的形式叫做複合人稱代名詞。其形態如下：

人　　稱	數	主格・受格		所　有　格	
第一人稱	單	**myself**	我自己	**my own**	我自己的
	複	**ourselves**	我們自己	**our own**	我們自己的
第二人稱	單	**yourself**	你自己	**your own**	你自己的
	複	**yourselves**	你們自己	**your own**	你們自己的
第三人稱	單	**himself**	他自己	**his own**	他自己的
		herself	她自己	**her own**	她自己的
		itself	它(牠)自己	**its own**	它(牠)自己的
	複	**themselves**	他(她，它，牠)們自己	**their own**	他(她，它，牠)們自己的
不定形		**oneself**	(一個)人自己	**one's own**	(一個)人自己的

【提示】
1. ①～**self**……單數　　～**selves**……複數
②第一，二人稱……{ *my, your* (所有格)＋**self** ; *our, your* (所有格)＋**selves** }
③第三人稱……{ *him, her, it* (受格)＋**self** ; *them* (受格)＋**selves** }

2. 複合人稱代名詞本身沒有所有格，而以「人稱代名詞所有格＋**own**」代之

●用　　法●

1. 反身用法：

主詞與受詞爲同一人時，受詞須用複合人稱代名詞。
〔用於反身用法的複合人稱代名詞叫做**反身代名詞**〕

The man hurt **himself.** 〔反身用法〕
(這個人傷了他自己)——傷害者與被傷害者爲同一人

The man hurt **him.**
(這個人傷了他)——甲傷了乙

You must take care of **yourself.**
(你必須自己保重)

【句型】

主　詞		反身代名詞(受詞)
I	know	**myself.**
You	love	**yourself.**
He	killed	**himself.**
She	spoke to	**herself.**
History	repeats(重演)	**itself.**
We	enjoyed	**ourselves.**
You	help	**yourselves.**
They	praise(稱讚)	**themselves.**
One	must know	**oneself.**

2. 加重語氣用法：

複合人稱代名詞用以加强主詞、受詞或補語的語意。

{ *I* **myself** did it.
{ ＝*I* did it **myself.** （我親自做的）

I saw *the man* **himself.** （我看到他本人）

It was *the queen* **herself.** （是女王自己）

3. 所有格的用法：

複合人稱代名詞用“*one's own*～”以表示所有。

I saw it with **my own** eyes. （我親眼看到的）。

{〔正〕I have **my own** house. （我有自己的房子）。
{〔誤〕I have *myself's* house.

【提示】 “*one's own*～”形的語勢，通常較一般所有格爲强。
如“*my own house*”的語勢就比“*my house*”强。

◇慣　用　語◇

by oneself (＝alone) 獨自

She went there **by herself.** （她獨自去那裡）

for oneself 獨立，自立，爲自己

He did it **for himself.**

（①他獨自做它 ②他爲自己做那事）

***beside oneself** 神經錯亂

They were **beside themselves** in joy.

enjoy oneself 過得快樂(有趣)

Did you **enjoy yourselves** yesterday?
(=Did you **have a good time** yesterday?)
(你們昨天玩得痛快嗎？)

make oneself at home　不受拘束，不客氣

Make yourself at home, please.　(請不要客氣)

help oneself to　自取～吃(喝)

Help yourself to the fruit.　(自取水果吃吧)

● 應注意事項 ●

1. 反身代名詞的人稱、數與性，須和相關的主詞一致。

〔正〕*My brother* did it for **himself.**　(我弟弟獨自做那事)
〔誤〕*My brother* did it for *itself.*

〔正〕*One* should know **oneself.**　(人應了解自己)
〔誤〕*One* should know *himself.*

2. 複合人稱代名詞不宜單獨用作主詞。

〔正〕He *himself* said it.　(他自己說的)
〔誤〕*Himself* said it.

3. 複合人稱代名詞所有格與 *a, this, that, some, any, no* 等形容詞共同修飾一名詞時，須用雙重所有格"*of+one's own*"的形式。

a, this, that, these, those, no, some, any等	＋名詞＋**of one's own**

〔正〕He has **a** house **of his own.**　(他有一所自己的房子)
〔誤〕He has *a his own* house.

〔正〕We haven't **any** ship **of our own.**
(我們沒有一隻自己的船)
〔誤〕We haven't *any our own* ship.

【句型】

			所　有　格	
It there	*a* / *any* / *no*	car of	**my** / **your** / **his** / **her** / **its** / **our** / **their** / **one's**	**own.**(?)
There are	*some*	cars of		

習 題 9

(一)*Translation*：翻譯(每個空格填一個單字)

1. 我看了鏡子裏的自己。
   I looked at ______ in the looking-glass.
2. 我們都很快樂。We enjoyed ______ very much.
3. 請你不要客氣。Make ______ at home, please.
4. 請你們自取餅吃。Help ______ to the cake, please.
5. 這個人自言自語。The man spoke to ______.
6. 布朗小姐喜歡穿白衣。
   Miss Brown likes to dress ______ in white.
7. 我遇見了英雄本人。I met the hero ______.
8. 這條狗看到牠自己在水中。The dog saw ______ in the water.
9. 人不應該稱讚自己。One should not praise ______.
10. 天助自助者。Heaven helps those who help ______.
11. 別管閑事，注意你自己的事吧。Mind ______ ______business.
12. 我沒有自己的汽車。I have no car of ______ ______.

(二)*Substitution*：換字(每個空格填一個單字)

1. Mary came alone.＝Mary came by ______.
2. He is selfish.＝He cares too much for ______.
3. The girls had a good time.＝The girls enjoyed ______.
4. Did you have a good time, children?
   ＝Did you enjoy ______, children?

(三)*Correct the errors*：(改錯)

1. Myself saw it.
2. We have to do it all by us.
3. You must look after yourself, boys.
4. The poor woman killled itself.
5. History repeats herself.
6. One should know himself.
7. They only love theirselves.
8. We should love ourselve's country.
9. She does not have any money of herself's.
10. Each of them has a his own camera.

第二節 指示代名詞(附指示形容詞)

指明一定的人或事物的代名詞叫做指示代名詞。指示代名詞後面如接名詞，則變成指示形容詞。

(1) *This, That, These, Those*

this	這個(單數)	**that**	那個(單數)
these	這些(複數)	**those**	那些(複數)

This is / **These** are } mine, and { **that** is / **those** are } yours.〔代名詞〕

{這是 / 這些是} 我的，{那是 / 那些是} 你(們)的。

This book is ours.〔形容詞〕

(這本書是我們的)——*This* 是形容詞，用以修飾 *book*。

【提示】 ①*this* (*these*) 指近者，*that* (*those*) 指遠者。
②用作指示代名詞或指示形容詞的 *that* 要發重音〔ðæt〕。

He will be here **this** Saturday.

(本星期六他將來此地)

I have lived here **these** five years.

(這五年來我一直住在這裏)

【提示】 *this*, *that*, *these*, *those* 等亦可用以表時間，如：

this week	本週	**this** morning	今晨
this month	本月	**this** afternoon	今天下午
this summer	今年夏季	**this** evening	今晚
this year	今年	**this** time	這時，這一次
***this** day week	上星期〔或下星期〕的今天		
that day	那一天	**that** night	那天晚上
these days	這幾天	**these** years	這幾年
*in **these** days	現今	in **those** days	那時，當時

● 其他用法 ●

1. "**this**"和"**that**"可用以代替前面所提過的語句。

I did not go. **This** (＝*I did not go*) made him very angry.

(我沒有去。這使他非常生氣)

He is selfish. **That** (=*He is selfish*) is why I don't like him.
(他自私。那就是我之所以不喜歡他的原因)

*He makes mistakes, **and that** (=*and he makes mistakes*) very often.
(他犯錯誤，且常犯)

2. "**that**"和"**those**"可用以代替前面所提到的名詞以避免重複。

His *taste* is quite different from **that** of his brother.
(他的嗜好完全和他兄弟的嗜好不同)〔*that*=*the taste*〕

The colors of the American flag are the same as **those** of the Chinese flag.
(美國國旗的顏色和中國國旗的一樣)〔*those*=*the colors*〕

*3. **this**=the latter (後者)；**that**=the former (前者)

Health is above *wealth*; for **this** (=wealth) cannot give so much happiness as **that** (=health).
(健康勝於財富；因爲後者能帶給人們的幸福，不如前者之多)

4. **those who～=people who～** (～的人們)

Those who are idle will not succeed.
(懶惰的人不會成功)

Heaven helps **those** who help themselves.
(天助自助者)

◇ 慣用語句 ◇

That's right. (對了)　**That's** it. (就是啦；對了)

That's all. (完了；完畢)　***That** is to say. (就是說；即)

That'll (=That will) do. (那樣行〔可以；夠〕了)

"Who is **this**, please?" (請問你是那一位啊？)
"**This** is John Brown speaking." (是約翰・布朗)
——電話中的對話

***at this**　一聽到〔或見到〕這個

with this 〔*or* **that**〕　這樣說著；於是

***for all this** 〔*or* **that**〕　儘管如此

(2) Such(如此)

Such *was* the case. (情形是這樣)——〔*Such* 爲代名詞〕

Such *are* the results.（結果如此）——〔同上〕

I don't like **such** { *a man.*（單數） / *men.*（複數） }

（我不喜歡那樣的人）——〔*such* 爲形容詞〕

such～as（＝like）像～那樣的～

I have never seen **such** a man **as** *he* (is).
＝I have never seen a man *like him.*
（我從未見過像他那樣的人）

such as（＝like, for example）諸如

Languages coming from Latin, **such as** French, Italian, and Spanish, are spoken there.
（當地所講的是源於拉丁文的語言，諸如法語、意語、和西班牙語等）

such～that（＝so～that）如此～以致

〔表結果〕

She was **such** a kind *girl* **that** everybody liked her.
（她是如此和藹的一個女孩，以致人人喜歡她）

〔比較〕 She was *so* kind *that* everybody liked her.
（她是如此的和藹，以致人人喜歡她）

【提示】

such＋名詞＋that ＝**so＋** { 形容詞 / 副　詞 } **＋that**

(3) Same（相同）

"I wish you a Happy New Year." "**The same** to you."
（「祝你新年快樂。」——「同樣祝福你」）——*same* 是代名詞。

We go to **the same** school.
（我們上同一學校）——*same* 是形容詞。

the same as　與～相同

This is **the same as** that.〔代名詞〕
（這個和那個相同）

I want to buy **the same** book **as** yours.〔形容詞〕
(我想買一本和你的一樣的書)

【提示】 *same* 前面須加定冠詞 *the*。

* **the same～that** (＋主詞＋動詞) 與～同一的；就是那個

〔比較〕 This is *the same* book *as* I bought yesterday.
(這本書和我昨天買的一樣)〔同種類的〕
This is *the same* book *that* I lost yesterday.
(這是昨天我遺失的那本書)〔同一的〕

(4) So(如此)

I think **so**. (我以爲如此)
Is that **so**? (是這樣嗎？)

"Are you an American?"
(你是美國人嗎？)
"So *I am.*" (＝Yes, I am.)
(是的，我是美國人)

He is an Englishman.
(他是個英國人)
So *am I.* (＝I am too.)
(我也是)

【提示】 **so＋動詞＋主詞＝"～亦復如此"** (簡略附和句)

I was too.＝**So** *was I.*
He does too.＝**So** *does he.*
They did too.＝**So** *did they.*
She will too.＝**So** *will she.*

A: He likes it. B: **So** *do I.*
(A：他喜歡它。B：我也喜歡它)
A: I knew it. B: **So** *did I.*
(A：我知道那個。B：我也知道)
John was a good student,and **so** *was Bill.*
(約翰過去是個好學生，比爾也是)
He must do it. **So** *must you.*
(他必須做那個。你〔們〕也必須做)

【提示】 使用「簡略附和句」(如上述諸例)時，須注意前後兩句動詞時態的一致。

—— 習　題　10 ——

(一)*Choose the correct words*：(選擇題)

1. (This, These) Chinese are very wise.
2. Our cat caught (that, those) mice.
3. He has been ill in bed (this, these) three days.
4. (These, Those) who are rich live in large houses.
5. The climate of Kaohsiung is different from (this, that, these, those) of Taipei.
6. The ears of a donkey(驢) are longer than (this, that, these, those) of a horse.
7. I don't like (such, a such, such a) boy.
8. Is this (same as, the same as, the same to) that?
9. He went to Tainan, and so (did I, I did, went I).
10. She can speak French, and so (he can, can he, he is).

(二)*Translation*：(翻譯題)

1. 今年夏天雨下得太多。

   We had too much rain ______ ______.
2. 在這幾天內他們會來拜訪你。

   They will call on you one of ______ days.
3. 那時，人們慣於住在洞穴裏。

   In ______ days people used to live in caves.
4. 錶的價格比鋼筆貴。

   The price of a watch is higher than ______ of a pen.
5. 富人們的房屋比窮人的房屋大。

   The houses of the rich are larger than ______ of the poor.
6. 工作和睡眠兩者對健康都是必要的，後者給我們休息，前者給我們活力。

   Work and sleep are both necessary to health, ______ gives us rest, and ______ gives us energy.
7. 這些鉛筆和我的一樣。

   ______ ______ are ______ same ______ mine.

8. 這把小刀就是我失去的那一把。

This is ______ same knife ______ I have lost.

9. 像愛迪生那樣的發明家很少。

______ inventors ______ Edison are rare〔rɛr〕.

10. 他是這樣誠實的一個人，以致於我們都信任他。

He is ______ ______ honest man ______ we all trust him.

第三節　不定代名詞(附不定形容詞)

沒有確定地指某人或某物的代名詞叫做不定代名詞。不定代名詞後面如接名詞，則變成不定形容詞。

(1) *Some* 與 *Any*

some（一些）……通常用於肯定句 **any**（任何，一些）……通常用於疑問句、否定句、或條件句

Some 與 **any** 可用以代替**複數名詞**以表示「**數**」，亦可用以代替**不可數名詞**以表示「**量**」。

(a)表數者：

some（一些）(＝**some**＋**複數名詞**) **any**　（一些）(＝**any**＋**複數名詞**)	}＋**複數動詞**（**are** 等）

I want **some** new *books.*

　　(我要一些新書)——*some* 爲形容詞

Are there **any**（＝*any new books*)?　〔疑問句〕

　　(有一些嗎？)——*any* 爲代名詞

Yes, there are **some**（*new books*).　〔肯定句〕

　　(是的，有一些)——*some* 爲代名詞。

No, there are not **any**（*new books*).　〔否定句〕

　　(不，一本也沒有)——*any* 爲代名詞

Some of the books　(有些書)
Some of them　(它們中的一些)　} *are* mine.

　　——*some*(複數代名詞)＋複數動詞 *are*

【句型】

some	複數名詞	複數動詞	
Some	{ girls / children / people }	{ *are* / *were* }	happy.

（複數動詞）	any	複數名詞
Are / *Were* } there / Do you have	**any**	{ apples? / boxes? / photos?

（複數動詞）	any	複數名詞
There { *aren't* / *weren't* / I didn't see	**any**	{ women. / ladies. / wives.

(b)表量者：

some（一些）(＝**some**＋不可數名詞) / **any**（一些）(＝**any**＋不可數名詞) } ＋單數動詞（**is** 等）

I want **some** *food.*　（我要一些食物）
Is there **any**（＝*any food*)?（有一些嗎？）　〔疑問句〕
Yes, there is **some** *food.*　（是的，有一些）　〔肯定句〕
No, there is not **any** *food.*　〔否定句〕
（＝No, there is no food.）（不，一點也沒有）

If there is **any**, please give me **some.**　〔條件句〕
　　（假如有的話，請給我一些）

Some of his money（他的一些錢）
Some of it　（它的一些）　} *is* here.
　　——不可數代名詞 *some*＋單數動詞 *is*

【句型】

（單數動詞）	some	不可數名詞
There { *is* / *was* / I want	**some**	{ ink 〔chalk, paper, milk, tea, *etc.*〕

(單數動詞)	any	不可數名詞
Is / *Was* } there } / Do you want	**any**	{ food? / bread? / sugar?

(單數動詞)	any	不可數名詞
There { *isn't* / *wasn't* } / I don't have	**any**	{ money. / wine. / time.

● 其他用法 ●

1. "**any**"可在**疑問句**或**否定句**中,用作「**任一,任何**」而接**單數名詞**。

   Have you **any** *question*?

   (有什麼疑問沒有?)……〔疑問句〕

   He has never read **any** *book*. (never=not ever)

   (他從未讀過任何一本書)……〔否定句〕

2. "**any**"用於**肯定句**時作「**任何**」解而接**單數名詞**。

   Any *colo(u)r* will do. (任何顏色都可以)

   Any *boy* can do that. (任何一個男孩都能做那個)

   You may come (at) **any** time.

   (任何時間你都可以來)——*time* 是不可數名詞

3. "**some**"有時可用作「**某一**」而接**單數名詞**。

   He went to **some** *place* in Africa. 〔'æfrikə〕

   (他往非洲某地)

   I'll come again **some** *day* next week.

   (下星期某一天我會再來)

4. 表示**請求**、**勸誘**、或期望著肯定的回答的問句,用 **some** 代替 **any**。

   { *Will you* give me **some** bread?
   (=Please give me some bread.)
   (請你給我一些麵包好嗎?)

   Won't you have **some** tea? (你不喝一點茶嗎?)

   { Do you have **some** paper?
   (=You have some paper, don't you?)
   (你是不是有一些紙?)

5. "**some**"或"**any**"和 **-thing, -body, -one, -where** 等結合的 something (某事物), anything (任何事物), somebody (某人), anybody (任何人), someone (某人), anyone (任何人), somewhere (某處), anywhere (任何地方)等字，在肯定句、否定句、疑問句、條件句中的用法，大致和 **some** 與 **any** 的用法相同。

I want **something** to eat. (我要一點吃的東西)
Will you give me **something** to drink?
(請你給我一點飲料好嗎？)
Is there **anybody** at home? (有人在家嗎？)
There isn't **anyone** in the house. (屋裏沒有人)

6. **~body, ~one, ~thing＋單數動詞 (is 等)**

Somebody (＝**Someone**) *is* knocking at the door.
(有人在敲門)
Something *is* wrong with the car. (這車有點毛病)

{ There *was* **not anything** in the box.
≒There *was* **nothing** in the box. (盒子裏什麼都沒有)

【提示】 { **nobody** (無一人), **no one** (無一人) / **nothing** (無一物), **everything** (一切事物) / **everybody** (每個人), **everyone** (每個人) } *is* here. (在這裏)

7. **~body, ~one, ~thing＋形容詞**

修飾 *somebody, anything*……等字的形容詞須放在被修飾的字後面。
Is there **anything** *new*? (有什麼新奇的事嗎？)
There is **something** *wrong*. (有一點毛病)
Is **anybody** *else* going? (另外有人要去嗎？)
I have **nothing** *else* to give you.
(我沒有別的東西可以給你)

【句型】

some~, no~, every~	單數動詞	
Somebody 〔someone, something〕 **Nobody** 〔no one, nothing〕 **Everybody** 〔everyone, everything〕	{ *is* / *was* }	there.

(單數動詞)	any～	
Is there Do you know	**anybody** **anyone** **anything**	else?

not	any～
There *is* not I didn't see Don't send	**anybody.** **anyone.** **anything.**

── 習 題 11 ──

(一)*Choose the correct words*：(選擇對的字)

1. There are (some, any) people in the office.
2. There are not (some, any) apples on the tree.
3. I want to buy (some, any) English books. Are there (some, any) good ones?
4. I don't want (some, any) more, thank you.
5. I must have (some, any) ink, or I can't write (something, anything).
6. We haven't (some, any) time to call on him.
7. If you have (some, any) questions, ask me now.
8. (Some, Any) teachers don't know my name.
9. It cannot be of (some, any) help.
10. He never makes (some, any) mistakes in grammar.
11. There is hardly (some, any) money in the house.
12. Will you lend me (some, any) money?
13. If you haven't (some, any) money, I'll lend you (some, any).
14. Won't you have (some, any) coffee?
15. May I call on you (some, any) day? Yes, please come at (some, any) time.
16. Did you go(somewhere, anywhere) yesterday?
17. Don't give him (something, anything).

18. I don't think there is (someone, anyone) here who can speak French.
19. There (is, are) some paper in the box.
20. Give them some (food, foods).
21. Some of their money (was, were) stolen.
22. Some of them (is, are) absent.
23. Somebody (is, are) knocking at the door.
24. Someone (was, were) in the room.
25. (Have, Has) anybody come to see us?
26. (Is, Are) there anything for me?
27. There (is, are) nothing left.
28. Nobody (know, knows) his address.
29. Do you know (anybody else, else anybody)?
30. Tell me (something interesting, interesting something).

(二)換字(每個空格填一個單字)

1. He has no friend.= He hasn't ______ friend.
2. I know nothing about it. =I don't know ______ about it.
3. I saw nobody there. =I did ______ see ______ there.
4. She no longer (不再) lives here.
=She does ______ live here ______ longer.
5. You have some money, don't you?
=Do you have ______ money?

(2) One 與 Ones

單　數　**one**	複　數　**ones**
所有格　**one's**	複合形　**oneself**

1. 用以避免重複：**one=a十單數普通名詞**

Have you **a knife**? (你有小刀嗎？)

Yes, I have **one** (=a knife). (有的，我有一把)
〔誤〕Yes, I have *it*.
Yes, I have some sharp **ones** (=knives).
(有的，我有幾把銳利的小刀)

〔比較〕 When did you buy *the knife*?
(你什麼時候買了那一把小刀?)
I bought *it* (=the knife) yesterday.
(昨天買的)

She has three flowers; a red **one** (=flower) and two white **ones** (= flowers)

(他有三朵花,一朵紅的,兩朵白的)

【提示】 **one** 不能代替不可數名詞。

〔誤〕Do you like *wine*? No, I don't like *one*.
〔正〕Do you like *wine*? No, I don't like **it**.
(你喜歡酒嗎?不,我不喜歡它)

〔誤〕If you want *coffee*, I can give you *one*.
〔正〕If you want *coffee*, I can give you **that**.
(假如你要咖啡的話,我可以給你咖啡)

2. **One** 可用作「人」,「任何人」〔不定用法〕

〔正〕**One** should keep **one's** word. (人應守信)
〔誤〕One should keep *his* word.

〔正〕**One** must know **oneself.** (人必須知道自己)
〔誤〕One must know *himself*.

【提示】 *one* 如用以指「任何人」,並且表示人的義務或應做的事時,後面通常接 *one's* 或 *oneself*, 但如用作數詞以表示「～之一」,或前面有 *each, every, some, any, no* 等字修飾時,則後面須接 *his* 或 *himself* 等。

one (人)→配合 **one's** 或 **oneself**		
one (～之一), each one (各人) everyone (每人), no one (無一人) someone (某人), anyone (任何人)	→配合	**he, his,** **himself**

〔正〕**One** must do **one's** best. (人須盡其力)
〔誤〕One must do *his* best.

〔正〕**Each** one has **his** work to do.
(各人有各人該做的工作)
〔誤〕Each one has *one's* work to do.

One of the boys dropped **his** handkerchief.
(這些男孩當中的一個掉了手帕)

Everyone 〔*or* Everybody〕 must know **himself.**
(每個人必須了解自己)

(3) *No one* 與 *None*

no one（無一人）……………………………………………多於口語中用之
none（無一人，無一物）…………………………………多於文言中用之

1. ①**no one**（=nobody）（無一人）——用作**單數**，僅用於人。
   ②**none**（無一人，無一物）——用於**人**或**物**均可，舊時用作單數，現今多作**複數**，尤其用於人時如此。

no one（=nobody）（無一人）+**單數動詞**（**is** 等）
none（無一人，無一物）+**複數動詞**（**are** 等）

No one（=nobody）*is* absent today.（今天沒有人缺席）
None *are* completely happy.（沒有人是完全快樂的）

No one / **Nobody** } *knows* / **None** *know* } the place.
（沒有人知道這個地方）

2. ①**none**=**no**+名詞
   ②**none** 用以代替「**no**+不可數名詞」時接單數動詞，用以代替「**no**+複數名詞」時接複數動詞。

none（=**no**+不可數名詞）+**單數動詞**（**is** 等）
none（=**no**+複數名詞）+**複動動詞**（**are** 等）

Have you any sisters?（你有幾個姊妹嗎？）
No, I have **none**（=*no sisters*）.（不，我沒有姊妹）

Are there any oranges in the basket?
（籃子裏有一些橘子嗎？）
No, there *are* **none**（=*no oranges*）.（不，沒有）

Is there any water in the bottle?（瓶子裏有水嗎？）
No, there *is* **none**（=*no water*）.（不，沒有）
〔誤〕No, there is *no one.*
——*no one*（無一人）不能用以代替事物。

(4) *Each* 與 *Every*

each（各個）〔代名詞，形容詞，副詞〕
every（每一）〔形容詞〕

1.
each (＋單數名詞) **every**＋單數名詞	＋單數動詞 (**is** 等)

Each *has* two books. 〔代名詞〕
(各人都有兩本書)
Each of them *gets* a new book. 〔代名詞〕
(他們各得一本新書)
Each *boy has* his own desk. 〔形容詞〕
(各個男孩都有自己的桌子)
They *cost* ten dollars **each** (＝for each one). 〔副詞〕
(它們每件價值十元)

Every *student has* a pen. 〔形容詞〕
(每個學生都有一枝鋼筆)
Every *one* of them *is* kind. 〔形容詞〕
(他們每一個人都是和善的)
——*every* (每一) 是形容詞，*every one* (每個人) 是代名詞

every～＋**every**～ **each**～＋**each**～	＋單數動詞 (**is** 等)

Every *boy* and (**eyery**) *girl* ***is*** happy.
(每個男孩和女孩都快樂)
Each *boy* and **each** *girl* **is** present.
(每個男孩和女孩都出席)

【提示】 ①在內涵上，*each* 著重於**個別**的情況，而 *every* 則著重**全體**的情況，其意義略等於「 *each*＋*all* 」。

〔比較〕 I told **each** member to come.
(我告訴過各會員要來)——著重個體
I told **every** member to come.
(我告訴過每一個會員要來)——著重全體

② **each** 用於兩個或**兩個**以上的人或物。
every 用於三個或**三個**以上的人或物

〔正〕**Each** of the *two* boys gets a ball.
(這兩個男孩各得一個球)
〔誤〕*Every one* of the two boys gets a ball.

2.
everybody (每人), **everyone** (每人) **everything** (一切事物)	＋單數動詞 (**is** 等)

Everybody（＝everyone）*has* his duty.
（每人都有自己的任務）

Everything *has* an end.
（萬事都有一個盡頭）

Is there **anybody** absent?（有人缺席嗎？）
Nobody *is* absent.（沒有人缺席）
Everybody *is* present.（每人都出席）

【句型】

～one, ～body	單數動詞	
Everyone（每人） Everybody（每人） Each one（各人） No one（無一人） Nobody（無一人） Someone（某人） Somebody（某人）	*is* *was*	there.
	knows *likes* *does* *has*	it.

～thing	單數動詞	
Everything（一切事物） Nothing（無一物） Something（某事物）	*is* *was*	here. wrong.

3. **not＋every＝部分否定**

We **don't** go to school **every** day.
（我們並不每天上學）……………………………………〔部分否定〕

Every man can **not** be an artist.
（並非人人都能成爲藝術家）……………………………〔部分否定〕

Not every American is rich.
（＝Some American are rich, but others are not.）
（美國人並非個個都是富豪）……………………………〔部分否定〕

◆ every 的成語 ◆

every other day（＝every two days）　每隔一天
every three days　每三天一次，每隔兩天

—— 習　題　12 ——

㈠*Change the underlined words to pronouns*：
（將劃底線的字改爲代名詞）

Ex. Do you want a pen? Yes, I want a pen. (*one*)

1. I've lost my umbrella. I think I must buy an umbrella.
2. Are there any more books? I've read all these old books.
3. Is this your house? It's a very pretty house. When did you buy this house?
4. Do you have a camera? No, I have no camera.
5. Have you any money? No, I have no money.
6. Is there anything left in the bag? No, there is not anything left in the bag.
7. Is there anybody absent? No, there is not anybody absent.

㈡*Choose the correct words*：（選擇對的字）

1. Have you ever seen a lion?　Yes, I have seen (one, it) before.
2. Do you like this book? Yes, I like (one, it).
3. I like those pencils. I'll take a blue (one, ones).
4. Give me another (one, ones), please.
5. These are too small. Show me larger (one, ones).
6. Have you a watch? No, I have (one, it, none).
7. Do you want tea? Yes, I want (one, it).
8. One does not always know (himself, oneself).
9. One should love (his, her, one's) country.
10. Everyone should do (his, one's, their) duty.
11. Each one did (his, one's, their) best.
12. Each girl has (his, her, their) own bicycle.
13. One of the boys (have, has) seen it.
14. No one (was, were) there.
15. Each of them (get, gets) a new hat.
16. Everything (was, were) ready.
17. (Have, Has) everybody done (his, their) work?

18. Every boy and girl (was, were) given a book.
19. (No one, None) have taken it.
20. He gave (each, every) of us a pen.
21. Two boys entered. (Each, Every) boy was carrying a bag.
22. I didn't see (nothing, something, anything) there.

㈢ *Translation*：翻譯(每個空格填一個字)

1. 人應盡其義務。　One should do ______ duty.
2. 我有三匹馬，一匹白色的和兩匹黑色的。
   I have three horses. A white ______ and two black ______.
3. 石造的房屋比木造的房屋堅固些。
   A house built of stone is stronger than ______ built of wood.
4. 除了愚人之外，沒有人相信過它。
   ______ but fools have ever believed it.
5. 他隔天來此地一次。
   He comes here once ______ other day.

(5) *Both* 與 *All*

both	兩者都	〔代名詞，形容詞，副詞〕
all	全部(三者以上)	〔代名詞，形容詞，副詞〕

1. **both** (＋複數名詞)＋複數動詞 (**are** 等)

Both *are* useful. （兩者都是有用的）〔代名詞〕

Both of them *are* right. （他們兩個都對）〔代名詞〕
(＝*They* **both** are right.) 〔代名詞同格語或形容詞〕
(＝*They* are **both** right.) 〔代名詞同格語或副詞〕

I like *you* **both**. 〔代名詞同格語或形容詞〕
(＝I like **both** of you.) （你們兩個我都喜歡）

Both his *brothers* are officers. 〔形容詞〕
(＝**Both** of his brothers are officers.)
(他的兩個兄弟都是軍官)

Both (the) *brothers* were happy. 〔形容詞〕
(兩兄弟都快樂)——*the* 可以省去

2. **all（＋複數名詞）＋複數動詞（are 等）**
all（＋不可數名詞）＋單數動詞（is 等）

a) All *are* present; none are absent. 〔代名詞〕
(＝Everyone is present; no one is absent.)
（全部都出席，沒有一個缺席的）

All of us *are* happy. （我們都快樂）〔代名詞〕
(＝*We* **all** are happy.) 〔代名詞同格語或形容詞〕
(＝*We* are **all** *happy*.) 〔代名詞同格語或副詞〕

I love *them* **all.** 〔代名詞同格語或形容詞〕
(＝I love **all** of them.) （我愛他們全體）

All his *sons are* doctors. 〔形容詞〕
(＝**All** of his sons are doctors.) （他的兒子都是醫生）
All (the) *people were* happy. 〔形容詞〕
（所有的人民都快樂）

b) All *is* lost. （一切都失掉了） 〔代名詞〕
All of it *was* lost. （它的一切都失掉了） 〔代名詞〕
All of the money *was* lost. 〔代名詞〕
（所有的錢都失掉了）

All *hope is* gone. （一切希望都完了） 〔形容詞〕
All your *money is* here. （你的錢都在這裏） 〔形容詞〕

【提示】 *both* 與 *all* 用作形容詞以修飾名詞時，須放在 *the, these, my, his* ,……等之前。

both / all ＋ **the,〔或 these, my, his 等〕** ＋名詞

〔正〕**Both the** teachers know it. （兩位老師都知道這個）
〔誤〕*The both* teachers know it.

〔正〕**All his** classmates are boys. （他的同學都是男孩）
〔誤〕*His all* classmates are boys.

【句型】

all 或 both	the, *etc.*	
All / **Both**	**his** / **the** / **these**	books *are* new. / brothers *are* teachers.
All	**the** / **my**	money *is* here.

3. not＋{both / all}＝部分否定

I did **not** give him **all** the money I had.
（我並沒有把我所有的錢都給他）……………………………〔部分否定〕

All that glitters is **not** gold.
（閃耀者未必全是金）…………………………………………〔部分否定〕

〔比較〕
Not all of them are happy.
(＝Some of them are happy, but others are not.)
（他們並不都是快樂的）……………………………………〔部分否定〕
None of them are happy.
（他們之中沒有一個是快樂的）……………………………〔全部否定〕

Not both of them are my brothers.
(＝One is my brother, but the other is not.)
（他們兩個並不都是我的兄弟）……………………………〔部分否定〕
Neither of them *is* my brother.
（他們兩個都不是我的兄弟）………………………………〔全部否定〕

◆ all 的成語 ◆

***all at once**	突然	**all day long**	終日
all right	好，妥善	**above all**	尤其主要者
after all	畢竟	**at all**	全然
***for all～**	雖然	**in all**	合計

(6) Either 與 Neither

either　二者中任一〔代名詞，形容詞〕
neither　二者中無一〔代名詞，形容詞〕

either（＋單數名詞）
neither（＋單數名詞）} ＋單數動詞（is 等）

Either will do.　〔代名詞〕
（兩個之中隨便那一個都可以）
Neither will do.（兩個都不可以）　〔代名詞〕

Either of them *is* good. 〔代名詞〕
（他們兩個中隨便那一個都好）
Neither of them *is* here. 〔代名詞〕
（他們兩個都不在這裏）

Either *boy has* to go. 〔形容詞〕
（＝One of the two boys has to go.）
（兩個男孩之中必須去一個）
Neither *girl likes* to go. 〔形容詞〕
（兩個女孩都不喜歡去）

【提示】
①**either** 二者中任一 **any** （三者以上）任一
② **neither** ＝ not either 二者中無一
none ＝ not any （三者以上）無一

〔比較〕
Take **either** of the *two.* （任取二者之一）
Take **any** of the *three.* （任取三者之一）

I know **both** of the *two.* （這兩個我都認識）
I know **all** of the *three.* （這三個我都認識）

He knows **neither** of the *two* girls.
（＝He does **not** know **either** of the *two* girls.）
（這兩個女孩他都不認識）
He likes **none** of the *three* boys.
（＝He does **not** like **any** of the *three* boys.）
（這三個男孩他都不喜歡）

Either 與 Neither 的特別用法

1. **not either**（＝**neither**）亦不 【副詞用法】

If you don't go, I will **not either.**
＝If you don't go, **neither** will I.
（你不去的話我也不去）

【提示】 作副詞用的 **either**（也，亦）僅用於否定句，且須置於句尾。

I *like* it, **too.** （我也喜歡它） 〔肯定〕
I *don't* like it, **either.** （我也不喜歡它） 〔否定〕
〔誤〕I don't like it, *too.*

2. **neither**（或 **nor**）＋動詞＋主詞＝"亦不"

I am *not either.* ＝*Neither* am I. ＝*Nor* am I. （我也不是）
I do *not either.* ＝*Neither* do I. ＝*Nor* do I. （我也不）
He did *not either.* ＝*Neither* did he. ＝*Nor* did he. （他也沒有）

(7) *Other* 與 *Another*

用法	代名詞		形容詞	
	單數	複數	單數	複數
不定	**another** 另一個	**others** 其他的，別人	**another** (boy) 另一(男孩)	**other** (boys) 其他(男孩)
特定	**the other** 另一個	**the others** 其餘那些	**the other** (boy) 另一個(男孩)	**the other** (boys) 其餘那些(男孩)

Show me **another.** 〔代名詞〕
(另一個給我看看)——隨便那一個
Show me **others.** 〔代名詞〕
(拿其他的給我看)——隨便幾個

Give me **the other.** 〔代名詞〕
(給我另一個)——特定的那一個
Give me **the others.** 〔代名詞〕
(給我其餘的那些)——特定的那些

Show me **another** *hat.* 〔形容詞〕
(拿另外一頂帽子給我看)——隨便那一頂
Show me **other** *hats.* 〔形容詞〕
(拿其他的帽子給我看)——隨便幾項

【提示】 **another＋單數名詞；other＋複數名詞**

I want **the other** *one.* 〔形容詞〕
(我要另一個)——特定的那一個
I want **the other** *ones.* 〔形容詞〕
(我要其餘的那些)——特定的那些

two (兩個)＝**one** (一個)＋**the other** (另一個)

I have two brothers; **one** is in Japan, and **the other** (is) in Taiwan.
(我有兩個哥哥，一個在日本，另一個在臺灣)

three＝one＋another＋the other

She sent me three flowers; **one** was red, **another** (was) blue, and **the other** (was) white.

(她送給我三朵花，一紅，一藍，一白)

the others (＝the rest) 其餘那些

There were five foreigners. One of them was an Englishman and **the others** (were) Americans.

(有五個外國人。其中有一個是英國人，其餘的都是美國人)

one……, another…… 一個……，又一個……

To know is **one** thing, to practice is **another** (thing).

(知是一回事，行又是另一回事)

some……, others…… (＝some……, some……) 有些……，另一些……

Some are good, but **others** are not.

(有些是好的，但另一些是不好的)

Some say one thing, **others** 〔*or* some〕 say another.

(有些人這樣說，有些人那樣說)

others (＝other people) 別人

Be kind to **others.** (對人要和善)

Don't be selfish, think of **others.**

(不要自私，要顧及別人)

◇ another 與 other 的成語 ◇

{ **each other** 二者互相
{ **one another** 多者互相(三者以上)

The *two* boys helped **each other.**

(這兩個男孩互相幫助)

All of them understand **one another.**

(他們都彼此了解)

the other day 日前，幾天前

I *met* him **the other day.** (日前我遇見他)

one after another　陸續地(三個以上)

They left the house **one after another.**

(他們相繼離開這房子)

——習　題　13——

(一)*Choose the correct words*：(選擇正確的字)

1. (Both, All) the two girls like to wear red dresses.
2. (Both, All) of us help one another.
3. All their money (was, were) stolen by someone.
4. (Your both, Both your) hands are dirty.
5. There are trees on (both, either) sides of the road.
6. (Both, Neither) story is interesting.
7. (Both, Neither, None) of his parents is in Taipei.
8. Do you know (either, any) of the two ladies?
9. I know (either, neither, none) of the four men.
10. I don't know (either, neither) of them.
11. Do you like either of the other (one girl, two girls, three girls)?
12. Show me other (one, ones).
13. They both are teachers. One teaches English, and (another, the other, others) teaches mathematics.
14. I have four brothers; one is in England and (the other, others, the others) in the United States.
15. The three boys looked at (each other, one another, each another).
16. Both of them understand (each other, one another, each another).
17. To learn is one thing, to teach is (the other, another).
18. I didn't see it, (too, either, neither).
19. She doesn't like it, and (either, neither)do I.
20. I don't like it (at, in) all.

(二)*Fill the blanks with suitable words*：(填充題)

1. ______ of the two men are from Tainan.
2. Both tried, but ______ of them has succeeded.
3. He has two daughters; one is a singer and ______ ______ an actress.

4. Was every box empty? Yes, ______ the boxes were empty.

5. ______ our teachers are Chinese; none of them are foreigners.

㈢*Substitution*：換字(每個空格填一個字)

1. Everyone is happy; no one is sorry.

=______ are happy; ______are sorry.

2. Some of them are rich, some are not.

=______ ______ of them are rich.

3. Both of them were absent.

=______ of them ______ present.

4. I don't like either of the two.

=I like ______ of the two.

5. He knows none of us.

=He does ______ know ______ of us.

6. I will not, either. =Neither______ ______.

7. Only two of them are right, the rest are wrong.

=Only two of them are right, ______ ______ are wrong.

8. Be kind to other people. =Be kind to ______.

9. We saw her a few days ago.

=We saw her ______ ______ day.

10. I see him once every two days.

=I see him once every ______ ______.

㈣*Translation*：翻譯(每個空格填一個字)

1. 這兩本書隨便那一本都好。

______ of the two books is good.

2. 我們兩個都不對。

______ of us is right.

3. 男人可以互相握手。

Men may shake hands with______ ______.

4. 學生們相繼走進教室。

The students entered the classroom ______ after ______.

5. 他畢竟是一個好人。

______ ______ he is a good man.

(8) Many 與 Few

many	多數，許多	〔代名詞，形容詞〕
few	極少數，幾乎沒有	〔代名詞，形容詞〕
a few	少數，一些	〔代名詞，形容詞〕

many
few } (＋複數名詞)＋複數動詞 (**are** 等)
a few

Many *think* that he will win. 〔代名詞〕
(許多人認爲他會贏)

Many of them *are* good. 〔代名詞〕
(他們當中有許多人是好的)

Only **a few** of them *are* bad. 〔代名詞〕
(他們當中只有少數是不好的)

Very **few** of them *are* really bad. 〔代名詞〕
(他們當中很少是眞正不好的)

Are there **many**? (有很多嗎？) 〔代名詞〕
No, there *are* **few**. (不，很少) 〔代名詞〕
There *are* only **a few**, not many. 〔代名詞〕
(只有幾個，並不多)

【提示】 *a few* (少數，一些)著重肯定的意味，*few* (極少數，幾乎沒有)著重否定的意味。

He has **few** *books*. (他沒有什麼書) 〔形容詞〕
(＝He has hardly any books.)
He has **a few** *books*. (他有幾本書) 〔形容詞〕

Were there **many** *apples*? (有許多蘋果嗎？) 〔形容詞〕
There *were* not **many** *apples*. (蘋果不多) 〔形容詞〕
There *were* **few** *apples*. (蘋果很少) 〔形容詞〕
There *were* **a few** *oranges*. (有幾個橘子) 〔形容詞〕

● 應注意事項 ●

1. **many a** (甚多)＋單數名詞＋單數動詞 (**is** 等)

Many a *man has* been killed.
＝**Many** *men have* been killed. (被殺的人爲數不少)

【提示】 *many a* 的語勢比 *many* 强，通常用於文言文或演講中。

2. **a good many**（頗多）／**a great many**（甚多） ＋複數名詞＋複數動詞（**are** 等）

He has **a good many** friends.
（他有相當多的朋友）

There *are* **a great many** *books* in it.
（裡面有很多書）

3. **many** 的同義語如下：

a lot of（＝many）
lots of（＝many）
plenty of（＝many）
a large number of（＝many）
a number of（＝many 或 some）
＋複數名詞＋複數動詞（**are** 等）

There *are* **a lot of**（＝many） *students* there.
（有許多學生在那裡）

A large number of（＝many） *people were* present.
（有許多人出席）

【提示】 在肯定句中通常以 *a lot of, lots of,* ……等代替形容詞 *many.*

【句型】

（複數動詞）	many, *etc.*	複數名詞
I have He has There *are* There *were*	**very many** **not many** **a good many** **a great many** **a lot of**〔或 **lots of**〕 **plenty of** **a**（**large**）**number of**	*books.* *friends.* *sheep.*

（複數動詞）	**few, a few**	複數名詞
We have They have There *are* There *were*	**few** **a few**	*pencils.* *houses.* *children.*

(9) *Much* 與 *Little*

much	多量，許多	〔代名詞，形容詞〕
little	極少量，幾乎沒有	〔代名詞，形容詞〕
a little	少量，一些	〔代名詞，形容詞〕

much
little
a little } (＋不可數名詞)＋單數動詞 (**is** 等)

Much *has* been written on this subject. 〔代名詞〕
(關於這個題目已經寫得很多了)

Little *is* known about this. 〔代名詞〕
(關於這事大家所知道的很少)

Much of this *is* not true. 〔代名詞〕
(此事多不真確)

Not **much** of the money *has* been spent.
(被花掉的錢不多)

Little of it *is* known. 〔代名詞〕
(此事大家所知道的很少)

Is there **much**? (有很多嗎？) 〔代名詞〕
No, there *is* **little.** (不，很少) 〔代名詞〕
There *is* only **a little, not much.** 〔代名詞〕
(只有一點兒，並不多)

【提示】*a little* (少量，一些) 著重肯定的意味，*little* (極少量，幾乎沒有) 著重否定的意味。

There *is* **little** *hope.* (沒有什麼希望) 〔形容詞〕
(＝There is hardly any hope.)
There *is* **a little** *hope.* (有一點希望) 〔形容詞〕

Have you **much** *money*? (你有很多錢嗎？) 〔形容詞〕
I haven't **much** *money.* (我沒有很多錢) 〔形容詞〕
I have **little** *money.* (我沒有什麼錢) 〔形容詞〕
I have **a little** *money.* (我有一點錢) 〔形容詞〕

● 應注意事項 ●

1. **a good deal of** (＝much) 頗多，多量的
a great deal of (＝very much) 很多，大量的

It snowed **a good deal**（=much).（雪下了很多）
He has **a great deal of**（=very much）*money.*
（他有很多錢）

2. **much** 的同義語如下：

a lot of（=much） **lots of**（=much） **plenty of**（=much） **a good deal of** **a great deal of**	＋不可數名詞＋單數動詞（**is** 等）

There *is* **plenty of**（=much）*time.*（有很多時間）
There *was* **a lot of**（=much）*rain* last summer.
（去年夏天下了大量的雨）

【提示】 在肯定句中通常以 *a lot of, lots of*……等代替形容詞 *much.*

【句型】

（單數動詞）	much, *etc.*	不可數名詞
I have She has There *is* There *was*	**very much** **not much** **a lot of** **lots of** **plenty of** **a good deal of** **a great deal of**	*money.* *gold.* *food.*

（單數動詞）	little, a little	不可數名詞
We have They have There *is* There *was*	**little** **a little**	*money.* *water.* *rain.* *hope.*

	too much（太多）
Don't eat drink smoke talk	**too much.**

【提示】 *many, few, much, little, some, any* 等亦可當作「不定數量形容詞」。

—— 習 題 14 ——

(一)*Choose the correct words*：(選擇對的字)

1. How (many, much) people did you see?
2. How (many, much) money do you have?
3. Is there (many, much) ?
4. Don't drink too (many, much) wine.
5. Don't eat too (many, much).
6. I have seen it (many, much) times.
7. It won't take (many, much) time.
8. I don't have (many, much) work to do.
9. He doesn't know (many, much) English.
10. He knows (many, much) English words.
11. (Many, Much) fish live in the river.
12. She has very (many, much) sheep.
13. There (is, are) not much paper.
14. There (was, were) a good many cattle in the field.
15. A number of students (is, are) absent.
16. Many a man (have, has) made the same mistake.
17. There (is are) plenty of food.
18. We had (lot of, a lot, a lot of) rain last year.
19. They gave us (a number of, lots of, a good many) bread.
20. The old man has a great (number, deal, many) of money.
21. (Many, Much) read the book, but (few, a few) could understand it.
22. I have (few, a few) books. If you want to read, I'll lend you some.
23. Though he is rich, he has (few, a few) books.
24. As he is selfish, he has (few, a few) friends.
25. He will be back in (few, a few) minutes.
26. There (is, are) a few mice in the house.
27. I want to borrow (a few, a little) money.
28. Will you lend me (a few, a little) dollars?
29. John drinks (a few, a little) cups of milk every morning.

30. He can speak (a few, a little) Japanese.
31. I have (a few, a little) Japanese books.
32. I know very (little, a little) French.
33. He is very ill; there is (little, a little) hope for him.
34. A man who is very poor has (much, little, a little, few) money.
35. I am sorry I have made (few, a few, little, a little) mistakes.

(二)*Substitution*：換字(每個空格填一個字)

1. There are lots ______ children in the garden.
   =There are ______ lot ______ children in the garden.
   =There are ______ good ______ children in the garden.
2. Mr. Wilson has a large number of books.
   =Mr. Wilson has very ______ books.
   =Mr. Wilson has ______ great ______ books.
3. He is very rich. =He has very ______ money.
4. We have plenty ______ food.
   =We have ______ good ______ of food.
5. Thanks a lot. = ______ thanks.
   =Thank you very ______ .
6. He has hardly any pencils. =He has ______ pencils.
7. There is hardly any water left.
   =There is ______ water left.
8. I saw him two or three weeks ago.
   =I saw him ______ ______ weeks ago.

第四節 疑問代名詞(附疑問形容詞)

用以發問之「何人」、「何物」、「何者」等代名詞或形容詞叫做疑問代名詞或疑問形容詞。其形態如下：

用法	數	主格	所有格	受格
代表「人」	單，複	**who** 誰	**whose** 誰的	**whom** 誰
代表「人」，「物」	單，複	**which** 那一個 那些	—	**which** 那一個 那些
代表「物」	單，複	**what** 什麼	—	**what** 什麼

● 應注意事項 ●

1. 疑問代名詞或疑問形容詞通常放在句首。
2. 疑問代名詞(～形容詞) **who, what, which** 等如作主詞或用以修飾主詞時，用肯定句動詞而不用疑問句動詞。除此之外，在直接問句中則皆用疑問句動詞，也就是須調換主詞與動詞之位置，或使用 *do, does, did* 等助動詞。

Who *saw* it? (誰看見它？)——〔主詞 *Who*＋動詞 *saw*〕
Which *boy wants* it? (那個男孩要它？)

Who *is he*? (他是誰？)——〔*he is* → *is he*?〕
Whom *did* you *see*? (你看到誰？)
——〔*you saw* → *did you see*?〕
Which *do* you *want*? (你要那一個？)
——〔*you want* → *do you want*?〕
What *does* he *know*? (他知道些什麼？)
——〔*he knows* → *does he know*?〕

(1) 疑問代名詞

1. **Who** ——只用於人

(a) **Who** came first? John did. 〔主格〕
(誰先到？約翰先到)——*Who* 是主詞
Who knows it? Mary does. 〔主格〕
(誰知道那個？瑪麗知道)——*Who* 是主詞

【提示】 **who** 如用作主詞，常作單數。

【句型】

主　　詞 (疑問代名詞)	(單數)動詞	
Who	knows wants likes asked made saw	it? them?

Who is *he*? He is Mr. White. 〔my uncle〕 〔主格〕
(他是誰？他是白先生。〔我的伯父〕)——*Who* 是主詞補語
Who are *they*? They are Mr. and Mrs. Lin. 〔主格〕
(他們是誰？他們是林先生及夫人)——*Who* 是主詞補語

【提示】 疑問代名詞單複數形式相同。

(b)**Whose** is *this hat*? It's mine. 〔所有格〕

(這頂帽子是誰的？是我的)

(c)**whom** did you *meet*? I met Mary. 〔受格〕

(你遇到誰？我遇到瑪麗)—— *Whom* 是"及物動詞 *meet*"的受詞

Whom are you talking *with*? 〔受格〕

= *With* **whom** are you talking?

(你正在跟誰說話？)—— *Whom* 是"介系詞 *with*"的受詞

2. **What** ——用於事物或職業、身份等

(a)**What** has happened? 〔主格〕

(發生了什麼事？)—— *What* 是主詞

What is *he*? He is a doctor. 〔主格〕

(他是什麼？他是醫生)—— *What* 是主詞補語

What are *these*? They are English books. 〔主格〕

(這些是什麼？〔它們〕是英文書)—— *What* 是主詞補語

(b)**What** do you *want*? 〔主格〕

(你要什麼？)—— *What* 是"及物動詞 *want*"的受詞

What are you looking *for*? 〔受格〕

(你在找什麼？)—— *What* 是"介系詞 *for*"的受詞

【提示】

Who ——用於問姓名・關係等
What ——用於問職業・地位等

【句型】

主 詞 補 語 (疑問代名詞)	be 動 詞	主 詞
Who **What**	is	*he*? *she*? *it*?
	are	*you*? *they*?

3. **Which** ——表選擇，用於人或事物均可

(a) **Which** of you can answer my question? 〔主格〕

(你們當中那一個能回答我的問題？)—— *Which* 是主詞

Which is *mine*? (那一個是我的？) 〔主格〕

Which are *yours*? (那幾個是你的？) 〔主格〕

(b) **Which** do you *like* better, this or that? 〔受格〕
(你較喜歡那一個，這個還是那個？)——*Which* 是 *like* 的受詞
Which do you *like* best? 〔受格〕
(你最喜歡那一個？)——*Which* 是 *like* 的受詞
【提示】 *like better* (比較喜歡), *like best* (最喜歡)

【句型】

受　　詞 (疑問代名詞)		及物動詞 或介系詞
Which **What** **Whom**	do you does he did you are you talking is he waiting	*want?* *like?* *see?* *about?* *for?*

(2) 疑問形容詞

Whose, Which, What 等如用在名詞之前時，叫做疑問形容詞。

Whose *hat* is this? It's mine.
(這是誰的帽子？是我的)——*Whose* 用以修飾 *hat*

What *book* do you want?
(你要什麼書？)——*What* 用以修飾 *book*

Which *book* is better?
(那一本書比較好？)——*Which* 用以修飾 *book*

【句型】

主　　詞 (疑問形容詞＋名詞)	動　　詞	
Which *one* **Whose** *father*	came knows is working	first? it? there?

主 詞 補 語 (疑問形容詞＋名詞)	動　　詞	主　　詞
Whose *hat*	is	this?
Whose *hats*	are	these?
What *pen*	is	that?
What *pens*	are	those?
Which *book*	is	yours?
Which *books*	are	John's?

受　　詞 (疑問形容詞＋名詞)		及物動詞 或介系詞
What *book*	do you	want?
Which *one*	does he	need?
Whose *notebook*	are you looking	for?

(3) 間接問句

句中疑問詞引導從屬子句者叫做**間接問句**(亦稱**從屬疑問句**)。

1. **間接問句＝{主詞＋know, ask, tell 等}＋疑問詞＋主詞＋動詞**

　　(主要子句)　　　　(從屬子句)

直接問句	間接問句
1. **Who** *is he*? (他是誰?)	Tell me **who** *he is*. (告訴我他是誰)
2. **What** *do you want*? (你要什麼?)	I know **what** *you want*. (我知道你要什麼)
3. **Which** *does he like*? (他喜歡那一個?)	Do you know **which** *he likes*? (你知不知道他喜歡那一個?)
4. **Whom** *did you see*? (你見到誰?)	Let me know **whom** *you saw*. (讓我知道你見到誰)
5. **Who** *wants it*? (誰要那個?)	Ask him **who** *wants it*. (問他誰要那個)

【提示】

①在間接問句中,**從屬子句**的主詞和動詞的位置與肯定句相同,則其順序爲「**主詞＋動詞**」。
②直接問句中所用 **do, does, did** 等助動詞,在間接問句中**不再需要**。
③改直接問句爲**間接問句後不再使用原有問號**。
④從屬子句動詞與原有直接問句動詞的時態須一致。

【句型】

(主要子句)	疑問詞＋主詞＋動詞
I don't know	**who** *he is.*
I wonder	**what** *they are.*
Ask him	**who** *knows* it.
Tell me	**who** *came* yesterday.
Nobody knows	**whom** *I love.*
I know	**whom** *he gave* it to.
Do you understand	**what** *I mean*?
Will you tell me	**which** *you like*?

2. 間接問句＝疑問詞＋{**do**＋主詞＋**say**, **think, guess** 等}＋主詞＋動詞＋？

Who *is he*? （他是誰？） 〔直接問句〕
Do you know **who** *he is*? 〔間接問句(1)〕
（你知不知道他是誰？）
Who do you think *he is*? 〔間接問句(2)〕
（你以爲他是誰？）——"*do you think*"可視爲插入的子句

Which *does he want*?（他要那一個？） 〔直接問句〕
Can you tell me **which** *he wants*? 〔間接問句(1)〕
（你能不能告訴我他要那一個？）
Which does he say *he wants*? 〔間接問句(2)〕
（他說要那一個呢？）

【句型】

疑問詞	(插入子句)	主詞＋動詞
Who	do you think	*he is*?
Who	do you guess	*it was*?
What	does he think	*they are*?
What	does he say	*he gave her*?
What	do you think	*has happened*?
Which	do you suppose	*he likes*?

3. 疑問詞＋不定詞（**to**～）＝(表疑問的)名詞片語

I don't know **what** *to do.*
（＝I don't know what I **must** do.）
（我不知道該做什麼）——*what to do* 是 *know* 的受詞

He couldn't remember **which** *way to go.*

（=He couldn't remember which way he **had to** go.）

（他記不得該走那一條路）

She'll tell you **whom** *to ask.*

（=She'll tell you whom you **must** ask.）

（她將告訴你該問誰）

【句型】

	疑問詞＋不定詞（名詞片語）
Tell me Ask him I don't know I'll tell you	**what** *to do.*（該做什麼） **which** *to take.*（該取那一個） **whom** *to ask.*（該問誰） **how** *to make* it.（怎樣做它） **where** *to go.*（該往何處） **when** *to leave.*（何時該離去）

【提示】 *how, where, when* 等是疑問副詞。

——習　題　15——

(一)*Fill the blanks with suitable interrogative words*：（用適當的疑問詞填在空白裡）

1. ______ is that lady? She is my aunt.
2. ______ is your aunt? She is a teacher.
3. ______ does Mr. Lin do? He is a musician.
4. ______ is it? It's me.
5. ______ is this bicycle? It's mine.
6. ______ hat is this? Is it yours?
7. ______ books are these, Tom's or Mary's?
8. ______ is yours, this or that?
9. ______ is the largest, A or B or C?
10. ______ is your name?
11. ______ is the matter with you?
12. ______ is the way to the station?
13. ______ time is it?
14. ______ can make it? I can.
15. ______ of you can make it?
16. ______ knows the answer?
17. ______ teaches you English?

18. ______ bus goes to the zoo?
19. ______ girl won the prize?
20. ______ wrote this letter?
21. By ______ was it written?
22. ______ has taken my pen?
23. ______ is he looking for? His pen.
24. ______ has happened?
25. ______ are you doing?
26. ______ are you going to visit?
27. ______ did you meet yesterday?
28. ______ did he say?
29. ______ do you like to go with?
30. ______ of these pictures do you like best?
31. ______ does it look like?
32. ______ shall I do?
33. He wants to know ______ has told you about it.
34. Do you know ______ you are talking to?
35. You haven't told me ______ you did yesterday.
36. Someone is calling. Go and see ______ it is.
37. I want to learn ______ to drive a car.
38. He'll tell you ______ to do.
39. He told me ______ book to take.
40. It is difficult to know ______ to choose.

(二)*Choose the correct words*：(選擇題)

1. Which (is, are) your books?
2. Who (want, wants) to take it?
3. Tell me (who, whom) you are.
4. I know (who, whom) you met.
5. (Who, Whom) are you waiting for?
6. (Who, Whose, Whom) car is that?
7. (Who, What, Which) is your father? Is he a doctor?
8. (Who, Whom, Which) is your friend, John or Bill?
9. (Who, Whom, Which) of the two boys is John?
10. (Who, Whose, Which) is this, John's or Bob's?
11. Do you know (who he is, who is he, whom is he)?
12. (Who, Whom) do you think that man is?

13. (Who, Whom) do you say is the best student?
14. What book (you bought, did you buy) yesterday?
15. Tell me what (he wants, does he want).

第五節 關係代名詞(Relative Pronouns)

兼有代名詞與連接詞的作用的代名詞叫做關係代名詞。其形態如下：

前述詞	主 格	所 有 格	受 格
人	**who**	**whose**	**whom**
人以外的動物，事物	**which**	{ **whose** / **of which**	**which**
人，動物，事物	**that**	—	**that**
(事物)〔自兼〕	**what**	—	**what**

● 應注意事項 ●

1. 關係代名詞兼有代名詞與連接詞的作用。

I know *the man*＋**he** came yesterday.
(我認識那個人)↓ (他昨天來過)
＝I know *the man* **who** came yesterday.
(我認識昨天來的那個人)

2. 前述詞(先行詞)(**Antecédent**)

①關係代名詞所代表的名詞或代名詞叫做前述詞。
②前述詞的位置通常在關係代名詞前面靠近關係代名詞的地方。

前述詞 關係代名詞
She is *the girl* **who** wrote the letter.
(她就是寫這封信的女孩子)

〔正〕*The letter* **which** she wrote is on the desk.
〔前述詞〕〔關係代名詞〕(她寫的信在桌子上)
〔誤〕*The letter* is on the desk **which** she wrote.

關係代名詞 *which* 並非代表 *desk*, 故不宜把 *desk* 放在 *which* 的旁邊。

3. 句中該用何種關係代名詞視其前述詞之種類而定。

①前述詞若爲「人」，則用 **who, whose, whom, that** 等。
②前述詞若爲「物」或「人以外之動物」，則用 **which, that** 等

the *man* **who** came here （來過這裡的那個人）
the *house* **which** belongs to him （他的房子）
the *dog* **that** (＝which) saved her （救了她的狗）

4. 關係代名詞所引導的子句叫做**關係子句**。

①除 *what* 所引導的關係子句有名詞子句的性質外，**關係子句**均有**形容詞子句的性質**，而用以**修飾前述詞**。
②關係子句的**位置**通常在句的**中間**或在**句尾**。

This is the *boy* **who** *wants to see you.* 〔形容詞子句〕
（想見你的）〔關係子句〕

The *girl* **whom** *you saw yesterday* is his sister. 〔形容詞子句〕
（你昨天見過的）〔關係子句〕

I'll show you **what** *I bought.* 〔名詞子句〕
（我所買的東西）〔關係子句〕

5. **關係代名詞的格**

關係代名詞的**格**須**視其在關係子句內的地位而定**。
①關係代名詞若爲關係子句的**主詞**即用**主格**。
②關係代名詞若爲關係子句內動詞或介系詞的**受詞**即用**受格**。

This is the man **who** *wants to see you.*
（他） 想 見 你 〔主格〕

This is the man **whom** *you want to see.*
（他） 你 想 見（ ） 〔受格〕

Is this the book **which** *you are looking for?*
（它） 你 正 在 找（ ） 〔受格〕

I have a friend **whose** *father is a teacher.*
（他的） 父親是一位教師 〔所有格〕

6. **關係代名詞的人稱、數、性必須和其前述詞一致**。

I, **who** *am* your friend, can understand you.
（我是你的朋友，能了解你）
You, **who** *are* my friend, can understand me.
（你是我的朋友，能了解我）
She, **who** *is* my good friend, is the best student in our class.
（她——她是我的好朋友——是我們班裡最好的學生）

The *book* **which** *lies* on the table is mine.
（擺在桌子上的那本書是我的）
The *books* **which** *lie* on the table are mine.
（擺在桌子上的那些書是我的）

【提示】

one of＋複數(代)名詞＋關係代名詞＋複數動詞
（**those, boys** 等）　　　（**are** 等）

He is one of *those* **who** *were* present.
（他是那些出席的人之一）
She is one of the few *students* **who**（＝that）*have* passed the examination.
（她是考試及格的少數學生之一）
This is one of the good *books* **which**（＝that）*are* worth reading.
（這是值得讀的好書之一）

(1) Who 的用法

〔前述詞〕〔關係代名詞〕

人＋ { **who**〔主格〕 / **whose**〔所有格〕（＝關係形容詞） / **whom**〔受格〕 }

(a) This is **the teacher＋he** teaches us English.　〔主格〕
（這位就是老師）↓（他教我們英文）
＝This is the teacher **who** teaches us English.　〔主格〕
（這位就是教我們英文的老師）

The people＋they are there＋are my friends.　〔主格〕
（人們）↓（他們在那邊）（是我的朋友）
＝The people **who** are there are my friends.　〔主格〕
（在那邊的那些人是我的朋友）

【句型】

（前述詞）	關係子句【who＋動詞】（形容詞子句）〔主格〕
1. That is *the girl*	**who** *speaks* English.
2. I know *some girls*	**who** *speak* good English.
3. I like *a boy*	**who** *is* honest.
4. He is one of *the boys*	**who** *were* there.
5. I have *a friend*	**who** *has* a good camera.
6. A teacher is *a person*	**who** *teaches*

（前述詞）	關係子句【who＋動詞】（形容詞子句）〔主格〕	
1. *The boy*	**who** *likes* to swim	is here.
2. *The girls*	**who** *like* to sing	are here.
3. *A boy*	**who** *is* idle	cannot succeed.
4. *The man*	**who** *spoke* to you	is a doctor.
5. *My brother*	**who** *went* to Japan	has returned.
6. *The children*	**who** *played* baseball	were happy.

(b) These are **the students**＋he *teaches* **them.**　〔受格〕
（這些是學生）　（他教他們）
＝These are the students **whom** he *teaches.*　〔受格〕
（這些就是他所教的學生）

The foreigner＋we *met* **him**＋is an American.　〔受格〕
（那個外國人）（我們遇見他）（是一個美國人）
＝The foreigner **whom** we *met* is an American.　〔受格〕
（我們遇到的那個外國人是個美國人）

The man＋I talked *to* **him**＋is a doctor.　〔受格〕
（那個人）（我跟他談話）（是個醫生）
＝The man **whom** I talked *to* is a doctor.　〔受格〕
＝The man *to* **whom** I talked is a doctor.　〔受格〕
（我跟他談話的那個人是個醫生）

【句型】

(前述詞)	關係子句**【whom＋主詞＋動詞】** (形容詞子句)〔受格〕
1. This is *the girl*	(**whom**) I *met* yesterday.
2. You are *the boy*	(**whom**) I *want.*
3. I know *the man*	(**whom**) you *visited.*
4. They were *the men*	(**whom**) he was looking *for.*
5. Is this *the lady*	*of* **whom** you spoke? (**whom**) you spoke *of*? (你說過的)

(前述詞)	關係子句**【whom＋主詞＋動詞】** (形容詞子句)〔受格〕	
1. *The boy*	(**whom**) you *see* there	is Bob.
2. *The Americans*	(**whom**) I *saw*	were very tall.
3. *The girl*	*about* **whom** we talked (**whom**) we talked *about* (我們所談到的)	was Jane.
4. *The men*	*to* **whom** I spoke (**whom**) I spoke *to* (我跟他們說話的)	are here.

● 應注意事項 ●

1. 除前面有介系詞的 *whom* 外，**who** 與 **whom** 可用 **that** 來代替。
2. 用於限定用法(即形成形容詞子句者)的**受格關係代名詞 whom** 與 **that** 等可以省略。但 *whom* 前面有介系詞時除外。

*3. 前面沒有介系詞的受格關係代名詞 *whom* 在口語中可用 *who* 來代替。

I know the man **who** visited you. 〔主格〕
=I know the man **that** visited you. 〔主格〕
(我認識訪問你的那個人)

The man (**whom**) we *saw* is Mr. Brown.
=The man (**that**) we *saw* is Mr. Brown.
(我們見過的那個人是布朗先生)——*whom*與*that*均為受格

The girl *with* **whom** I work is coming.
=The girl (**whom**) I work *with* is coming.
=The girl (**that**) I work *with* is coming.
(我跟她一起工作的女孩子來了)——*whom* 與 *that*均為受格

(c) I have **a friend** + **his** *sister* is a teacher.　〔所有格〕
（我有一個朋友）↓（他的姊姊是老師）
=**I have** a friend **whose** *sister* is a teacher.　〔所有格〕
（我有一個他姊姊當老師的朋友）

The girl + **her** *work* won the prize+is here.　〔所有格〕
（這女孩子）↓　（她的作品獲獎）　（在這裏）
=The girl **whose** *work* won the prize is here.　〔所有格〕
（其作品獲獎的女孩子在這裏）

【句型】

（前述詞）	關係子句**【whose+名詞+動詞】**（形容詞子句）〔所有格〕
1. There was *a man*	**whose** *name* was Rip.
2. This is *the girl*	**whose** *father* came here.
3. Here is *the boy*	**whose** *pen* has been stolen.
4. An orphan is *a child*	**whose** *parents* are dead.

(2) Which的用法

〔前述詞〕		〔關係代名詞〕	
① 人以外的動物 ② 事，物	+	**which**	〔主格〕
		whose（=**of which**）	〔所有格〕
		which	〔受格〕

(a) I bought **a book** + **it** is very good.　〔主格〕
（我買了一本書）↓（它很好）
=I bought a book **which** is very good.　〔主格〕
（我買了一本很好的書）

The cat + **it** caught a mouse+is there.　〔主格〕
（這隻貓）↓（牠捉到一隻老鼠）（在那邊）
=The cat **which** caught a mouse is there.　〔主格〕
（捉到一隻老鼠的貓在那邊）

【句型】

(前述詞)	關係子句【which＋動詞】(形容詞子句)〔主格〕
1. Take *the pencils*	**which** *are* on the table.
2. I have *a watch*	**which** *was* given by her.
3. He has *a horse*	**which** *runs* very fast.
4. This is *the dog*	**which** *saved* the boy.
5. Those are *the houses*	**which** *belong* to them.

(前述詞)	關係子句【which＋動詞】(形容詞子句)〔主格〕	
1. *The book*	**which** *has* a red cover	is mine.
2. *The books*	**which** *are* on the desk	are Tom's.
3. *The number*	**which** *comes* after seven	is eight.
4. *The month*	**which** *comes* before May	is April.

(b) **The books**＋I *bought* **them** yesterday＋are nice. 〔受格〕
(那些書)(昨天我買了它們) (是好的)
＝The books **which** I *bought* yesterday are nice. 〔受格〕
(昨天我買的那幾本書很好)

I like **the house**＋he lives *in* **it.** 〔受格〕
(我喜歡那房子) (他住在裏面)
＝I like the house **which** he lives *in.* 〔受格〕
＝I like the house *in* **which** he lives.
(我喜歡他住的房子)

This is **the dog**＋I spoke *of* **it.** 〔受格〕
(這是那隻狗) (我說過牠)
＝This is the dog **which** I spoke *of.* 〔受格〕
＝This is the dog *of* **which** I spoke. 〔受格〕
(這是我說過的那隻狗)

（前述詞）	關係子句【**which**＋主詞＋動詞】 （形容詞子句）〔受格〕
1. I like *the book*	（**which**） John *bought.*
2. This is *the watch*	（**which**） he *gave* me.
3. This is *the house*	（**which**） he *built.*
4. That is *the house*	*in* **which** I live. （**which**） I live *in.*
5. Here is *the letter*	*of* **which** I told you. （**which**） I told you *of.* （我告訴過你的）

（前述詞）	關係子句【**which**＋主詞＋動詞】 （形容詞子句）〔受格〕	
1. *The fish*	（**which**） I *ate*	was not good.
2. *The eggs*	（**which**） I *bought*	are bad.
3. *The pen*	（**which**） she *lost*	was a good one.
4. *The books*	（**which**） you *lent* me	are interesting.

● 應注意事項 ●

1. **which** 可用 **that** 來代替，但 *which* 前面有介系詞時除外。
2. 用於限定用法的**受格關係代名詞 which 可以省略**，但 *which* 前面有介系詞時除外。

This is the horse **which** won the race. 〔主格〕
＝This is the horse **that** won the race. 〔主格〕
（這就是競賽得勝的那匹馬）

The book （**which**） he *gave* me is very good.
＝The book （**that**） he *gave* me is very good.
（他給我的那本書很好）——*which*與*that*均爲受格

Is this the book *of* which you spoke?
＝Is this the book （**which**） you spoke *of*?
＝Is this the book （**that**） you spoke *of*?
（這是你所說的那本書嗎？）——*which*與*that*均爲受格

(c)
The book ＋ **its** cover is green＋is mine. 〔所有格〕
（那本書） ↓ （它的封面是綠色的）（是我的）
＝The book **whose** cover is green is mine. 〔所有格〕
（那本綠皮的書是我的）

The book＋the cover **of it** is green＋is mine. 〔所有格〕
(那本書) (它的封面是綠色的) (是我的)
＝The book the cover **of which** is green is mine.
＝The book **of which** the cover is green is mine.

【句型】

(前述詞)	關係子句【whose＋名詞＋動詞】 (形容詞子句)〔所有格〕	
1. *The book*	**whose** *cover* is blue	is Mary's.
2. *The house*	**whose** *roof* is red	is Tom's.
3. *The mountain*	**whose** *top* we can see	is Mt. Fuji.(富士山)

(前述詞)	關係子句【of which……】 (形容詞子句)〔所有格〕	
1. *The book*	{ *the cover* **of which** / **of which** *the cover* } is blue	is Mary's.
2. *The house*	{ *the roof* **of which** / **of which** *the roof* } is red	is Tom's.
3. *The mountain*	*the top* **of which** we can see	is Mt. Fuji.

(3) That 的用法

〔前述詞〕	〔關係代名詞〕
① 人 ② 動物 ③ 事物	＋**that**〔主格，受格〕 (＝who, whom, which)

1. 關係代名詞**that**可用以代替*who, whom, which*等以代表「人」、「動物」和「事物」。

I want a man **that** (＝who) *understands* English. 〔主格〕
(我需要一個懂得英語的人)

John is a boy **that** (＝whom) I *like* very much. 〔受格〕
(約翰是我非常喜歡的一個男孩)

This is a book **that** (＝which) *tells* about birds. 〔主格〕
(這是一本關於鳥的書)

This is the book **that** (＝which) he *gave* me. 〔受格〕
(這就是他給我的那本書)

【提示】**that** 不可用作所有格。

2. 前述詞前面有最高級形容詞時，須用關係代名詞**that**, 不可用 *who* 或 *which* 等。

最高級形容詞＋前述詞＋**that**

This is *the best* book **that** I have ever read.
(這是我曾經讀過的最好的書)

He is *the greatest* inventor **that** ever lived.
(他是空前的大發明家)

3.

the first	(最先的)	(＋前述詞)＋**that**〔關係代名詞〕
the last	(最後的)	
the only	(唯一的)	
the same	(同一的)	
the very	(正是那個)	
any	(任何)	
all	(全部)	
no	(無一)	

He is *the first* boy **that** came here.
(他是最先到這裏的男孩)

She was *the last* girl **that** arrived.
(她是最後到達的女孩子)

She is *the only* girl **that** can ride a bicycle.
(她是唯一能騎腳踏車的女孩子)

This is *the same* man **that** came yesterday.
(這位就是昨天來的那個人)

You are *the very* man **that** I wanted to see.
(你正是我所要見的人)

Take *any* book **that** you like.
(隨便拿一本你所喜歡的書)

This is *all* **that** I know about him.
(這是我所知道關於他的一切)

I saw *no* one **that** I knew.
(我沒有看到一個我所認識的人)

4.

兩種前述詞(人＋動物或事物)＋**that**

Look at *the boy* and *his dog* **that** are crossing the bridge.
（看正在過橋的那個男孩和他的狗）
The man and *the horse* **that** fell into the river were drowned.
（跌進河裏的人和馬都淹死了）

5. 前面已有疑問詞 *who* 或 *which* 時，關係代名詞宜用 **that** 以避免重複。

Who（或 Which）……＋**that**……？

Who is the man **that** is reading a book over there?
（在那邊看書的那個人是誰？）
Which is the book **that** you want?
（你要的書是那一本？）

6. | **It is**……＋**that**（或 who）……＝加重語氣 |
|---|

It is I **that**〔或 who〕am right. （對的是我）
It is you **that**〔或 who〕have said it. （是你說的）

7. | 關係代名詞 **that** 前面不可接介系詞 |
|---|

〔誤〕This is the house *in that* he lives.
〔正〕This is the house *in* **which** he lives.
＝This is the house **that**〔或 which〕he lives *in*.
＝This is the house **where** he lives.
（這是他住的房子）

【提示】關係副詞 **where**＝*in which*

【句型】

（前述詞）	關係子句**【that＋動詞】**（形容詞子句）〔主格〕
1. This is the writer	**that** *wrote* this book.
2. I have a book	**that** *costs* 100 dollars.
3. There is no rule	**that** *has* no exceptions.
4. It is you	**that** *are* wrong.
5. See the boy and the dog	**that** *are* coming this way.

（前述詞）	關係子句【that＋主詞＋動詞】（形容詞子句）〔受格〕
1. This is the pen	(**that**) I *bought* yesterday.
2. This is the house	(**that**) he lived *in*.
3. He is the best teacher	(**that**) I *know*.
4. This is the last chance	(**that**) you *have*.
5. This is the very thing	(**that**) I *want*.
6. You are the only friend	(**that**) I *have*.
7. These are all the books	(**that**) he *has*.
8. This is the same book	(**that**) I *lost* yesterday.
9. Which is the book	(**that**) you *lost*?

【提示】關係代名詞**that**若爲受格時可以省略。

(4)限定用法與非限定用法

A. 限定用法(Restrictive Use)

關係子句如有限定或修飾前述詞之作用，即爲限定用法。

The man *whom we met yesterday* is coming to see us.
(昨天我們遇見的那個人要來看我們)

I want **a man** *who can speak English.*
(我需要一個會說英語的人)

【提示】 ①限定用法之關係代名詞前面不加逗點。
②限定用法之關係子句爲形容詞子句，有形容詞的作用。

B.非限定用法(Non-restrictive Use)

Who (whose, whom) 與 **Which** 所引導的關係子句，如僅作補述之用而不用以修飾或限定前述詞時，即爲非限定用法或補述用法(Continuative Use)。非限定用法(補述用法)關係代名詞的形態如下：

	人	動物，事物
主　格	……, **who**……,	……, **which**……,
所有格	……, **whose**……,	……, **whose**……, 〔……, **of which**……,〕
受　格	……, **whom**……,	……, **which**……,

【提示】①補述用法之關係代名詞前面(或前後)須加逗點(，)。

②關係代名詞 **that** 不用於補述用法。
③用於補述用法的關係代名詞不能省略。

(a)I met John, **who** (=*and he*) told me the news.
(我遇到約翰,他告訴我這個消息)
He has two sons, **who** (=*and they*) work in the same place.
(他有兩個兒子,這兩個兒子在同一地方工作)——只有兩個兒子
〔比較〕He has two sons **who** *work in the same place.*
(他有兩個兒子在同一地方工作)〔限定用法〕
——可能還有幾個兒子在其他地方工作
I want this man, **who** (=*for he*) can speak English.
(我要這個人,因爲他會說英語)
I will take this one, **which** (=*for it*) seems to be the best one.
(我要拿這一個,因爲它似乎是最好的)
They gave up the plan, **which** (=*though it*) was a very good one.
(他們把這個計畫放棄了,雖然它是很好的一個)

(b)My brother, **who** is a teacher, can speak German.
(我的哥哥——他是一個教師——會說德語)
Tom Smith, **whom** you know, is the tallest in our class.
(湯姆,史密斯——你認識他的——就是我們班裏身材最高的)
Grammar, **which** I like very much, is good for me.
(文法——我非常喜歡它——對我是有益處的)
【註】在上面兩句中, **whom** 與 **which** 雖爲受格關係代名詞,仍不得省略。

*【提示】在補述用法中,可用片語與子句作前述詞,並以關係代名詞**which**代表之。
He wanted to go abroad, **which** (=*but it*) was impossible.
(他希望出國,但這是不可能的)
He said nothing ,**which** (=*and this*) made me angry.
(他不講話而使我生氣)

(5) *What 的用法*

what=前述詞+關係代名詞	
what= ①the thing(s) which	(所~的東西)
②that which	(所~者)
③all that	(所有~)

【提示】關係代名詞 *what* 兼有前述詞與關係代名詞的作用，因之使用 *what* 時，前面不另加前述詞。

This is not **what**（＝*the thing which*）I *want.*
（這不是我所需要的東西）

Do you understand **what**（＝*that which*）I *mean*?
（你懂得我的意思嗎？）

I did **what**（＝*all that*）I *could.*
（我已盡了我的所能）

What（＝*That which*）he *said* is quite true.
（他所說的話完全是眞的）

【句型】

	關係子句【**what**……】（＝名詞子句）	
1. This is just	**what** I *want.*	
2. Is this	**what** you *want*?	
3. Give him	**what** he *needs.*	
4. He gave me	**what** I *wanted.*	
5. I know	**what** you *mean.*	
6. This is	**what** he *said.*	
7.	**What** you *said*	is true.
8.	**What** *is mine*	is yours.

(6) 複合關係代名詞

whoever（＝any one who）	〔主格〕	不論誰
whomever（＝any one whom）	〔受格〕	不論誰
whatever（＝anything that）	〔主格，受格，所有格〕	不論什麼
whichever＝{ either that / any that }	〔主格，受格，所有格〕	不論那一個

Whoever（＝*Any one who*）*says* this is mistaken. 〔主格〕
（任何人說了這話的都錯了）——*Whoever* 是關係子句的主詞

Give it to **whoever**（＝*any one who*）*wants* it. 〔主格〕
（把那個給任何要它的人）——*whoever* 是關係子句的主詞

Give it to **whomever**（＝*any one whom*）you *like.* 〔受格〕
（把那個給任何你所喜歡的人）——*whomever* 是動詞like的受詞

Whatever（＝*Anything that*）I *have* is yours. 〔受格〕
（凡我所有的都是你的）——*Whatever* 是動詞 have 的受詞

Take **whichever** (=*any that*) you *like.* 〔受格〕
(隨便拿一個你所喜歡的)——*whichever*是動詞like的受詞

【句型】

	關係子句【**whoever**+動詞】 (名詞子句)〔主格〕	
1. Give it to	**whoever** { *likes* it. / *wants* it. / *needs* it.	
2.	**Whoever** *comes* first	may take it.
3.	**Whoever** *is* tired	may rest.
4.	**Whoever** *said* that	is wrong.

	【**whomever**+主詞+動詞】 〔受格〕	
1. Give it to	**whomever** } you *like.*	
2. You may take	**whichever** } you *like.*	
3. You may do	**whatever** } you *like.*	
4.	**Whatever** I *have*	is yours.

(7) 準關係代名詞

as與**but**也有類似關係代名詞的用法，特稱之爲準關係代名詞。

such～as	像～那樣的
the same～as	與～相同的，和～同樣的
***but** (=that ～not)	不～者

He was not *such* a man **as** would tell a lie. 〔主格〕
(他不是會說謊的那種人)

They don't have *such* a book **as** I want. 〔受格〕
(他們沒有我所要的那種書)

I had *the same* bicycle **as** you have. 〔受格〕
(我從前有一輛同你一樣的腳踏車)——同種類的

〔比較〕This is *the same* watch *that* I lost yesterday.
(這是昨天我遺失的那隻錶)——同一的

* { There is no one **but** knows it. 〔主格〕
(=There is no one *that* does *not* know it.
(無人不知此事)

* There is no rule **but** has exceptions. 〔主格〕
(=There is no rule *that* has *no* exceptions.)
(沒有無例外的規則)

* Who is there **but** commits errors? 〔主格〕
(=Who is there *that* does *not* commit errors?)
(人誰無過？)

—— 習 題 16 ——

(一)*Fill each blank with a suitable relative pronoun*：
(用適當的關係代名詞填在空白裏)

1. He is the boy ______ wrote this letter.
2. This is the girl ______ we met yesterday.
3. The lady ______ was here last week has gone to America.
4. She has a son ______ name is George.
5. He has a horse ______ can run very fast.
6. The house ______ they are looking at is my house.
7. This is the boy of ______ I spoke to you last time.
8. The building ______ roof is red is our school.
9. Health is the only thing ______ I need.
10. Which is the pen ______ you want?
11. Is this ______ you want?
12. He is the richest man ______ I know.
13. Any man ______ listens to him is a fool.
14. I couldn't understand ______ he said.
15. Swimming, ______ is a good sport, makes people strong.
16. He is a famous scientist, about ______ many books have been written.
17. Beethoven, ______ music we are listening to, was one of the world's finest musicians.〔ˈbetovən〕(貝多芬)
18. All the people ______ I have ever met have liked him.
19. Let children read such books ______ will make them better and wiser.
20. I have the same trouble ______ you have.

(二)*Choose the correct words*：(選擇題)

1. Mary has an uncle (who, whose, whom) has a store in Chicago.〔ʃɪˈkago〕(芝加哥)

2. John has an uncle (who, whose, whom) store is in New York.(紐約)
3. The girl (who, whose, whom) you see at the door is my sister.
4. Is this the man (who, whose, whom) you have been waiting for?
5. They went into a house (which, that, whose) windows were all broken.
6. Now listen to (that, which, what) I am going to read.
7. Heaven helps those (which, who, that) help themselves.
8. He gave me (that, which, what) I wanted.
9. He was the first man (who, that, whom) came to see us.
10. He saw a boy and his cow (which, who, that) were going down the hill.
11. This is the town in (which, that, where) he lives.
12. It is you that (am, is, are) dishonest.
13. He is one of the greatest musicians (音樂家) that (is, are, be) known to us.
14. You may give the book to (whoever, whomever) you like.
15. I will give it to (whoever, whomever) needs it.
16. Tom and Mary, (which, who, that) are playing in the garden, are very naughty. [ˈnɔtɪ] (頑皮的)
17. (That, What, Which) he says is true.
18. We met a man from Japan (which, who, what) was visiting here.

(三) *Combine each pair of the following sentences by using the relative pronouns*:(用關係代名詞連接下列各組句子)

Ex. Mary is a new student. She has come from America.

→Mary is a new student who has come from America.

1. John has a brother. His name is Bill.
2. Spanish is an important language.
   Many people use it in South America.
3. Do you know the girls?
   We saw them at the party.

4. The man was Mr. Brown.
   He called on my father yesterday.
5. Who are those men?
   They are talking with our teacher.

(四) *Which relative pronouns in the following sentences can be omitted? Put each of them in the parenthesis*：

（下列句中有那幾個關係代名詞可以省略？在它的前後加括號）

Ex. 1. He is the man (that) I spoke of yesterday.
2. She is the teacher who teaches us English.（不能省略）

1. This is the boy whom I saw yesterday.
2. The man to whom I was speaking just now is a doctor.
3. This is the office which he works in.
4. That is the house which belongs to him.
5. A dog is an animal that has four legs.
6. These are all the books that I have.
7. Tell me what he said.
8. Mr. Smith, whom I have not seen for a year, is coming tomorrow.

(五) *Correct the errors:* （改錯題）

1. A man which is honest never do that.
2. This is the room which he lived.
3. I like the book which I bought it last Sunday.
4. A boy came to see us whose name was Tom.
5. He is the very boy who told us the news.
6. Don't forget the thing what I have told you.
7. A child whom parents are dead are called an orphan.
8. This is the most interesting book which I have ever read.

(六) *Substitution:* （換字）

1. The store that we buy our cakes from is shut.
   =The store from ______ we buy our cakes is shut.
2. We saw a mountain the top of which was covered with snow.
   =We saw a mountain ______ top was covered with snow.

3. It was the very thing I wanted.

=It was just ______ I wanted.

4. You may go with any one that wants to go.

=You may go with ______ wants to go.

5. You may do anything that you like.

=You may do ______ you like.

第三章

詞

Articles

第一節　不定冠詞
第二節　定冠詞
第三節　冠詞的省略
第四節　冠詞的反覆
第五節　冠詞的位置

冠詞的種類

1. 不定冠詞 (Indefinite Article)………**a, an**
2. 定 冠 詞 (Definite Article)…………**the**

【註】冠詞是一種形容詞。

第一節 不定冠詞(Indefinite Article)

不定冠詞"**a**"和"**an**"用於不限定的**單數名詞**之前。

1. **a**(一個)+子音

"**a**"用於以子音開始的單字之前,如:

a boy (男孩)
〔bɔɪ〕…〔b〕爲子音

a man (男人)
〔mæn〕…〔m〕爲子音

a family (家庭)
〔f〕…子音

a hat (帽子)
〔hæt〕…〔h〕爲子音

a woman (女人)
〔w〕…子音

a young man (青年)
〔jʌŋ〕…〔j〕爲子音

a one-eyed man (獨眼的人)
〔wʌn〕……〔w〕爲子音

a European (歐洲人)
〔ˌjʊrəˈpiən〕……〔j〕爲子音

2. **an**(一個)+母音

"**an**"用於以母音開始的單字之前,如:

an apple (蘋果)
〔æ〕……母音

an Englishman (英國人)
〔ɪ〕……母音

an uncle (伯父)
〔ʌ〕……母音

an island (島)
〔ˈaɪlənd〕…〔a〕爲母音

an old house (舊屋)
〔o〕……母音

an egg (蛋)
〔ɛ〕……母音

an hour (小時)
〔aʊr〕…〔a〕爲母音

an honest girl (誠實的女孩)
〔ˈɑnɪst〕…〔ɑ〕爲母音

【提示】用"**a**"或用"**an**",是以其後面所接單字的發音爲準,而非以字母爲準。

①以母音字母（如 a, e, i, o, u）開始的單字，若該字母之發音爲子音，則須用冠詞“**a**”, 如：

a *u*seful 〔ˈjusfəl〕 book　（有益的書）　—〔j〕爲子音

②以子音字母“*h*”開始的單字，若“*h*”無音而以母音開始發音時，則須用冠詞“**an**”, 如：

an *h*onorable 〔ˈɑnərəbl〕 man　（可敬的人）　—〔ɑ〕爲母音

〔比較〕

- *a* university 〔ˌjunəˈvɝsətɪ〕　（大學）
- *an* umbrella 〔ʌmˈbrɛlə〕　（雨傘）

- *a* European 〔ˌjʊrəˈpiən〕　（歐洲人）
- *an* Englishman 〔ˈɪŋglɪʃmən〕　（英國人）

- *a* one-legged 〔ˈwʌnlɛgd〕 man　（獨腳人）
- *an* old 〔old〕 man　（老人）

- *a* house 〔haʊs〕　（房屋）
- *an* hour 〔aʊr〕　（小時）

- *a* man 〔mæn〕　（男人）
- *an* M.P. 〔ˈɛm pi〕　（憲兵，國會議員）

【句型】

	a	（＋子音）
1. China is	**a**	large country.
2. The U.S.A. is	**a**	young country.
3. There is	**a**	university.
4. A horse is	**a**	useful animal.
5. The Chinese are	**a**	wise people.
6. I have seen	**a**	one-legged man.

	a		**an**	（＋母音）
1.		China is	**an**	old country.
2.		I must buy	**an**	English book.
3.		We saw	**an**	elephant（象）.
4.		I have	**an**	American friend.
5.		He has	**an**	airplane.
6.		Mary has	**an**	uncle.
7.		She is	**an**	honest girl.
8. I saw	**a**	lot of boys	**an**	hour ago.
9.		You omitted	**an**	“*s*” here.
10. Many	**a**	man has such	**an**	idea.

不定冠詞的用法

(1)“**a**”＝one　一個

I saw **a** man and two boys.

（我看見一個男人和兩個男孩）

(2)“**a**”＝any, every;　表同種類的全體(總稱用法)

A dog is more faithful than **a cat**.（狗比貓忠實）

＝*Dogs* are more faithful than *cats.*

＝*The dog* is more faithful than *the cat.*

(3)“**a**”＝each, per　每～

once **a** week（每週一次）

*(4)“**a**”＝a certain　某一

A Mr. Brown called on you.

（有一位布朗先生來拜訪你）

*(5)“**a**”＝one like　像～的人

He is **an** Edison.（他是一個愛迪生）〔＝大發明家〕

*(6)“**a**”＝the same　同樣的

They are of **an** age.（他們是同年）

◇ “a”的成語 ◇

once upon a time　昔時　　**all of a sudden**　突然

as a rule　通常，照例　　**at a distance**　由〔在〕遠處

in a hurry　匆忙　　**for a while**　暫時，一會兒

once in a while　有時，偶而

have a good time　過得愉快　　**have a cold**　患感冒，傷風

ask a favor　請求幫忙　　**take**〔*or* have〕**a bath**　洗澡

take a walk（＝go for a walk）　去散步

take〔*or* make〕**a trip**（＝go on a trip）　去旅行

have a picnic（＝go on a picnic）　舉行野餐，作郊遊

give a lesson　教課，授課　　**take a lesson**　受課

give an examination　給予考試，舉行考試

take an examination　參加考試

play a trick on～　開～的玩笑，惡作劇

make a fool of～　愚弄，欺騙　　**tell a lie**　撒謊

many a（＋單數名詞＋單數動詞）　甚多

a number of（＝many, some）　多數，一些

a lot of（＝many, much）　許多，多數，多量
a great〔*or* good〕**many**（＝very many）　很多
a great〔*or* good〕**deal of**（＝very much）　很多，大量
a few　少數，一些　　　**a little**　少量，少許

【句型】

	a	（＋子音）
1. We had	a	good time.
2. John has	a	cold today.
3. May I ask	a	favor of you?
4. Let's go for	a	walk.
5. I { took	a	trip to Tainan.
am going on	a	trip to the seaside.
6. Don't tell	a	lie.
7. They played	a	trick on me.
8. He is	a	Napoleon.

【註】seaside〔ˈsisaɪd〕　海邊　　Napoleon〔nəˈpolɪən〕　拿破崙

—— 習　題　17 ——

㈠*Choose the right article*：(選擇正確的冠詞)

1. (a, an) English boy
2. (a, an) European country
3. (a, an) American
4. (a, an) airplane
5. (a, an) Italian girl
6. (a, an) orange
7. (a, an) horse
8. (a, an) hour's trip
9. (a, an) useful metal
10. (a, an) unknown author
11. (a, an) U.S. plane
12. (a, an) woman writer

㈡*Choose the correct word*：(選擇正確的字)

1. He told me (a, an) interesting story.
2. The tiger is (a, an) wild animal.
3. Mary bought (a, an) umbrella.
4. She is (a, an) university student.
5. (A, An) young lady wants to see you.
6. I wish to be (a, an) Edison.
7. This cat has only (a, an) ear.
8. They have caught (a, an) fox.
9. (A, An) elephant is much larger than (a, an) ox.

10. I saw (a, an) old woman.
11. He has seen (a, an) one-eyed man.
12. John is (a, an) honest boy.
13. It's (a, an) honor to me.
14. He is staying at (a, an) hotel.
15. You omitted (a, an) *x* in this word.

第二節 定冠詞(Definite Article)

定冠詞"**the**"用於特定的單數或複數名詞之前。

【提示】

> ◇ **the** 的發音 ◇
>
> ①「**the**+子音」時讀〔ðə〕,如:
> **the** map〔ðə mæp〕(地圖)
> **the** fox〔ðə fɑks〕(狐狸)
> ②「**the**+母音」時讀〔ðɪ〕,如:
> **the** apple〔ðɪ æpl〕(蘋果)
> **the** ox〔ðɪ ɑks〕(公牛)

定冠詞的用法

(1) 用於已提過一次的名詞之前:
I bought *a nice book*. This is **the book**.
(我買了一本很好的書。這一本就是)

(2) 用於片語或子句所修飾的特定的人或物之前:
What is **the name** *of your brother*? (你哥哥的名字叫什麼?)
The books *on the table* are mine. (桌子上的書是我的)
This is **the man** *whom he met*.
(這位就是他遇到的那個人)

〔比較〕
He is **the principal** of our school.
(他是我們學校的校長)………〔特定〕
He is **a teacher** of our school.
(他是我們學校的一位老師)…〔許多老師當中的一位,非特定的〕

【提示】「**the**+複數名詞=特定的人或物全體」

* They are **the** *teachers* of this school.
(他們是本校的教師)……〔本校全體教師〕
They are *teachers* of this school.
(他們是本校的幾位教師)……〔本校部分教師〕

(3) 用於表**特定事物的物質名詞或抽象名詞之前**：
The rain was very heavy.　(這陣雨很大)
The cleverness of the boy surprised me.
(這男孩的聰明使我吃驚)

【句型】

the	特定的人或物	(＋形容詞片語或子句)
1. **The**	boy	*standing there* is Bob.
2. **The**	price	*of this book* is not high.
3. **The**	city	*where he lives* is very large.
4. **The**	books	*he lent me* are interesting.
5. **The**	water	*in this river* is not clean.
6. **The**	growth	*of a tree* is slow.
7. **The**	*heavy* snow	prevented his coming.

(4) 用於**易知為何人、何物者**：
Please open **the window** (*of this room*).
(請打開〔這房間的〕窗子)
Have you seen **the principal** (*of this school*)?
(你見過〔本校的〕校長嗎？)
He lives near **the park** (*of this city*).
(他住在〔本市的〕公園附近)

the door　門　　**the** station　火車站　　**the** post-office　郵局
the King　國王　　**the** President　總統　　**the** captain　隊長
the mayor 〔ˊmeɚ, mɛr〕 市長　　**the** manager　經理

(5) 用於**獨一無二的自然物之前**：
the earth　地球　　**the** world　世界　　**the** sky　天空
the sun　太陽　　**the** moon　月球

(6) 用於**方向、方位之前**：
the right　右　　**the** left　左　　**the** east　東
the west　西　　**the** south　南　　**the** north　北

【句型】

the		**the**	
1.	Please open	**the**	window.
2.	Will you shut	**the**	door, please?
3.	Did you see	{ **the** **the**	captain? mayor?
4. **The**	principal lives near	{ **the** **the** **the** **the**	school. church. station. post-office.
5.	Please turn to	**the**	right.
6.	You will find it on	**the**	left.
7. **The**	sun { rises in sets in	**the** **the**	east. west.
8. **The**	earth is larger than	**the**	moon.

(7)　「**the＋單數名詞**」可用以代表全體：〔總稱用法〕

The dog is a faithful animal.　（狗是忠實的動物）

She can play **the piano**.　（她會彈鋼琴）

【提示】① **man** 與 **woman** 用以代表全體時，用單數而不加冠詞。

Woman is weaker than *man*.　（女人比男人柔弱）

*②「**the＋單數名詞**」亦可用以表示抽象的觀念。

The pen is mightier than *the sword*.　（文勝於武）

(8)　「**the＋單數表數量名詞＝一單位**」：

They sell sugar by **the pound**.　（他們售糖以磅計）

They are paid by **the week**.　（他們是以週計資）

by **the** hour〔day, month〕　以鐘點〔日，月〕計

by **the** dozen　以打計

(9)　「**the＋形容詞＝複數名詞**」：

the rich（＝rich people）　富者　　**the** poor　貧者

the young　年輕人　　**the** living　生者　　**the** dead　死者

*【提示】「*the*＋形容詞」亦可用以表示抽象的觀念。【參看第 180 頁】

【句型】

the		
1. **The**	horse	is a useful animal.
2. **The**	definite article	is "**the**".
3. **The**	rich	are not always happy.

	the	
1. We should help	the	poor.
2. They sell pencils by	the	dozen.
3. He is paid by	the	day.

⑽ 用於**序數**之前：

the first　第一　**the** third　第三　**the** fifth　第五

the fourth of July　七月四日

⑾ 用於**最高級形容詞**之前：

the *best* book　最佳書籍　　**the** *last* one　最後一個

the *most diligent* student　最用功的學生

⑿ 用於 **only**（唯一的), **very**（正是那個), **same**（同樣的）等形容詞之前：

He is **the** *only* boy that can do it.

（他是唯一能做那事的男孩）

You are **the** *very* man that I want.

（你正是我所需要的人）

These are exactly **the** *same* as that.

（這些正和那些一樣）

【句型】

	the	
1. Sunday is	the	*first* day of **the** week.
2. Today is	the	*fourth* of July.
3. John is	the	*best* swimmer in **the** class.
4. This is	the	*very* book I want.
5. That was	the	*only* dictionary I had.
6. I have	the	*same* pen as you have.

⒀ 「**the＋比較級……, the＋比較級＝愈～愈～**」：**【參看第六章副詞】**

The *more*, **the** *better.*　（愈多愈好）

The *faster* you walk, **the** *sooner* you will reach there.

（你走的愈快，你就愈早到達那裡）

⒁ 下列專有名詞前通常要加 **the** ：

a. 河　　流：**the** Yang-tze（River）　長江（揚子江）

the Yellow River　黃河

the Thames〔tɛmz〕(River)　泰晤士河

b. 海　　洋：**the** Pacific（Ocean）　太平洋
the Atlantic（Ocean）　大西洋

c. 複數專有名詞：
①山　　脈：**the** Alps　阿爾卑斯山脈
the Himálayas　喜馬拉雅山脈
②羣　　島：**the** Philippine Islands（＝**the** Philippines）　菲律賓羣島
③全體國民：**the** Chinese　中國人民　**the** Americans　美國人民
【提示】*the Chinese* 亦可指特定的中國人，
如：**the** Chinese *he met*　（他所遇到的中國人）
④全　　家：「**the**＋姓＋**s**＝～家的人們」
the Wang*s*　王先生家的人們
the White*s*　白先生家的人們
⑤聯邦國家：**the** United States of America　北美合衆國
the United Kingdom　聯合王國(英國)
the United Nations　聯合國

d. 船　　名：**the** *President Wilson*　威爾遜總統號
the "*Fuji Maru*"　富士號

e. 公共建築物：**the** White House　白宮
the Central Bank　中央銀行
the Provincial Hospital　省立醫院

f. 刊物、書籍：**the** New York Times　紐約時報
the Times　泰晤士報
the Bible　聖經
the Reader's Digest　讀者文摘
【例外】 Life　生活畫報　　Time　時代雜誌
Newsweek　新聞週刊

⒂ 用於普通名詞化的專有名詞之前：
Shanghai is **the** *New York* of China.
（上海是中國的紐約）〔＝最大都市與海港〕
He is **the** *Einstein* of Japan.
（他是日本的愛因斯坦）〔＝大物理學家〕

⒃用於形容詞化的專有名詞之前：
the *English* language　英國的語言，英語
the *Chinese* flag　中國國旗
the *Taipei* streets　臺北的街道

(17) 用於帶有 **of** 片語的專有名詞之前：

the Republic *of China*　中華民國
the China *of* 1920　一九二〇年的中國
the City *of Tainan*（＝Tainan City）　臺南市
the University *of Oxford*（＝Oxford University）　牛津大學

【句型】

the			the	
1. **The**	"*Brazil*"	sailed across	**the**	Pacific.
2. **The**	Greens	are visiting	**the**	Philippines.
3. **The**	President	lives in	**the**	White House.

【註】the "*Brazil*"〔brəˈzíl〕巴西號（船名）　the Greens　葛林氏一家

the		the		the	
1. **The**	Amazon is	**the**	longest river in	**the**	world.
2.	Washington is	**the**	capital of	**the**	U.S.A.
3.	Dr. Sun was	**the**	Washington of	**the**	Republic of China.

【註】the Amazon〔ˈæməzn〕亞馬遜河　Wáshington　華盛頓　Dr. Sun　孫博士

the		
1. **The**	Japanese	are a diligent people.
2. **The**	Times	is an English newspaper.
3. **The**	English language	is not hard to learn.

◇ the 的成語 ◇

(1)

take a person { **by the hand**　握住某人的手 / **by the throat**　扼住某人的咽喉 }

I took him **by the hand.**（我握住他的手）
（＝I took his hand.）

strike / **hit** } a person **on the head**　打某人的頭

He hit me on the head.（他打我的頭）

What's the matter? 發生了什麼事?有何困難?
What's the matter with you? (你有何困難?)
(=What's wrong with you?)

(2)

in { **the morning**	在上午	in { **the daytime**	在日間
in { **the afternoon**	在下午	in { **the night**	在夜間
in { **the evening**	在晚上,傍晚	**in the dark**	在黑暗中
in the air	在空中	**in the water**	在水中
in the rain	在雨中	**in the field**	在田野裏
in the distance	在遠處	**in the country**	在鄉間,在國內
in the middle 〔*or* center〕 **of**	在~中間〔中央〕		
at the bottom of	在~底		
in the right	對	**in the wrong**	錯
***in the long run**	終久	***on the contrary**	相反地
by the way	順便提起	**on the way**	在途中
on the other hand	另一方面	**to the point**	中肯
the other day (=a few days ago)	日前,數日前		
go to the movies	看電影	**tell the truth**	說實話

【句型】

	the		the	
1. He took	the	boy by	the	hand.
2. He is in	the	office in	the	afternoon.
3. Who looks after	the	baby during	the	day?

第三節 冠詞的省略

(1) 用以表示總稱的複數名詞不加冠詞:

Hens lay **eggs.** (母雞生蛋)
Dogs are more faithful than **cats.** (狗比貓忠實)

(2) **man** (人類,男人)和 **woman** (女人)用以代表全體時可不加冠詞:

Man is the lord of all creation. (人爲萬物之靈)
Man is stronger than **woman.** (男人比女人强壯)
【提示】在口語中常用 *a man* 或 *men* 代替 **man.**

(3) 名詞前有 **this, that, my, your ……, every, some, whose, which……, John's, Mary's** 等冠詞相等語時不加冠詞：

〔正〕He is **my** brother.　（他是我的兄弟）
〔誤〕He is *a my* brother.

〔正〕**Whose** book is this?　（這是誰的書？）
〔誤〕*Whose the* book is this?

〔正〕This is **Mary's** hat.　（這是瑪麗的帽子）
〔誤〕This is *a Mary's* hat.
〔誤〕This is *the Mary's* hat.

(4) 用以表示總稱的物質名詞、抽象名詞等通常不加冠詞：

Iron is a useful metal.（鐵是一種有用的金屬）

Honesty is the best policy.　（誠實爲最上策）

【提示】 物質名詞與抽象名詞，如用作普通名詞，或用以指特定的事物時，則須加冠詞。

(5) 人名、地名、國名、街道名、車站名、港灣名、山名、湖名、公園名等專有名詞，與月名、週日名、季節、節日、神、自然等準專有名詞，通常不加冠詞：

John　約翰　　Taiwan（＝Formósa）臺灣　　Japan　日本
North China　華北　South America　南美洲　　Asia　亞洲
Hong Kong　香港　　New York State　紐約州
Chunghua Road　中華路　　32nd Street　第三十二街
Taipei Station　臺北站　　Keelung Harbor　　基隆港
Tokyo Bay（＝the Bay of Tokyo）東京灣
Lake Michigan（＝the Lake of Michigan）密西根湖
Mt. Everest　埃弗勒斯山　　Chungshan Park　中山公園
January　一月　　Wednesday　星期三　　Autumn　秋
Christmas　聖誕節　　God　神　　Nature　自然

【提示】由普通名詞轉成的專有名詞通常要加 **the,** 如

the *Far* East　遠東　　**the** *New* Park　新公園

【句型】

不加冠詞的名詞		不加冠詞的名詞
1. **Cats**	catch	**mice.**
2. **Women**	like	**flowers.**
3. **Man**	is stronger than	**woman.**
4. **Rice**	is cheaper than	**meat.**
5. **Iron**	is more useful than	**silver.**
6. **Time**	is	**money.**
7. **George**	lives in	**Taipei.**
8. **July**	comes after	**June.**
9. **Thursday**	comes before	**Friday.**
10. **Summer**	comes between	**spring and autumn.**

(6) 用以稱呼人的名詞不加冠詞：

Come in, **boy.** （進來吧，孩子〔或朋友〕）

Waiter, please give me a cup of tea.

（服務生，請給我一杯茶）

(7) 家人可不加冠詞，但第一個字母須大寫：〔準專有名詞〕

Where is **Father** (**Mother**)?

（爸爸〔媽媽〕在那裏？）

(8) 稱號、職位等後面如有人名可不加冠詞：

President Kennedy 甘迺迪總統

Professor Smith 史密斯教授

Dr. Sun 孫博士 **Captain** Lee 李隊長

(9) 稱號、職位等如用作補語可不加冠詞 **the**：

General Eisenhower was elected **President** in 1952.

（艾森豪將軍於一九五二年被選爲總統）

They elected him **mayor** of Taipei City.

（他們選他當臺北市長）

*He became **Prime Minister** of England in 1964.

（他於一九六四年成爲英國首相）

〔比較〕

He was elected **chairman** of the committee.

（他被選爲委員會主席）——唯一的人

He was elected *a member* of the Parliament.

（他被選爲國會議員）——許多議員中的一個，須加 **a**

(10) 稱號、職位等如用作人名的同格語可不加冠詞：

Mr. Johnson, **President** of the U.S.A. 美國總統詹森

Elizabeth Ⅱ (the Second), **Queen** of England
英國女王伊利莎白二世

【提示】職業名須加 *the*, 如：Brown, *the* banker　(銀行家布朗)

【句型】

不加冠詞的名詞		不加冠詞的名詞(補語)
1. **Dr. A**	was elected	{ **President.** / **chairman.**
2. **Mr. B**	became	**mayor** *of the city.*

(11)　動名詞通常不加冠詞：

He likes **swimming and fishing.**　(他喜歡游泳和釣魚)

(12)　學科名不加冠詞：

history　歷史　geography　地理　civics　公民科
mathematics　數學　physics　物理　chemistry　化學
science　科學　art　藝術

(13)　三餐名不加冠詞：

breakfast　早餐　lunch　午餐　supper　晚餐　dinner　正餐

(14)　運動名不加冠詞：

tennis　網球　football　足球　baseball　壘球
basketball　籃球

(15)　顏色名不加冠詞：

blue　藍　green　綠　white　白　red　紅
yellow　黃　black　黑

(16)　語言名不加冠詞：

Chinese　中國語　Japanese　日語　English　英語
French　法國話　German　德語　Spanish　西班牙語

【提示】*English＝the English language*
Chinese＝the Chinese language

(17)　**school** (學校), **church** (教堂)等公共建築物，如用以表示其業務、行爲、目的等，則不加冠詞：

go to **school**　上學　go to **church**　做禮拜
go to **bed**　就寢

〔比較〕{ He has gone *to school.*　(他上學去了)
He lives near *the school.*　(他住在學校附近)

(18)　**a kind of** (一種), **a sort of** (一種)等後面的名詞不加冠詞：

It's **a kind of** *flower.*　(它是一種花)

What **kind of** book do you like best?
（你最喜歡那一種書？）

⒆ **most** 作「大多數」用時不加冠詞：**most** people 大多數人

⒇ **next** Saturday （下星期六） **next** month （下個月）
last night （昨夜） **last** week （上星期）
last year （去年）等不加冠詞。
【提示】**the** *last* day of the week 一星期的最後一天

◆ 不加冠詞的成語 ◆

① 成對的名詞：

knife and fork	刀叉	**pen and ink**	筆墨
day and night	日夜	**mother and child**	母子
hand in hand	攜手	**face to face**	面對面
side by side	並肩，一起	**from place to place**	到處

from morning till night 從早到晚

② 介系詞＋名詞：

at night	在晚上	**at noon**	在中午
at home	在家	**at work**	在工作
at play	在遊戲	**at table**	在用餐
at first	最初	**at last**	最後
in bed	在床上	**in hospital**	在醫院裏
in prison	在牢裡	**after school**	放學後
on foot	徒步，步行	**on time**	準時

by air〔land, sea〕由空路〔陸路，海路〕
by train〔bus, car, taxi, plane, ship, bicycle〕
乘火車〔公共汽車，汽車，計程車，飛機，船，自行車〕
learn by heart 熟記，默誦

③ 動詞＋名詞：

make haste	趕快	**make fun of**	嘲弄，開玩笑
take place	舉行	**take part in**	參加
take care of	照顧	**pay attention to**	注意，專心

【句型】

不加冠詞的名詞		不加冠詞的名詞	不加冠詞的名詞
1. **Bob**	likes	{ **mathematics.** / **swimming.**	
2. **John**	likes to play	**baseball.**	
3. **Father**	doesn't eat	**lunch**	*at* **home.**
4. **Mr. A**	can speak	**Japanese.**	
5. **Mrs. B**	will go to	**Japan**	**next week.**
6. **Miss C**	went to	**Europe**	*by* **sea.**
7. **Dr. Lin**	came from	**Hong Kong**	*by* **air.**
8. **School**	begins		*at* **eight.**
9. **Mary**	goes to	{ **school** / **church**	*on* **foot.** / *by* **bus.**
10. **Jane**	goes to	**bed**	*at* **ten.**

第四節　冠詞的反覆

並列的兩名詞若指同一人(或事物)時，只在第一個名詞前面加一冠詞，若兩名詞各指不同的人(或事物)，則在兩名詞前面各加一冠詞：

The doctor and musician *was* born in 1920.
(醫生且又是音樂家的這個人生於 1920 年)〔指一人〕
The doctor and **the** musician *are* good friends.
(這醫生和這音樂家是好朋友)　〔指二人〕

A black and white cat is in the kitchen.
(一隻黑白兩色的貓在廚房裏)　〔一隻〕
A black (cat) and a white cat are in the kitchen.
(一隻黑貓和一隻白貓在廚房裏)　〔二隻〕

*【註 1】各名詞無含糊之虞時，僅在最初一名詞前加一冠詞即可，其餘各名詞之冠詞可以省略。如欲加强語勢則亦可在兩名詞前各加一冠詞。

We sent for **a** doctor and nurse.
(我們召醫生和護士來)　〔一般用法〕
We sent for **a** doctor and **a** nurse.
(我們召一位醫生和一位護士來)〔加重語氣〕

*【註 2】一物附於他物而成爲一個物體時，只用一冠詞。

a watch and chain　(帶鍊的錶)
the bread and butter　(塗上奶油的麵包)

第五節　冠詞的位置

1. 冠詞的位置通常在副詞與形容詞之前。

冠詞 ＋ 副詞 ＋ 形容詞 ＋ 名詞

〔冠詞〕	〔副詞〕	〔形容詞〕	〔名詞〕	
a	*very*	*nice*	book	（一本很好的書）
the		*tallest*	boy	（身材最高的男孩）

【句型】

	冠詞	副詞	形容詞	名詞
1. John is	**a**	*very*	*diligent*	boy.
2. I have	**an**		*interesting*	book.
3. He made	**the**		*same*	mistake again.

2. **all, both, half, many, such, what, quite,** *etc.* ＋冠詞（＋形容詞）＋名詞

All the boys were present.（所有的男孩都出席）
Both the girls are here.（兩個女孩都在這裡）
Half the money was stolen.（有一半的錢被偷去）

I have waited for **half an** hour.（我等了半個小時）
Many a man was killed.（有許多人被殺）
It's **quite a** long way from here.（離這裡相當遠）
——quite〔副詞〕（＝*very, rather* 頗）
I have never seen **such a** *pretty* flower.
（我從未見過如此美麗的一朵花）
What a *pretty* flower it is!（這是多美麗的花啊！）
（＝How pretty the flower is!）

【句型】

形容詞	冠詞	形容詞	名詞	
1. **All**	**the**		people	were happy.
2. **Both**	**the**		brothers	are professors.
3. **Half**	**the**		money	was stolen.
	the		books	were lost.
4. **Many**	**a**		student	has failed.
5. **What**	**a**	*nice*	man	he is!
	an	*honest*	girl	she is!
	a	*pretty*	flower	it is!

	形容詞	冠詞	形容詞	名　詞
1. She bought	**half**	**a**		dozen.
2. I've waited for	**half**	**an**		hour.
3. I've never seen	{ **such**	**a**		man.
	such	**a**	*pretty*	flower.

【提示】*

as, so, too, how, *etc.* } ＋形容詞＋冠詞＋名詞

He is **as** *kind* **a** man as you.
（他是跟你一樣和善的人）

I have never seen **so** *pretty* **a** flower.
（我從未見過如此美麗的一朵花）

How *pretty* **a** flower it is!
（這是多麼美麗的花啊！）

It is **too** *good* **a** chance to be lost.
（這是不能錯過的大好機會）

—— 習 題 18 ——

(一) *Fill in the blanks with the definite article* "*the*" *where necessary, draw a cross* (×) *if no article is necessary*：

（填定冠詞 *the* 在空白裏，不需要冠詞的地方填"×"）

1. This is ______ house which I live in.
2. These are ______ books I bought ______ yesterday.
3. ______ magazines on ______ table are very interesting.
4. Who is ______ author of ______ book?
5. I don't know ______ age of ______ writer.
6. Who is ______ man knocking at ______ door?
7. He is ______ very man I have been looking for.
8. He is ______ only man that knows ______ place.
9. ______ tea is grown in ______ many countries.
10. ______ tea of ______ Taiwan is very good.
11. ______ coffee in that cup is very hot.
12. I need ______ water, but ______ water in this glass is dirty.
13. We can't live without ______ air.

14. ______ air in this room is not fresh.
15. ______ iron is more useful than ______ silver.
16. ______ price of ______ gold is high.
17. ______ gold in this ring is very valuable.
18. ______ winter is over, ______ spring has come.
19. ______ winter in ______ Formosa isn't very cold.
20. We had ______ lots of ______ rain ______ last summer.
21. We walked in ______ rain.
22. ______ blackboard is made of ______ wood.
23. ______ wine is made from ______ rice or ______ grapes.
24. Please shut ______ window.
25. Will you turn off ______ radio, please?
26. Which is ______ way to ______ station?
27. You will find ______ post-office on ______ left.
28. ______ sun rises in ______ east.
29. Which is larger, ______ earth or ______ moon?
30. ______ dog is more faithful than ______ cat.
31. ______ dogs like ______ milk.
32. We are fighting for ______ dignity of ______ man.
(人類的尊嚴)
33. ______ rich should help ______ poor.
34. ______ more we get together, ______ happier we'll be.
35. Today is ______ tenth of ______ December.
36. ______ honesty is ______ best policy.
37. ______ Yangtze is ______ longest river in ______ China.
38. ______ Pacific Ocean lies between ______ America and ______ Asia.
39. They have climbed ______ Himalayas.
40. ______ Mr. Green lives on ______ Lincoln Street.
41. ______ Thomas A. Edison invented ______ electric lamp.
42. ______ Browns are leaving for ______ Japan ______ tomorrow.
43. ______ Washington is ______ capital of ______ United States of ______ America.
44. ______ Washington was ______ first President of ______ U.S.A.
45. ______ Dr. Sun Yat-sen was ______ Washington of ______ Republic of ______ China.

46. ______ City of ______ Tokyo is larger than ______ New York City.
47. ______ Uncle Tom lives in ______ City of ______ New York.
48. ______ man is reading ______ New York Times.
49. ______ city may be called ______ Chicago of ______ South America.
50. ______ Americans who are working with me can speak ______ Chinese very well.
51. ______ Chinese language is difficult to learn.
52. ______ Professor Wilson is not here.
53. ______ professor is not here now.
54. ______ President Roosevelt died in ______ 1945.
55. ______ President never travels alone.

(二)*Fill in the blanks with "a", "an", or "the"; draw a cross* (×) *if no article is necessary*：(用 *a, an,* 或 *the* 填在空白裏，不需要冠詞的地方填"×")

1. ______ cows and ______ horses are ______ animals.
2. ______ fly is one of ______ most dangerous enemies of ______ man.
3. ______ Bob gets up at ______ six o'clock in ______ morning.
4. He likes to eat ______ bread and ______ eggs for ______ breakfast.
5. We have ______ lunch at ______ noon.
6. Many ______ students go to ______ school on ______ foot.
7. ______ school begins in ______ September.
8. ______ principal lives near ______ school.
9. Many ______ man goes to ______ office by ______ bus.
10. They must get to ______ office on ______ time.
11. ______ dentist's office is on ______ second floor.
12. ______ Father takes ______ 7:20 train ______ every morning.
13. ______ Mother works from ______ morning till ______ night.
14. ______ Mary goes to ______ church on ______ Sundays.
15. ______ Miss Green goes to ______ movies once ______ week.

16. There is ______ zoo in our city. We went to ______ zoo ______ other day.
17. ______ New Park is in ______ center of ______ city.
18. We went on ______ picnic ______ last Sunday.
19. ______ Saturday is ______ last day of the week.
20. At ______ last it has come.
21. They are paid by ______ week.
22. ______ sugar is sold by ______ pound.
23. He took the boy by ______ hand.
24. Come with me, ______ boy.
25. What's ______ matter with him?
26. ______ Newton's friend played ______ trick on him.
27. John has ______ cold today.
28. He must go to ______ bed early.
29. He is lying in ______ bed.
30. I want to ask ______ favor of you.
31. He has waited for half ______ hour.
32. Once upon ______ time there was ______ woman who had ______ lots of ______ money.
33. ______ time is ______ money.
34. He has lost all ______ money he had.
35. He has not eaten ______ food for ______ long time.
36. For ______ first time I saw such ______ man.
37. He writes to us once in ______ while.
38. Don't tell ______ lie, tell ______ truth.
39. I made ______ mistake.
40. Don't make ______ same mistake again.
41. If you feel blue, go for ______ walk.
42. They are planning to take ______ trip to ______ country.
43. Have you ever been to ______ Sun-moon Lake?
44. ______ Mr. Lee is ______ old friend of mine.
45. ______ Lees have visited ______ museum of ______ Taipei.
46. Who is ______ mayor of ______ Taipei City?
47. ______ United States is ______ young country.
48. ______ Mr. and Mrs. White went to ______ Europe by ______ air.

49. ______ "Victory" sailed for ______ Far East ______ few days ago.
50. ______ Mt. Everest is ______ highest mountain in ______ world.
51. ______ climate of ______ Philippines is very warm.
    ([ˈklaɪmɪt]氣候)
52. He can speak ______ English, ______ French, and ______ Japanese.
53. ______ Japanese he met was very polite.
54. I don't know much about ______ history of ______ Japan.
55. One is ______ English book, ______ other is ______ Chinese magazine.
56. ______ English are ______ sport-loving people.
57. ______ English teacher says he will give ______ examination ______ next week.
58. My uncle has ______ lot of ______ books.
59. He knows ______ great many things.
60. There is ______ garden behind ______ house.
61. ______ number of children are playing in ______ garden.
62. ______ number of students is about 1,000.
63. ______ number which comes between 10 and 12 is 11.
64. Please write it with ______ pen and ______ ink. Don't write it with ______ pencil.
65. I want ______ piece of ______ paper.
66. I like ______ mathematics and ______ geography.
67. ______ most students in my class are fond of ______ reading books.
68. When ______ school is over, we play ______ basketball or ______ tennis.
69. What is ______ color of ______ sky? It's ______ blue.
70. ______ sun gives us ______ light during ______ day.
71. Please turn on ______ light.
72. He sleeps in ______ daytime, and works at ______ night.
73. ______ cats can see in ______ dark.
74. When will ______ party take ______ place?
75. No one likes to make ______ friends with him.

76. ______ gold is ______ valuable metal.
77. ______ tiger is ______ kind of ______ cat.
78. What ______ kind of ______ flower is that?
79. What ______ beautiful ______ picture you have!
80. ______ Captain Smith was not at ______ home. He was at ______ Mr. Brown's house.
81. ______ President Johnson made ______ speech ______ last night.
82. ______ chairman's speech was short and to ______ point.
83. ______ Peter wishes to be ______ Shakespeare.
(莎士比亞〔大文豪〕)
84. ______ Peter's elder brother is ______ scientist and ______ writer.
85. ______ professor and ______ writer I told you about was born in this town.

(三)*Choose the correct words*：(選擇正確的字)

1. Smoking is (a, the) bad habit.
2. What (man, the man) needs most is (liberty, the liberty).
3. She can play (a, the) piano.
4. Pencils are sold by (a, the) dozen.
5. He struck me on (my, the) head.
6. (The both, Both the) children are very clever.
7. (The all, All the) boys are here.
8. I have never seen (such a, a such) tall man.
9. A black and white dog (was, were) running after the cat.
10. Are the doctor and (musician, the musician) good friends?

第四章

形容詞

Adjectives

形容詞是用以修飾名詞和代名詞的字。
John is **a diligent** *boy.* （約翰是個用功的男孩）
——形容詞 *a* 和 *diligent*（用功的，勤勉的）用以修飾其後面的名詞 *boy.*
Mary is **honest.** （瑪麗是誠實的）
She is **honest.** （她是誠實的）
——形容詞 *honest* 是主格補語，用以修飾名詞 ***Mary*** 和代名詞 ***she.***

形容詞的種類

形容詞通常分類如下：

1. 性狀形容詞（＝敍述形容詞）……表性質或狀態的形容詞
   如：good（好的）, young（年輕的）, Chinese（中國的）, wooden（木的）, *etc.*
2. 代名形容詞……有代名詞性質的形容詞
   如：this, another, each, every, my, who, *etc.*
3. 數量形容詞……表數和量的形容詞
   如：many, few, little, some, any, all, no, one, two, three, first, *etc.*

第一節 代名形容詞
（Pronominal Adjectives）

有代名詞性質的形容詞叫做代名形容詞，通常分爲：

1. 指示形容詞 【見第 55 頁】
   如：this, these, that, those, such, same, *etc.*
2. 不定形容詞 【見第 60 頁】
   如：some, any, each, every, all, both, another, either, *etc.*
3. 所有形容詞 【見第 41 頁】
   如：my～, your～, *etc.*
4. 疑問形容詞 【見第 87 頁】
   如：what, which, whose, *etc.*
5. 關係形容詞 【見第 94 頁】
   如：whose, *etc.*

【註】上列各種代名形容詞均已在第二章代名詞有關各節中敍述過，故不再重述。

【提示】代名詞與代名形容詞所不同者爲：代名形容詞後面須接名詞，而代名詞則否。

代名詞	形容詞
This is my pen. （這是我的鋼筆）	**This** *pen* is mine. （這枝鋼筆是我的）
Some are here.	**Some** *students* know him.
What is this?	**What** *book* is this?
Whose is this hat?	**Whose** *hat* is this?

第二節　數量形容詞
(Quantitative Adjectives)

數量形容詞可分爲：

1. 不定數量形容詞(Indefinite Quantitative Adjectives)
   如：many, few, much, little, some, any, *etc.*
2. 數詞(Numerals)〔ˊnjumərəlz〕
   如：one, two, first, half, *etc.*

A.不定數量形容詞

不定數量形容詞用以表示不確定的數和量，可分類如下：

1. 表數者：**many, few, several**
2. 表量者：**much, little**
3. 表數或量者：**some, any, all, no, enough**

【註】many, (a) few, much, (a) little, some, any, all 等已在第三章代名詞第三節不定代名詞(附不定形容詞)中敍述過，故不再重述。

(1) **Many 與 Few**　　【見第 79 頁】
(2) **Much 與 Little**　　【見第 81 頁】
(3) **Some 與 Any**　　【見第 60 頁】
(4) **All**　　【見第 71 頁】

(5) No

no（無）＋	單數名詞 / 不可數名詞 ｝＋單數動詞（**is** 等）
	複數名詞＋複數動詞（**are** 等）

I have **no**（＝not any）*money.*　（我沒有錢）
He has **no**（＝not any）*brother(s).*　（我沒有兄弟）
〔誤〕I have *not* money.

There *is* **no**（＝not any）*time.*　（沒有時間）
There *was* **no**（＝not any）*boy.*　（沒有男孩）
＝There *were* **no**（＝not any）*boys.*
〔誤〕There was *not* boy.

No *teacher* likes it.（沒有一位老師喜歡它）
＝**No** *teachers* like it.
No teacher and **no** student *was* there.
＝**No** teachers and **no** students *were* there.
（沒有一位老師或學生在那裏）

◇ no的成語 ◇

no doubt　無疑的
There is **no doubt** about it.（這是毫無疑問的事）

no more（＝no longer）　不再
No more tea, thank you.（不再要茶了，謝謝你）
I'll see him **no more.**（我將不再見他了）
I no longer believe in him.（我不再信任他了）
You are **no longer** a child.（你不再是小孩子了）

by no means　決不
He is **by no means** a good man.（他決不是一個好人）

(6) Several

several（數個，幾個）＋複數名詞＋複數動詞（**are** 等）

He knows **several** *languages.*　〔形容詞〕
（他懂得數種語言）

There are **several** *kinds* of houses. 〔形容詞〕
（有數種房屋）
Several of them *are* absent. 〔代名詞〕
（他們當中有幾位缺席）

(7) Enough

enough（足夠的，充足的）＋	不可數名詞＋單數動詞（**is** 等） 複數名詞＋複數動詞（**are** 等）

enough 作形容詞用時，可放在其所修飾的名詞之前或其後。

Have you **enough** *money*（＝*money* **enough**)? 〔形容詞〕
（你有足夠的錢嗎？）
I have **enough** *books*（＝*books* **enough**). 〔形容詞〕
（我有足夠的書）
I have had **enough.** 〔代名詞〕
（我已吃夠了〔已吃飽了〕）

【提示】*enough* 如用作副詞，則須放在修飾的字後面。
【參看第六章副詞】

Is this *large* **enough**?（這夠大嗎？） 〔副　詞〕
He is not *old* **enough** to go to school. 〔副　詞〕
（＝He is too young to *go* to school.）
（他還未到上學的年齡）

【句型】

	no （＝not any）	單數或複數名詞， 不可數名詞
I have He has	**no** **not any**	*book(s).* *sister(s).* *money.* *time.*

（單數動詞）	不定量形容詞	不可數名詞
There *is* / *was*	**enough** **no**	*water.* *food.* *time.*

(複數動詞)	不定數形容詞	複數名詞
There { *are* / *were* }	{ **several** / **enough** / **no** }	{ *magazines.* / *eggs.* / *people.* / *men.* }

B. 數 詞 *Numerals*

數詞用以表示數目，可分為三種：

1. 基數(Cardinals)……one, two, three, *etc.*
2. 序數(Ordinals)……first, second, *etc.*
3. 倍數詞(Multiplicatives)……half, double *etc.*

(1)基 數

計數時所用的數詞叫做基數。

【提示】基數可作形容詞或名詞用。

I bought **two** *eggs.* (我買了兩個蛋) 〔形容詞〕
I bought **two.** (我買了兩個) 〔名 詞〕

(1) O=zero, nought〔nɔt〕, 或 O〔o〕

(2) **1～12：**
one 1; two 2; three 3; four 4; five 5; six 6; seven 7; eight 8; nine 9; ten 10; eleven 11; twelve 12.

(3) **13～19**——「 **～teen** 」:
thirteen 13; **fourteen** 14; **fifteen** 15; sixteen 16; seventeen 17; **eighteen** 18; **nineteen** 19.

(4) **20～90** 間的 **10** 的倍數——「 **～ty** 」：
twenty 20; **thirty** 30; **forty** 40; **fifty** 50; sixty 60; seventy 70; eighty 80; **ninety** 90.

(5) **21～99**——十位數與一位數之間須用"－"(hyphen)連結：
twenty-one 21; thirty-two 32; forty-five 45.

(6) 自 **100** 起在 **hundred** 後面加"**and**"：
152—one (或 a) hundred **and** fifty-two
399—**three hundred and** ninety-nine
【註】在美國常省去 *and*

(7) **100以上的數字的讀法——「每三位數作一單位」**

1,023—one thousand and twenty-three

13,236—**thirteen thousand**(一萬三千), two hundred and thirty-six

2,562,481—**two million** (二百萬), five hundred and sixty-two thousand, four hundred and eighty-one

【提示】「一千幾百」的另一種讀法如下：

1,200＝**twelve hundred**

＝one thousand two hundred (一千二百)

【句型】

	Cardinals(基數)	.
1. A year has	**twelve**	months.
2. July has	**thirty-one**	days.
3. Mr. A is	**forty-four**	years old.
4. I need	**fifty**	dollars.
5. There are	**five hundred**	students.
6. There were	**three thousand**	books.
7. We have	**thirteen million**	people.
8. She bought	**two dozen** (of)	eggs.

● 應注意事項 ●

1. **hundred** (百), **thousand** (千)等前面有數詞時，雖爲複數仍不加"s"：

tow **hundred**	二百	three **thousand**	三千
four **dozen**	四打	four **score**	八十

2. **hundred, thousand** 等如約略地表多數，則須加"s"：

hundreds of students	幾百個學生，數以百計的學生
thousands of men	幾千人
millions of people	幾百萬人
dozens of pencils	好幾打鉛筆

hundred, thousand, million, dozen, etc.		複數動詞	
1. **Eight hundred** 2. **Hundreds of** 3. **Ten thousand** 4. **Thousands of** 5. **100 million** (一億) 6. **Millions of**	people	*are* / *were*	there. / killed.
7. **Five dozen** (of) 8. **Dozens of**	pencils	*were*	wasted.

3. 表示距離、款額、時間等的複數名詞，如用以表單位時常作單數：

Ten thousand dollars *is* a large sum.

(一萬元是一筆鉅款)

One thousand miles *is* a long distance.

(一千英里是一長距離)

〔比較〕 Ten minutes *is* a short time.
(十分鐘是一短時間) 〔一單位〕……………………(單數)
Ten minutes *have* passed.
(十分鐘已過了) 〔時間的經過〕……………………(複數)

【句型】

時間・款額・距離等		
1. **Five years**	*have* passed.	〔複〕
2. **Five years**	*is* a long time.	〔單〕
3. **Twenty thousand dollars**	*were* spent.	〔複〕
4. **Twenty thousand dollars**	*is* a large sum.	〔單〕
5. **One hundred miles**	*is* a long distance.	〔單〕

(2)序 數

用以表示順序的數詞叫做序數。

(1)「第一」～「第三」：

the first (1st), the second (2nd), the third (3rd)

(2)「第四」以後……「～**th**」：

the fourth (4th), the **fifth** (5th), the sixth (6th),
the seventh (7th), the **eighth** (8th)〔etθ〕,
the **ninth** (9th),……the **twelfth** (12th)

(3)「第二十」～「第九十」……「字尾 **ty→tieth**」：

the twentieth (20th), the thirtieth (30th),
the fortieth (40th),……the ninetieth (90th)

(4)「第二十一」以後……「一位數→序數」：

the twenty-**first** (21st), the twenty-**second** (22nd),
the thirty-**third** (33rd), the forty-**fourth** (44th),
the fifty-**fifth** (55th), the ninety-**ninth** (99th)

(5)「第一百」以後：

the (one) hundredth〔100th〕
the (one) hundred and **first**〔101st〕

【提示】 1. 序數前原則上要加"**the**"：

the first day　第一天　　**the second** week　第二週
the first two chapters　最前面兩章

*2. *a* **second** (＝another)　另一個，又一個

He is *a* **second** Napoleon.　(他是拿破崙第二)
He tried *a* **second** time.　(他又試了一次)

【句型】

	the	ordinals (序數)	
1. January		**first**	
2. February		**second**	
3. March		**third**	
4. April		**fourth**	
5. May		**fifth**	
6. June		**sixth**	
7. July	is **the**	**seventh**	month.
8. August		**eighth**	
9. September		**ninth**	
10. October		**tenth**	
11. November		**eleventh**	
12. December		**twelfth**	

● 基數與序數的用法 ●

1. 年號的讀法：

1970 年＝nineteen (hundred and) seventy
1960's (1960～1969 一九六零年代)＝nineteen sixties
1804 年＝eighteen (hundred and) four
1500 年＝fifteen hundred

1002 年＝one thousand and two
625 年＝six hundred and twenty-five

2. 日期的讀法：

日期通常用序數表示，寫時雖亦可用基數，但仍應以序數讀之。

七月九日＝July (the) 9th, or July 9
＝**the ninth** of July, 或 July (the) **ninth**

1966 年五月三日＝May **the third**, nineteen sixty-six

中華民國五十五年二月十二日＝February **the twelfth**, the fifty-fifth year of the Republic of China

【句型】

	the	序 數	
1. Today is	**the**	**15th**	of March.
2. Yesterday was	**the**	**20th**	of June.
3. His birthday is on	**the**	**21st**	of September.
4. Christmas comes on	**the**	**25th**	of December.

3. 時間的讀法：

五點鐘＝five o'clock

六點二十分＝{ twenty (minutes) past〔*or* after〕six
或 six twenty

七點四十五分＝{ a quarter to eight
或 seven forty-five

八點半＝half past eight 或 eight thirty

上午九點鐘的火車＝the 9:00 (＝nine o'clock) a.m. train

下午二點半的班機＝the 2:30 (＝two thirty) p.m. plane

4. 小數的讀法：小數點讀"**point**", 零讀"**nought**"。

12.312＝twelve point three one two

0.094＝(nought) point nought nine four

5. 分數的讀法

(a) { ①分子讀基數，分母讀序數。
②分子大於 2 時，分母須加"s"以形成複數。

$\frac{1}{3}$＝one〔*or* a〕third

$\frac{2}{3}$＝two-**thirds**

$\frac{1}{4}$＝{ a quarter;
或 one fourth

$\frac{3}{4}$＝{ three **quarters;**
或 three **fourths**

$\frac{1}{2}$=a (*or* one) half　　$\frac{1}{10}$=one tenth

$\frac{4}{5}$=four-**fifths**　　$2\frac{5}{6}$=two and five-**sixths**

(b)分子與分母之數目較大時的讀法爲：

分子(基數) **over** 〔*or* by〕分母(基數)

$\frac{85}{100}$=eighty-five over 〔*or* by〕 one hundred

6. 加減乘除：

2+3=5
- ①Two and three *are* 〔or *is*, *make(s)*, *equal(s)*, *are equal to*〕 five.
- ②Two plus three *is* 〔or *equals*, *is equal to*〕 five.

6−4=2
- ①Four from six *is* 〔or *leaves*〕 two.
- ②Six minus four *is* 〔or *equals*〕 two.

5×6=30
- ①Six times five *is* 〔or *are*〕 thirty.
- ②Five times six *is* 〔or *are*〕 thirty.

15÷3=5　Fifteen divided by three *is* five.

【句型】

+，−，×，÷	=	
① 5 plus 6		11
② $\frac{1}{10}$ plus $\frac{3}{10}$		$\frac{2}{5}$
③ 12 minus 8	is	4
④ 30 minus 13	(equals)	17
⑤ 10 times 5	(is equal to)	50
⑥ 45 divided by 3		15

7. 百分比、折扣、度數的讀法：

15%=fifteen per cent　90%=ninety per cent

九折=10% díscount　　七五折=25% díscount

33°=thirty-three degrees

8. 電話號碼．款額的讀法：

34020=three four O〔o〕 two O〔o〕

$6.52 (六元五角二分)=six (dollars) fifty-two (cents)

9. 年齡：

He is forty (*years old*) (=*years of age*).
（他是四十〔歲〕）

10.長度・高度・重量等：

~long=~in length（~長）
~high / **~tall** } =**~in height**（~高）
~wide=~in width（~寬）
~deep=~in depth（~深）
weigh~=~in weight（~重）

The river is **200 miles** *long* (=*in length*).
（這條河有二百哩長）
The mountain is **3,000 feet** *high* (=*in height*).
（這座山有三千呎高）
He is six **feet and two inches** *tall* (=*in height*).
（他身高六呎二吋）
I *weigh* 55 kg.（我的體重是 55 公斤）
=I am fifty-five **kilograms** *in weight.*
=My weight is **fifty-five kilo**(gram)**s**.
John weighs **140 pounds.** (=*lbs.*)（約翰的體重是 140 磅）

11.「帝王第~世」須讀序數：

Charles Ⅰ=Charles **the First** 查理一世
Elizabeth Ⅱ=Elizabeth **the Second** 伊利莎白二世

12.以基數代替序數者：

No.1 (讀 number one)=**the first** 第一
Volume Ⅱ (讀 volume two)=**the second** volume 第二卷
Book Ⅲ (讀 book three)=**the third** book 第三冊
Lesson Ⅳ (讀 lesson four)=**the fourth** lesson 第四課
Chapter Ⅴ (讀 chapter five)=**the fifth** chaptor 第五章
P. 8 (讀 page eight)=**the eighth** page 第八頁
Line 12 (讀 line twelve)=**the twelfth** line 第十二行
World War Ⅱ (讀 world war two)
=**the Second World War** 第二次世界大戰

◇ 含有數詞的成語 ◇

first of all 首先，首要者

First of all, you must take care of yourself.
　　(第一，你必須要保重自己)
at first (=in the beginning)　起初
***from the first** (=from the start)　自始，從開頭起
　Although he found English difficult **at first,** he liked it **from the first.**
　　(他起初雖覺得英文難學，但從開頭起他就喜歡它)
for the first time　初次
　I saw an elephant **for the first time.**
　　(我第一次看到象)
***in the first place** (=first; to begin with)　首先
　What sort of books shall I read **in the first place**?
　　(首先我必須讀那一類書籍呢？)

(3)倍數詞

用以表示倍數的數詞叫做倍數詞。

(1) **Half** (一半)：

half (一半)	(表量或單位時)＋單數動詞 (**is**等) (表數時)　　＋複數動詞 (**are**等)

Half (of) the mony *was* stolen.　〔形容詞〕
　(錢被偷去了一半)
About **half** (of) the passengers *were* hurt.　〔形容詞〕
　(約半數的乘客受了傷)

I have read **half** *the books.*　〔形容詞〕
　(這本書我已讀了一半)
I have read **half** *the book.*　(形容詞)
　(這些書我已讀了一半)

(The) **half** of eight *is* four.　(八的一半是四)　〔名詞〕
He was **half** asleep.　(他半睡著)　〔副詞〕
This river is **half** as long as that.　〔副詞〕
　(這條河是那一條的一半長)

a half　一半，二分之一
half an hour 〔a mile, a day〕
(=a half hour 〔half mile, half day〕〔美語〕)
　半小時(半英里，半天)
one and a half pounds 〔*or* years〕
=**one pound** 〔*or* year〕 **and a half**　一磅半 (一年半)

【句型】

<table>
<tr><th>Half</th><th></th><th></th></tr>
<tr><td rowspan="2">Half</td><td>(of) the money
of it</td><td>was stolen.</td></tr>
<tr><td>(of) the passengers
of them</td><td>were hurt.</td></tr>
</table>

(2) **Double**（加倍，二倍）：

I gave him **double** the sum. 〔形容詞〕
（我給了他一倍的款額）

Ten is the **double** of five. 〔名 詞〕
（十是五的兩倍）

a double size 加倍的大小
a double bed 雙人床

(3) **Time**（倍）〔倍數副詞〕

once（＝one time） 一倍
twice（＝two times） 二倍
three times（＝*thrice〔θrais〕〔古語〕） 三倍
four times 四倍

Once one is one. （一乘一等於一）

Twice two are〔*or* is〕four.
（二的二倍是四——二乘二是四）

Three times two are〔*or* is〕six.
（二的三倍是六——三乘二是六）

I want **twice** as much〔*or* many〕.
（我要這麼多的兩倍）

This bridge is **five times** as long as that.
（這座橋有那一座的五倍長）

Your house is **ten times** the size of mine.
＝Your house is **ten times** as large as mine.
（你的房子有我的十倍大）

【提示】三倍以上，多用 *times* 表示之。

【句型】

	倍　　數	
This is	{ **half** **twice** **three times** **four times** **ten times** }	as { much long large wide } as that.

—— 習　題 19 ——

(一)*Write in English:*(用英文寫出下列各數與式)

①99,044,330　②二十八萬　③一五五五(年)

④14.14　⑤第十二　⑥$\frac{2}{3}$　⑦$\frac{1}{8}$

⑧6＋18＝24　⑨17－4＝13　⑩3×11＝33

(二)*Translation*：翻譯(每空格填一個單字)

1. 一年有三百六十五天。

   There are ______ ______ and ______ days in a year.

2. 我們的學校有一千六百個學生。

   There are ______ ______ students in our school.

3. 懷特先生是五十四歲。

   Mr. White is ______ ______ old.

4. 有好幾百個人在那裏。

   ______ of people were there.

5. 這座山有四千呎高。

   The mountain is ______ ______ ______ high.

6. 本市有六十萬人口。

   This city has ______ ______ ______ people.

7. 本圖書館有三萬本藏書。

   This library has ______ ______ books.

8. 一九六五年，臺灣有一千二百多萬人口。

   In ______ ______, there were more than ______ ______ people in Taiwan.

9. 九月是一年的第九個月。

   ______ is ______ ______ month of the year.

10.聖誕節在十二月二十五日。

Christmas comes on ______ ______ of ______.

11.他是一九四七年一月三十一日出生的。

He was born on ______ ______ of ______, ______ ______.

12.他在民國五十二年間離開此地。

He left here in ______ ______ year of the Republic of China.

13.我現在讀國中三年級。

I am now in ______ ______ year of the junior high school.

14.我們生活在二十世紀。

We live in the ______ century.

15.半小時後他會回來。

He'll be back in half ______ ______.

16.我已讀完這本書的五分之四。

I have read ______ of the book.

17.我的書有他的兩倍之多。

My books are ______ as many as his.

18.地球有月球的四十九倍大。

The earth is ______ ______ as large as the moon.

㈢*Substitution*:換字(每個空格填一個單字)

1. He does not have any money.

=He has ______ money.

2. There was not a star in the sky.

=There was ______ star in the sky.

3. I have been there four or five times.

=I have been there ______ times.

4. It is 10:45.=It is ______ ______.

=It is a ______ to ______.

5. Bob gets up at 5:30.

=Bob gets up at ______ ______.

=Bob gets up at ______ past ______.

6. I went by the 8:20 train and arrived there at 12:50.

=I went by the ______ ______ train and arrived there at ______ ______.

7. He earns over $800 a week.

=He earns over ______ ______ ______ a week.

8. There is a mísprint in line 4.

=There is a mísprint in ______ ______ line.

9. I have lived here for 18 months.

=I have lived here for one ______ and a ______.

=I have lived here for one and a half ______.

10. She bought 60 pencils.

=She bought five ______ pencils.

=She bought three ______ of pencils.

(四)*Choose the correct words*：(選擇正確的字)

1. No children (was, were) there.
2. No student (know, knows) what it is.
3. I am (no, not) longer a child.
4. (Is, Are) there enough seats?
5. There (is, are) enough food for ten people.
6. Half the cattle (was, were) stolen.
7. About half of the world's people (do, does) not get enough to eat.
8. Four (time, times, and) three is twelve.
9. Two is the (half, double) of four.
10. Give me two (dozen, dozens) of eggs.
11. (Thousand, Thousands) of people were killed in the war.
12. A hundred dollars (was, were) a large sum to me.
13. Six months (is, are) not very long.
14. Monday is (second, a second, the second) day of the week.
15. I have come here for (first, a first, the first) time.
16. He found it difficult at (first, a first, the first), but soon got used to it.

第三節　性狀形容詞
(Qualifying Adjectives)

表種類、性質、或狀態的形容詞叫做**性狀形容詞**。

性狀形容詞通常分類如下：

1. 敘述形容詞(Descriptive Adjectives)
   如：good, tall, young, beautiful, *etc.*
2. 物質形容詞(Material Adjectives)
   如：gold, golden, wooden, *etc.*
3. 專有形容詞(Proper Adjectives)
   如：Chinese, English, American, *etc.*

(1)敘述形容詞

敘述形容詞用以表示**種類**、**性質**、或**狀態**等，而大部份**敘述形容詞有比較級**、**最高級等變化**。

如：good 好的　nice 好的　fine 美好的，晴朗的
bad 壞的　ill 生病的　sick 有病的
present 出席的　absent 缺席的　kind 和善的
honest 誠實的　young 年輕的　old 老的，舊的
new 新的　strong 强的　weak 弱的
brave 勇敢的　large 大的　small 小的
long 長的　short 短的，矮的　tall 高的
high 高的　low 低的　fat 胖的
thick 厚的　thin 薄的，瘦的　deep 深的
wide 寬，闊　narrow 狹，窄　straight 直的
flat 平坦的　round 圓的　square 方的
heavy 重的　light 輕的，光亮的　dark 黑暗的
wrong 不對的　right 對的，右邊的　sweet 甜的，悅耳的
sour 酸的　bitter 苦的　dry 乾的
wet 濕的　wild 野生的　hot 熱的
warm 溫暖的　cool 涼爽的　cold 冷的
clever 聰明的　wise 賢明的　foolish 愚蠢的
easy 容易的　difficult 困難的　hard 難的，硬的
soft 柔軟的　different 不同的　same 相同的
diligent 勤勉的　lazy 懶惰的　intelligent 聰明的
stupid 愚笨的　clean 清潔的　dirty 髒的
full 滿的　empty 空的　dear 昂貴的，親愛的
cheap 廉價的　rich 富裕的　poor 貧窮的
wealthy 富裕的　healthy 健康的　hungry 飢餓的

thirsty 口渴的	angry 忿怒的	sorry 抱歉，難過的
happy 快樂的	glad 高興的	fond 喜愛的
proud 驕傲的	able 能的	afraid 害怕的
dead 死的	free 自由的	interesting 有趣的
amusing 有趣的	charming 迷人的，悅人的	
missing 失去的，行蹤不明的		ready 已準備好的
lovely 可愛的	pretty 漂亮的	handsome 漂亮，英俊的
beautiful 美麗的	ugly 醜陋的	wonderful 可驚的
careful 謹慎，小心的		careless 粗心的
useful 有用的	useless 無用的	comfortable 舒適的
possible 可能的	impossible 不可能的	necessary 必要的
important 重要的	safe 安全的	dangerous 危險的
famous 著名的	jealous 嫉妒的	curious 好奇的
delicious 美味的	execllent 特優的	convenient 方便的
polite 有禮貌的	public 公共的	foreign 外國的
natural 自然的	national 國家的	white 白色的
blue 藍色的		

【句型】

	敍述形容詞	
1. He is a	{**good** / **tall**}	man.
2. She is an	**honest**	woman.
3. John is a	**diligent**	boy.
4. Mary is a	**lovely**	girl
5. She has a	**pretty**	garden.
6. Dr. A is a	**famous**	scientist.
7. He is studying	**natural**	science.
8. You are a	**careful**	driver.（司機）
9. It was a	**fine**	day.
10. It is an	**important**	problem.
11. She sang a	**sweet**	song.
12. I heard an	**interesting**	story.

	敍 述 形 容 詞
1. I am (not) 2. You are (not) 3. He is (not) 4. She is (not)	**tall,** 〔strong, weak, honest kind, young, old, polite, clever, foolish, rich, poor, happy, ill, sick, present, absent, careful, careless, hungry, thirsty, dead〕.
5. It is (It's)	**good,** 〔nice, hot, cold, new, right, wrong, easy, difficult, impossible, true, important, useful, delicious〕.
6. I feel (覺得)	**cold,** 〔warm, comfortable〕.
7. It tastes (味道是)	**sweet,** 〔sour, bitter, good〕.

(2)物質形容詞

1. **物質名詞**用作形容詞者：

a **gold** watch　金錶
an **iron** gate　鐵門
a **brick** wall　磚牆
a **silver** spoon　銀匙
a **stone** bridge　石橋
cotton goods　棉織品

2. **物質名詞＋en** 或 **y** 者：

a **wooden** box　木箱
a **stony** road　多石之路
woolen stockings　毛線襪
a **rainy** day　雨天

【提示】① 有些物質形容詞可用作象徵性的比喻。

an **iron** will　鐵般的意志
the **Golden** Age　黃金時代
a **golden** opportunity　千載難逢的好機會
a **silvery** voice　銀鈴般的聲音
a **stony** heart　冷酷的心

② **golden** 與 **silvery** 僅用於比喻用法。

golden hair　金髮
a **golden** saying　金言
a **silvery** sound　清越的聲音

【句型】

	物質形容詞	
1. I have a	**gold**	watch.
2. This is a	**golden**	opportunity.
3. She has a	**silvery**	voice.
4. He has an	**iron**	will.
5. He opened the	**iron**	door.

(3)專有形容詞

1. **專有名詞**用作形容詞者：
   the **South China** Sea　南中國海
   the **Philippine** Islands　菲律賓羣島
   the **U.S.** Government　美國政府
   the **Vietnam** war　越戰
   the **Japan** Times　日本時報
   a **London** newspaper　一家倫敦報紙
   Taipei Station　臺北站
2. 由**專有名詞轉化**而成的形容詞：
   a **Chinese** boy　一個中國男孩
   the **Japanese** language　日語
   the **Formosan** people　臺灣人民
   the **Asian** people　亞洲人民
   the **Korean** war　韓戰
   a **German** scientist　一個德國科學家
   an **English** book　一本英文書
   a **European** country　一歐洲國家
   a **Christian** nation　一基督教國家
   the **African** countries　非洲國家
   the **American** Indians　美國印第安人

國家・國民・國語名詞一覽

國 名		國語名(～語) 形容詞(～的)	個人(單數)	個人(複數)	全體國民
China	中 國	Chinese	a Chinese	Chinese	the Chinese
Japan	日 本	Japanese	a Japanese	Japanese	the Japanese
England	英 國	English	an English**man**	English**men**	the English
Ireland	愛爾蘭	Irish	an Irish**man**	Irish**men**	the Irish
France	法 國	French	a French**man**	French**men**	the French
Holland,	荷 蘭				
the Netherlands		Dutch	a Dutch**man**	Dutch**men**	the Dutch
America	美 國	American	an American	Americans	the Americans
Mexico	墨西哥	Mexican	a Mexican	Mexicans	the Mexicans
Germany	德 國	German	a German	Germans	the Germans
Italy	意大利	Italian	an Italian	Italians	the Italians
Russia	俄 國	Russian	a Russian	Russians	the Russians
Korea	韓 國	Korean	a Korean	Koreans	the Koreans
India	印 度	Indian	an Indian	Indians	the Indians
Canada	加拿大	Canadian	a Canadian	Canadians	the Canadians
Australia	澳 洲	Australian	an Australian	Australians	the Australians
Brazil	巴 西	Brazilian	a Brazilian	Brazilians	the Brazilians
Egypt	埃 及	Egyptian	an Egyptian	Egyptians	the Egyptians
Burma	緬 甸	Burmese	a Burmese	Burmese	the Burmese
Thailand	泰 國	Thai			
(Siam	暹 羅)	Siamese	a Siamese	Siamese	the Siamese
Vietnam	越 南	Vietnamese	a Vietnamese	Vietnamese	the Vietnamese
Portugal	葡萄牙	Portuguese	a Portuguese	Portuguese	the Portuguese
Spain	西班牙	Spanish	a Spaniard	Spaniards	the Spaniards
Greece	希 臘	Greek	a Greek	Greeks	the Greeks
Turkey	土耳其	Turkish	a Turk	Turks	the Turks
Denmark	丹 麥	Danish	a Dane	Danes	the Danes

【提示】 ①由國名轉來的專有形容詞，也可用作表國民或國語名稱的名詞，但 *American, Australian, Canadian, Mexican, Brazilian* 等五字則不作國語名稱用。

an **American** soldier. (一個美國兵) 〔形容詞〕
He is an **American.** (他是一個美國人) 〔名 詞〕
They are **Americans.** (他們是美國人) 〔名 詞〕

the **English** people　（英國人民）　〔形容詞〕
the **English**　（英國人民）　〔名　詞〕
the **English** language　（英語）　〔形容詞〕
He can speak **English.**　（他會說英語）　〔名　詞〕

②指英國時亦用"**British**"(大不列顛的，英國的)，如：

the **British** Navy　英國海軍
the **British** English　英國的英語
the **American** English　美式英語

【句型】

	專有形容詞	
1. I understand the	**American** / **English** / **Russian**	people.
2. He understands the	**Chinese** / **Japanese**	people.
3. I can sing an	**Italian**	song.
4. Italy is a	**European**	country.
5. Mr. A is a	**French**	artist.
6. Miss C is a	**Spanish**	girl.
7. This is a	**German**	word.

形容詞相等語
(Adjective Equivalents)

功用和形容詞相同的語詞叫做形容詞相等語。

(1)形容詞化的名詞

有些名詞可用作形容詞以修飾其後面的名詞，如：

a **flower** garden　花園
the **railway** station　火車站
the **city** life　都市生活
my **family** name　我的姓
the **evening** paper　晚報
an **iron** bridge　鐵橋
a **Taipei** newspaper　一家臺北報紙
an **entrance** examination　入學考試

(2)同格名詞

同格名詞具有形容詞的作用。

My friend Tom　我的朋友湯姆
Mr. Smith, **the bookseller**　書商史密斯先生

(3)所有格名詞與代名詞

所有格的名詞與代名詞也具有形容詞的作用。

John's book 約翰的書　　**your** hat 你的帽子
somebody's pen 某人的鋼筆

(4)形容詞化的動詞

1. 現在分詞用作形容詞者：

running water 流水　　**boiling** water 沸騰的水
a **sleeping** baby 睡著的嬰孩　　**growing** children 成長中的孩子
the **rising** sun 正在上升的太陽，旭日
the **following** chapter 下面一章
the **coming** months 未來幾個月

2. 動名詞用作形容詞者：

swimming race 游泳比賽　　**boiling** point 沸點
a **sleeping**-car (＝a car for sleeping) 臥車

3. 過去分詞用作形容詞者：

boiled water 開水　　a **wounded** soldier 傷兵
spoken English 口講的英語　　**fallen** leaves 落葉
a well-known artist 有名的藝術家
a mistaken kindness 錯誤的好意
a learned 〔ˈlɝnɪd〕 man 有學問的人

(5)形容詞化的副詞

the **above** statement　　上面的陳述，以上所述
the **then** government　　當時的政府
the **up** 〔*or* down〕 train　　上行〔下行〕車
the **seven-thirty** train　　七點半開出的火車
*an **up-to-date** dictionary　　最新的〔或現代〕字典

【提示】除名詞、分詞、動名詞、副詞等外，介系詞片語與關係子句同樣可以作形容詞相等語。【參看第 171 頁】

形容詞的形成

(1)名詞→形容詞

1. | 名詞＋y＝形容詞 |

health→**healthy** (健康的)　　wealth→**wealthy** (富裕的)

anger→**angry**　(忿怒的)
hunger→**hungry**　(飢餓的)
thirst→**thirsty**　(口渴的)
noise(噪音)→**noisy**　(喧鬧的)
fun(樂趣)→**funny**　(好玩的)
luck(幸運)→**luck**　(幸運的)
rain→**rainy**　(下雨的，多雨的)
cloud→**cloudy**　(多雲的)

2. 名詞＋**ly**＝形容詞

love→**lovely**　(可愛的)
friend→**friendly**　(友善的)
day→**daily**　(每日的)
month→**monthly**　(每月的，按月的)

3. 名詞＋**ful**＝形容詞

care (注意)→**careful**　(小心的)
use (使用)→**useful**　(有用的)
beauty (美)→**beautiful**　(美麗的)
harm (損害)→**harmful**　(有害的)
power (力)→**powerful**　(有力的)
faith (忠誠)→**faithful**　(忠實的)
success (成功)→**successful**　(成功的)
thank (感謝)→**thankful**　(感激的)
thought (思想，思慮)→***thoughtful** (關切的)
wonder (奇事)→**wonderful** (可驚的，奇妙的)

4. 名詞＋**less**＝形容詞(不～的)

care→**careless** (粗心的)　use→**useless** (無用的)
value (價值)→**valueless** (無價值的)
harm→**harmless** (無害的)

5. 名詞＋**able**＝形容詞

comfort (舒適)→**comfortable** (舒適的)
honor (光榮)→**honorable** (可敬的，光明正大的)
reason (理性，理由)→**reasonable** (合理的，公道的)
value→**valuable** (有價值的)

6. 名詞＋**al**＝形容詞

center, centre (中央，中心)→**central** (中央的)
form (形式)→**formal** (形式的，正式的)

nation(國家,民族)→**national**(國家的,國民的)
nature(自然,本性)→**natural**(自然的)

7. 名詞＋**ate**＝形容詞

fortune(運氣)→**fortunate**(幸運的)
*consider(考慮)→***considerate**(體貼的)
temper(性情,調劑)→***temperate**(有節制的,溫和的)

8. 名詞＋**ern**＝形容詞

east→**eastern**(東方的)　west→**western**(西方的)
south→**southern**(南方的)　north→**northern**(北方的)

9. 名詞＋**ic**＝形容詞

base(基礎)→**basic**(基本的)
pátriot(愛國者)→**patiótic**(愛國的)

10. 名詞＋**tic, tical**＝形容詞

ídiom(成語)→**idiomátic**(慣用的)
álphabet(字母)→**alphabétical**(依字母順序的)
práctice(練習,實行)→**práctical**(實用的)

11. 名詞＋**ish**＝形容詞

fool(愚者)→**foolish**(愚蠢的)
self(自己)→**selfish**(自私的)

12. 名詞＋**ous**＝形容詞

danger→**dangerous**(危險的)
fame(名氣)→**famous**(有名的)
nerve(神經)→**nervous**(精神緊張的,不安的)

13. 名詞＋**ed**＝形容詞

an **absent-minded** man　心不在焉的人
a **good-natured** woman　性情好的女人
a **kind-hearted** old woman　好心腸的老婦人
a **one-eyed** man　獨眼人

a **three-legged** stool　三腳凳

14.其他：pride（自尊心）→**proud**（驕傲的）

(2)動詞→形容詞

1. 動詞＋**ant, ent**＝形容詞

please（使快樂）→**pléasant**（愉快的）
depénd（依賴）→**depéndent**（依賴的）
díffer（不同）→**dífferent**（不同的）
*excél（超過，優於）→**éxcellent**（最優的，特優的）

2. 動詞＋**ite**＝形容詞

fávor（偏愛）→**fávorite**（最喜愛的）
oppóse（反對）→**ópposite**（相反的）

3. 動詞＋**able, ible**＝形容詞

agrée（同意）→**agréeable**（合意的，令人愉快的）
suit（適合於）→**súitable**（合適的，適當的）
respónd（回答，負責）→**respónsible**（負責任的）

4. 動詞＋**ive**＝形容詞

act（行動）→**áctive**（活動的，活躍的）
attráct（吸引）→**attráctive**（動人的）
progréss（進步，進行）→**progréssive**（進步的，進行的）

5. 動詞＋**ative**＝形容詞

*affírm（斷言）→**affírmative**（肯定的）
talk（談話）→**talkative**（多嘴的）

6. 名詞或動詞＋**some**＝形容詞

trouble（麻煩）→**tróublesome**（麻煩的）
tire（厭倦）→**tíresome**（令人厭倦的）

(3)形容詞→形容詞

dis, in, im
ir, un, etc.　}＋形容詞＝否定形容詞

hónest (誠實的)→**dishónest** (不誠實的)
*agréeable (令人愉快的)→***disagréeable** (令人不愉快的)
diréct (直接的)→**indiréct** (間接的)
depéndent (依賴的，從屬的)→**indepéndent** (獨立的)
fórmal (正式的)→***infórmal** (非正式的)
*vísible (可見的)→***invísible** (看不見的)
políte (有禮貌的)→**impolíte** (無禮貌的)
póssible (可能的)→**impóssible** (不可能的)
régular (規則的)→**irrégular** (不規則的)
able (能的)→**unáble** (不能的)
like (相似的)→**unlike** (不同的)
happy (快樂的，幸福的)→**unháppy** (不幸的)
known (已知的)→**unknówn** (未知的)
familiar (熟悉的)→**unfamiliar** (不熟悉的)
wise (明智的)→**unwise** (不明智的)

容易混用的形容詞

1.

high	高	【反義字】	low	低
tall	身材高	【反義字】	short	矮

The mountain is 3,000 feet **high** at least.
(這座山至少有三千呎高)
He is six feet and two inches **tall.**
(他身高六呎二吋)

2.

large 大(指面積範圍之大)	【反義字】small
great 大，偉大(指數量程度等之大)	【反義字】small, little
big 大(指巨大粗重，比 large, great 較俗的用語)	【反義字】little

Taipei is a **large** city. (臺北是一個大都市)
Their classroom is very **large**. (他們的教室很大)
He is a **great** man. (他是一個偉人)
She has a **great** deal of money. (她有很多錢)
This is a **big** tree. (這是一棵大樹)

3.

small	小（指在面積、體積、數量上較尋常為小，不含有感情的意味）【反義字】large, great
little	小（指形狀小，數量少，微小，弱小等，含有感情的意味）【反義字】big, great

It is a **small** village.　（它是一個小村莊）
He is **small** for his age.　（照年紀他的身材是小的）
It was written in **small** letters.
　（它是用小寫字母寫的）〔註〕capital letter　大寫字母
large and small　大與小　great and small　大小(人物)
Look at that poor little boy.　（瞧那可憐的孩子）
How are the little ones?　（孩子們好嗎？）
big and little　大與小

4.

pretty	美麗的(指細緻、調和等美)
beautiful	美麗的(指藝術美，女子的美等)
handsome	①漂亮的，英俊的(指男子的美貌) ②相當大的，大方的

We have a **pretty** little garden.
　（我們有一個美麗的小花園）
She is very **beautiful.**　（她很美麗）
He is very **handsome.**　（他很英俊）
He offered a **handsome** sum of money.
　（他提供了一大筆款項）

5.

lovely	可愛的，美麗的，動人的
loving	（＝affectionate）親愛的，慈愛的

She is a **lovely** girl.　（她是個可愛的女孩子）
The letter is from his **loving** parents.
　（這封信是他慈愛的雙親寄來的）

6.

clever	聰明的，伶俐的，機靈的
wise	聰明的，賢明的，明智的
intélligent	聰明的，有才智的

The boy is very **clever.**　（這孩子很聰明）
He was a **wise** king.　（他是一個賢明的國王）
The man looks **intelligent.**　（這個人似有聰明才智）

7.

lazy	懶惰的(指厭惡工作或不勤勉的)
idle	遊惰的，閒散的(指不做事的)

Tom is a **lazy** boy. （湯姆是個懶惰的孩子）
When men are out of work they are **idle.** （失業時人們是閒散的）

8.

clear	淸楚，明白，晴朗	
clean	淸潔，乾淨	【反義字】dirty 髒的

It is **clear** to me now. （現在我明白了）
Keep your books **clean.** （書要保持乾淨）

9.

good	好的，美好的	【反義字】bad 不好的
well	〔形〕安好，健康的，〔副〕好	
		【反義字】ill, sick〔形〕有病的

He speaks **good** *English.*
＝He *speaks* English **well.** （他英語說得很好）
I am quite **well,** thank you. （我很好，謝謝你）

10.

healthy	健康的
***healthful**	有益健康的

He looks very **healthy.** （他看起來很健康）
Exercise is **healthful.** （運動有益於健康）

11.

native	本地的，生來的 （著重於與生俱來的）
natural	自然的，天然的

one's **native** land 本國
native language（＝mother tongue） 本國話
natural science 自然科學 **natural** rights 天賦人權

12.

pleasant	愉快的，令人喜悅的(使人心滿意足的)
***pleasing**	愉快的，令人喜愛的(比 pleasant 弱些)
***agreeable**	合意的，令人喜歡(較 pleasant 或 pleasing 爲弱)

a **pleasant** evening 快樂的晚上
a **pleasant** voice 十分悅耳的聲音
pleasant weather 晴朗的天氣

{ a **pleasing** voice　悅耳的聲音
  a **pleasing** face　可愛的面容
{ an **agreeable** voice　悅耳的聲音
  an **agreeable** man　一個和藹的人

13.
happy	幸福的，快樂的
merry	愉快的，快樂的(充滿笑聲和樂趣的)
lucky	幸運的，僥倖的

Happy birthday to you!　(祝你生日快樂)
He lived a **happy** life.　(他過了幸福的一生)
Merry Christmas to you!　(祝你聖誕快樂)
I was **lucky** enough to meet with an old friend.
　(我很幸運地碰到一個老朋友)

14.
whole	整個的，全部的(各部分的總合)
***total**	全體的，全部的(指全額、全量等)

Write the **whole** sentence.　(寫出整個句子)
I stayed there three **whole** days.
　(我在那邊逗留了整整三天)
How much is the **total** sum?　(總共多少？)

15.
***complete**	完全的(完全無缺的；指量而言)
***perfect**	完美的(無缺點的；指質而言)
***thorough** 〔ˈθɝə〕	完全的，澈底的

It is a **complete** success.　(那是一個完全的成功)
Practice makes **perfect**.　(練習使成完美)
He has a **thorough** knowledge of English grammar.
　(他精通英文文法)

—— 習 題 20 ——

(一)*Give the opposites of the following adjectives:*
(寫出下列各形容詞的反義字)
Ex. large——small

1. long	2. high	3. heavy	4. wide
5. wet	6. clean	7. soft	8. weak
9. empty	10. difficult	11. absent	12. safe
13. same	14. careful	15. honest	16. happy

17. possible　　18. dependent　　19. regular　　20. northern

(二)*Choose the correct words*：(選擇正確的字)

1. I am (thirst, thirsty).
2. He seems (honest, honesty).
3. Don't be (jealous, jealousy) of other people's success.
4. He lives in a (distance, distant) country.
5. The words in a dictionary are arranged in (alphabet, alphabetical) order.
6. He is (health, healthy, healthful).
7. She feels (happy, happily, happiness).
8. She has (gold, golden) hair.
9. There is a (wood, wooden) bridge not far from here.
10. We met a (kind-heart, kind-hearted) woman.
11. Mr. A is a (well-knowing, well-known) writer.
12. You are quite (mistaking, mistaken).
13. Mr. Smith is an (America, American) professor.
14. (Chinese, The Chinese) is an important language.
15. (English, The English) are a sport-loving people.
16. (German, Germany) is spoken in (German, Germany).
17. Mary speaks (good, well) Japanese.
18. Chinese is our (natural, native) language.
19. Betty is a (loving, lovely) girl.
20. Your hands are not (clear, clean).
21. John is six feet (high, tall, long).
22. George is a (pretty, beautiful, handsome) boy.
23. My dog is very (clever, wise, intelligent).
24. He told me the (all, whole, complete) story.
25. (Merry, Happy, Lucky) birthday to you!
26. Be (polite, kind, kindly) to animals.
27. A (great, big, rich) man has a lot of money.
28. It is (cool, cold, warm) in winter.
29. Sugar tastes (sweet, sour, bitter).
30. The earth is (flat, round, square).

(三)*Fill in the blanks with the correct form of the words in parentheses:*
詞類變化(用各題括弧內單字的正確形式填在空白裏)

1. It is ______ (danger) to play in the street.
2. The boys playing outside are ______ (noise).
3. Iron is a ______ (use) metal.
4. A car is ______ (use) without gasoline. (汽油)
5. What a ______ (fun) sight it is!
6. How ______ (fool) he is!
7. What are the colors of our ______ (nation) flag?
8. Is the ______ (America) flag the same as the (China) flag?
9. France is a ______ (Europe) country.
10. I like the ______ (Italy) song.
11. Many people were killed in the ______ (Korea) war.
12. I have a ______ (Japan) friend.
13. Japan is now ______ (friend) to the United States.
14. He told me an ______ (interest) story.
15. Jane is a ______ (charm) girl.
16. She is ______ (beauty) and ______ (attract).
17. One book is ______ (miss).
18. I advísed him to be ______ (care).
19. I could not find a ______ (suit) word.
20. He was very ______ (hunger).
21. Tom was very ______ (anger) when he saw it.
22. Spring is my ______ (favor) season.
23. May is a ______ (rain) month.
24. Taichung has a ______ (temper) climate.
25. We had a ______ (wonder) time when we were in Taichung.
26. Please make yourself ______ (comfort).
27. John is ______ (excel) in English.
28. This is a ______ (gold) opportunity for us.
29. A ______ (pride) boy will fail.
30. He was ______ (success) in the examination.
31. Dr. Li is a ______ (fame) scientist.
32. We are ______ (thank) to him for his kind help.
33. Don't be ______ (self). Be ______ (consider) of others.
34. The class should choose a ______ (respond) person to be its leader.

35. Some children are ______ (nerve) in the dark.
36. Some of his friends are ______ (disagree) people.

(四) *Translation:* 翻譯(每個空格填一個單字)

1. 他是一個勤勉的學生。
   He is a *(d)*______ student.
2. 它是一種美味的水果。
   It is a *(d)*______ fruit.
3. 她是一個自由和獨立的國家。
   She is a ______ and ______ country.
4. 睡眠對於健康是必要的。
   Sleep is ______ to health.
5. 早睡早起使人健康、富裕、聰明。
   Early to bed and early to rise makes one______, ______, and *(w)*______.
6. 在南美,人們講的是西班牙語。
   They speak ______ in ______ America.
7. 許多非洲國家都用法語。
   ______ is used in many ______ countries.

(五) *Underline each adjective:* (在各形容詞下面畫一橫線)

1. Many people tried to help those poor little boys.
2. Every mother loves her own children.
3. All the students were fond of it.
4. If you don't have any money, I'll lend you some.
5. No news is good news.
6. This book is newer than that.
7. This is Mr. A whose son is in your class.
8. Which book is yours?
9. The first two chapters are more interesting than the other chapters.
10. Their English teacher is an American and always speaks to them in English.

第四節 形容詞的用法

形容詞用以修飾名詞 (或代名詞) 時,有兩種用法:

1. 限定用法(Attributive Use)
形容詞如緊靠著所修飾的(代)名詞的前或後面，以**直接修飾**這(代)名詞時，即爲限定用法(亦稱**直接修飾用法**)。

a **beautiful** *flower*　　一朵美麗的花

an **honest** *man*　　一個誠實的人

something **interesting** 有趣的事物

2. 敍述用法(Predicative Use)
形容詞如用作補語**間接修飾**(代)名詞時，即爲敍述用法(亦稱**補語用法或間接修飾用法**)。

This *flower* is **beautiful.**　(這朵花是美麗)

The *man* looks **honest.**　(這個人似乎誠實)

(1) 限定用法

A. 前位修飾

1. 不同種類的形容詞之排列順序：
兩個以上屬於不同種類的形容詞用以修飾同一名詞時,其排列順序大致如下:

① {冠詞 / 指示形容詞 / 不定形容詞} ＋②數詞＋③性狀形容詞＋名詞

these two new students　　這兩位新同學
all the four English books　　所有這四本英文書
the three big black dogs　　這三隻大黑狗

(1) 冠詞，所有格，指示形容詞，不定形容詞	(2) 數量	(3) 性狀，大小，長短，新舊等		(4) 顏色	(5) 形容詞相等語	(6) 名　詞
1. **a**		**pretty**		**red**		flower
2. **a very**		**kind**	**new**		**English**	teacher
3. **her**		**nice**		**blue**	**silk**	dress
4. **the**	**two**	**large**	**round**		**wooden**	tables
5. **all the**	**six**	**strong**	**young**			men
6. **those**		**small**	**old**		**stone**	houses

2. 同種類的形容詞之排列順序：

兩個以上屬於同種類的形容詞用以修飾同一名詞時，其順序通常排列如下：

①與名詞關係較密切的形容詞放在最接近名詞的位置，如：

a handsome young man 一個英俊的青年

an interesting Japanese short story

(一篇有趣的日本短篇小說)

a beautiful young American lady

(一個美麗年輕的美國女士)

②爲使讀音順暢，常將較短的形容詞置於較長的形容詞之前，如：

a poor but **honest** farmer 一個貧窮而誠實的農夫

a tall beautiful woman 一個身材高的美人

a new, good and **cheap** dictionary

(一本既新又好且便宜的字典)

B. 後位修飾

1. **something, anything, nothing, ~body, ~one,** *etc.* } ＋形容詞

Is there *anything* **wrong** with your watch?

(你的錶有毛病嗎？)

something **new**	新奇的事情
nothing **important**	沒有重要的事
things **Chinese**	中國的文物
somebody **rich**	某一富翁
no one **else**	沒有別的人

2. 名詞＋**present** (出席的) , **else** (其他的) , ***etc.***

all the people **present**	所有在場的人
somebody **else**	別的人
George the **Fifth**	喬治五世
Charles the **Great**	查理大帝

3. 名詞＋成對或加强語氣的形容詞

a man **poor** but **honest**	貧窮而誠實的人
a book **good** and **interesting**	一本又好又有趣的書

4. 名詞＋形容詞片語

(a) a man **of honor**　正直的人　〔介系詞片語〕
the book **on the table**　桌子上的書　〔介系詞片語〕
a girl **with** (＝having) **golden hair**　金髮女郎　〔同上〕
the boy **with** (＝wearing) **glasses**　帶眼鏡的男孩　〔同上〕
(b) the man (who is) **sitting behind you**　〔分詞片語〕
(坐在你後面的那個人)
the speech (that was) **made by the mayor**　〔分詞片語〕
(市長的演說)
(c) food **to eat**　可吃的食物　〔不定詞片語〕
water **to drink**　可喝的水　〔不定詞片語〕
a house **to live in**　可居住的房屋　〔不定詞片語〕

【提示】 有形容詞作用的片語叫做**形容詞片語**(adjective phrase)，如上述各例中的介系詞片語、分詞片語、不定詞片語等是。

5. 名詞＋形容詞子句

The *boy* **who is wearing glasses** is my cousin.
(帶眼鏡的那個男孩是我的堂〔表〕兄〔弟〕)
The *book* (which) **I lent you** is my brother's.
(我借給你的書是我哥哥的)
This is the *house* **where he lived.**
(這就是他住過的房子)

● 應注意事項 ●

下列形容詞只用於限定(＝直接修飾)用法：
wooden (木製的), main (主要的), certain (某一),
very (同一的，恰好的), elder (年長的), *etc.*

This is a **wooden** bridge. (這是一座木橋)
〔誤〕This bridge is *wooden.*

I had a **certain** reason for not going.
(我沒有去是有某種原因的)
〔比較〕He was *certain* he would succeed.
(他確信他會成功)

the **main** street　大街　　the **very** man　正是那個人
my **elder** brother　我的哥哥

(2)敘述用法

He is **kind.**	(他是和善的)	〔主格補語〕
She was very **happy.**	(她很快樂)	〔主格補語〕
It seems **correct.**	(這好像是對的)	〔主格補語〕
It made *us* **happy.**	(它使我們快樂)	〔受格補語〕
I found *her* **absent.**	(我發覺她沒到)	〔受格補語〕
We thought *him* (to be) **honest.** (我們以爲他誠實)		〔受格補語〕

● 應注意事項 ●

下列形容詞只用於敘述用法(即只用作補語):

afraid (害怕的), alike (相似的), alive (活的), alone (單獨的), asleep (睡著的), ashamed (慚愧的), unable (不能的), worth (値得), well (安好的), ill (生病的), *etc.*

{ *The fish* is still **alive.** (這條魚還活著)
〔誤〕I caught an *alive* fish.

He is fast **asleep.** (他熟睡著)

They look very much **alike.** (他們長得很像)

= *They* are very much **alike** in appearance.

He was **alone** in the house. (他獨自一人在屋裏)

【提示】 下列形容詞雖也直接置於名詞之後以修飾名詞,但仍可視爲敘述用法。

the man **asleep** (=the man who is asleep) 睡著的人

anything **alive** (=anything which is alive) 任何有生命者

—— 習 題 21 ——

Word order: 字的順序(重組下列字彙使成爲正確的句子)

Ex. I have ①a ②pen ③new (1, 3, 2)

1. This lesson has ①hard ②words ③some
2. Do you have ①any ②Chinese ③dictionary ④good?
3. They looked at ①the ②old ③house ④stone
4. There are ①young ②teachers ③two ④American
5. She likes ①your ②new ③dress ④blue
6. I like ①beautiful ②songs ③Italian ④these

7. Do you like ①four ②those ③birds ④big ⑤white?
8. I know ①all ②brothers ③three ④his
9. Do you know ①else ②anybody?
10. He knows ①every ②student ③present
11. There is ①nothing ②in it ③important
12. Is there ①to eat ②nice ③anything?
13. I have caught ①ten ②alive ③fish
14. He found ①the ②man ③asleep
15. He is ①the ②man ③very I have been looking for.
16. The two brothers are ①alike ②in ③character
17. He lives in ①certain ②place ③a near the park.
18. ①many ②man ③a has made the same mistake.
19. I've never seen ①such ②strong ③man ④a as he.
20. What ①nice ②picture ③it ④is ⑤a !

(3)形容詞句型

句型 1

be＋形容詞＋不定詞（to～）

A. I *am* **glad**（＝delighted）*to see* you.
（我高興見到你）
We *were* **sorry** *to hear* that.
（我們聽到那個覺得很難過）
I shall *be* **happy** *to accept* your kind invitation.
（我將高興接受你好意的邀請）
She *is* **afraid** *to walk* in the dark.
（她怕在黑暗中行走）
Everybody *was* **anxious** *to know* what had happened.
（每個人都急欲知道發生了什麼事）
I *am* **eager** *to do* it.（我極想做這件事）
I *was* **pleased** *to see* him.（我見了他覺得很愉快）
I *was* very much **surprised** *to hear* that.
（我聽到那件事後很覺驚奇）

【句型】

	形　容　詞	不定詞(to～)
I am He is She was They were I shall be He will be	**glad** **delighted**（高興） **happy** **pleased**（覺愉快） **afraid** **anxious**（渴望，焦急） **eager**（切望，熱望） **surprised**（覺驚奇） **sorry** **disappointed**（失望）	to know that. to hear it.

B. *Are* you **ready** *to start*? （你預備好出發了嗎？）
(=Are you ready for starting?)
I *am* **willing** *to die* for my country.
（我願意爲國犧牲）
He *is* **sure** *to succeed.* （他一定會成功）
(=It is sure that he will succeed.)
It *is* **certain** *to happen.* （這是一定要發生的）
You will *be* **able** *to get* it. （你將能得到它）
He *was* not **able** *to see* (=could not see) her.
（他未能見到她）
I *am* **unable** *to go* (=cannot go) today.
（今天我不能去）
He *is* not **likely** *to come.* （他或許不會來了）

	形　容　詞	不定詞(to～)
1. I am	**ready**（預備好的）	to start.
2. They are	**willing**（願意的）	to do it.
3. You are	**certain**	to win.
4. He is	**sure**	to come.
5. You will be	**able**（能的）	to get it.
6. I am	**unable**（不能的）	to go.
7. It is	**likely**（可能的）	to rain.

C. English *is* not **difficult** *to learn.* （英語並不難學）
(=It is not difficult to learn English.)

He *is* **hard** *to please.* （他是難以取悅的）
（＝It is hard to please him.）
It *is* **dangerous** *to swim* in the river.
（在河裏游泳是危險的）
It *is* **impossible** for me *to get* there by two o'clock.
（要我在兩點鐘以前到達那裏是不可能的）

	形　容　詞		不定詞（to～）
It is	**difficult** **easy** **dangerous** **impossible** **good** **bad**	(for me) (for us) (for you) (for him) (for her) (for them)	to do that.

D.　You *are* **kind** *to say* so. （你這樣說是好意的）
（＝It is kind of you to say so.）
She *was* **foolish** *to agree* to that.
（＝It was foolish of her to agree to that.）
（她同意那事是愚蠢的）
He *was* **stupid** *to make* such a mistake.
（＝It was stupid of him to make such a mistake.）
（他犯了這樣的錯誤是愚笨的）
You *were* **careless** *to leave* your umbrella in the train.
（＝It was careless of you to leave your umbrella in the train.）
（你把雨傘忘在火車上是粗心的）

	形　容　詞		不定詞（to～）
He is She is You are They are I was We were	**good** **kind** **right** **wrong** **honest** **(im)polite** **clever** **(un)wise** **stupid** **foolish** **careful** **careless**		to do it. to say so.
(*It is*) (*It was*)		(*of me*) (*of us*) (*of you*) (*of him*) (*of her*) (*of them*)	

句型 2

be＋形容詞＋介系詞＋受詞

1. **be afraid of**（＝fear） 害怕

I *am* **afraid of** the snake.　（我怕蛇）
Are you **afraid of** the dog?　（你怕狗嗎？）
（＝Do you fear the dog?）
She *is* **afraid of** *seeing* him.　（她怕見他）
（＝She is afraid to see him.）
（＝She fears to see him.）

2. **bo fond of**（＝like） 喜歡，愛好

I *am* **fond of** music.　（我愛好音樂）
He *is* **fond of** reading.　（他喜歡讀書）
（＝He likes reading.）

3. **be jealous of** 嫉妒

Don't *be* **jealous of** other people's success.
（不要嫉妒別人的成功）

4. **be proud of** 以～為榮，以～而驕傲

He *is* **proud of** his wealth.　（他以財富驕人）
They *are* **proud of** their clever son.
（他們以有聰明的兒子為榮）

5. **be** { **sure** / **certain** } **of**（something） 確信（某事）

I *am* **sure**〔*or* certain〕**of** it.　（我確信它）
He *is* **sure**〔*or* certain〕**of** success.
（＝He is sure that he will succeed.）
（他確信自己會成功）

6. **be different from**（＝differ from） 不同於

This *is* **different from** *that* in color.
(＝This differs from that in color.)
(這個跟那個顏色不同)

7. **be angry at** (something)　對(某事)發怒
be angry with (someone)　對(某人)發怒

She *was* **angry at** *what her husband said.*
(她對她丈夫所說的話生氣)
He *was* **angry with** his younger brother.
(他對他弟弟生氣)

8. **be anxious about**　關懷，擔心
be anxious for　切望，渴望，焦慮

She *is* **anxious about** her son.（她掛念她的兒子)
She *is* **anxious for** his news.
(＝She is anxious to have his news.)
(她切望獲得他的消息)

9. **be eager** [ˊigɚ] **for**　切望，熱望，渴望

He *is* **eager for** knowledge.（他渴望獲得知識)
[句型 1] I *am* **eager** *to do* it.（我極想做這件事)

10. **good for**　有益於，適宜於　**bad for**　對～有害

Milk *is* **good for** children.（牛奶對小孩有益)
Smoking *is* **bad for** you (＝for your health).
(吸煙對你的健康有害)
It *is* **good for** nothing.（它是毫無益處的)

11. **good to**　厚待～　**kind to**　對～和善
polite to　對～有禮貌

She *is* **good to** him.（她待他很好)
Be **kind to** others.（要和善待人)
Be **polite to** everybody.（對每一個人都要有禮貌)

12. **be sorry for**　爲～惋惜，因～而抱歉

I *am* **sorry for** him.（我爲他惋惜)

I *am* **sorry for** troubling you.
(我因煩擾你而抱歉)

13. **be** { **grateful** / **thankful** } **to** (somebody) **for** (something) 因(某事)感謝(某人)

I *am* **grateful to** you **for** your kind help.
(承蒙惠助,不勝感激)

14. **be responsible to** (someone) **for** (something) 爲(某事)對(某人)負責

I *am* not **responsible for** it. (我不負此事之責任)
He *is* **responsible to** his chief **for** his actions.
(他的行爲應對他的主管負責)

15. **be opposite to** 與~相反,與~相對
***be contrary to** 與~相反,與~相矛盾

"Sour" *is* **opposite to** "sweet". (酸與甜相反)
His house *is* **opposite to** mine. (他的房子與我的相對)
Your statement *is* **contrary to** the fact.
(你的敍述與事實正相反)

16. **Be ashamed of** 以~爲恥

*Are*n't you **ashamed of** *what you did*?
(你對自己所做的事不覺得慚愧嗎?)

17. **be interested in** 對~感興趣
interesting 〔形〕有趣的

I *am* **interested in** it. (我對它感興趣)
(=It interests me.)
It is **interesting** to me. (它對於我是有趣的)

18. **be surprised at** 對~感覺驚奇
surprising 〔形〕驚人的

I *was* **surprised at** the news.
(=The news surprised me.)
(=I was surprised to hear the news.) 〔句型 1〕
(我對這消息感到驚奇)

It's a **surprising** news.（這是一個驚人的消息）

19.
be pleased at (a matter)　對(事)喜歡
be pleased with (a person, a thing)　對(人，物)喜歡

We *were* **pleased at** the news.
（我們對這消息覺得欣喜）
I *am* **pleased with** this book.（我喜歡這本書）
He *is* **pleased with** her.（他喜歡她）

20.
be {**content** / **contented**} **with**　對～滿足
be satisfied with　對～滿意

He *is* {**content** / **contented** / **satisfied**} **with** his present success.
（他對他目前的成就已感到滿足）
I *am* **satisfied with** him.（我對他感到滿意）

21.
be crowded with　擠滿了～
be filled with　裝滿了～
be full of　充滿了～

The bus *was* **crowded with** people.
（公共汽車擠滿了人）
The box *was* **filled with** (=full of) gold.
（這箱子裝滿了黃金）
The room *is* **full of** people.（室內滿是人）

句 型 3

be＋形容詞＋子句

I am **glad** 〔*or* delighted〕(that) *you have come.*
（你來了我很高興）
She is **sorry** (that) *John can't come.*
（約翰不能來她感到惋惜）
He is **afraid** *he may fail.*（他唯恐自己會失敗）
I am **sure** 〔*or* certain〕(that) *you will succeed.*
(=It is sure 〔*or* certain〕(that) you will succeed.)
(=You are sure 〔*or* certain〕 to succeed.)〔句型 1〕

（=I am sure〔*or* certain〕of your success.）　〔句型 2〕
（我確信你一定會成功）

【句型】

	形容詞	子句
I am She is They are	**glad** **delighted** **afraid** **sorry** **disappointed** **sure** **certain**	he will be here. he is successful.

(4)其他用法

1. **the+形容詞=複數名詞**　〔於文言中用之〕

The rich（=Rich people）*are* not always happy.
（富者未必幸福）

Think of **the poor, the old** and **the sick.**
（要顧及窮人、老人和病人）

the wise and **the foolish**　賢者與愚者
the dead and **the living**　生者與死者
the strong　强者　the weak　弱者
the young　青年　the wounded　負傷者
the learned〔ˈlɝnɪd〕　有學問的人

【提示】 *①「**the**+形容詞」通常用作複數名詞，但在下述特例中卻用作單數名詞。
*the deceased〔dɪˈsist〕　故人　*the accused　被告
*②成對的兩形容詞如用作名詞，可以省去 **the**，如：
Rich and **poor, young** and **old** were gathered there.
（貧富老幼都聚在那裡）

*2. **the+形容詞=抽象名詞**

the true=truth　眞實　the false〔fɔls〕=falsehood　虛僞

3. **of+抽象名詞=形容詞片語**

a man **of ability**（=an *able* man）　能幹的人

a man **of honor** (=an *honorable* man) 正直的人
a man **of wisdom** (=a *wise* man) 賢者
a man **of wealth** (=a *rich* man) 富翁
of no **use** (=*useless*) 無益的
of great **value** (=very *valuable*) 很有價值的

4. **形容詞 worth (值得)+受詞** 〔準介系詞〕

It *is* **worth** *ten thousand dollars.* (它值一萬元)
It *is* **worth** *seeing.* 〔wɝθ〕 (它值得一看)
=It is **worthy of** *seeing.* 〔ˈwɝðɪ〕

—— 習 題 22 ——

㈠*Choose the correct words:* (選擇正確的字)

1. Mary is (afraid, afraid of, afraid to) snakes.
2. She is afraid (of walk, to walk, of to walk) in the dark.
3. Don't (afraid, be afraid of, be afraid to) that.
4. I am (like, loving, fond) of growing flowers.
5. (Do, Are, Will) you fond of music?
6. You will (able to, be able of, be able to) get it.
7. The man was (die, died, dead).
8. He was a man of (wise, wisdom).
9. It is a problem of great (importance, important).
10. The two boys are very much (like, likely, alike).
11. They are (differ, difference, different) in character.
12. She was (anger, angry, angry with) him.
13. I (am proud, proud of, am proud of) it.
14. Jane was (jealous, jealous of, jealous to) me.
15. (Do you sure of, Are you sure of, Are you sure to) it?
16. This book is very (interest, interesting, interested).
17. Bill was (interest, interesting, interested) in this story.
18. I was (surprise, surprising, surprised) at the news.
19. The teacher was (please, pleasing, pleased) with the students' progress (進步).
20. He was (ashame, ashaming, ashamed) to tell his teacher he had failed.

21. Are you (satisfy, satisfying, satisfied) with your present life?
22. The bus was (crowd, crowding, crowded) with people.
23. It is good (for, of, to) nothing.
24. The post-office is (oppose, opposite, contrary) to the bank.
25. Are you (will, willing, willing to) die for your country?
26. I am (ready, ready for, ready to) go.
27. He is eager (to, to do, for do) it.
28. The poor (is, are) in need of help.
29. We are (thanks, grateful, sorry) to you for your kind help.
30. This book is (worth to read, worth reading, worth of reading).

(二)*Substitution*: 換字(每個空格填一個單字)

1. John likes to collect stamps.
   =John is ______ ______collecting stamps.
2. I don't fear them.
   =I ______ not ______ ______them.
3. He could not do it.
   =He was not ______ ______ do it.
4. This book interests me.
   =I ______ ______ in this book.
5. The news surprised us.
   =We ______ ______ at the news.
6. This differs from that.
   =This is ______ ______ that.
   =This is not the ______ ______ that.
7. A man of honor never does that.
   =______ ______ man never does that.
8. He is man of wealth.
   =He is a (*r*)______ man.
9. It's of great value.
   =It's very ______.
10. This pen is of no use.
   =This pen is ______.

11. The mountain is 3,000 feet in height.
　=The mountain is ______ ______ feet ______.
12. What is its length?
　=How ______ is it?
13. What is your father's age?
　=How ______ is your father?
14. What's the matter with you?
　=What's ______ with you?
15. Tom has good manners.
　=Tom is ______.
16. The boy comes from Japan.
　=He is a ______ boy.
17. July 4th is his birthday.
　=He ______ ______ on the fourth of July.
18. Mary speaks English well.
　=Mary speaks ______ English.
19. There was nothing in the bottle.
　=The bottle was ______.
20. The box was filled ______ money.
　=The box was ______ of money.
21. Read the sentences below.
　=Read the ______ sentences.
22. Take as much as you can.
　=Take as much as (*p*)______.
23. You are very kind to say so.
　=______ is very kind ______ you to say so.
24. I am glad to hear that.
　=I am (*d*)______ to hear that.
25. I am sure of your success.
　=I am (*c*)______ that you will be ______.

第五節　形容詞的比較
(Comparison of Adjectives)

形容詞的比較分爲三級：

1. 原級〔或尋常級〕(**Positive Degree**)

John is **tall.** （約翰身材高）
This is a **beautiful** flower.
（這是一朵美麗的花）

2. **比較級（Comparative Degree）**
He is **taller** *than* she.
（他的身材比她高）
This flower is **more beautiful** *than* that.
（這朵花比那一朵美麗）

3. **最高級（Superlative Degree）**
John is **the tallest** of the three.
（約翰是三個人當中身材最高的）
This is **the most beautiful** flower in the garden.
（這是花園裏最美麗的花）

(1) 比 較 級 的 用 法

1. 兩者間的比較用「**比較級形容詞＋than**」：

A* is** { **～er** / **more～** } **than *B (*is*)＝“***A* 較 *B* 爲～”**
〔主格〕〔**比較級**〕〔主格〕

He is **older than** I (am).（他年紀比我大）
You are **more beautiful than** she (is).（妳比她美）
They were then **happier than** *they are* now.
（他們那時比現在幸福些）

【提示】

①**兩主詞**的比較均用**主格**
②**than** 前面須接**比較級**

{〔正〕**I** am **stronger** than **he.**（我比他强壯）
〔誤〕**I** am *strong* than *him.*

【注意】
{〔正〕His house is newer than **mine** (is).
（他的房子比我的新）〔所有代名詞 **mine** 用作主詞〕
〔誤〕His house is newer than ***I*** (am).〔不合理〕

【句型】

主　　詞	比較級＋than	主　　詞
1. I	am **older** than	he (is).
2. He	is **younger** than	I (am).
3. You	are **fatter** than	she (is).
4. She	is **thinner**（較瘦）than	you (are).
5. He	is **cleverer** than	he looks.
6. Summer	is **hotter** than	spring.
7. Lesson 1	is **easier** than	Lesson 2.
8. It	may be **harder** than	that.
9. This	is **more difficult** than	that one.
10. Iron	is **more useful** than	wood.
11. Our garden	is **more beautiful** than	theirs.
12. My hat	was **more expensive** than	Mary's

2. **the** { **～er** / **more ～** } **of the two**＝"二者中較～者"
〔比較級〕

He is **the taller** *of the two.*（他是兩人之中身材較高的）
Mary is **the cleverer** *of the two girls.*
（瑪麗是兩女孩中比較聰明的一個）

【提示】 用"*～er of the two*"時，比較級前面須加 **the**：

〔正〕 Mr. A is **the younger** of the two men.
（A 先生是兩人中比較年輕的）
〔誤〕 Mr. A is *younger* of the two men.

	the	比　較　級	of the two
1. I am	the	**taller**	of the two (?).
2. Which is	the	**shorter**（較矮者）	
3. He is	the	**richer**	
	the	**poorer**	
4. This is	the	**better**	
	the	**worse**	
5. Dr. A is	the	**more famous**	
6. She is	the	**more diligent**	

⑵最高級的用法

三者以上之間的比較，「**最～**」者通常用**最高級**形容詞，而在其前面加定冠詞 **the**：

1. **the**＋{ **～est** / **most ～** }＝“最～的”

Mr. A is **the youngest** teacher in our school.
（A 先生是我們學校最年輕的教師）

Mary is **the most diligent** student in the class.
（瑪麗是班裏最勤奮的學生）

【提示】① 最高級形容詞如有冠詞相等語（*my, John's* 等），則不再加 **the**：
{〔正〕This is **his** eldest son.　（這是他最大的兒子）
〔誤〕This is *his the* eldest son.
② 最高級副詞前面通常不加 **the**：
I *like* this **best.**　（我最喜歡這個）
③ **most** 如用作「**大多數**」或「**非常**」，其前面不加 **the**：

〔比較〕 { *the* **most** learned〔ˈlɝnɪd〕man　**最有學問**的人
a **most** learned man　**一個很有學問**的人
most learned *men*　**大多數有學問**的人 }

the { **～est** / **most～** }〔**最高級**〕 **of** { **the three** / **all** } ＝ { 三者中 / 全體中 } 最～者

John is the **wisest** { *of the three.* / *of all.* / *among us.* }
（約翰是三個人當中〔全體當中；我們當中〕最聰明的）

【句型】

	the, *etc.*	最 高 級 形 容 詞
1. July is	**the**	**hottest** month in the year.
2. Mr. C has	**the**	**biggest** house in the town.
3. Mary is	**the**	**prettiest** girl in the office.
4. Who is	**the**	**best** student in your class?
5. What's	**the**	**highest** mountain in the world?
6. Which is	**the**	**longest** river in China?
7. Which is	**the**	**cleverest,** A or B or C?
8. I am	**the**	**tallest** of the four.
9. He is	**the**	**strongest** of all.
10. She is	**my**	**eldest** sister.
11. He is one of	**the**	**greatest** scientists.
12. She was	**the**	**most beautiful** girl I have ever seen.
13. Which is	**the**	**most intesreting** book you have ever read?
14. Dr. A is	**the**	**most learned** man I know.
15. This was	**the**	**most important** day in his life.

【提示】 ①最高級形容詞亦可用以修飾複數名詞：

This is one of **the best** *books.* （這是最好的書之一）

② **very**＋原級＝"非常～"
much＋{最高級 / 比較級}＝"～得多"

This pen is **very** *good.* （這枝鋼筆很好）

This pen is **much** *better* than that.
（這枝鋼筆比那一枝好得多）

*This pen is **much** *the best* of all.
（這枝鋼筆遠比所有其他的鋼筆好）

【句型】

	much（～得多）	比較級或最高級
1. I am	*much*	**better** today.
2. You are	*much*	{**fatter** / **stronger**} than I (am).
3. He is	*much*	{**the youngest** of all. / **the oldest** of the three.}
4. *A* is	*much*	{**larger** / **smaller** / **more important** / **more expensive**} than *B* is.

(3) 比較級和最高級的形成

A. 規則變化

1. 單音節形容詞,(少數)二音節形容詞 } + { er=比較級 / est=最高級

	原級	比較級	最高級
〔一音節〕	tall(身材高)	tall**er**	tall**est**
〔一音節〕	rich(富有的)	rich**er**	rich**est**
〔一音節〕	strong(强壯)	strong**er**	strong**est**
〔二音節〕	clever(聰明)	clever**er**	clever**est**

【類例】 old, young, long, short(短,矮), clear, poor, kind(親切的), narrow(狹窄), *etc.*

音節的形成 …一母音通常單獨或與旁邊的子音共同形成一音節

如:{ small〔smɔl〕(小) 一音節 / great〔gret〕(偉大) 一音節 } { clev · er〔ˈklɛvɚ〕 二音節 / eas · y〔ˈizɪ〕 二音節 }
beau · ti · ful〔ˈbjutəfəl〕 三音節

音尾 e+r, st

large(大的)	large**r**	large**st**
wise(賢明的)	wise**r**	wise**st**
fine(好的)	fine**r**	fine**st**
free(自由的)	free**r**	free**st**
polite(有禮貌的)	polite**r**	polite**st**

子音+y→i+er, est

easy(容易的)	eas**ier**	eas**iest**
early(早的)	earl**ier**	earl**iest**
happy(快樂的)	happ**ier**	happ**iest**
heavy(重的)	heav**ier**	heav**iest**
pretty(漂亮的)	prett**ier**	prett**iest**

【提示】 **母音+y+er, est**

gay(快樂的)	gay**er**	gay**est**

短母音+子音字尾→重複字尾+er, est

big (大)	**bigger**	**biggest**
hot (熱)	**hotter**	**hottest**
fat (胖)	**fatter**	**fattest**
thin (薄，瘦)	**thinner**	**thinnest**

2. **more** / **most** + { **-ful, -ble, -less, -ous, -ing,** / **-ve** 等二音節及全部三音節形容詞 } = { 比較級 / 最高級 }

useful (有用的)	**more** useful	**most** useful
beautiful (美麗的)	**more** beautiful	**most** beautiful
honorable (正直的)	**more** honorable	**most** honorable
careless (粗心的)	**more** careless	**most** careless
famous (有名的)	**more** famous	**most** famous
important (重要的)	**more** important	**most** important
interesting (有趣的)	**more** interesting	**most** interesting
active (活動的)	**more** active	**most** active

【類例】 difficult (困難的), dangerous (危險的), foolish (愚笨的), expensive (昂貴的), *etc.*

【提示】 下列幾個二音節形容詞的比較級與最高級，加 **er, est** 或 **more, most** 均可。

common (普通的)	**commoner** / **more** common	**commonest** / **most** common
honest (誠實的)	**honester** / **more** honest	**honestest** / **most** honest

B. 不規則變化

原級		比較級	最高級
good	好	**better**	**best**
well	安好〔形〕	**better**	**best**
bad	壞	**worse**	**worst**
ill	生病的	**worse**	**worst**
wrong	不對的	**worse**	**worst**
many	多數	**more**	**most**
much	多量	**more**	**most**
little	少，小	**less**	**least**

old 老，舊	**older** 年紀較大，較舊	**oldest**
	elder 較年長的	**eldest**
far 遠	**farther** 更遠	**farthest**
	further 更進一步的	**furthest**
late 遲，晚	**later** 〔ˈletɚ〕 較遲	**latest** 最遲
	latter 〔ˈlætɚ〕 較後的	**last** 最後

● 應注意事項 ●

1. **older, oldest**……用以比較新舊或年齡
elder, eldest……用以表示兄弟，姊妹，子女的長幼次序
（後面須接 **brother, sister** 等）

My **elder** brother is **older** than his **eldest** son.
（我哥哥的年紀比他的大兒子大）

【句型】

elder～, eldest～	older than…
His {**elder** / **eldest**} {*brother* / *sister* / (*son*) / (*daughter*)}	is **older** *than* I.

2. **later, latest**…… 表示時間的先後
latter, last………表示次序的先後
【提示】the latter 後者 ；the former 前者

He was **later** than I. （他比我遲）
Half an hour **later** he came back. （半小時後他回來了）
I like the former better than the **latter.**
（前者與後者，我較喜歡前者）
This is his **last** and **latest** work.
（這是他最後而且最近的作品）

3. **fewer** 較少數 ；**less** 較少量

He has **fewer** books than I. （他的書比我少）
I have **less** money than he. （我的錢比他少）

4.

farther〔ˈfɑrðɚ〕　較遠的，(進一步的)……指具體的距離
further〔ˈfɝðɚ〕　進一步的，(較遠的)……指抽象的程度

【註】 *farther* 與 *further* 在通俗之用法中常混用，且有以 *further* 代替 *farther* 之趨勢。

We went on twenty miles **farther** (*or* further).

(我們又前進了二十哩遠)

Do you need **further** (*or* farther) help?

(你需要更進一步的幫助嗎？)

(4) 其他比較法

1. 同等比較：

①肯定 **as**＋原級形容詞＋**as** (＋主格)＝"和～一樣"

I am **as** old **as** he (is). (我和他同年)

He was **as** pleased **as** she was.

(他同她一樣高興)

Her hat is **as** pretty **as** yours.

(她的帽子同你的一樣漂亮)

主　　詞	as＋原級形容詞＋as	主　　詞
1. He is	**as** tall **as**	I (am).
2. You are	**as** clever **as**	he (is).
3. I was	**as** happy **as**	a lark (雲雀).
4. Mary is	**as** beautiful **as**	Lucy.
5. My house is	**as** large **as**	John's.

②否定 **not so**＋原級形容詞＋**as** (＋主格)＝"不如～"

He is **not so** tall **as** I am. (他個子沒有我高)

Mr. Green is **not so** old **as** he looks.

(＝Mr. Green is younger than he looks.)

(葛林先生沒有他的外表那樣老)

The weather is**n't so** hot **as** (it was) yesterday.

(天氣沒有昨天那麼熱)

【註】在美國，通俗之用法中亦用 *not as* ～ *as*

2. 不等比較：

①「較低」或「不及」可表示如下：

* **less＋原級形容詞＋than（＋主格）＝"不及～"**

He is **less old than** I am. （他年紀沒有我大）
（＝He is *not so old as* I.）
Tom is **less clever than** his brother.
（＝Tom is *not so clever as* his brother.）
（湯姆不及他的兄弟聰明）

【句型】

主　詞	not so＋原級形容詞＋as ＝less＋原級形容詞＋than	主　詞
1. I am	**not so** { old / strong / clever } **as**	**you** (are).
2. I am	**less** { old / strong / clever } **than**	**you** (are).

②「最少」或"最不～"之表示法如下：

* **the least＋原級形容詞＝"最不～"**

He is **the least** *wise* of the three brothers.
（他是三個兄弟當中最不聰明的）

【句型】

	the least＋原級形容詞	
1. He is	**the least** tall	of the three.
2. This is	**the least** expensive	of all.
3. It is	**the least** interesting	book I've read.

3. 最高級的觀念也可以用比較級或原級形容詞來表示：

(a)用比較級表示：

① ～er / more ～ 〔比較級形容詞〕 } than { any other（＋單數名詞） / all the other（＋複數名詞）
② no other＋{ 單數名詞＋is / 複數名詞＋are }＋{ ～er / more ～ 〔比較級形容詞〕 } than ～

(b)用原級表示：

no other＋{ 單數名詞＋is / 複數名詞＋are }＋so＋原級形容詞＋as

He is *the* **tallest** boy in his class.
（他是班裏身材最高的男孩）

＝He is **taller** *than* { *any other* boy / *all the other* boys } in his class.
（他的身材比班裏任何一個〔或所有其他的〕男孩高）

＝*No other* { *boy* in his class *is* / *boys* in his class *are* } **taller** *than* he.

＝*No other* { *boy* in his class *is* / *boys* in his class *are* } *so* **tall** *as* he.
（他班裡沒有一個男孩的身材比他高）

【提示】 用比較級或原級形容詞表示最高級的意思時，須加 **other** 以免和自己相比。

〔誤〕He is cleverer than any boy in his class.
〔正〕He is cleverer than any **other** boy in his class.
（他比班裏任何其他的男孩聰明）.

〔誤〕She is younger than all the students.
〔正〕She is younger than all the **other** students.
（她的年紀比所有其他的學生小）

4. 不規則的比較：

① **prefér～to～**（＋受格）＝"**喜愛～甚於**"
*② { **supérior to**（＋受格）＝"**優於**" / **inférior to**（＋受格）＝"**劣於**" }

I **prefer** tea **to** coffee. （茶與咖啡，我較喜歡茶）
（＝I *like* tea *better than* coffee.）

I **prefer** chemistry **to** physics. （我喜歡化學甚於物理）

This is { **superior** / **inferior** } **to** that. （這優於〔劣於〕那）

（＝This is *better*〔*worse*〕*than* that.）

*【提示】{ **senior to**〔＋受格〕（＝*older than*〔＋主格〕） 年紀比～大 / **junior to**〔＋受格〕（＝*younger than*〔＋主格〕） 比～年輕 }

I am **senior to** *him* by two years.

＝I am **older than** *he* by two years.

＝I am two years **older than** *he*. （我比他大兩歲）

◇ 含有比較級的慣用語 ◇

〔包括比較級副詞在內〕

1. ～**er**（比較級）**and** ～**er**（比較級）＝"漸漸，愈來愈～"

The days are getting **longer and longer.** （白晝漸長）

The story gets **more and more** exciting.

（故事愈來愈精彩）

*2. **go from bad to worse** 每況愈下，越來越壞

Things are going **from bad to worse.**

（事情每況愈下）

He **goes from bad to worse.** （他每況愈下）

3. **the＋比較級……，the＋比較級**……＝"愈～愈～"

The more you have, **the more** you want.

（所有愈多，慾望愈大）

The sooner〔*or* higher, less, *etc.*〕, **the better.**

（愈快〔或高，少，等〕愈好）

4. **more or less** 多少，有些

Most people are **more or less** selfish.

（大多數的人多少是自私的）

*5. **sooner or later** 遲早

He will know it **sooner or later.** （遲早他會知道的）

6. { **no longer**（＝not any longer） 不再，已不 / **no more**（＝not any more; no longer; not again） 不再 }

He is **no longer** a young man.

（他不再是一個年輕的人了）

He does**n't** work here **any longer.**

（＝He has stopped working here.）

（他已不在這裏工作了）

No more tea, thank you. （不再要茶了，謝謝你）
I shall **not** go there **any more.**
（＝I shall not go there again.）（我將不再去那裏了）
We saw him **no more.** （我們沒有再見到他）

7. **more than**（＝over）以上
no more than（＝only）不多於，僅，只
not more than（＝less than; at most）不多於，至於

I have known him **more than** ten years.
（我認識他已有十多年了）
I have **no more than** two hundred dollars.
（我僅有二百元）
He has **not more than** one hundred dollars.
（他頂多只有一百元）

*8. **no less than**（＝as much〔*or* many〕as）不少於，有～之多
not less than（＝more than; at least）不少於，至少～以上
nothing less than（＝the same as）無異於

She has **no less than** ten children.
（她的孩子不下十個）
He has lost **no less than** 1,000 dollars.
（他掉的不少於一千元）
He has **not less than** ten million dollars.
（他的錢至少有一千萬元以上）
It is **nothing less than** robbery to ask such a high price.
（索價如此之高無異於劫奪）

*9. **no sooner ～ than**（＝as soon as）一～立刻就
No sooner had I left the house **than** it began to rain.
（＝As soon as I had left the house, it began to rain.）
（我一離開房子，雨就開始下了）
She had **no sooner** arrived here **than** she fell sick.
（她一到這裏立刻就病了）

◇ 含有最高級的慣用語 ◇

1. **do one's best**　盡力而爲，盡～最大的努力

I will **do my best.** (我當盡力而為)

He **did his best.** (他已盡了最大的努力)

*2. **at best** 充其量不過，至好也不過

He cannot be an officer. He is a sergeant **at best.**

(他不可能是軍官，充其量不過是個士官而已)〔s′ɑrdʒənt〕

At best, they will finish it tomorrow.

(最快也要到明天才可完成)

3. **at least** 至少

You should read one book a week **at least.**

(你每星期至少應該讀一本書)

4. **not in the least** (=not at all) 毫不，一點也不

I am **not in the least** tired.

(我一點也不感到疲倦)

*5. **at** (the) **most** (=not more than) 至多

I can pay ten dollars **at** (the) **most.**

(我至多只能付十元)

6. **at last** (=finally) 最後，終於

At last we succeeded. (我們終於成功了)

—— 習 題 23 ——

(一)*Give the comparative and the superlative degrees of each of the following adjectives:* (寫出比較級與最高級)

1. good	2. bad	3. much
4. little	5. wet	6. dry
7. difficult	8. easy	9. nice
10. fine	11. kind	12. thin
13. narrow	14. comfortable	15. simple
16. far	17. famous	18. foolish

(二)*Fill in each blank with the correct form of the adjective indicated:*

(用下列各句括弧內形容詞的適當形式填在空白裏)

Ex. This is <u>*smaller*</u> (small) than that.

1. This room is ______ (large) than that one.
2. The Pacific is the ______ (large) ocean in the world.
3. John is the ______ (clever) student in the class.
4. Bill is ______ (clever) than George.

5. I think Jane is ______ (pretty) than Mary.
6. July is the ______ (hot) month in the year.
7. The sun is much ______ (big) than the earth.
8. Iron is a ______ (useful) metal.
9. Gold is ______ (valuable) than silver.
10. This is the ______ (interesting) book I have ever read.
11. This story is much ______ (interesting) than that one.
12. The dog is ______ (faithful) than the cat.
13. This was the ______ (expensive) hat in the shop.
14. He said this was the ______ (happy) day in his life.
15. It is one of the ______ (wide) and ______ (beautiful) streets in the country.
16. John is the ______ (fat) of the two boys.
17. Which is ______ (good), this or that?
18. Which is the ______ (good), A or B or C?
19. That is the ______ (bad) of all.
20. It is getting ______ (hot) and ______ (hot).
21. This is as ______ (hard) as that.
22. This box is not so ______ (heavy) as that one.
23. I am less ______ (old) than John.
24. I have as ______ (many) friends as he has.
25. We don't have so ______ (much) rain as you think.
26. He drinks ______ (much) tea than I do.
27. John has ______ (many) books than Mary.
28. We had ______ (little) rain today than yesterday.
29. There are ______ (few) people present today than last Sunday.
30. The ______ (much) we get together, the ______ (happy) we'll be.
31. He has lost not ______ (little) than ten thousand dollars.
32. Dr. Brown has three thousand books at ______ (little).
33. I am much ______ (well) today.
34. He is going from ______ (bad) to ______ (bad).
35. She is ______ (ill) this morning than last night.

(三) *Choose the correct words:* (在對的字下面劃一橫線)

1. He is taller than (she, her, hers).

2. She is (busy, busier, more busy) than (we, us).
3. My pen is as good as (you, your, yours).
4. Mt. Fuji is (–, a, the) highest mountain in Japan.
5. Betty is my (youngest, the youngest, most youngest) sister.
6. They are (ugliest, the ugliest, the most ugliest) birds in the woods.
7. This question is (harder, more hard, more harder) than that one.
8. Bill is (more handsome, the more handsome, the most handsome) of the two.
9. He is (the politer, politest, the politest) of the three boys.
10. Which is (long, longer, longest), A or B?
11. Which is (colder, the colder, the coldest) month, December, January, or February?
12. Bob is a (fast, faster, more fast) runner than Peter.
13. This is bad, but that is (badder, more bad, worse).
14. John is Mary's (old, older, elder) brother.
15. He is three years (old, older, elder) than Mary.
16. Half an hour (late, later, latter), they found the house.
17. The (later, latter, last) is better than the former.
18. The (later, latest, last) two pages are missing.
19. The tiger is (very, much, more) stronger than the cow.
20. Jane is less (tall, taller, tallest) than Betty.
21. She has (less, few, fewer) books than you.
22. He drinks (little, less, few) wine than his brother.
23. (Most, The most, A most) people are fond of music.
24. He prefers tea (to, more than, better than) coffee.
25. I don't want (no more, any more, any longer) coffee, thank you.

(四)*Substitution:* 換字(每個空格填一個單字)

1. I am not so fat as he.

   =He is ______ than I.

2. Mary is more beautiful than Jane.

=Jane is ______ than Mary.

3. John is younger than any ______ boy in his class.

4. The other boy is not so lazy as Bill.

=Bill is ______ ______ of the two boys.

5. Henry is more diligent than the other two.

=Henry is ______ ______ ______ of the three.

6. Mr. Brown is the oldest teacher in the school.

=Mr. Brown is ______ than all ______ ______ teachers in the sehool.

=No ______ teachers in the school ______ so ______ as Mr. Brown.

7. John and Bill are of the same height.

=John is ______ ______ as Bill.

8. Mr. A has more money than Mr. B.

=Mr. B has ______ money than Mr. A.

9. Tom is the most careless of all.

=Tom is the ______ careful of all.

10. A is not so important ______ B.

=A is ______ important ______ B.

11. I like this book better ______ that one.

=I prefer this book ______ that one.

12. This is better ______ that.

=This is superior ______ that.

第五章

動詞

Verbs

第一節 動詞的種類(Kinds of Verbs)

動詞是用以表示動作或狀態的字，有下列幾種分類法：

(1)	限定動詞 (Finite)〔ˊfaɪnaɪt〕 非限定動詞(Non-finite)
(2)	規則動詞 (Regular Verb) 不規則動詞(Irregular Verb)
(3)	助動詞 (Auxiliary Verb)〔ɔgˊzɪljərɪ〕 本動詞〔或主動詞〕(Main 〔*or* Principal〕 Verb)
(4)	及物動詞 (Transitive Verb)〔ˊtrænsətɪv〕 不及物動詞(Intransitive Verb)

(1)限定動詞與非限定動詞
(Finites and Non-finites)

動詞語族	限定動詞	現在式【兩種】 過去式
	非限定動詞	不定詞(原式)， 動名詞，現在分詞，過去分詞

動詞也和人類一樣，有它的家族。**動詞語族**(Verb Family)就是動詞的家族。家庭的成員有男女之別，同樣地，一個動詞語族所包括的各動詞，也可大別爲「限定動詞」和「非限定動詞」兩種。

1. 限定動詞——現在式(Present Finite)和過去式(Past Finite)屬於「限定動詞」。
2. 非限定動詞——不定詞(Infinitive)，原式(Root Form)(亦稱原形動詞，或原形不定詞)，**動名詞**(Gerund)，**現在分詞**(Present Participle)，**過去分詞**(Past Participle)等屬於「非限定動詞」。

▲不定詞(**to**～)可作動詞語族的「**代表**」——

如動詞“**to do**”是指一個姓“**do**”，而由「*do*(現在式)，*does*(現在式)，*did*(過去式)」等限定動詞和「(*to*)*do*(原式及不定詞)，*doing*(現在分詞，動名詞)，*done*(過去分詞)」等非限定動詞所組成的**動詞語族**，或動詞的一家。

Verb "to be" 是指包括"*am, is, are, was, were; (to)be, being, been*"等八個動詞的一個大家庭。

【例】

動詞語族名	限定動詞		非限定動詞		
	現在式	過去式	不定詞或原式	現在分詞 動名詞	過去分詞
動詞'去' Verb'**to go**'	**go, goes**	**went**	(**to**) **go**	**going**	**gone**
動詞'取' Verb'**to take**'	**take, takes**	**took**	(**to**) **take**	**taking**	**taken**
動詞'是'或'在' Verb'**to be**'	**am, is, are**	**was were**	(**to**) **be**	**being**	**been**
動詞'有' Verb'**to have**'	**have, has**	**had**	(**to**) **have**	**having**	**had**
動詞'做' Verb'**to do**'	**do, does**	**did**	(**to**) **do**	**doing**	**done**
動詞'將' Verb'**will**'	**will**	**would**	——	——	——

【提示】①「不定詞－**to**＝原式」

②限定動詞通常包括兩種現在式和一種過去式，但 **Verb "to be"**和 **shall, will** 爲例外。

● 應注意事項 ●

1. 句 (Sentence)＝主詞 (Subject)＋動詞 (Verb)

動詞是句子的骨幹。每一個句子除主詞之外，還需要含有一個或一個以上的動詞，才能成爲完整的句子。

I **am** a student.

(我是個學生)——*I* 是主詞，*am* 是動詞。

He **is going** to school.

(他正要上學)——*He* 是主詞，*is going* 是動詞。

〔誤〕 They Chinese.

——本句因句中缺少動詞，無法表達完整的意思，應在"*They*"與"*Chinese*"中間塡補"*are* (是)"或"*know* (知道)"等動詞，才能成爲完整的句子。

2. A.

主詞＋{現在式 / 過去式}
〔限定動詞〕

B.

主詞＋①{現在式 / 過去式}＋②{原式，不定詞，動名詞，現在分詞，過去分詞}
〔限定動詞〕〔非限定動詞〕

【提示】 (a)凡是句子就必須有一個且只能用一個限定動詞。
(b)句中若有兩個以上的動詞，則最前面的一個是「限定動詞」，其餘的都是「非限定動詞」。
若句中只有一個動詞，這動詞就是限定動詞。

【提示】 ①限定動詞隨主詞的人稱和數而改變其形式。
②非限定動詞形式固定，不受主詞的影響。
③現在分詞與過去分詞的「現在」和「過去」兩字與時態無關。

I **go** there every day. （我天天到那裏）
—— *go* 是現在式限定動詞，和主詞 *I* 一致。

He **goes** there every day. （他天天到那裏）
—— *goes* 是現在式限定動詞，和主詞 *He* 一致

We **went** there yesterday. （我們昨天去過那裏）
—— *went*〔過去式限定動詞〕

He **is** *going* there. （他正要到那邊去）
—— *is*〔現在式限定動詞〕＋現在分詞 *going*〔非限定動詞〕＝現在進行式

She **will** go. （她將去）
—— *will*〔現在式限定動詞〕＋原式 *go*〔非限定動詞〕＝未來式

Would you *go*? （您願意去嗎？）
—— *Would*〔過去式限定動詞〕；原式 go〔非限定動詞〕

They **have** gone. （他們走了）
have〔現在式限定動詞〕＋過去分詞 *gone*〔非限定〕＝現在完成式

I **have** *been trying to go.* （我一直想去）
—— *have* 是「現在式限定動詞」；過去分詞 *been*，現在分詞 *trying*，不定詞 *to go* 等是「非限定動詞」。

〔誤〕He *doing* it. 〔句中缺少限定動詞〕
〔正〕He {**is** / **was**} **doing** it.

〔誤〕He *done* it.　〔句中缺少限定動詞〕
〔正〕He {**has done** / **did**} it.

〔誤〕He does not *likes* it.　〔一句不可使用兩個限定動詞〕
〔正〕He does not **like** it.　〔第二個動詞須用原式 *like*〕

〔誤〕He did not *came*.　〔一句不可使用兩個限定動詞〕
〔正〕He did not **come**.　〔在 *did* 後面須用原式 *come*〕

Finite (限定動詞)	Non-finite 〔非限定動詞〕
1. I **go**	there every day.
2. She **comes**	here every Sunday.
3. Mr. A **wrote**	it.
4. It **was**	**written** by Mr. A.
5. **Do** you	**have** a car?
6. He **does** not	**like to come**.
7. He **did** not	**come**.
8. He **can** not	**come** today.
9. He **has**	**gone** to Japan.
10. I **am**	**going** home.
11. I **must**	**be going** now.
12. John **will**	**be** here at two o'clock.

3. **原式**(Root Form)和不加" s "的**現在式**(Present Finite)，兩者形式一樣但性質不同。

①現在式「限定動詞」，可單獨使用，若與非限定動詞連用，其位置必在非限定動詞的前面。
②「原式＝不定詞－ to 」；原式是「非限定動詞」，須和限定動詞連用，且其位置必在限定動詞後面。

I **know** it.　—— *know* 是現在式〔限定動詞〕
Does he **know** it?　—— *know* 是原式〔非限定動詞〕

【例外】" **Verb to be** "(*Be* 動詞)的原式和現在式形式不同。
原式＝ *be*　　限定動詞＝ *am, is, are; was, were*

4. " **shall** (將), **will** (將), **can** (能), **may** (或許，可以), **must** (必須), **ought** (應該)"等動詞語族沒有「非限定動詞」(原式，不定詞，～ing，過去分詞等)。

〔誤〕He will *can* go. 〔*can* 不可用作原式〕
〔正〕He will *be able to* go. 〔*be able to* = *can*〕
（他將能去）

〔誤〕You will *must* go. 〔*must* 不可用作原式〕
〔正〕You will *have to* go. 〔*have to* = *must* 〕
（你將必須去）

—— 習 題 24 ——

㈠*Conjugation*：動詞變化（寫出下列各動詞的現在式〔各種〕，過去式，原式，現在分詞〔=動名詞〕，過去分詞）

	現在式		過去式	原 式	現在分詞	過去分詞
1. to give	______	______	______	______	______	______
2. to have	______	______	______	______	______	______
3. to do	______	______	______	______	______	______
4. to be	______	______	______	______	______	______
5. to get	______	______	______	______	______	______

㈡*Give the name of each verb*：
（寫出句中各動詞的名稱並分別何者為限定動詞何者為非限定動詞）

Ex： We are studying English.
are……現在式（限定動詞），*studying*……現在分詞（非限定動詞）

1. I have lived here for ten years.
2. Will you put it on the table?
3. Would you do me a favor?
4. He sometimes goes to the movies.
5. They came to see him.
6. We did not see anybody there.
7. You may have those books if you want them.

㈢*Choose the correct word*：（選擇正確的字）

1. I (saw, seen) him last week.
2. He (coming, is coming) tomorrow.
3. There (was, be) a game on Sunday.
4. Someone has (stole, stolen) his money.
5. The letter is (wrote, written) in English.
6. She need not (come, comes) if she does not (want, wants) to.

7. Does she (have, has) a bicycle?
8. John will (have, has) his lunch at home.
9. Did he (go, goes, went) with her?
10. Mary can (speak, speaks, spoke) Chinese.
11. My brother could not (make, makes, made) it.
12. I shall (am, is, be) sixteen next month.
13. You will (can, could, be able) to get it.
14. You should always (are, were, be) polite.
15. Tom must (work, works, worked) hard at school.
16. He may (is, was, be) cleverer than he looks.

(2)規則動詞與不規則動詞
(Regular Verbs and Irregular Verbs)

動詞的三主要部分
(The Three Principal Parts of the Verbs)

1. 原式(**Root Form**)或現在式(**Present Form**)
2. 過去式(**Past Form**)
3. 過去分詞(**Past Participle**)

動詞語族中原式(或不加 **s** 的現在式)，過去式，過去分詞等三式特稱之爲「動詞的三主要部分」。動詞可依照其語形變化(**Conjugation**)分爲規則動詞與不規則動詞。

A. 規則動詞

動詞原式加 **-d** 或 **-ed** 而形成過去式、過去分詞者叫做規則動詞。

(1) 原式＋ **ed** ＝ { 過去式 / 過去分詞 }

原式(或現在式)	過去式	過去分詞	
play	**played** 〔pled〕	**played**	玩
work	**worked** 〔wɝkt〕	**worked**	工作
want	**wanted** 〔ˈwɑntɪd〕	**wanted**	欲
end	**ended** 〔ˈɛndɪd〕	**ended**	結束

(2) **語尾 e + d**

like	**liked**〔laɪkt〕	**liked**	喜歡
live	**lived**〔lɪvd〕	**lived**	住
agree	**agreed**〔əˊgrɪd〕	**agreed**	同意

(3) **子音＋ y → i ＋ ed**

cry	cr**ied**〔kraɪd〕	cr**ied**	叫，哭
try	tr**ied**〔traɪd〕	tr**ied**	試，竭力
carry	carr**ied**〔ˊkærɪd〕	carr**ied**	攜帶
marry	marr**ied**〔ˊmærɪd〕	marr**ied**	結婚
study	stud**ied**〔ˊstʌdɪd〕	stud**ied**	學習
satisfy	satisf**ied**〔ˊsætɪsˏfaɪd〕	satisf**ied**	滿足

母音＋ y → yed

play	play**ed**〔pled〕	play**ed**	玩
stay	stay**ed**〔sted〕	stay**ed**	停留
enjoy	enjoy**ed**〔ɪnˊdʒɔɪd〕	enjoy**ed**	享受，欣賞

【提示】現在式動詞語尾 *y* ＋ *s* 的原則與“＋ *ed*”的原則相同。

如： study → stud*ies*〔ˊstʌdɪz〕

(4) **短母音・單音節動詞・子音語尾→重複語尾＋ ed**

beg	beg**ged**〔bɛgd〕	beg**ged**	請求
fit	fit**ted**〔ˊfɪtɪd〕	fit**ted**	適合
rob	rob**bed**〔rɑbd〕	rob**bed**	搶
rub	rub**bed**〔rʌbd〕	rub**bed**	磨擦
plan	plan**ned**〔plænd〕	plan**ned**	計畫
drop	drop**ped**〔drɑpt〕	drop**ped**	落下
stop	stop**ped**〔stɑpt〕	stop**ped**	停止

【提示】短母音爲〔æ〕〔ʌ〕〔ə〕〔ɛ〕〔ɪ〕〔ɑ〕〔u〕等

(5) **多音節・後重音動詞・子音語尾→重複語尾＋ ed**

omit	omitted〔oˊmɪtɪd〕	omitted	省略，遺漏
admit	admitted〔ədˊmɪtɪd〕	admitted	承認
occur	occurred〔əˊkɝd〕	occurred	發生
refer	referred〔rɪˊfɝd〕	referred	參考
prefer	preferred〔prɪˊfɝd〕	preferred	較喜
transfer	transferred〔trænsˊfɝd〕	transferred	移動
control	controlled〔kənˊtrold〕	controlled	控制

【提示】 多音節・前重音動詞・子音語尾→只加 **ed**

offer	offered〔ˊɔfɚd〕	offered	提供
limit	limited〔ˊlɪmɪtɪd〕	limited	限制
develop	developed〔dɪˊvɛləpt〕	developed	發展
visit	visited〔ˊvɪzɪtɪd〕	visited	訪問
travel	travelled〔ˊtrævld〕(英) traveled〔ˊtrævld〕(美)	travelled traveled	旅行

【特殊例】

picnic	picnicked	picnicked	野餐，郊遊

◇ -ed 的發音 ◇

(1) **-ted**〔-tɪd〕　**-ded**〔-dɪd〕

waited〔ˊwetɪd〕等候　added〔ˊædɪd〕加，增加

(2)**無聲音**〔f〕〔k〕〔p〕〔s〕〔ʃ〕〔tʃ〕＋ **ed** 時讀〔t〕

stopped〔stɑpt〕	停止	laughed〔lɑft〕	笑
passed〔pæst〕	通過	talked〔tɔkt〕	談
finished〔ˊfɪnɪʃt〕	完成	reached〔ritʃt〕	到達

(3)**有聲音**＋ **ed** 時讀〔d〕

lived〔lɪvd〕	住	learned〔lɝnd〕	學習
killed〔kɪld〕	殺	changed〔tʃendʒd〕	改變

【提示】 1. **used** 有兩種讀法：①〔just〕慣常　②〔juzd〕使用

2. 作形容詞用的過去分詞 **-ed** 常讀〔ɪd〕

如：learned〔ˊlɝnɪd〕 有學問的

ragged〔ˊrægɪd〕 破爛的

wicked〔ˊwɪkɪd〕 邪惡的

B. 不規則動詞

不按照一定的規則變化的動詞叫做「不規則動詞」。不規則動詞的變化務必熟記。爲便於記憶起見將較常用者分類列表如下：

- a. 三式同形者……〔**A–A–A 型**〕
- b. 二式同形者……〔**A–A–B 型**〕〔**A–B–A 型**〕〔**A–B–B 型**〕
- c. 三式不同形者……〔**A–B–C 型**〕

A–B–B 型

	現在式	過去式	過去分詞	
(1)	**say**〔se〕	**said**〔sɛd〕	**said**	說
	lay	laid〔led〕	laid	放置
	pay	paid〔ped〕	paid	付款
(2)	**sell**	**sold**	**sold**	賣
	tell	told	told	告訴
(3)	**catch**	**caught**〔kɔt〕	**caught**	捕
	teach	taught	taught	教
(4)	**fight**	**fought**〔fɔt〕	**fought**	戰
	buy	bought	bought	買
	bring	brought	brought	帶來
	think	thought	thought	想
	seek	sought	sought	尋求
(5)	**have**〔hæv, həv〕 **has**〔hæz, həz〕	**had**〔hæd, həd〕	**had**	有，使，吃喝，經歷
	hear〔hɪr〕	heard〔hɝd〕	heard	聽
	make	made	made	做
	build〔bɪld〕	built〔bɪlt〕	built	建造
	learn	learned learnt	learned learnt	學習
(6)	**lend**	**lent**	**lent**	借給，貸
	send	sent	sent	寄，送
	bend	bent	bent	彎
	spend	spent	spent	費
(7)	**sit**	**sat**	**sat**	坐
	get	got	got	得

	shoot〔ʃut〕	shot〔ʃɑt〕	shot	射
	lose〔luz〕	lost〔lɔst〕	lost	失，輸
	win	won〔wʌn〕	won	勝
	shine〔ʃaɪn〕	shone〔ʃon〕	shone	照耀
	(shine	shined	shined	擦亮)
(8)	**smell**	**smelt**	**smelt**	聞，嗅
	spell	spelt	spelt	拼字
	hold	held	held	把握
(9)	**feel**	**felt**	**felt**	感覺
	keep	kept	kept	保持
	weep	wept	wept	哭
	sleep	slept	slept	睡
	sweep	swept	swept	掃
	kneel〔nil〕	knelt	knelt	跪
	creep	crept	crept	爬行
(10)	**meet**	**met**	**met**	遇
	feed	fed	fed	飼
	bleed	bled	bled	流血
	flee	fled	fled	逃
(11)	**lead**	**led**	**led**	領導
	leave	left	left	離開
	deal〔dil〕	dealt〔dɛlt〕	dealt	處理
	mean〔min〕	meant〔mɛnt〕	meant	意指，意欲
(12)	**dig**	**dug**	**dug**	掘
	stick	stuck	stuck	黏
	strike	struck	struck	打
(13)	**hang**〔hæŋ〕	**hung**〔hʌŋ〕	**hung**	掛，吊
	(hang	hanged〔hæŋd〕	hanged	絞死)
	swing	swung	swung	搖擺
	sting	stung	stung	刺
	spin	spun	spun	紡
(14)	**stand**	**stood**	**stood**	站立
	understand〔ˏʌndɚˊstænd〕	understood〔ˏʌndɚˊstʊd〕	understood	懂
(15)	**find**〔faɪnd〕	**found**〔faʊnd〕	**found**	發現
	(found	founded	founded	建立)

	bind〔baɪnd〕	bound〔baʊnd〕	bound	綑
	grind〔graɪnd〕	ground〔graʊnd〕	ground	磨
	*（ground	grounded	grounded	接地）
	wind〔waɪnd〕	wound〔waʊnd〕	wound	捲
	（wound〔wund〕	wounded	wounded	受傷

A–B–A 型

⒃	**run**	**ran**	**run**	跑
	come	came	come	來
	become	became	become	成為
	overcome〔ˌovəˈkʌm〕	overcame	overcome	克服
	（welcome	welcomed	welcomed	歡迎）

A–B–C 型

⒄	**sing**〔siŋ〕	**sang**〔sæŋ〕	**sung**〔sʌŋ〕	唱
	sink〔siŋk〕	sank〔sæŋk〕	sunk〔sʌŋk〕	沉
	ring	rang	rung	鳴，響
	drink	drank	drunk	飲
	spring	sprang	sprung	跳
	begin〔bɪˈgɪn〕	began〔bɪˈgæn〕	begun〔bɪˈgʌn〕	開始
	swim〔swɪm〕	swam〔swæm〕	swum〔swʌm〕	游泳
⒅	**speak**	**spoke**	**spoken**	說話
	steal	stole	stolen	偷
	break	broke	broken	破
	choose	chose	chosen	選
	freeze	froze	frozen	凍
	weave	wove	woven	織
⒆	**bite**〔baɪt〕	**bit**〔bit〕	**bitten**〔bɪtn〕	咬
	hide	hid	hidden〔ˈhɪdn〕	躲藏
⒇	**bear**〔bɛr〕	**bore**〔bor;bɔr〕	**born**〔bɔrn〕	生，忍
	tear〔tɛr〕	tore〔tor; tɔr〕	torn〔torn; tɔrn〕	撕破
	wear〔wɛr〕	wore〔wor; wɔr〕	worn〔wɔrn〕	穿，戴
	swear〔swɛr〕	swore	sworn	發誓
(21)	**rise**〔raɪz〕	**rose**〔roz〕	**risen**〔ˈrɪzn〕	升起

	drive	drove	driven〔ˈdrɪvən〕	駕駛，驅
	strive	strove	striven	奮鬥
	ride	rode	ridden〔ˈrɪdn〕	騎
	write	wrote	written〔ˈrɪtn〕	寫
(22)	**take**	**took**	**taken**	取
	mistake〔mɪˈstek〕	mistook	mistaken	誤會
	shake〔ʃek〕	shook〔ʃʊk〕	shaken	搖動
(23)	**know**	**knew**	**known**	知
	grow	grew	grown〔gron〕	生長
	blow	blew	blown〔blon〕	吹
	throw	threw	thrown	投
	fly	flew	flown	飛
	(flow	flowed	flowed	流)
	draw〔drɔ〕	drew〔dru〕	drawn〔drɔn〕	畫，拉
(24)	**go**	**went**	**gone**〔gɔn〕	去
	do	did	done〔dʌn〕	做
	give	gave	given	給
	forgive〔fɚˈgɪv〕	forgave	forgiven	寬恕
	forget	forgot〔fɚˈgɑt〕	forgotten	忘記
	see	saw	seen	看
	eat	ate〔et〕	eaten	吃
	fall	fell	fallen	落
	lie	lay	lain	躺，臥
	(lie	lied	lied	說謊)
	show	showed	shown	示
(25)	原式　現在式			
	be { **am, is** / **are**	**was**〔wɑz; wəz〕 / **were**〔wɝ; wɛr〕	} **been**	是，在

A–A–B 型

(26)	**beat**	**beat**	**beaten**	打

A–A–A 型

(27) **bet**	**bet**	**bet**	賭
bid	bid (bade〔bed〕	bid bidden)	吩咐
cost〔kɔst〕	cost	cost	値，費
cut〔kʌt〕	cut	cut	切，割
hit	hit	hit	擊，打中
hurt〔hɝt〕	hurt	hurt	傷害
let	let	let	讓
read〔rid〕	read〔rɛd〕	read〔rɛd〕	讀
set	set	set	置，沒入
shed〔ʃɛd〕	shed	shed	流出
shut〔ʃʌt〕	shut	shut	關
spit	spit	spit	吐出
split	split	split	裂開
spread〔sprɛd〕	spread	spread	散佈
upset〔ʌp′sɛt〕	upset	upset	推翻

A-B- 型 （變化不完全的動詞）

(28) **shall**〔ʃæl; ʃəl〕	**should**〔ʃʊd〕	——	將，須
will	would	——	將，願
can	could	——	能
may	might	——	可以，也許
(29) **must**	——	——	必須，必定
ought	——	——	應當

⊙現在分詞（動名詞）的形成

(1) **動詞原式＋ ing ＝現在分詞；動名詞**

原式	現在分詞	原式	現在分詞
be（在，是）	being	rain（下雨）	raining
see（看）	seeing	open（開）	opening
study（學習）	studying		

(2) **無聲字尾 e － e ＋ ing**

make (做)	making	come (來)	coming
take (取)	taking	write (寫)	writing
live (住)	living	give (給)	giving

(3) **短母音・單音節動詞・子音字尾→重複字尾＋ ing**

get (得)	getting	shut (關)	shutting
put (放)	putting	stop (停止)	stopping
cut (割)	cutting	swim (游泳)	swimming

(4) **多音節・後重音動詞・子音字尾→重複字尾＋ ing**

begín (開始)	beginning	occúr (發生)	occurring
omít (省去)	omitting	forgét (忘)	forgetting

(5) **字尾 ie － ie ＋ y ＋ ing**

die (死)	dying	lie (躺)	lying

—— 習　題　25 ——

(一) *Conjugate the following verbs:*

(寫出下列各動詞的過去式，過去分詞，現在分詞)

原式	過去式	過去分詞	現在分詞
1. shut	________	________	________
2. take	________	________	________
3. study	________	________	________
4. forget	________	________	________
5. begin	________	________	________
6. swim	________	________	________
7. lie (躺)	________	________	________
8. run	________	________	________
9. stop	________	________	________
10. choose	________	________	________

(二) *Conjugation:* (動詞變化)

Root	*Past*	*Past Participle*
1. go	________	________

2. come ________ ________
3. sing ________ ________
4. sit ________ ________
5. set ________ ________
6. think ________ ________
7. teach ________ ________
8. fly ________ ________
9. blow ________ ________
10. win ________ ________
11. lay ________ ________
12. may ________ ________
13. make ________ ________
14. break ________ ________
15. speak ________ ________
16. become ________ ________
17. meet ________ ________
18. put ________ ________
19. cut ________ ________
20. beg ________ ________
21. hear ________ ________
22. wear ________ ________
23. hurt ________ ________
24. cost ________ ________
25. sell ________ ________
26. tell ________ ________
27. ________ bought bought
28. ________ fought fought
29. ________ brought brought
30. keep ________ ________
31. sleep ________ ________
32. ________ lent lent
33. ________ left left

34. ________ led led
35. ________ let let
36. lose ________ ________
37. ________ hung ________
38. ________ found ________
39. ________ drank ________
40. ________ ate ________
41. strike ________ ________
42. write ________ ________
43. read ________ ________
44. ________ saw ________
45. know ________ ________
46. understand ________ ________
47. feel ________ ________
48. ________ fell ________
49. steal ________ ________
50. prefer ________ ________

(三) *Phonetic Symbols:* 發音符號(寫出劃底線的字的音符)

Ex. called〔d〕

1. wanted 〔 〕 2. loved 〔 〕 3. needed 〔 〕
4. laughed 〔 〕 5. picked 〔 〕 6. washed 〔 〕
7. said 〔 〕 8. paid 〔 〕 9. build 〔 〕
10. meant 〔 〕 11. spread 〔 〕 12. wear 〔 〕
13. heard 〔 〕 14. threw 〔 〕 15. caught 〔 〕
16. think 〔 〕 17. lose 〔 〕 18. done 〔 〕
19. shoot 〔 〕 20. shook 〔 〕

(3) 助動詞與本動詞

(Auxiliary Verbs and Main〔or Principal〕Verbs)

動詞片語＝助動詞＋本動詞

(Verb Phrase = Auxiliary Verb + Main Verb)

句中若有幾個有連繫的動詞被用在一起，而形成一個動詞片語以表示各種時態(**Tense**)或語態(**Voice**)等，則其中有實際意義的一個動詞叫做本動詞(**Main Verb**)，其餘在本動詞前面幫助本動詞形成時態，語態等的那些動詞叫做助動詞(**Auxiliary Verb**)。

【提示】
①通常動詞片語的最後一個動詞就是本動詞。
②若句中只有一個動詞，這動詞便是本動詞。

(a) I *shall* **write** it. （我將寫它）

——shall〔助動詞〕+ write〔本動詞〕=未來式

I *am* **writing** it. （我正在寫它）

——am〔助動詞〕+ writing〔本動詞〕=現在進行式

I *shall be* **writing** it. （我將在寫它）

——shall〔助〕+ be〔助〕+ writing〔本〕=未來進行式

I *have* **written** it. （我已寫完了它）

——have〔助〕+ written〔本〕=現在完成式

(b) It *was* **written** by me. （這是我寫的）

——was〔助〕+ written〔本〕=被動過去式

(c) *May* I **write** it with a pencil? （我可以用鉛筆寫嗎？）

——May〔助〕+ write〔本〕=表許可的動詞片語

Do you **know** him? （你認識他嗎？）

——Do〔助〕+ know〔本〕+ ? =表疑問

I *do* not **like** it. （我不喜歡它）

——do〔助〕+ not + like〔本〕=表否定

I **like** it. （我喜歡它）

——like 是本動詞

I *do* **like** it. （我的確喜歡它）

——do〔助〕+ like〔本〕=加重語氣

【句型】

	Auxiliary Verb (助動詞)	Main Verb (本動詞)
1. Mr. A		**is** a teacher.
2. He		**teaches** English.
3. He	**does** not	**teach** French.
4. He		**taught** us last year.
5. We	**were**	**taught** by him last year.

6. He	**will**	**teach** you next semester.
7. He	**is**	**teaching** English now.
8. He	**has**	**taught** for ten years.
9. He	**has been**	**teaching** since 1955.
10. He	**can**	**speak** English very well.

主要的**助動詞**如下：

be 〔**am, is, are, was, were, being, been**〕,
have 〔**has, had**〕, **do** 〔**does, did**〕, **shall** 〔**should**〕,
will 〔**would**〕, **can** 〔**could**〕, **may** 〔**might**〕,
must, ought (應當), **need, dare** (敢), **used** (慣常).

【詳閱第七節助動詞(第 411 頁)】

—— 習 題 26 ——

Pick out the auxiliary verb and the main verb in each of the following sentences:(指出下列各句中的助動詞和本動詞)

Ex. He <u>will</u> <u>come</u> tomorrow.
Aux. V *Main V*

1. He does his work well.
2. He does not know where you live.
3. Why did he do this?
4. Can you speak French?
5. I must be going now.
6. It was raining when I left home.
7. This is the most interesting book I have ever read.
8. We thought he had gone to Japan.
9. He has been here for a week.
10. I have been studying English for three years.
11. English is spoken in many countries.
12. English is being studied by many people.

(4) 及物動詞與不及物動詞
(*Transitive Verbs and Intransitive Verbs*)

及物動詞 (v.t.)	完全及物動詞(Complete～)	不完全及物動詞(Incomplete～)
不及物動詞 (v.i.)	完全不及物動詞(Complete～)	不完全不及物動詞(Incomplete～)

A.不及物動詞

動作不影響及他物而不用受詞的動詞叫做不及物動詞。不及物動詞有如下的兩類：

- 完全不及物動詞——沒有補語也能表達完整的意思的不及物動詞。
- 不完全不及物動詞——需要「主格補語」以補足其意義的不及物動詞。

1.完全不及物動詞(**Complete Intransitive Verb**)

【基本句型 1】 主詞＋(完全)不及物動詞
(S) (v.i.)

Birds **fly**. （鳥飛）
I **see**. （我明白了）
The moon **rose**. （月亮升起來了）
The sun **is shining**. （太陽正照著）
We all **breathe** 〔brið〕, **eat** and **drink.**
（我們都要呼吸，吃，及喝）
He **came** yesterday. （他昨天來過）
——*yesterday*是用以修飾*came*的副詞，而非補語。
She **smiled** happily. （她快樂地笑了）
——*happily*是用以修飾*smiled*（微笑）的副詞，而非補語。

【句型】

修飾語（形容詞）	主　詞	(完全)不及物動詞	(副詞)修飾語
1.	Flowers	bloom.（花開）	
2.	It	was raining.	
3.	It	does not matter.（沒有關係）	
4. Little	birds	sing	merrily.（快樂地）

5. The	girl	sang	sweetly.（好聽）
6.	She	smiled	happily.
7.	John	studies	hard.
8.	He	will come	today.
9.	They	went	by bus.
10. The	sun	rises	in the east.

2. 不完全不及物動詞（**Incomplete Intransitive Verb**）

【基本句型 2】 主詞＋（不完全）不及物動詞＋（主格）補語
(S)　(v.i.)　(C)

I **am** a *student.*（我是個學生）〔名詞用作補語〕

He **became** a *teacher.*（他做了教師）

It **is** *he.*（那是他）〔代名詞用作補語〕

This book **is** *mine.*（這本書是我的）

【提示】廣義的主詞、受詞、和補語包括其修飾語在內，而狹義的主詞、受詞、和補語則不包括修飾語。

如：{ my book, a good man〔廣義的主詞、受詞、補語〕
book,　man〔狹義的主詞、受詞、補語〕

Mary **is** *kind.*（瑪麗和善）〔形容詞用作補語〕

John **is** *ill*〔or *sick*〕.（約翰有病）

His only object **is** *to make* money.〔不定詞用作補語〕
（他唯一的目的是生財）

My hobby **is** *collecting* stamps.〔動名詞用作補語〕
（我的嗜好是集郵）

It **kept** *raining* all day.〔現在分詞用作補語〕
（整天不停地下著雨）

He **was** *satisfied* with my answer.〔過去分詞用作補語〕
（他對我的回答覺得滿意）

He **is** *in good health.*〔介系詞片語用作補語〕
（＝He is healthy.）（他身體健康）

It **is** *of no use.*（那是無益的）

This **is** *what he said.*〔名詞子句用作補語〕
（這就是他所說的話）

【提示】 主格補語（Subjective Complement）是用以補述主詞意義的語句，通常爲名詞、形容詞或其相等語。

【句型】

主　　詞	(不完全) 不及物動詞	(主格)補　語
1. You	are	a teacher.
2. John	became	a doctor.
3. That house	is	the doctor's.
4. This car	is not	yours.
5. What	is	wrong?
6. Who	is	ill?
7. She	was	happy.
8. Seeing	is	believing. (眼見爲信)
9. To see	is	to believe. (眼見爲信)
10. We	are	to meet tomorrow.
11. It	kept	raining two days.
12. They	were	very tired.
13. It	is	of no importance.
14. This	is	where I work.

(主格)補語	(不完全) 不及物動詞	主　　詞
1. Who	{ is	that man 〔he〕?
	{ are	those women 〔they〕?
2. What	{ is	this 〔that〕?
	{ are	these 〔those〕?

▲聯繫動詞(Linking Verbs):

——「不完全不及物動詞」亦稱「聯繫動詞」，**be** 以外的聯繫動詞常以名詞或形容詞爲補語。

常用的聯繫動詞如下：

① **be**(是)，**keep**(保持)，**lie**(躺著) **stand**(站著)，***remain**(仍然) ② **seem**(似乎)，**look**(看來好像)， **appear**(似若)	} + { 名　詞 形容詞 }

③ **become**（成爲），**grow**（變成，逐漸），**get**（變得），**turn**（變成），***make**（成爲）	＋	{名詞 / 形容詞}
④ **feel**（覺得），**sound**（聽起來似乎），**taste**（味道是），**smell**（氣味是）	＋形容詞	
【聯繫動詞】＝（不完全不及物動詞）		

(a) I **am** *happy.*　（我快樂）
She **feels** *happy.*　（她覺得快樂）
He **kept** *silent* all the time.　（他始終保持沈默）
*He **remains** *poor.*　（他仍然窮）
He **stood** *still.*　（他站著不動）
John **is lying** *ill.*　（約翰病臥著）

(b) He **appears** *ill.*
（他似乎有病）——〔但是否眞有病不得而知〕
He **looks** *ill.*
（他好像有病）——〔也可能眞有病〕
It **seems** *correct.*
（這似乎是對的）——〔說話者心中的"似若"〕

(c) His eldest son **became** *a doctor.*
（他的大兒子做了醫生）
She **becomes** *rich.*　（她變富了）
It **grows** *dark.*　（天變暗了）
He **is growing** *old* 〔or *older*〕.　（他漸漸地老了）
（＝He **is getting** *old* 〔or *older*〕.）
*She **is growing** *a pretty girl.*
（她漸漸長成一個漂亮的女孩子）
It **is getting** *cold.*　（天氣漸冷）
The days **are getting** *longer and longer.*　（白晝漸長）
He **got** *angry* at my words.　（他聽了我的話而生氣）
*They **are getting** *to like* each other.
（他們逐漸相互喜歡）〔get＋不定詞〕
The leaves **turned** *red.*　（樹葉變紅了）
*She will **make** *a good wife.*　（她將成爲一個好妻子）

(d) The music **sounds** *sweet.*　（這音樂聽起來悅耳）
It **sounds** *right.*　（這聽起來好像是對的）
Sugar **tastes** *sweet.*　（糖味甜）

The milk **tastes** *sour.* (這牛奶有酸味)
This flower **smells** *sweet.* (這花有香味)
They **smell** *good.* (它們的氣味好)

【句型A】

主　　詞	聯　繫　動　詞	主格補語(形容詞)
1.	**Be** / Please **keep**	quiet. / silent.
2. She	**is** 〔was〕 / **feels** 〔felt〕 / **looks** 〔looked〕 / **appears** 〔appeared〕	happy. / ill. / tired.
3. He	**is** 〔was〕 / **seems** 〔seemed〕	honest 〔angry, tired〕. / used to it. (習慣於它)
3. It	**seems** / doesn't **seem**	right 〔correct, good〕.
4. It	**is** 〔was〕 / **sounds** 〔sounded〕 / **tastes** 〔tasted〕 / **smells** 〔smelt〕	good. / nice. / sweet.

【句型B】

主　　詞	聯　繫　動　詞	主格補語(形容詞)
1. He	**becomes** 〔became〕	happy 〔rich, angry〕. / wiser than before. / tired.
2. It / He	**grows** 〔grew〕 / **is growing**	dark.
	is growing / **has grown**	old 〔fat, tall〕. / older 〔wiser〕.
3. It	**is getting**	dark 〔cold, warm〕. / warmer.
3. He	**is getting**	old 〔older〕.

The days	**are getting**	longer.
She	{ **will get** / **got** }	{ angry〔tired〕. / used to it.
4. It	**will turn**	green〔red〕.

【提示】不完全不及物動詞(聯繫動詞)不可用副詞作補語，如：

〔正〕 He looks **happy**. （他看來好像快樂）
〔誤〕 He looks *happily*.
〔正〕 He *sang* **happily**. （他高興地唱了）
副詞 *happily* 用以修飾完全不及物動詞 *sang*（唱）。

〔正〕 It smells **sweet**. （它有香味）
〔誤〕 It smells *sweetly*.
〔正〕 She got **angry**. （她生氣了）
〔誤〕 She got *angrily*.

〔例外〕 Nobody is **in**. （沒有人在家）
Mary is **here**. （瑪麗在這裏）
School is **over**. （學校放學了）
——表示地方的副詞 **in, here,** 和形容詞化的副詞 **over** 等，可用作聯繫動詞 **be** 的補語。

◇ 聯繫動詞的成語 ◇

fall asleep　入睡
The baby **fell asleep.** （這嬰兒睡著了）

***fall ill**〔*or* **sick**〕　生病
John **fell ill**. （約翰病了）

***come right**　變好
Everything will **come right** in the end.
（凡事最後總會變好的）

***come true**　實現，成爲事實
At last his dream **had come true.**
（他的夢終於實現了）

***go bad**　變壞
Meat soon **goes bad** in hot weather.
（肉類在熱天很快就變壞）

***go mad**　發瘋，變瘋狂

He **went mad.** （他瘋了）

【提示】**fall, come, go**等如當作"become(變成)"用時，即爲聯繫動詞。

——習 題 27——

㈠*Choose the correct word*：(選擇對的字)

1. Mary feels (happy, happily).
2. John laughed (happy, happily).
3. Betty sang (sweet, sweetly).
4. Roses smell (sweet, sweetly).
5. Good medicines taste (bitter, bitterly). （良藥苦口）
6. The soup tastes (good, well).
7. The sentence sounds (correct, correctly).
8. Please keep (silent, silently).
9. Be (quiet, quietly), boys.
10. Don't be (noise, noisy, noisily).
11. He swims (good, well).
12. This book seems (good, well).
13. The old man appears (health, healthy).
14. You do not look (honest, honesty).
15. Are you (thirst, thirsty)?
16. He was feeling (hunger, hungry, hungrily).
17. He got (anger, angry, angrily).
18. The milk will go (sour, sourly) if you leave it too long.

㈡*Vocabulary in context*：文意語彙(在各題中選擇正確的解釋，把它的號碼填在題前括弧內)

(　)1. The man *looks* ill.	①看	②注視	③好像
(　)2. It *turned* yellow.	①變成	②轉向	③旋轉
(　)3. Sugar tastes *sweet*.	①香	②甜	③悅耳
(　)4. She *fell asleep*.	①昏倒	②入睡	③失眠
(　)5. He *appears* very old.	①looks	②sees	③shows
(　)6. It is *getting* dark.	①taking	②having	③growing
(　)7. We *got* quite tired.	①felt	②became	③were

B. 及物動詞

有受詞（**Object**）接受其動作的動詞叫做**及物動詞**。及物動詞有如下的兩種：

- **完全及物動詞**——沒有補語也能表達完整的意思的及物動詞。
- **不完全及物動詞**——除受詞外，還需要「受格補語」以補足其意義的及物動詞。

1. 完全及物動詞(Complete Transitive Verb)

【基本句型3】

主詞＋(完全)及物動詞＋受詞
(S)　　(v.t.)　　(O)

I **have** a *bicycle.* 〔名詞用作受詞〕
（我有一部腳踏車）

He **eats** *breakfast* at 6:30.
（他在六點半吃早餐）

*She **lived** a happy *life.*
（她過了幸福的一生）——**life** 是 **live** 的同系受詞。

*【提示】和及物動詞屬於同源的受詞叫做同系受詞(Cognate Object)。如：

He **dreamed** a strange **dream**.
（他做了一個怪夢）

They **saw** *him* there. 〔代名詞用作受詞〕
（他們看見他在那裏）

He **hurt** *himself* yesterday.
（他昨天受了傷）

John **likes** *reading.* 〔動名詞用作受詞〕
（約翰喜歡讀書）

Do you **want** to *come*? 〔不定詞用作受詞〕
（你要來嗎？）

I don't **know** *what to do.* 〔名詞片語用作受詞〕
（我不知道該做什麼）

We **know** *where he lives.* 〔名詞子句用作受詞〕
（我們知道他住在那裏）

【提示】

①受詞通常是名詞、代名詞或其他名詞相等語。 ②受詞的格是受格。

【句型】

(完全)及物動物	受　　詞
1. I **like**	**Mary.**
2. You **speak**	**English** well.
3. Who **knows**	**the answer**?
4. Have you **had**	**breakfast**?
5. John **likes**	**her.**
6. I **enjoyed**	**myself** very much.
7. Do you **like**	**swimming**?
8. I **want**	**to come.**
9. Does he **know**	**how to swim**?
10. Nobody **knows**	**how high it is.**

▲**授與動詞(Dative Verb)**：

需要兩個受詞——**直接受詞**(Direct Object)與**間接受詞**(Indirect Object)——的及物動詞叫做授與動詞。

【基本句型4】

A.
主詞＋及物動詞＋間接受詞(人)＋直接受詞(物)
(S)　(v.t.)　(I.O.)　(D.O.)

間接受詞(多爲「人」)**較短時**，兩受詞之位置爲「**間接受詞**(人)＋**直接受詞**(物)」。

如：He gave *John* **a book**. (他給約翰一本書)
(間接受詞)(直接受詞)

She wrote *me* **a letter**. (她寫一封信給我)

B.
主詞＋及物動詞＋直接受詞(物)＋{**to** / **for**}＋間接受詞(人)
(S)　(v.t.)　(D.O.)　(I.O.)

間接受詞較長或需要强調它時，則將其置於直接受詞之後，而在間接受詞前面加介系詞 **to** 或 **for** 等。

如：The teacher gave **a book** to *the best student in the class.*
(老師給班上最好的學生一本書)

I wrote **a letter** to *my friends in Taipei.*
(我寫了一封信給在台北的朋友們)

及物動詞　間接受詞　直接受詞

{ I **gave** *him* *a book.*（我給他一本書）〔句型A〕
{ =I **gave** *a book* to *him.* 〔句型B〕
（直接受詞）（間接受詞）

{ He **told** *us a story.*（他講一個故事給我們聽）
{ =He **told** *a story* to *us.*

{ He **taught** *them English.*（他教他們英語）
{ =He **taught** *English* to *them.*

{ I must **buy** *her a watch.*（我必須買一隻錶給她）
{ =I must **buy** *a watch* for *her.*

{ She **made** *me a dress.*（她做一套衣服給我）
{ =She **made** *a dress* for *me.*

主要的授與動詞如下：

① **give**（給）, **lend**（借給）, **send**（寄給，送給）, **write**（寫給）, **bring**（帶給）, **hand**（交給）, **pass**（遞給）, **deliver**（遞送）, **show**（指給）, **teach**（教給）, **tell**（告訴）, **sell**（賣給）, **pay**（付給）, **owe**（欠）, **do**（給與）, **promise**（答應，約定）, **offer**（提供） **【＋物＋to＋人】**

② **buy**（買給）, **bring**（帶給）, **get**（取來）, **leave**（留給）, **make**（做，製造）, **do**（做） **【＋物＋for＋人】**

③ **ask**（問，請求） **【＋物＋of＋人】**

④ **play**（做） **【＋物＋on＋人】**

【句型A】

及物動詞（授與動詞）	間接受詞	直接受詞
1. I wrote	Mary	a letter.
2. I have given	her	a present.
3. He will teach	you	English.
4. I'll send	you	a dictionary.
5. Will you lend	me	some money?
6. He sold	me	the car.
7. Hand	me	that book, please.
8. Please pass	me	the salt. 〔sɔlt〕（鹽）

9. Tell	him	that.
10. Ask	him	what this is.
11. Show	them	where to put it.
12. He brought	us	some flowers.
13. Get（取來，拿給）	us	the ball, please.
14. He bought	her	a book.
15. She is making	herself	a new dress.
16. I must ask	you	a favor.（請幫忙）
17. Would you do	me	a favor?
18. They played	him	a trick.

【句型B】

及物動詞（授與動詞）	直接受詞	to for	間接受詞
1. I wrote	a letter	to	my cousin.
2. She gave	a present	to	her friend.
3. He will teach	English	to	the boys.
4. I sent	a dictionary	to	George.
5. I lent	some money	to	John.
6. He sold	the car	to	a friend.
7. He handed	the letter	to	his father.
8. She told	the news	to	her friends.
9. He showed	it	to	his friends.
10. Don't bring	the box	to	my brother.
11. He brought	flowers	for	the girls.
12. Get	the ball	for	me, please.
13. John bought	a book	for	his sister.
14. She made	a dress	for	herself.
15. I must ask	a favor	of	you.
16. They played	a trick	on	him.

2. 不完全及物動詞（**Incomplete Transitive Verb**）

【基本句型5】

主詞＋（不完全）及物動詞＋受詞＋（受格）補語
（**S**）（**v.t.**）（**O**）（**C**）

主要的不完全及物動詞如下：

① **choose**（選～爲），**elect**（選舉～當），**make**（使～成爲）， **call**（稱～爲），**name**（名之爲） ② **keep**（保持），**leave**（聽任，讓） ③ **find**（發現，發覺），**believe**（相信），**think**（以爲）， **consider**（認爲），**take**（以爲，當做），**know**（知其爲） ④ **like**（喜歡），**want**（要，希望），**wish**（希望，願） ⑤ **see**（看見），**hear**（聽見），**feel**（感到，覺得） ⑥ **make**（使），**have**（使，把），**get**（使），**let**（讓）

(a) They **elected** Washington *President.* 〔名詞用作補語〕
（他們選華盛頓當總統）〔Washington＝President〕

We **chose** him *captain.* （我們選他當隊長）

【提示】 原則上要加 **the** 的名詞如用作 **elect, choose, make** 等的受格補語時，則須省去 **the**。

They **made** him *a soldier.* （他們讓他當兵）

Everybody **called** him *a hero.* （每個人都稱他爲英雄）

We **call** Dr. Sun Yat-sen '*The Father of the Republic*'.
（我們稱孫逸仙博士爲國父）

His parents **named** him *Peter.*
（他的父母命名他爲彼得）

〔比較〕 We call *him* **Jack**.
（我們叫他傑克）——*Jack*爲受格補語。
He is called **Jack**.
（他被稱爲傑克）——*Jack*爲主格補語。

I **found** it *a very interesting book.*
（我發現這是一本很有趣的書）

I **believe** him *a good man.*
（＝I believe that he is a good man.）
（我相信他是一個好人）

(b) *What* do you **call** him? 〔疑問代名詞用作補語〕
（你如何稱呼他？）

(c) **Keep** your teeth *clean.* 〔形容詞用作補語〕
（要保持牙齒清潔）

Don't **leave** the door *open.* （不要讓門開著）

I **found** the book *easy.* （我覺得這本書容易讀）

〔比較〕I *found* the book **easily**. （我很容易地找到了這本書）
〔副詞 *easily* 用以修飾動詞 *found*〕

I **thought** him *honest*. （我以為他是誠實呢）

We all **wish** you *well*. （我們都希望你好）

He **made** them *happy*. （他使他們快樂）

(d) They **kept** me *waiting*. 〔現在分詞用作補語〕
（他們讓我等著）

I **found** him *working* at his desk.
（我發現他在他的桌上用功）

I **saw** the man *crossing* the street.
（我看到這個人在橫越馬路）

*I can't **have** you *doing* that.
（我不能讓你在做那個）

(e) He **found** his pen *stolen*. 〔過去分詞用作補語〕
（他發覺他的鋼筆被偷了）

I **heard** my name *called*. （我聽見我的名字被叫）

Do you **like** it *boiled*? （你喜歡它煮熟嗎？）

I **want** this work *done* carefully.
（我希望做這工作的人細心地做）

We shall **have** (＝get) the house *repaired*.
（我們將要請人修理房屋）

I must **get** (＝have) my hair *cut*.
（我必須讓理髮店給我理髮）

(f) I'll **get** him *to do it*. 〔不定詞用作補語〕
（我將叫他做這個）

(g) I **saw** him *cross* the street. 〔原式用作補語〕
（我看到他越過馬路）

I **heard** Mary *call* my name. （我聽到瑪麗叫我的名字）

He **felt** a hand *touch* him. （他感到有隻手觸摸他）

They **made** me *do* it. （他們使我做那個）

What would you **have** me *do*? （你要我做什麼？）

Don't **let** him *go*. （不要讓他走）

(h) I **know** him *to be an honest man*. 〔片語用作補語〕
（我知道他是一個老實人）

They **believed** the writer *to be him*.
(＝They believed that the writer was he.)
（他們相信作者是他）

We **regard** him *as our friend.*
（我們認爲他是我們的朋友）
Please **make** yourself *at home.*
（請不要客氣）

(i)*He has **made** me *what I am today.*　〔子句用作補語〕
（他使我成爲現在的我）

【提示】受格補語(Objective Complement)是用以補述受詞意義的語句，通常爲**名詞**、**形容詞**或其相等語，但不定詞和分詞等也用得很多。

【句型】

不完全及物動詞	受　詞	受格補語(名詞)
We chose / They elected	Mr. A / him / her	(as) (for) President〔chairman, mayor, manager〕. / leader of the class. / captain of the team. / a member of the committee.
We call(ed) / They named	the man / him	George. / the champion of freedom. (自由鬥士)

不完全及物動詞	受　詞	受格補語
Keep	your mouth	shut.
Keep	your room	clean.
Leave	the windows	open.
I've kept	you	waiting.
He left	me	waiting outside.
I found	it	an interesting book. / interesting〔easy, empty〕. / stolen〔lost〕.
We found	him	working there.

{I thought / We believe / They believed}	{him / the writer / it}	(to be) {a good man. / honest.} to be him 〔her, you〕.
We regard	him	as a hero.
They consider	him	(as) a gentleman.
He took	John	{for / to be} me.
I {saw / heard}	{the man / him}	{do it. / doing it. / killed (被殺)}
I like	{the girls / the egg}	quiet (嫻靜的). half-boiled (半熟).
I want	this work	done carefully.
We all wish	you	well 〔happy〕.

不完全及物動詞 (使役動詞)	受　詞	受 格 補 語
They made	{him / me}	{manager (經理). / a prisoner (囚犯). / happy 〔sorry, sad, angry〕. / surprised.}
He made	himself	{ill (自己弄病了). / hated (使人討厭).}
I {had / got}	my {shoes / car / hair}	mended 〔shined〕. repaired 〔painted〕. cut.
I'll {make / have / let}	{him / her / them}	{do it. / make it. / go with you.}
I'll get	him	to do it.

●應注意事項●

1. 有許多動詞可作**及物動詞**亦可作**不及物動詞**用。

I **know**. （我知道）　〔不及物動詞〕
I **know** *it*. （我知道那個）　〔及物動詞〕

She **sang** well. （她唱得好）　〔不及物動詞〕
She **sang** *a song*. （她唱一支歌）　〔及物動詞〕

Children **grow** quickly. （孩子長得快）　〔完全不及物動詞〕
He **grew** old. （他漸老了）　〔不完全不及物動詞〕
Farmers **grow** rice. （農夫種稻）　〔完全及物動詞〕

2. 有些動詞如 **be, go, come, appear**（出現，顯得），**seem**（似乎），**happen**（發生）等只用作不及物動詞。

3. 有些不及物動詞之後加介系詞而接受詞時，**不及物動詞加介系詞**的功用等於**及物動詞**。

① 不及物動詞＋介系詞＋受詞

He **arrived in**（＝reached）*Taiwan*. （他到達臺灣）
I **called on**（＝visited）*him* yesterday. （昨天我拜訪了他）
We **went into**（＝entered）*the room*. （我們進入室內）
Do you **care for**（＝like）*fruit*? （你喜歡水果嗎？）
〔類例〕 **get to**（＝arrive at *or* in） 到達
look after（＝take care of） 照顧
look at 注視　**look for** 尋找
laugh at 嘲笑　**run after** 追

② 不及物動詞＋副詞＋介系詞＋受詞

Don't **look down upon**（＝despise）*the poor*.
（不要瞧不起窮人）
I am **looking forward to** *his letter*.
（＝I am expecting his letter.）
（我正期待著他的來信）〔look forward to＝expect〕

〔類例〕***do away with**（＝abólish） 革除
***put up with**（＝bear） 忍受

—— 習　題　28 ——

(一)*Place the Indirect Object before the Direct Object*：
（試將間接受詞改置於直接受詞之前）

Ex. I gave *a book to Mary.*

→ I gave *Mary a book.*

1. Mr. Green told an interesting story to us.
2. He showed his new pen to them.
3. I sold my car to Mr. White last week.
4. Bob is going to send a present to Alice [ˈælɪs].
5. He will bring something to you tomorrow.
6. Will you get a magazine for me, please?

(二)*Place the Indirect Object after the Direct Object*：

(試將間接受詞改置於直接受詞之後)

Ex. I gave *John a book.*

→I gave *a book to John.*

1. John lent Tom some money.
2. Father bought me a dictionary.
3. Mr. Brown teaches the boys English.
4. Mary has given Betty a present.
5. Her mother made her a new dress.
6. Bill is writing Bob a letter.
7. May I ask you a favor?
8. We played him a trick.

(三)*Order of words*：(字的順序)

Ex. John is ①an ②boy ③American (1, 3, 2)

1. I sent ①to ②George ③a pen ( )
2. He told ①his friends ②the news ③to ( )
3. She will buy ①for ②Helen ③a new hat ( )
4. He brought ①us ②for ③some water ( )
5. Don't ①show ②that ③him ( )
6. I am going ①a letter ②to write ③her ( )

(四)*Choose the correct word*：(選擇正確的字)

1. They chose John (captain, the captain) of the team.
2. I took his brother to be (he, him).
3. You must keep your room (clean, cleanly).
4. I am sorry to have kept you (wait, waiting).
5. We found him (study, studying) in the library.

6. She found her money (steal, stealing, stolen).
7. You will find this book very (interesting, interested).
8. I did it (easy, easily).
9. He made his parents (happy, happily).
10. I will make him (take, takes, to take) it.
11. I had him (do, to do, done) it.
12. She got him (write, to write, written) it.
13. We had our house (paint, to paint, painted).
14. Let me (go, to go, going) out.
15. I have seen her (dance, to dance).
16. He heard his name (call, called).
17. I like my shoes well (polish, polished).
18. He wants it (make, made) in a week.

(五)*Substitution*：換字(每個空格填一個單字)

1. I borrowed the bicycle from Bill.
   =Bill ______ ______ the bicycle.
2. He lived happily.=He lived a happy ______.
3. John will visit us tomorrow.
   =John will ______ ______ us tomorrow.
4. They went into the classroom one by one.
   =They ______ the classroom one by one.
5. Mary doesn't care for beef.
   =Mary doesn't ______ beef.
6. Who will take care ______ the children?
   =Who will look ______ the children?
7. We are expecting you.
   =We are ______ ______ to your coming.
8. He reached Tainan at 5:00 p.m.
   =He ______ at Tainan at 5:00 p.m.
   =He ______ to Tainan at 5:00 p.m.

(六)*Pick out the subjects, verbs, objects, and complements in these sentences*：
(在下列各句中選出主詞〔S〕，動詞〔*v.t.*或*v.i.*〕，受詞〔O〕和補語〔C〕)

Ex. My brother has a pen in his hand.
　　S　　*v.t.*　O

1. It seems good.
2. He speaks English well.
3. Tell me your name.
4. We go there every day.
5. It is getting warmer and warmer.
6. I got a letter yesterday.
7. Dick got his hair cut.
8. You made a mistake.
9. She made herself a new dress.
10. They made Mr. Smith manager.

(七)*Choose the right answer*：(選出正確的答案，將其號碼寫在左邊括弧內)

(　)1. He *became* a teacher.
①Complete v.t.　②Complete v.i.　③Incomplete v.i.

(　)2. John must *study* hard at school.
①Complete v.t.　②Complete v.i.　③Incomplete v.i.

(　)3. I couldn't *make* myself understood.
①Complete v.t.　②Incomplete v.t.　③Incomplete v.i.

(　)4. I don't *know* what to do.
①Object　②Subjective C.　③Objective C.

(　)5. *Which* do you want?
①Object　②Subjective C.　③Objective C.

(　)6. Seeing is *believing*.
①Object　②Subjective C.　③Objective C.

(　)7. He was elected *chairman*.
①Object　②Subjective C.　③Objective C.

(　)8. We call him *Tom*.
①Object　②Subjective C.　③Objective C.

(　)9. Early to bed and early to rise makes a man *healthy, wealthy and wise*.
①Object　②Subjective C.　③Objective C.

(　)10. I bought her *a fountain pen*.
①Objective C.　②Direct O.　③Indirect O.

第二節　時式(時態)(Tenses)

用以表示時間關係的各種動詞形式叫做時式或時態。

時式共有十二種：

例：**Verb "to do"**：

簡單式	現在	I *do.*
	過去	I *did.*
	未來	I *shall do.*
完成式	現在	I *have done.*
	過去	I *had done.*
	未來	I *shall have done.*
進行式	現在	I *am doing.*
	過去	I *was doing.*
	未來	I *shall be doing.*
完成進行式	現在	I *have been doing.*
	過去	I *had been doing.*
	未來	I *shall have been doing.*

(1)簡單式(Simple Form)

1. (簡單)現在式(**Present Tense**)
2. (簡單)過去式(**Past Tense**)
3. (簡單)未來式(**Future Tense**)

A.現在式(Present Tense)

(1)　用以表示**現在的事實、狀態或動作**：

I **am** a student.　(我是個學生)

John **has** two brothers.　(約翰有兩個兄弟)

Mr. A **teaches** English.　(A先生教英語)

They **live** in Tainan.　(他們住在臺南)

Are you happy?　(你〔們〕快樂嗎？)

I take this one.　(我拿這一個)

(2)　用以表示**習慣性**的動作：

I **go** to school by bus every day.
(我每天乘公共汽車上學)
Mary **goes** to church on Sundays.
(瑪麗每星期日去做禮拜)
We **have** three meals a day. (我們一天吃三餐)
I usually **get** up at six o'clock. (我通常在六點鐘起床)
John always **speaks** English. (約翰經常說英語)
He seldom **comes** here. (他很少來此地)
I **write** to him often. (我常寫信給他)
(write to＝write a letter to)

【提示】 簡單現在式用以表習慣性的動作時，常與下列副詞並用：
every～(每一～), **always** (經常，總是),
usually (通常), **often** (常常，屢次),
sometimes (有時), **seldom** (很少)

(3) 用以敍述不變的眞理、事實或格言等：
The earth **is** round. (地球是圓的)
The sun **rises** in the east. (日出於東)
Cats **catch** mice. (貓捕鼠)
We **see** with our eyes. (我們用眼睛看)
Two and two **make**(s) four. (二加二等於四)
(＝Two plus two **is** four.)
*Where there **is** a will, there **is** a way. (有志者事竟成)

(4) 用於以 **here** 或 **there** 起首的感嘆句：
Here it ′**is**！ (它在這兒呢！)
There she ′**is**！ (她在那兒呢！)
Here you ′**are**! (你要的東西在這裡。喏，給你！)
Here we ′**are**! (我們終於到了！)
Here they ′**come**! (他們來了！)
There he ′**goes**! (他在那兒走著呢！他向那邊去了！)
Here **comes** our ′teacher! (老師來了！)
*There **goes** the ′bell! (鈴響了)

*【提示】 **Here, there**＋人稱代名詞＋動詞＋！
Here, there＋動詞＋名詞＋！

(5) 用以代替未來式：

① **come, go, start**（出發）, **leave**（離開）等動詞和表未來時間的副詞連用時，用現在式代替未來式。

Do you **come** *tomorrow*?　（你明天來不來？）

I **start**〔*or* leave〕*tomorrow evening.*　（我明晚動身）

② Tomorrow **is**（＝will be）Sunday.　（明天是星期日）〔口語〕

③ 在表示時間或條件的副詞子句(**when**～, **if**～)中，用現在式代替未來式。【參看第 269 頁】

He will visit you when he **comes** to Taipei.

（他來臺北時會來拜訪你）

If it **is** fine tomorrow, he will come.

（假如明天天氣好，他就會來）

〔誤〕If it *will be* fine tomorrow, he will come.

(6) 用以代替現在完成式：

I **hear**（＝have heard）that he is ill.　（聽說他病了）

I **forget**（＝have forgotten）his name.　（我忘了他的名字）

● 應注意事項 ●

▲主詞和動詞的人稱與數必須一致。

1. **Verb "to be":**

	Affirmative（肯定）	Negative（否定）
單數	I **am**（＝I'm）	I **am** *not*（＝I'm not）
	You **are**（＝You're）	You **are** *not* {＝You're not / ＝You aren't}
	He **is**（＝He's）	He **is** *not* {＝He's not / ＝He isn't}
	She **is**（＝She's）	She **is** *not* {＝She's not / ＝She isn't}
	It **is**（＝It's）	It **is** *not* {＝It's not / ＝It isn't}
複	We **are**（＝We're）	We **are** *not* {＝We're not / ＝We aren't}

數	You **are**（=You're）	You **are** *not* {=You're not / =You aren't}
	They **are**（=They're）	They **are** *not* {=They're not / =They aren't}

	Interrogative（疑問）	Negative Interrogative（否定疑問）
單	**Am** I?	**Am** I *not*?　*(=Aren't I?)
	Are you?	**Are** you *not*?（=Aren't you?）
	Is he?	**Is** he *not*?（=Isn't he?）
數	**Is** she?	**Is** she *not*?（=Isn't she?）
	Is it?	**Is** it *not*?（=Isn't it?）
複	**Are** we?	**Are** we *not*?（=Aren't we?）
	Are you?	**Are** you *not*?（=Aren't you?）
數	**Are** they?	**Are** they *not*?（=Aren't they?）

I **am** the tallest in the class.（我是班裡個子最高的）
He and I **are** classmates.（他和我是同學）
My brother **is** an officer.（我哥哥是一個軍官）
One of these books **is** mine.（這些書中有一本是我的）
The books on the desk **are** yours.（書桌上的書是你的）
One plus two **is** three.（一加二等於三）

{ You **are** a Chinese.（你是中國人）
{ You **are** *not* an American.（你不是美國人）

{ **Are** you Japanese?（你們是日本人嗎？）
{ We **are** *not* Japanese.（我們不是日本人）

{ **Is** he *not* a student?（他不是學生嗎？）
{ =**Isn't** he a student?
{ **Are** they *not* Americans?（他們不是美國人嗎？）
{ =**Aren't** they Americans?

【句型】

Verb "to be"	Complement（補語）
I am〔I'm〕 }	{ a student〔teacher〕.

You **are** 〔You're〕 He **is** 〔He's〕 She **is** 〔She's〕 It **is** 〔It's〕	(not)	a Chinese 〔Japanese〕. an American. happy 〔hungry〕. here 〔there〕.
We **are** 〔We're〕 You **are** 〔You're〕 They **are** 〔They're〕	(not)	students 〔teachers〕. Chinese 〔Japanese〕. Americans.
Am I **Are** you **Is** he	(not)	a teacher? happy? here?

2.

There is （有） （*Here is* 這裡有）} ＋單數主詞（或不可數主詞）
There are （有） （*Here are* 這裡有）} ＋複數主詞

There is *a university* in the city. （本市有一所大學）
There are *two colleges* here. （此地有兩個學院）

There is not （＝isn't） much *water* left.
（剩下的水不多）
There are not （＝aren't） many *people* present.
（出席的人不多）

Is there any *book*? （有什麼書嗎？）
Are there any *books*? （有什麼書嗎？）
Are there some *books*? （有一些書嗎？）

Here **is** *the book.* （書在這裏）
Here **are** *some pictures.* （這裏有一些圖畫）

【句型】

There is **There are**	＋單數主詞或不可數主詞 ＋複數主詞
There **is** (There's)	*a* **book** on the desk. *some* **money** here. *a lot of* **gold** there. not *much* **time** 〔hope〕. *a little* **wine** 〔coffee〕. *no* **book** 〔water〕.

There **are**	(not) *two* **bottles** of wine. *some* **students** there. *a lot of* **children** here. not *many* **people** present. *a few* **sheep** in the picture. *very few* **flowers** there. *no* **books.**
Is there	*a* **pen** on the table? *any* **water** left? *much* **hope**?
Are there	*any* **letters** for me today? many **mice** in the house?

3. **Verb "to have":**

	單數・複數	第三人稱單數
第一人稱 第二人稱 第三人稱	I, We You, You } **have** They	He She } **has** It

I **have** a sister. (我有一個姐姐〔妹妹〕)〔表所有〕
John **has** two sisters. (約翰有兩個姊妹)

The Huangs **have** a car. (黃家有一部汽車)
April **has** thirty days. (四月有三十天)

Have you a watch? (你有錶嗎)〔疑問〕
(=*Do* you *have* a watch? 〔美〕)
Haven't you a watch? (你沒有錶嗎?)〔否定疑問〕
(= *Don't* you *have* a watch? 〔美〕)
I **have** not (=I haven't *or* I've not) a watch. 〔否定〕
(=I *do* not *have* a watch. 〔美〕)(我沒有錶)

Has he any brother(s)? (他有兄弟嗎?)〔疑問〕
(=*Does* he *have* any brother(s)? 〔美〕)
Hasn't he any brother(s)? (他沒有兄弟嗎?)〔否定疑問〕
(=*Doesn't* he *have* any brother(s)? 〔美〕)
He **has** not (=hasn't) any brother(s). (他沒有兄弟)〔否定〕
(=He *does* not *have* any brother(s). 〔美〕)

【參看第 321,322 頁 Have 的用法】

Does hs **have** a holiday on Saturday?　〔表習慣〕
　　（星期六他放假嗎？）〔英・美〕
He **does** not often **have** a cold.
　　（他不常感冒）〔英・美〕

Do you **have to** finish it today?　〔表義務〕
　　（今天你必須完成它嗎？）〔美〕
You **do** not **have** to come every day.
　　（你不必天天來）〔英・美〕

【句型】

have・has	Object（受詞）
I **have**〔I've〕 We **have**〔We've〕 You **have**〔You've〕 He **has** She **has** They **have**〔They've〕	a car. two brothers. some friends. some paper. a lot of books. a lot of money.
Have you〔**Do** you **have**〕 **Have** they〔**Do** they **have**〕 **Haven't** you〔**Don't** you **have**〕 **Has** he〔**Does** he **have**〕 **Hasn't** she〔**Doesn't** she **have**〕	a dictionary? any sister(s)? many books? much money?
I / We { **have** not〔haven't〕 / **do** not **have** } He / She { **has** not〔hasn't〕 / **does** not **have** }	a car. any paper. many books. much money.

4. 第三人稱單數主詞十現在式動詞 { ～s / ～es }

I **speak** Chinese and he **speaks** Japanese.
　　（我說中國話而他說日語）
They **say** he **loves** her.　（他們說他愛她）
She **says** the hen **lays** an egg every day.
　　（她說這隻母雞每天生一個蛋）

【句型】

主　　詞	現在式動詞
I We You They These boys My friends The Greens Mr. and Mrs. A	**like** it. **know** him. **want** to do it. **swim** well. **study** English every day. usually **get** up early. **go** there often. seldom **come** here.
John〔He〕 Mary〔She〕 Her brother	**likes** it. **knows** him. **wants** to do it. **swims** well. **studies** hard. always **speaks** English. never **gets** up early. often **comes** to see us. sometimes **goes** by bus.
School〔It〕	**begins** at eight o'clock.

◇ 現在式動詞～s, ～es 的形成 ◇

① 「字尾 **s, x, ch, sh＋es**」：

pass（通過）→**passes**〔-iz〕　　fix（安排，修理）→**fixes**〔-iz〕

teach（教）→**teaches**〔-iz〕　　wish（希望）→**wishes**〔-iz〕

② 「子音＋**y→i＋es**」：

try（試）→**tries**〔-z〕　　study（學習）→**studies**〔-z〕

【提示】「母音＋**y＋s**」：　　plays〔-z〕（遊玩）

lays〔-z〕（置，產卵）

③ 「字尾 **o＋es**」：

go（去）→**goes**〔-z〕　　do（做）→**does**〔-z〕

④　其餘動詞字尾＋s：
know（知）→knows〔-z〕　　get（得）→gets〔-s〕

◇ 現在式 -s, -es 的發音 ◇

①　在〔k〕〔p〕〔f〕等無聲子音之後要讀〔s〕：
speaks〔spiks〕（說）　helps〔hɛlps〕（幫助）
laughs〔lɑfs〕（笑）　wants〔wɑnts〕（欲）

②　在母音和〔l〕〔m〕〔n〕〔g〕〔b〕〔v〕……等有聲子音之後要讀〔z〕：
goes〔goz〕（去）　buys〔baɪz〕（買）
comes〔kʌmz〕（來）　tells〔tɛlz〕（告訴）
lives〔lɪvz〕（住）　ends〔ɛndz〕（結束）

③　〔s〕〔z〕〔ʃ〕〔tʃ〕〔dʒ〕＋**es** 時，讀〔ɪz〕：
dresses〔ˊdrɛsɪz〕（穿衣）　rises〔ˊraɪzɪz〕（升）
washes〔ˊwɑʃɪz〕（洗）
catches〔ˊkætʃɪz〕（捕）
judges〔ˊdʒʌdʒɪz〕（判斷）

④　子音＋**y**→**ies** 時，讀〔z〕：
studies〔ˊstʌdɪz〕（學習）flies〔flaɪz〕（飛）

⑤　應注意的特殊例：
say〔se〕→says〔sɛz〕　do〔du〕→does〔dʌz〕

5.　**do not**（＝don't）/ **does not**（＝doesn't）} ＋原式＝現在式否定句

{ We **live** in Taiwan.　（我們住在臺灣）
  We **do** not（＝don't）*live* in Japan.　（我們不住在日本）

{ He **teaches** English.　（他教英語）
  He **does** not（＝doesn't）*teach* French.　（他不教法語）

{ The house **belongs** to me.　（這房子是我的）
  It **does** not *belong* to him.　（這不是他的）

【句型】

主　詞	do / does } not	原　式
I We You They My friends The children	**do** not (don't)	*like* it. *know* her. *teach* English. *have* a car. *play* tennis. *get* up early. *live* here. *go* there often. *come* every day.
Tom〔He〕 Betty〔She〕 The dog〔It〕	**does** not (doesn't)	

6. **Do** / **Does** } ＋主詞＋原式＋……？＝現在式疑問句

You **like** it. （你喜歡它）
Do you *like* it? （你喜歡它嗎？）

He **knows** it. （他知道這個）
Does he *know* it? （他知道這個嗎？）

They **do** not（＝don't）*know* him. （他們不認識他）
Do they not（＝Don't they）*know* him? （他們不認識他嗎？）

He **does** not（＝doesn't）*do* it. （他不做這個）
Does he not（＝Doesn't he）*do* it? （他不做這個嗎？）

【句型】

Do, Does （現在式）	主　詞	原　式
Do **Don't**	I we you they	*like* to go? *know* Japanese? *live* in Taipei? *go* there often? often *see* him? *study* hard at home? *have* a bicycle?
Does **Doesn't**	he she it	

—— 習 題 29 ——

(一)*Choose the correct word:* (選擇正確的字)

1. Mary and I (am, is, are) cousins.
2. I, who (am, is, are) his friends, should help him.
3. My feet (is, are) clean and yours (is, are) dirty.
4. Who (is, are) those women?
5. Where (is, are) your house?
6. How much (is, are) ten plus two minus five?
7. One of his brothers (is, are) very tall.
8. Most of the clerks in that office (is, are) Chinese.
9. The Japanese sitting over there (is, are) John's friends.
10. A number of students (is, are) absent.
11. The number of the workers (is, are) never under 1,200.
12. Somebody (is, are) in the room.
13. My family (is, are) all well.
14. Iron (is, are, was) heavier than wood.
15. There (is, are, have) twelve months in a year.
16. There (is, are, have) some mice in the house.
17. (Is, Are, Have) there any ink in the bottle?
18. There (is, are) nothing in it.
19. There (is, are) a lot of people in the park.
20. There (is, are) a lot of chalk in his pocket.
21. There (is, are) five pieces of chalk in the box.
22. There (is, are) plenty of time.
23. There (is, are) not much water in the lake.
24. There (is, are) no money left.
25. Here (is, are) something for you.
26. How many persons (there are, are there) in your family?
27. Mr. and Mrs. White (have, has) a new car.
28. The Browns (have, has) a nice car.
29. Their father (have, has) a large store.
30. Tom does not (have, has) a car.

31. My brother (study, studys, studies) very hard.
32. John's parents (live, lives, are live) in Tainan.
33. Bill sometimes (come, comes, coming) by bus.
34. A good student seldom (go, goes, to go) to the movies.
35. The house (belong, belongs, is belong) to Mr. Smith.
36. People (say, says) that he is very rich.
37. Nine (come, comes) after eight.
38. Here (come, comes) George.
39. Many a student (wish, wishes) to go abroad.
40. Chinese (live, lives) on rice and wheat.
41. (Do, Are) you afraid of him?
42. (Do, Are) you think he will come?
43. If it (rains, will rain), he will not come.
44. The moon (move, moves, moved) round the earth.
45. He (do, does, is) not know my name.
46. What (do, does, are) these children want?
47. Where does Tom (work, works, to work)?
48. Nobody (like, likes, is like) to make friends with him.
49. Their house (do, does, is) not like ours.
50. What (do, does, is) it look like?

(二)*Put these sentences into the negative:* (改爲否定句)

Example: I am busy. →I am not busy.

1. There are two girls in the garden.
2. John and Bill live on Park Street.
3. Mr. Wang goes to Taipei every day.
4. They have three children.

①　　　　　　②

(三)*Change these sentences to questions:* (改爲問句)

Ex. You are happy.→Are you happy?

1. Mary's father is a doctor.
2. The class begins at eight o'clock.
3. The boys often play tennis.
4. John has a bicycle.

①　　　　　　②

㈣*Pronunciation*：發音(下面每題有三個字，其中有兩個字其劃橫線部分的發音相同，試將發音不同的那個字的號碼填寫在左邊括弧內)

Ex. (3) ①swims ②sings ③thinks

(　)1. ①begs　②picks　③laughs

(　)2. ①loves　②rubs　③drops

(　)3. ①sees　②feels　③meets

(　)4. ①catches　②rides　③rises

(　)5. ①does　②goes　③knows

(　)6. ①lays　②plays　③says

㈤*Substitution:* 換字(每個空格限填一字)

1. Mr. Brown is an English teacher.
   =Mr. Brown ______ English.
2. Bill is not a good swimmer.
   =Bill ______ not ______ well.
3. What's the meaning of this word?
   =What ______ this word ______?
4. We have a lot of rain in August.
   =It often ______ here in August.
5. A week has seven days.
   =______ ______ seven days in a week.
6. Tom must work hard at school.
   =Tom ______ to work hard at school.

㈥*Translation:* 翻譯(每個空格限填一字)

1. 她總是走路上學。
   She always ______ to school.
2. 日出於東而沒於西。
   The sun ______ in ______ ______, and ______ in ______ ______.
3. 一年有四季；春，夏，秋，冬。
   ______ ______ four seasons in a year; ______, ______, ______ and ______.
4. 閏年二月有二十九天。
   In a leap year, ______ ______ twenty-nine days.

5. 蜜味甜。

Honey ______ sweet.

6. 比爾每天晚上幾點鐘就寢？

What time ______ Bill ______ to bed every night?

B.過去式（Past Tense）

用以表示過去的事實、動作、狀態、經驗或習慣等：

Columbus **discovered** America in 1492.
（哥倫布於 1492 年發現美洲）

John **went** to Taichung yesterday. （約翰昨天去臺中）

I **did** not *go* to the movies last night.
（昨天我沒有去看電影）

What **did** you *have* for breakfast?
（早餐你吃了些什麼？）

I **had** milk and an egg. （我吃了牛奶和一個蛋）

He **was** there a few days ago. （前幾天他在那裡）

They **were** here last year. （去年他們在這裡）

I **bought** this hat when I was in Taipei.
（我在臺北時買了這頂帽子）

Did you ever *meet* him? （你曾經見過他嗎？）

I **met** him once. （我見過他一次）

He often **came** to see us. （他常來看我們）

He **used** to take a walk in the morning.
（他慣常在早晨散步）

● 應注意事項 ●

1. 除 **Verb "to be"**外，大多數動詞只有一種過去式。
2. **Verb "to be"**的過去式下：

	單　　數	複　　數
第一人稱	I **was**	We **were**
第二人稱	You **were**	You **were**
第三人稱	He〔She, It〕**was**	They **were**

He **was** present. （他出席了）
They **were** absent. （他們缺席）

Were you there? （你〔們〕在那裡嗎？）
Were you *not* there? （你〔們〕沒在那裡嗎？）
　(＝Weren't you there?)
I **was** *not* (＝wasn't) there. （我沒在那裡）
We **were** *not* (＝weren't) there. （我們沒在那裡）

She said, "I *am* happy." （她說，「我是快樂的」）
She said (that) she **was** happy. （她說她快樂）

【句型】

was · were		Complement（補語）
I / John〔He〕/ Mary〔She〕/ The cat〔It〕 **was**; We〔You, They〕 **were**	(not) (n't)	happy〔hungry〕. (?) present〔absent〕. (?) tired〔surprised〕. (?) born in Taipei. (?) here yesterday. (?) at home. (?) in the garden. (?)
Was he〔she, I〕 / **Were** you〔we, they〕	(not)	

3. **There was**（有）＋單數主詞或不可數主詞
There were（有）＋複數主詞

There was *a book* on the table this morning.
　（今天早晨有一本書在桌子上）
There were *two letters* for you yesterday.
　（昨天有兩封你的信）

There was little *rain* last year. （去年雨量少）
There were few good *book*. （艮書少）

Was there *anything* in the box? （盒子裡有什麼東西嗎？）
There was *not* (＝wasn't) *anything* in it.
(＝**There was** *nothing* in it.) （裡面什麼都沒有）

4. 過去式常和表過去時間的下列副詞並用：

① **～ago**（～前）—— **five minutes ago**（五分鐘前），**an hour ago**（一小時前），**a few days ago**（日前，幾天前）（＝the other day），**two weeks ago**（兩星期前），**three months ago**（三個月前），**four years ago**（四年前）
② **last～**（上一～）—— **last night**（昨夜），**last week**（上星期），**last Sunday**（上星期日），**last month**（上一個月），**last year**（去年），**last summer**（去年夏天），**last September**（去年九月）
③ **yesterday**（昨天），**yesterday morning**（昨天早晨），**yesterday afternoon**（昨天下午），**yesterday evening**（昨晚），**the day before yesterday**（前天）
④ **this morning**（今晨），**just now**（剛才）

【句型】

主　詞	過　去　式	表過去時間副詞
	walked to school	*yesterday morning.*
	played tennis	*yesterday afternoon.*
	wrote a letter	*yesterday.*
I	**read** a book	*last night.*
We	**bought** it	*last week.*
You	**swam** in the river	*last Sunday.*
He	**studied** algebra	*last year.*
She	**went** there	*two years ago.*
They	**came** here	*three months ago.*
	heard that	*an hour ago.*
	saw him	*a few days ago.*
	met her	*the other day.*
	ate an egg	*this morning.*
	had coffee	*just now.*
The sun	**shone** brightly	*yesterday.*
It	**rained** hard	*last night.*

5. **did not＋原式＝過去式否定句**

I **saw** him. （我看見了他）
I **did** not *see* him. （我沒有看見他）

He **did** it. （他做了這個）
He **did** not *do* it. （他沒有做這個）

We **had** to buy it. （我們不得不買它）
We **did** not *have* to buy it. （我們不必買它的）

【句型】

主　　詞	did not	原　　式
I We You He She It They	**did** not (didn't)	**go.** **come.** **do** it. **say** that. **see** him. **meet** her. **write** a letter. **read** a book. **study** Japanese. **buy** them. **eat** an egg. **have** to do it.

6. **Did＋主詞＋原式……？＝過去式疑問句**

He **went** fishing. （他去釣魚）
Did he *go* fishing? （他去釣魚嗎？）

They **studied** algebra. （他們學過代數）
Did they ***study*** algebra? （他們學過代數嗎？）

You **did** not ***know*** that. （你不知道那個）
Did you not ***know*** that? （你不知道那個嗎？）
＝***Didn't*** you ***know*** that?

【句型】

Did	主　詞	原　式
Did **Didn't**	I we you he she it they	**go**? **come**? **do** it? **say** so? **see** him? **meet** her? **write** a letter? **swim** in the river? **eat** it? **have** tea?

—— 習 題 30 ——

(一)*Change the verbs in these sentences into the Past Tense:*

（將下列各句的動詞改爲過去式）

Ex. I like it.→I liked it.

1. I am fond of it.
2. We are good friends.
3. Is he taller than you?
4. John has breakfast at seven o'clock.
5. He drinks a cup of milk.
6. He puts it on the table.
7. School begins at 8:00.
8. He eats lunch at school.
9. He writes to her.
10. The boys stop talking.
11. They can not read it.
12. We try our best.
13. I do my homework.
14. Do you buy anything for him?
15. What does he do?
16. She does not like to go.
17. There is something wrong.

18. They cost me ten dollars.
19. It hurts my eyes.
20. She says the hen lays an egg every day.

(二)*Fill in the blanks with the correct tense (present or past tense) of the verbs in parentheses:* (用各題括弧內動詞正確的時式〔現在式或過去式〕填在空白裡)

1. John ______ (get) up at 6:20 this morning.
2. He ______ (get) up early every morning.
3. Mary ______ (study) English every day.
4. She ______ (study) English last year.
5. Yesterday ______ (be) Tuesday.
6. Betty ______ (go) to school by bus yesterday morning.
7. She ______ (go) to church every Sunday.
8. Where ______ you ______ (go) last Sunday?
9. Last week they ______ (come) to see me every day.
10. Helen ______ (stay) at home yesterday.
11. She ______ not ______ (come) to school because she was sick.
12. Tom ______ (read) an interesting book last night.
13. He ______ (forget) to bring it to me last time.
14. We ______ (live) in Taipei from 1955 to 1960.
15. My brother ______ (be) born in 1950.
16. How old ______ (be) you when you came to this city?
17. ______ you ______ (tell) him about it when you met him?
18. The man put on his hat and ______ (leave) the room.
19. John hurt his legs when he ______ (fall).
20. The plane ______ (take) off about half an hour ago.
21. I ______ (see) him the other day.
22. We ______ (hear) with our ears.
23. We ______ (have) a lot of rain last month.

24. We usually ______ (have) a lot of rain in summer.

25. The boys ______ (picnic) in the park last summer.

(三)*Choose the correct word:*（選擇正確的字）

1. Mary and her brother (was, were, —) at the party.
2. Were you there, John? Yes, I (am, was, did).
3. How many people (was, were) present?
4. There (was, were) no children in the house.
5. Nobody (was, were) at home.
6. They thought the question (is, was, were) easy.
7. I (am, was, were) born in Kaohsiung (高雄).
8. We (go, went, gone) to the movies last night.
9. The car (run, ran, running) over a dog.
10. I (lose, lost, was lost) a book a few days ago.
11. Once upon a time, there (live, lives, lived) an old man in a village.
12. Who (discover, discovers, discovered) America?
13. It (occurs, occured, occurred) two weeks ago.
14. He (plan, planed, planned) to go to Japan.
15. What time (do, did, was) the game begin?
16. He didn't (see, sees, saw) me.
17. Do you know who (was it, it was)?
18. Ask him what (he bought, did he buy) for me.

(四)*Change the following sentences to:* (a) *the question form* (b) *the negative form.*

（把下列各句改爲(a)疑問句和(b)否定句）

Ex. You are a doctor.

(a)*Are you a doctor?*

(b)*You are not a doctor.*

1. John was at home yesterday.
2. There were two pianos in the room.
3. You slept well.
4. He read the letter.
5. She did it.
6. Mrs. Green made a dress for Mary.

7. They thought it was nice.
8. The Browns had a large house.

㈤*Substitution:* 換字（每個空格限填一字）

1. Bob arrived at the station at eight o'clock.
   =Bob ______ the station at eight o'clock.
2. Mr. Green went away from Taipei the day before yesterday.
   =Mr. Green ______ Taipei two days ______.
3. I called on Mr. Wells the other day.
   =I ______ Mr. Wells a ______ days ______.
4. He called me up and told me the news.
   =He ______ me and told me the news.
5. We came across her in the street.
   =We ______ her in the street by chance.
6. My uncle came back to Taiwan last week.
   =My uncle ______ to Taiwan ______ week ______.
7. Did you enjoy yourself?
   =______ you ______ a good time?
8. Jack borrowed five dollars from me.
   =I ______ five dollars ______ Jack.
9. She looked after the children while he was away.
   =She ______ care ______ the children while he was away.
10. Why did you absent yourself from school?
   =Why ______ you ______ from school?

㈥*Translation:* 翻譯（每個空格限填一字）

1. 昨天晚上雨下得很大。
   ______ ______ very hard ______ night.
2. 前天上課她遲到了。
   She ______ late for class the day ______ ______.
3. 今天早上你幾點鐘起床？
   What time ______ you ______ up ______ morning?
4. 他在多年以前就死了。
   He ______ many years ______.
5. 他們始終保持沈默。

They ______ silent all the time.

6. 他放棄了出國的念頭。

He ______ up the idea of going abroad.

7. 我從前常在傍晚散步。

I ______ to take a walk in the evening.

8. 他說他必須在就寢以前把習題做完。

He said he ______ to finish the exercise before he ______ to bed.

C.未來式(Future Tense)

shall / will ｝＋原式＝未來式

(一)簡單未來式

用以表示未來將發生的動作或狀態：

	單　數	複　數
第一人稱	I **shall** 將～	We **shall** 將～
第二人稱	You ｝**will** 將～	You ｝**will** 將～
第三人稱	He / She / It ｝**will** 將～	They ｝**will** 將～

I **shall**（＝I'll）**do** it.（我將做它）
We **shall be** very busy tomorrow.（明天我們將很忙）
You **will like** it.（你〔們〕將會喜歡它）
He **will** not（＝won't）**come** next week.（下星期他不會來）
Tomorrow **will be** a fine day.（明天將是晴天）
They **will have** it soon.（他們不久將會得到它）
I **shall be** fifteen years old next month.（下個月我將是十五歲）

John **will be** sixteen next year.　(約翰明年將是十六〔歲〕)
We **shall** not **be** able to go.　(我們將不能去)
She **will** not **be** there.　(她將不在那裏)

〔比較〕			
	I **am** here.	(我在這裏)	〔現在式〕
	I **was** here.	(我曾在這裏)	〔過去式〕
	I **shall be** here.	(我將在這裏)	〔未來式〕
	He **goes** there.	(他去那裏)	〔現在式〕
	He **went** there.	(他去了那裏)	〔過去式〕
	He **will go** there.	(他將去那裏)	〔未來式〕

◆ 縮寫法(Contractions) ◆

I shall / I will → I'll

You / He / It / They will → You'll / He'll / It'll / They'll

shall not → shan't
will not → won't

He will not
＝He'll not
＝He won't

【句型】

shall・will(＋not)	原　式
I〔We〕**shall** (I〔we〕**'ll**) I〔We〕**shall not** (I〔We〕**'ll** not) (I〔We〕**shan't**) You〔He, They〕**will** (You〔He, They〕**'ll**) You〔He, They〕**will** not (You〔He, They〕**'ll** not) (You〔He, They〕**won't**)	**do** it. **get** up at 6:00. **go** to school. **have** lunch at school. **come** here tomorrow. **be** there by 2:00. **go** home by bus. **stay** at home. **be** 16 next year. **be** happy.

● 未來式相等語 ●

1. **be going＋to** ～（不定詞）＝將要，可能會，打算 【參看第 299 頁】

【提示】"*be going to* ～"常用以表示不久的將來可能發生的事，或表示意向。

(a) Listen! He **is going to speak.** （聽！他要說話了）
It **is going to rain.** （天要下雨了）
（＝It is likely to rain. I think it will rain.）

(b) What **are** you **going to buy**? （你打算買些什麼？）
I **am going to buy** a pen. （我要買一枝鋼筆）

2. **be about＋to** ～（不定詞）＝即將，就要

【提示】"*be about to* ～"用以表示最近的將來，多用於文言。

The train **is about to start.** （火車就要開了）
（＝The train is just going to start.）
The plane **was about to take** off. （飛機即將起飛）

3. **be＋to** ～（不定詞）＝將，擬，應該

【提示】"*be to* ～"用以表示將來、意向、義務、預定計劃等。

We **are to have** （＝shall have） an examination tomorrow.
（明天我們將有考試）
She **is to be** （＝will be） here by ten o'clock.
（她將於十點鐘以前到這裏）
They **are to meet** （＝will meet） at the station.
（他們擬在車站見面）
He **is to go.** （＝He has to go.） （他得去）

4. **"go"**, **"come"**, **"start"**, **"leave"**等動詞與表未來時間的副詞並用時，可用現在式或現在進行式以代替簡單未來式。【參看第 298 頁】

I **leave** here tomorrow. （我明天離開這裏）
He **is coming** next week. （他下星期會來）

—— 習 題 31 ——

(一)*Change the verbs in these sentences into the future tense:*
（將下列各句的動詞改爲未來式）

Ex. You do it.→You will do it.

1. I go to school by bus.
2. They come to Tainan by train.
3. John likes it very much.
4. We are glad to see him.
5. I am very happy.
6. Mr. Brown is forty years old.
7. Mary works in this office.
8. Betty studies hard.
9. You have a new car.
10. John has a bicycle.
11. He does not like it.
12. John and Tom do not have lunch at school.
13. There is a game at two o'clock.
14. They are not here.
15. We are not able to go.

(二)*Choose the correct word*：(選擇正確的字)

1. I shall (am, be, to be) at home tomorrow.
2. Tom will (go, goes, going) to the movies tonight.
3. Mr. Smith will (have, has, had) a holiday on Saturday.
4. He will (not be, be not) there.
5. You (will, will be) able to get it.
6. There (won't, won't be) enough time.
7. I am sure you (will, will be) succeed.
8. If he doesn't work hard, he (will, willl be) fail.
9. We (shall, shall be) very happy if he comes.
10. Mary (shall, shall be, will, will be) sixteen next week.

(三)*Contraction*：縮寫(將劃底線的兩個字縮寫成一個字)

Ex. <u>*He's*</u> very kind.　　(*He's*)

1. <u>He will</u> come tomorrow.
2. John <u>will not</u> take it.
3. <u>I shall</u> be there by two o'clock.
4. We <u>shall not</u> do it.
5. There <u>are not</u> any books on the table.

6. It is not mine.
7. She did not say anything.
8. Do you not like them?

(四)*Substitution*：換字（每個空格限塡一字）

1. It ______ rain soon.
 =We ______ ______ rain soon.
2. It is going to be fine tomorrow.
 =I think it ______ ______ fine tomorrow.
3. Mr. Wang is leaving in a few days.
 =Mr. Wang ______ ______ in a few days.
4. The plane is about to take off.
 =The plane ______ just ______ to take off.
5. The boys are to have a meeting on Monday.
 =The boys ______ ______ a meeting on Monday.

(二)Shall 與 Will

Shall 與 **will** 的用法可分爲「無意志未來」與「意志未來」兩種：

A.無意志未來

單純地表示未來的動作或狀態而**不含個人意志者**：

人稱	敍述句	疑問句
一	I〔We〕**shall**～	**Shall** I〔we〕～？ 我將～嗎？
二	You **will**～ 將～	**Shall**〔美 ***Will***〕you～？ 你將～嗎？
三	He〔They〕**will**～ 將～	**Will** he〔they〕～？ 他將～嗎？

I **shall be** sixteen years old next year. （明年我將是十六歲）
We **shall have** rain tomorrow.
=It **will rain** tomorrow. （明天會下雨）
If you work hard, you **will succeed.**
（假如你用功，你將會成功）

Shall I **be** in time? （我將來得及嗎？）
Yes, you **will.** （是的，你將來得及）
No, you **will** not（=won't）.（不，你將來不及）

Shall we **get** there before dark? （我們將在天黑以前到那裏嗎？）
Yes, we **shall**（＝we'll）.（是，我們將會的）
No, we **shall** not（＝we'll not）.（不，我們將不會的）
Yes, you **will**.（是，你們將會的）
No, you **will** not.（不，你們將不會的）

Shall you〔美 ***Will you***〕**be** able to come tomorrow?
（明天你將能來嗎？）
Yes, I **shall.**（是的，我將能來）
No, I **shall** not.（不，我將不能來）

Will he **succeed**?（他會成功嗎？）
Yes, he **will.**（是，他會）
No, he **won't.**（不，他不會）

Will they **be** here?（他們會來這裏嗎？）
Yes, they **will be** here.（是的，他們會來這裏）
No, they **won't be** here.（不，他們不會來這裏）

【句型】

shall・will	主　詞	原　式
Shall	I / we	**get** there before dark? / **be** in time?
Shall〔**Will**〕	you	**be** able to come?
Will	he / she	**succeed**? / **be** happy?
Will	it	**rain**? / **be** fine?
Will	they	**come**? / **be** here?

【提示】 ①無意志未來的問答形式如下：

問句（將～？）	回答（將～）
Shall I～？ ………………………	You *will* (not)
**Shall* you～？ …………………	I *shall* (not)
Will he～？ ………………………	He *will* (not)

②第一人稱問句只用*Shall*，不用*Will*。

{〔正〕**Shall I**〔we〕～？
〔誤〕*Will I*〔we〕～？

③在美國多以"*Will you?*"代替"*Shall you?*"。

④在口語中常用*I'll, We'll, You'll, He'll, It'll*等。縮寫形以代替"*I*〔*We*〕*shall*"，"*I*〔*We*〕*will*"，"*You*〔*He, It*〕*will*"等，但加重語氣時則不可用縮寫形。

B.意志未來

(1)表發言者的意志

人稱	單　數		複　數	
一	I **will**	我要～	We **will**	我們要～
二	You **shall**	我要你～	You **shall**	我要你們～
三	He / She / It } **shall**	我要他〔她，它〕～	They **shall**	我要他們～

I **will help** you. 〔表諾言〕
（我將幫助你；我願意幫助你）

I ′**will carry** out my plan. 〔表決心〕
（我一定實行我的計劃）

I ′**will** not **do** such a thing 〔表決心〕
（我決不做這種事）

You ′**shall do** it. 〔表强制〕
（＝I will make you do it. You must do it.）
（你必須做它；你得做它；我要你做它）

You ′**shall have** it tomorrow. 〔表諾言〕
（＝I will let you have it tomorrow.）
（你明天可以拿到；我明天給你）

You ′**shall** not **leave.** 〔表禁止〕
（＝I will not allow you to leave.）
（你不可以離去；我不許你離去）

He ′**shall live.** （＝I will let him live.） 〔表許可〕
（我將讓他活著，我不殺他）

【句型】

shall・will	原　式
I〔We〕**will**（我要～） I〔We〕**will** not You **shall**（我要你們～） You **shall** not He〔She〕**shall**（我要他～） He〔She〕**shall** not They **shall**（我要他們～） They **shall** not	**do** it. **see** him. **go** there. **be** here **come** tomorrow. **have** it.

【提示】①表決心、強制、諾言、禁止、許可等的 *shall* 和表決心的 *will* 須重讀。

*② *Will* 一字原來的意思是"願"、"欲"，含有「意志」的觀念。*Shall* 原來的意思是"應該"，含有「義務」或「必要」等觀念。

如：You *shall* go.　　　(你得去；你必須去)

He *shall* come.　　(他得來；他必須來)

第一人稱無意志未來，如"*I shall punish you.*"(我將處罰你)也略含有「我不得不處罰你」之意。

(2)詢問對方的意向

人稱	單　數	複　數
一	**Shall** I～？　你要我～嗎？	**Shall** we～？ 你要我們～嗎？
二	**Will** you～？　你願意～嗎？	**Will** you～？ 你們願意～嗎？
三	**Shall** he～？ / she～？ / it～？　你要他〔她，它〕～嗎？	**Shall** they～？ 你要他們～嗎？

Will you go? （你願意去嗎？請你去好嗎？）
Yes, I **will**. （是的，我願意去）
No, I **will** not. （不，我不要去）

Shall I read it? （你要我讀它嗎？我來讀它好嗎？）
Please do.（請）（Yes, you **shall**. 是的，你得讀它）
No, you **shall** not. （不，你不可以讀它）

Shall we go home? （我們回家好嗎？）
All right. Let's go home. （好，我們回家吧）

Shall he come? （你要他來嗎？）
Yes, he **shall**. （是的，他得來）
No, he **shall** not. （不，我不要他來）

【提示】①意志未來問句，用 **will** 問時答 **will**, 用 **shall** 問時則答 **shall**。
②"**Will you**～？"（請你～）與"**Would you**～？"（請您～）常用以表示請求。

Will〔*or* Would〕you lend me your dictionary?
（請你把字典借給我好嗎？）
（= Please lend me your dictionary.）

③"**Won't you**～？" 常用以表示邀請。

Won't you go? （你不要去嗎？）
Yes, I **will**. （我要去）

⑶表句中主詞的意志

人稱	單　數		複　數	
一	I	will （要～，決～， 願意～）	We	will （要～，決～， 願意～）
二	You		You	
三	He She It		They	

I **will** do my best. （我決盡力而爲）
You **will** tell me about it, **won't** you?
（你願意告訴我這件事吧？）
He must go, whether he **will** or not.
（不論他願意與否，他必須去）

【句型】

will (要，願意，一定)	原　　式
I〔We〕**will**	**do** it.
I〔We〕**will** not	**see** him.
You **will**	**study** Japanese.
You **will** not	**work** hard.
He〔They〕**will**	**go** there.
He〔They〕**will** not	**come** tomorrow.

● 應注意事項 ●

1. 第二人稱 **You will** 與第三人稱 **He**〔They〕**will** 可用以表示：
①無意志的未來②主詞的意志。
They **will** work.（①他們將工作　②他們願意工作）
He **will** not come.（①他將不來　②他不願意來）

2. 副詞子句中的現在式＝未來式

表示未來的時間或條件的副詞子句(**if～, when～, before～, after～, till～, as soon as～**等)用現在式以代替無意志未來式。

〔正〕If it **rains**, I shall not go.
（如果下雨我就不去）
〔誤〕If it *will rain*, I shall not go.

When he **comes**, please tell him to **wait.**
（他來時請告訴他等一下）

Please wait till I **come** back.
（請等到我回來）

3. 副詞子句動詞如用 **will**, 則表示意志未來。

〔比較〕If he **comes**, give him this book.
（他來的話，請給他這本書）
If he **will come**, we shall be very happy.
（假如他願意來，我們將很高興）

4. 名詞子句動詞不可用現在式代替未來式。

I don't know when he **will** be back.
（我不知道他什麼時候會回來）
——*when he will be back* 是名詞子句，用作及物動詞 *know* 的受詞。

㈢Should 與 Would

Shall 的過去式 **should** 與 **will** 的過去式 **would** 常在過去式句中表示「過去的未來」，其用法和 **shall** 與 **will** 的用法相似。

{ I *think* (that) we **shall** be late.
{ I *thought* (that) we **should** be late.
（我以爲我們將會遲到）

{ I *hope* (that) he **will** like it.
{ I *hoped* (that) he **would** like it.
（我希望他會喜歡它）

{ He *says* (that) he **won't** (＝will not) do it.
{ He *said* (that) he **wouldn't** (＝would not) do it.
（他說他不願意做它）

【句型】

現　在　式		shall · will
I **say** 〔think, hope, know〕 He **says** 〔thinks, hopes, knows〕 They **tell** me	(that)	I **shall** have a holiday. we **shall** be late. he **will** come on Sunday. she **will** go to Japan. they **won't** be here.

過　去　式		should · would
I **said** 〔thought, hoped, knew〕 He **said** 〔thought, hoped, knew〕 They **told** me	(that)	I **should** have a holiday. we **should** be late. he **would** come on Sunday she **would** go to Japan. they **wouldn't** be here.

—— 習 題 32 ——

(一)*Choose the correct word*：(選擇正確的字)

1. Don't stop me, I (shall, will) do it.
2. I am afraid I (shall, will) be late.
3. We (shall, will) have rain tonight.
4. (Shall, Will) we go for a walk?
5. (Shall, Will) you get that for me, please?
   Yes, I (shall, will).
6. Won't you come, Bob? Yes, I (will, won't).
7. Shall they go? Yes, they (shall, will).
8. When (shall, will) this train get to Taipei?
9. What (shall, will) I do?
10. What (shall, will) he do? Let him do this.
11. If you don't hurry, you (shall, will) miss the train.
12. If you pass the examination, you (shall, will) have a bicycle.
13. My father (shall, will) buy me a watch.
14. Wait here till your father (comes, will come) back.
15. I will get up as soon as the sun (rises, will rise).
16. If you (meet, will meet) him, please tell him that I (shall, will) be glad to go.
17. If it (is, will be) fine tomorrow, my uncle (shall, will) come to see us.
18. I don't know if it (rains, will rain) this afternoon, but if it (rains, will rain), I will go by bus.
19. Do you think (she will, will she) be here?
20. He said he (will, would) try his best.
21. We hoped that we (should, would) arrive in time.
22. I knew that he (should, would) succeed.

(二)*Translation*：翻譯(每個空格填一個字)

1. 明年我將是十八歲了。
   I ______ ______ eighteen next year.
2. 請你幫我一點忙好嗎？
   ______ you ______ me a favor, please?

3. 不願工作者不得吃。

One who ______ not work, ______ not eat.

4. 比爾說：「我不願意做。」他父親說：「你必須做。」

"I______ do it," said Bill. "You ______," said his father.

5. 約翰告訴我說湯姆將參加宴會。

John told me that Tom ______ attend the party.

㈢*Substitution*：換字(每個空格塡一個字)

1. Please open the window.

=______ ______ open the window, please?

2. I will not let you do it.

=You ______ not do it.

3. Let him read it. =He ______ read it.

4. Do you want me to go? =______ I go?

5. Do you wish her to come at once?

=______ ______ come at once?

6. I hope we shall have fine weather.

=I hope ______ ______ be fine.

(2) 完成式(*Perfect Tense*)

現在完成式(**Present Perfect Tense**) 過去完成式(**Past Perfect Tense**) 未來完成式(**Future Perfect Tense**)

to have＋過去分詞＝完成式

A.現在完成式(Present Perfect Tense)

have **has** } ＋過去分詞＝現在完成式

現在完成式用以表示**截至現在**爲止**與現在有關**的**動作**或**狀態**。

● 用　　法 ●

(1)用以表示截至現在爲止的**動作的完成**：

(a) I **have finished** my work. （我已做完我的工作了）
He **has done** his best. （他已盡了最大努力）
{ **Have** you **had** breakfast? （你吃過早餐了嗎？）
Yes, I **have**（＝have had）. （是，我吃過了）
No, I **haven't**（＝have not had）. （不，我沒吃過）
{ **Has** the postman **come**? （郵差已來過了嗎？）
No, he **hasn't**（＝has not come）. （不，他沒來過）
〔比較〕{ **Have** you **seen** him? 〔by now〕 〔現在完成式〕
〔到現在爲止〕（你看見過他嗎？）
Did you **see** him? 〔at that time〕 〔簡單過去式〕
〔當時〕（你看到他沒有？）

(b) I **have opened** the window.
（我已把窗子打開了）——〔現在窗子是開著的〕
They **have bought** a new car.
（他們買了一部新車）——〔他們現在有一部新車〕
Spring **has come.**
（春天來了）——〔現在是春天〕
He **has gone** to the United States.
（他到美國去了）——〔現在他在美國〕

◇ 縮寫法(Contractions) ◇

I have worked.	→ I've worked.
I have not worked.	→ I haven't worked.
Have I not worked?	→ Haven't I worked?
He has played.	→ He's played.
He has not played.	→ He hasn't played.
Has he not played?	→ Hasn't he played?

【句型】

have · has	過 去 分 詞
I **have**〔I've〕 We **have**〔We've〕 You **have**〔You've〕 They **have**〔They've〕 He **has**〔He's〕 **Have** you〔they〕 **Has** he〔she〕 I **have not**〔haven't〕 He **has not**〔hasn't〕 **Haven't** you〔they〕 **Hasn't** he〔she〕	**opened** the door. (?) **done** it. (?) **seen** him. (?) **had** breakfast. (?) **bought** a book. (?) **read** that book. (?) **written** a letter. (?) **given** her a pen. (?) **lost** a pencil. (?) **taken** it. (?) **made** a mistake. (?)

● 應注意事項 ●

1. 現在完成式可與"**just**（剛剛）"連用，以表示剛做完的動作。

   I *have* **just** *finished* it.（我剛做完了它）

   He *has* **just** *come* back.（他剛回來）

   【提示】①"**just**"須置於助動詞與過去分詞之間。

   ②"**just now**"（=a short time ago）（剛才，不久之前）因含有過去的意味，故不可與現在完成式連用，只可用於過去式。

   〔正〕He **came** back *just now.*（他剛才回來）

   〔誤〕He *has come* back *just now.*

2. 現在完成式用以表動作的完了時，在肯定敘述句中常用"**already**（已經）", 在疑問句和否定句中常用"**yet**（尚，迄今）"。

   Have you seen that movie **yet**?〔疑問句〕

   （那部電影你看過了沒有？）

   I have not seen it **yet**.（我還沒有看過）〔否定句〕

   I have **already** seen it.（我已經看過了）〔肯定句〕

   Have you seen it **already**?

   （你已經看過了？）〔用於反問或表驚歎〕

Has the bell rung **yet**?　(鈴響過了沒有？)
It has not rung **yet**.　(還沒有響過)
It has rung **already**.　(已經響過了)

【提示】①"**already** (已經)"可置於*have*與過去分詞之間或置於句末。
②"**yet** (尚，迄今)"通常置於句末。

【句型】

have・has	**already**	過　去　分　詞
He has They have	**already**	read seen　it. done come back. gone there.

have〔has〕+過去分詞		**already**
I have He has	read seen　it done	**already**.
She has They have	come back gone there	

have〔has〕+過去分詞		**yet?**
Have you Have they Has he	read seen done　it learned	**yet?** (already?)
Has she Have they	come〔arrived〕 gone〔left〕	

haven't 〔hasn't〕＋過去分詞			yet
I haven't They haven't He hasn't	read seen done finished	it	yet.
She hasn't They haven't	come 〔arrived〕 gone 〔left〕		

3. 現在完成式**不可**與表過去明確的時間的副詞(如 **yesterday** 〔昨天〕, **last**～〔上一～〕, ～**ago** 〔～前〕等)連用，因爲現在完成式所著重的並不是過去動作發生於何時，而是與**現在有關的過去動作產生的結果及其現在的狀態如何**。

〔比較〕
He **has taken** the money. 〔現在完成式〕
(他把錢拿走了)
He **took** it *ten minutes ago.* 〔過去式〕
(十分鐘前他拿走了它)

She **has had** lunch. 〔現在完成式〕
(她吃過午餐了)
She **had** lunch *at* 12:00. 〔過去式〕
(她在十二點鐘吃了午餐)

Have you **written** to her? 〔現在完成式〕
(你寫信給她了嗎？)
Yes, I **wrote** *last night.* 〔過去式〕
(是，我昨天晚上寫了)

Think what you **have done** in the past. 〔現在完成式〕
(想一想過去你做過的事)
Think what you **did** *yesterday.* 〔過去式〕
(想一想你昨天做的事)

4. 疑問副詞"**when** (何時)？"可用於過去式，但不可用於現在完成式。

Have you seen him? (你看見過他嗎？)
Yes, I have (seen him). (是的，我看見過他)
When did you see him? (你什麼時候看見他的？)
I saw him yesterday. (我昨天看見他的)
〔誤〕When *have* you *seen* him?

5. 現在完成式可與 **today** (今天), **this morning** (今晨), **this week** (本週), **lately** (近來), **now** (現在)等含有「現在」時間的副詞連用。

Have you **read** the newspaper **today**?
(今天你看過報紙了嗎？)
I have not **worked** hard **this week.**
(這一週我沒用過功)
We **have had** very little rain **this year.**
(今年雨下得很少)
He **has come** back **now.** (現在他回來了)
Have you **seen** him **lately**? (最近你看見過他嗎？)

〔比較〕
I **have seen** him twice **this morning.**
(今天上午我見過他兩次)〔談話時間在上午〕
I *saw* him twice **this morning.**
(今天上午我見過他兩次)〔談話時間在下午〕

6. 口語中所用之"**have got**"形式上雖爲現在完成式，但其意義實與"**have**"相同。

Have you **got** a match?
=**Have** you a match? (你有火柴嗎？)

I haven't got any money.
=**I haven't** any money. (我沒有錢)

I have got to stay at home today.
=I **have** to stay at home today. (今天我必須留在家裏)

(2)用以表示從過去繼續到現在的動作或狀態：

I have lived here *for ten years* (and still live here).
(我在這裏住了十年了)〔現在仍住在這裏〕
We **have known** him *since ten years* ago (and we still know him).
(從十年前我們就認識他了)〔現在仍認識他〕
John **has been** ill *for two days* (and is still ill).
(約翰病了兩天了)〔現在仍病著〕
He **has eaten** nothing *since yesterday morning.*
(他從昨天早上到現在一直沒有吃過東西)
He **has eaten** nothing *these* (or *for the last, for the past*) *two days.*
(這兩天他都沒吃過東西)

How long **have** you **been** here?
(你在這裏多久了？)

I **have been** here *since last month.*
(從上個月起我就在這裏了)〔現在仍在這裏〕

I **haven't seen** her *for a long time.*
(我好久沒見過她了)

He **has lived** there *since he was born.*
(他從出世以來就住在那裏了)

She **has been** dead *for three years.*
(＝She died three years ago.)(她已死了三年了)

〔比較〕
- I **am** here *now.* (現在我在這裏)　〔現在式〕
- I **was** here *yesterday.* (昨天我在這裏)　〔過去式〕
- I **have been** here *since yesterday.* (從昨天起我一直在這裏)　〔現在完成式〕

- He **lives** there *now.* (現在他住在那裏)　〔現在式〕
- He **lived** there *last year.* (去年他住在那裏)　〔過去式〕
- He **has lived** there *since last year.* (從去年起他一直住在那裏)　〔現在完成式〕

• 應注意事項 •

1. 現在完成式用以表示從過去繼續到現在的動作時，常與 **for**（～之久）或 **since**（自～以來）連用。

2. "**for**"可用於現在完成式或簡單過去式以表示「期間」；"**since**"則常用於現在完成式，並與「過去某時」連用，以表示「從過去某時起(直到說話時)」。

現在完成式＋**for**（～之久，～期間）＋期間 現在完成式＋**since**（自～以來，自從）＋過去某時

I **have been** here **for** *two hours.*
(我在這裏兩個小時了)

I **have been** here **since** *two o'clock.*
(從兩點鐘起我就在這裏了)

He **has been** ill **for** a *week.*
(他已病了一星期了)

He **has been** ill **since** *last Friday.*
(從上星期五起他一直病著)

They **have lived** here **for** *five years.*
　　（他們在這裏住了五年了）
They **have lived** here **since** *five years ago.*
　　（從五年前起他們就住在這裏了）

〔誤〕They *lived* here since five years ago.
〔誤〕They have lived here *from* five years ago.
〔正〕They lived here **from** 1960 **to** 1965.

【提示】 ①"**for**（～之久）"如用於簡單過去式，即表示「過去已結束的一段時間」。

He **was** ill for a week (but he is not ill now).
　　（他曾病了一星期）〔但現在已好了〕

They **lived** in New York for two years (but they don't live there now).
　　（他們曾在紐約住過兩年）〔但現在已不住在那裏了〕

How long **were** you in Japan?
I **was** there for three months. (I am not there now).
　　（你在日本多久？我在那裏住了三個月）〔現在已不在那裏了〕

②"**for**"有時可以省略。

He has eaten nothing (*for*) two days.
　　（他兩天沒吃過東西了）

It hasn't rained (*for*) more than a month.
　　（一個多月沒下過雨了）

【句型】

現在完成式	**for**（＋期間）
1. I **have known** him	**for** ten years.
2. He **has lived** there	**for** many years.
3. They **have been** here	**for** two hours.
4. She **has been** ill	**for** three days. **for** the last two weeks.
5. I **haven't seen** you	**for** a long time. more than a year.
6. It **hasn't rained**	**for** three months. these three months.

現在完成式	since（＋過去某時）
1. I **have known** him	**since** ten years ago.
2. He **has lived** there	**since** 1955. **since** he *was* a boy.
3. They **have been** here	**since** three o'clock.
4. She **has been** ill	**since** yesterday. **since** last night. **since** two days ago.
5. We **haven't seen** her	**since** Monday. **since** last week.
6. He **hasn't written** to me	**since** September. **since** last month〔～May, ～summer, ～year, *etc.*〕.
7. I **haven't heard** from him	**since** he *left* here. **since** the war *ended*.

(3)用以表示**截至現在爲止**的經驗：

I **have met** him *once*〔*twice*〕.（我見過他一次〔兩次〕）

He **has visited** me *several times*.（他訪問過我幾次）

Have you *ever* **seen** a tiger.（你曾見過老虎嗎？）
Yes, I **have** (seen one before).
（是的，我以前見過）
No, I **haven't.** (I have never seen one.)
（不，我從未見過一隻）

Have you *ever* **been** in Hong Kong *before*?
（你曾在香港住過嗎？）
Yes, I **have** (been there before).
（是的，我以前在那裏住過）
No, I **have** *never* **been** in Hong Kong.
（不，我從未在香港住過）

Has he *ever* **been** to Japan?（他曾去過日本嗎？）
Yes, he **has** *often* **been** to Japan.（是的，他常去日本）
He **has been** there *many times*.（他去過那裏許多次）

【提示】

once（＝at one time）　一次……(用於肯定句中)
ever（＝at any time）　曾經，無論何時……(通常用於疑問句或否定句；如用於肯定句中，則另含有加强語氣的意味)
never（＝not ever）　從未，不曾

I have read it **once.**（我讀過它一次）

I have **once** seen him in Taipei.

（有一次我在臺北見過他）

Have you **ever** seen him?（你曾見過他嗎？）

No, I've **never**（＝not ever）seen him.

（不，我從未見過他）

Did you **ever** see him while you were in the United States?

（你在美國時曾見過他嗎？）

No, I **never** saw him.（不，我未曾見過他）

This is the most interesting book I've **ever** read.

（這是我曾經讀過的最有趣的書）

● 應注意事項 ●

1. 現在完成式用以表示截至現在的經驗時，常與 **ever**（曾經), **never**（從未), **before**（從前), **once**（一次), **twice**（兩次), ～**times**（次), **often**（時常), **always**（經常)等副詞連用。

2. 表示「曾去過」、「曾來過」等經驗時須用"**have been**"，不可用"*have gone*（已去)"或"*have come*（已來)"。

He **has gone** to Japan.（He is now in Japan.）

（他到日本去了)〔現在他在日本〕

He **has been** to Japan.（He has gone to Japan and come back again.）

（他去過日本)〔他去了日本又回來了〕

Have you **been** to the museum?

Yes, I **have.**　I went there yesterday.

（你去過博物館嗎？是的，我昨天去過了）

〔誤〕*Have* you *gone* to the museum?〔不合理〕

They **have come.**（They are here now.）

（他們來了)〔現在他們在這裏〕

They **have been** here once.（他們曾來過這裏一次）

〔誤〕They *have come* here once.

*【提示】「來」、「去」等動詞若著重於現在的狀態時，可用“**be**＋過去分詞”代替“**have**＋過去分詞”。

He **is come.** ＝He **has come.** （他已來了）

——(He is here now.)

They **are gone.** ＝They **have gone.** （他們已走了）

——(They are not here now.)

【句型】

have・has	ever	過去分詞
Have you Have they Has he	**ever**	been { in / to } { Japan? / Hong Kong? } been to { the library? / the zoo? } seen Mary〔her〕?

have・has	表次數的副詞	過去分詞
I have They have She has	**never**	been { to Hongkong. / in Japan. / there〔here〕. / abroad.（國外） } seen him.
We have He has	{ **always** / **often** }	wanted to { see her. / go there. }

have・has	過去分詞	副　　詞
I have They have He has	been { to Japan / to the zoo / there } seen her played baseball studied it	**once.** **twice.** **several times.** **many times.** **very often.** **before.**

—— 習 題 33 ——

(一)*Fill in the blanks with the Present Perfect Tense of the verbs in parentheses:* (用各題括弧內動詞的現在完成式填在空白裏)

1. I ______(do) all my homework.
2. We ______(catch) ten fish.
3. They ______(make) a new road.
4. Bob ______(go) to school.
5. He ______(lose) his pen.
6. Who ______(take) my pen?
7. The Johnsons ______(sell) their old car.
8. Mr. Hall ______(buy) a new watch.
9. I ______(be) in Taipei for five years.
10. Mary ______(be) here since last October.
11. John ______(give) her some flowers.
12. She ______(sing) two songs to her friends.
13. We ______ not ______(swim) this week.
14. John ______ not ______(write) anything today.
15. They ______ not ______(have) plenty of time.
16. He ______ not ______(heve) lunch.
17. ______ you ______(bring) your books with you ?
18. ______ Charles ______(pass) the examination?
19. ______ you ever ______(be) in the United States?
20. How often ______ your father ______(be) abroad?
21. He ______(be) to Southeast Asia(東南亞) several times.
22. Mr. Lee ______(teach) English for more than ten years.
23. How long ______ you ______(study) English?
24. I ______ never ______(speak) to a foreigner.
25. He ______ never ______(hear) it before.

(二)*Fill in the blanks with the correct form, simple past tense or present perfect tense, of the verbs in parentheses:*

(用各題括弧內動詞的正確時式〔簡單過去式或現在完成式〕填在空白裏)

1. I think you ______(learn) it already.
2. ______ you ______(have) breakfast yet?
   Yes, I ______(have) it at eight o'clock.
3. ______ you ______(read) today's paper?
4. Someone ______(take) my bicycle.
5. He ______ just ______(arrive).
6. He ______ (arrive) just now.
7. Bob ______(be) in this class last year.
8. Tom ______(be) in this class since last year.
9. Mr. and Mrs. Brown ______(be) married in 1955. They ______(be) married for more than ten years.
10. ______ you ever ______(be) to Europe?
    Yes, I ______(be) there once.
11. When ______ you ______(go) there?
    I ______(go) there two years ago.
12. How long ______(be) you in Italy?
    I ______(be) there for a week.
13. How long ______ George ______(be) here?
    He ______(be) here since January.
14. He ______ not ______(eat) anything since yesterday.
15. This is the best tea that I ______ ever ______(drink).
16. I ______(know) him for four years.
17. He has worked here since he ______(be) young.
18. Ten years ______(pass) since his father died.
19. We ______ not ______(have) any rain here these three months.
20. We ______(have) a lot of rain here in August.
21. There ______(be) no rain here since September.
22. ______ you ______(see) Bob lately?
23. I ______ not ______(see) him for many days.
    I wonder where hs is.
24. Nobody ______(see) him these three days.
25. Where ______you ______(be) since Wednesday?

26. Where ______(be) you on the night of October the ninth?
27. Mary ______(meet) him just a few minutes ago.
28. He ______(get) up early this morning.
29. She ______(tell) me about it many times.
30. I ______(read) this book twice.

I first ______(read) it in 1960 and I ______(read) it again this month.

(三)*Fill in the blanks with "for" or "since"*：(用 *for* 或 *since* 填在空白裏)

1. Mr. and Mrs. Smith have been here ______ last week.
2. John's father has been very ill ______ the last two weeks.
3. He hasn't slept ______ twenty-four hours.
4. We haven't done anything ______ four o'clock.
5. I haven't seen him ______ yesterday morning.
6. I've lived here ______ 1950.
7. He's lived there ______ he came to this island.
8. They've been in Taiwan ______ fifteen years ago.
9. They haven't heard from him ______ then.
10. That tree has been there ______ 3,000 years.
11. Mr. White hasn't had a holiday ______ about one year.
12. He has been in Switzerland ______ the beginning of April.
〔ˈswɪtsɚlənd〕(瑞士)
13. It hasn't rained here ______ more than two months.
14. The old man hasn't read a book ______ a long time.
15. He has lived in this village ______ most of his life.

(四)*Choose the right words:*(選擇對的字)

1. What have you (do, did, done)?
I've (break, broke, broken) a window.
2. Have you ever (gone, been) abroad? No, I haven't.
3. Has Mary ever (come, been) here?
Yes, she's (come, been) here three times.
4. John (went, has gone, has been) to the movies last night.

5. His father (came, has come, has been) back on the fifth of May.
6. I (live, lived, have lived) here since I was born.
7. He has worked there since the war (begin, began, has begun).
8. I (stayed, have stayed, had stayed) at that hotel for a week last summer.
9. They've been here since ten (hours, o'clock).
10. I've waited for (an hour, one o'clock).
11. The train has left (already, yet).
12. I haven't finished my work (already, yet).
13. Has he come (already, yet)?
    No, we are still waiting for him.
14. Have you been to England (ago, before)?
15. Mary flew from New York to Taipei a few days (ago, before).

㈤*Correct the errors*：(改正下列各句中劃底線部分的錯誤)

1. Have you ever saw an elephant?
2. I have gone to the station to see a friend off.
3. Bob has often come here.
4. He has gone to Japan in June.
5. Have you told him that last night?
6. I haven't seen her from 1945.
7. When have you met her?
8. Things have changed since he become President.
9. She is ill since Tuesday.
10. Dr. Sun Yat-sen was dead for more than forty years.

㈥*Translation:*翻譯(每個空格限塡一字)

1.「我已找到我的鋼筆了。」「你在那裏找到的？」
  「在桌子底下找到的。」
  "I ______ ______ my pen." "Where ______ you ______ it?" "I ______ it under the table."

2. 王小姐和李小姐從未去過日本。

Miss Wang and Miss Li ______ never ______ to Japan.

3. 黃先生到美國去了。

Mr. Huang ______ ______ to the United States.

4. 自從他離開這裏以後，他一直沒寫過信給我。

He ______ not ______ to me since he ______ here.

B.過去完成式(Past Perfect Tense)

had十過去分詞＝過去完成式

用以表示截至「過去某時」爲止的動作的完成、繼續、經驗等。

(1) 用以表示**截至過去某時爲止的動作的完成**：

I **had** just **finished** my work *then.*

(那時我剛做完了工作)

He **had learned** Japanese before he *left* for Japan.

(在赴日以前他已學過日語)——學日語的時間在先，用過去完成式；赴日的時間在後，用簡單過去式。

The train **had** already **left** when I *got* to the station.

(我到車站時火車已開走了)

I *was* hungry because I **hadn't had** breakfast.

(當時我因沒吃過早餐所以覺得餓了)

I *heard* that he **had gone** abroad.

(我聽說他已出國)〔ə'brɔd〕(國外)

(2) 用以表示**繼續到過去某時的動作或狀態**：

He *died* after he **had lived** there for twenty years.

(他在那裏住了二十年以後死去)

When we *received* the letter, he **had been** ill for two weeks.

(當我們接到信時，他已病了兩星期了)

(3) 用以表示**截至過去某時爲止的經驗**：

Had you *ever* **been** abroad *before then*?

(在那時以前你曾到過國外嗎？)

He *said* that he **had seen** it *once.*

(他說他曾見過它一次)

◇ 縮寫法(Contractions) ◇

I had studied	→ I'd studied
I had not studied	→ I hadn't studied
Had I not studied?	→ Hadn't I studied?

【句型】

過去完成式	過去式
1. I **had** just **finished** my work	when he *came* in .
2. The train **had** already **left**	when I *arrived* at the station.
3. The game **had** already **begun**	when we *arrived.*
4. He **had been** ill for two days	when the doctor *was* sent for.
5. He **had finished** his work	before he *went* home.
6. He **had** already **learned** French	before he *left* for Africa.
7. After they **had gone,**	I *sat* down and *rested.*
8. After I **had heard** the news,	I *hurried* to see him.

過去式	過去完成式
1. I *was* hungry	because I **hadn't had** breakfast.
2. He *thanked* me	for what I **had done.**
3. He *died*	after he **had told** us that.
4. He *went* home	after he **had finished** his work.
5. She *asked*	why we **had come** so early.
6. She *wondered*	why I **hadn't visited** her before.

過去式	過去完成式	
He *said* He *told* me I *heard* I *knew* We *thought* They *thought*	(that)	he **had done** it. he **had sold** his house. she **had lost** her money. he **had had** lunch already. Tom **had** already **read** it. he **hadn't read** it yet. he **had been** ill for a long time. he **had seen** it before. John **had gone** to Japan. he **had been** there once. he **had** never **been** there. she **had** often **been** abroad.

● 應注意事項 ●

1. 在過去不同時間發生的兩動作中：

{ 先發生的——用過去完成式
  後發生的——用簡單過去式

I **lost** the pen which my aunt **had given** me.
（我把伯母給我的那枝鋼筆遺失了）

2. 過去發生的兩個動作，如按其發生的順序用*and*連接時，則用簡單過去式而不用過去完成式。
My aunt **gave** me a pen and I **lost it.**
(我伯母給了我一枝鋼筆而我把它遺失了)

3. 在 **after, before, until**(直到，在～以前)等連接詞引導副詞子句的句中，過去兩動作的先後順序已分明，或不强調動作的完成時，可用簡單過去式代替過去完成式。
He **died** before I **was** born.
(在我出世以前他已死了)
She **died** soon after I **was** born.
(我出世後不久，她就死了)

I did not know that until I came here.
(直到我來了這裏之後，我才知道那個)

4. | ~**ago** (距現在)~以前(+過去式)
~**before** (在過去某時)~以前(+過去完成式) |
|---|

He *met* her **three days ago.** 〔before now〕
(他在三天前遇見過她)——〔距現在的三天前〕
Last Monday he told me that he *had met* her **three days before.**
〔before last Monday〕
(上星期一他告訴我說他在那時的三天前遇見過她)
——〔上星期一的三天前〕

C.未來完成式(Future Perfect Tense)

Shall **will** } **have+過去分詞=未來完成式**

用以表示截至「未來某時」爲止的動作的完成、繼續、經驗等。

He **will have finished** his work *by six o'clock.*
(到六點鐘，他將已做完他的工作了)〔表完成〕
The train **will have left** *before we reach* the station.
(火車將在我們到達車站之前就已經開走了)〔表完成〕
We **Shall have lived** here for five years *by the end of this year.*
(到本年年底，我們將在這裡住了五年了)〔表繼續〕
On the ninth of December they **will have been** married for fifteen years.
(十二月九日他們結婚將滿十五年了)〔表繼續〕
If I read this book *once more*, I **shall have read** it ten times.
(這本書假使我再讀一遍，我就讀了十遍了)〔表經驗〕

【提示】①在表示未來時間或條件的副詞子句中，須用現在完成式以代替未來完成式。
I'll stay here *until* you have finished your work.
(=will have finished)
(我將留在這裡直到你做完工作)

When you **have learned** four thousand English words, your will be able to read a newspaper.
(學完了四千個英文單字時，你就會看報紙了)

*②未來完成式亦可用以表示對過去可能發生過的動作的推測或假定。
They **will have read** this book already.
(=I imagine they have read this book already.)
(我想他們已讀過這本書了)
You **will have heard** that I am going to the United States.
(我想你已聽說過我將要去美國)
(=I suppose you have heard that……)

—— 習 題 34 ——

(一)*Change the verbs in parentheses into the Past Perfect Tense:*
(將各題括弧內的動詞改爲過去完成式)

1. That day Mr. Parker ____________ (leave) his home very early.
2. He ____________ (pay) Mr. Reed two hundred dollars the day before.
3. He ____________ (be) to Europe many years before.
4. It was he who ____________ (give) us the piano.
5. We thanked him for what he ____________ (do).
6. I ____________ (have) breakfast before I set off.
7. They ____________ already ____________ (go) when we arrived.
8. Bob said there ____________ (be) an accident.
9. They asked what ____________ (happen).
10. Mary said she ____________ not ____________ (read) that book yet.
11. _____ he _____ (see) all the interesting places in Taipei before he left Taiwan?
12. He answered that he _____ never _____ (hear) it before.

(二)*Fill in the blanks with the correct form, simple past tense or past perfect tense, of the verbs in parentheses:* (用下列各題括弧內動詞的正確時式〔簡單過去式或過去完成式〕填在空白裡)

1. John ____________ (reach) the station after the train ____________ (leave).
2. When he ____________ (get) to school, the lesson ____________ (start) already.
3. Mr. Smith ____________ (tell) me that he ____________ (cross) the Pacific ninety times.
4. We ____________ (think) that he ____________ (be) here for a long time.
5. I ____________ (study) it long before I ____________ (come) to this country.
6. He ____________ (be) ill for three days when the doctor ____________ (be) sent for.
7. He ____________ (say) that he ____________ already ____________ (sell) his house.
8. Tom ____________ (lose) his new pen which he ____________ (buy) the day before.
9. I ____________ (ask) whether he ____________ (bring) the book.
10. We ____________ n't ____________ (believe) he ____________ (pass) the examination.
11. They ____________ (be) hungry because they ____________ not ____________ (have) dinner.
12. As soon as they ____________ (eat) lunch, they ____________ (go) out to play.

㈢*Put the verbs in parentheses into the Future Perfect Tense:*
（將各題括弧內的動詞改為未來完成式）

1. I ____________ (finish) my work by five o'clock this afternoon.
2. By next Sunday you ____________ (stay) with us for two weeks.
3. On the fourth of next month he ____________ (be) in prison for six years.
4. By the end of this year he ____________ (fly) more than a million miles.
5. We ____________ (grow) old before we learn it really well.

6. Jack ____________ (take) the entrance examination three times if he takes it once more.
7. By the time we get to the party, they ____________ (eat and drink) everything.

(四) *Fill in the blanks with the correct perfect tense of the verbs in parentheses:*
(用各題括弧內動詞正確的完成式填在空白裡)

1. I ____________ (meet) him twice.
2. I ____________ (meet) him once before I came here.
3. By this time next week you ____________ (meet) him.
4. I ____________ (eat) nothing since I left home.
5. He told me that he ____________ (eat) nothing since then.
6. She ________ just ________ (have) lunch.
7. She said she ____________ (have) lunch already.
8. He ____________ (finish) his work before he went home.
9. Don't ask for another book until you ___________ (finish) this one.
10. I ____________ (finish) this book by tomorrow morning.
11. They say he ____________ (go) to Japan.
12. We thought he ____________ (go) to the United States.
13. How often ________ you ________ (be) to the Sun-moon Lake?
14. The Browns ___________ (be) in Taipei since the middle of June.
15. He asked me if I ____________ ever ____________ (be) to New York.
16. James ____________ (write) five letters this morning.
17. He ____________ (write) several letters that morning.
18. I ____________ (read) this book before I entered this school.
19. By the end of this term I ____________ (read) all these books.

20. Many students will go abroad when they ______________ (graduate) from college.

㈤*Choose the correct words:*（選擇正確的字）

1. She asked whether the manager (came, has come, had come) yet.
2. He told us that he (has, had, will have) taught English for more than ten years.
3. Mr. Brown (went, has gone, had gone) to Japan last April.
4. I (did, have done, had done) my homework by nine o'clock last night.
5. He (arrived, has arrived, had arrived) at ten o'clock the night before.
6. He had visited Taipei two weeks (ago, before).
7. Mr. Green will (have, has, had) been here for two years by next month.
8. They (have, had, will have) gone home before we get there.
9. If I go there once more, I (have, had, shall have) been there ten times.
10. They will not return until they (have, had, will have) finished their work.

㈥ *Change each of the following sentences to:* (a) *the question form* (b) *the negative form.*（將下列各句改爲疑問句和否定句）

1. She has left her pen on the table.
2. They have had lunch.
3. There have been many visitors since Monday.
4. He had done his work by six o'clock.

㈦ *Translation:* 翻譯（每個空格限塡一字）

1. 他們到達時，比賽已經開始了。

   The game __________ already __________ when they __________.

2. 我們到達機場之前，飛機已經起飛了。

The plane ____________ already ____________ off before we ________ the airport.

3. 他發現有人偷了他的錢。

He ________ that someone ________ ________ his money.

4. 到明年他將已去世二十五年了。

By next year he ________ ________ ________ dead for twenty-five years.

5. 沒有看完所有好玩的地方之前，他們將不會離開的。

They will not leave until they ________ ________ all the interesting places.

(3) 進行式 (Progressive Form)

be＋～ing（現在分詞）＝進行式

- 現在進行式 (**Progressive present Tense**)
- 過去進行式 (**Progressive Past Tense**)
- 未來進行式 (**Progressive Future Tense**)
- 現在完成進行式 (**Progressive Present Perfect Tense**)
- 過去完成進行式 (**Progressive Past Perfect Tense**)
- 未來完成進行式 (**Progressive Future Perfect Tense**)

A.現在進行式(Progressive Present Tense)

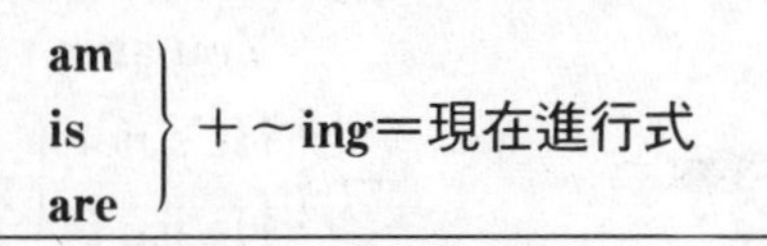

(1)用以表示現在正在繼續或進行中的動作：

I am learning English now.　(我現在正在學習英語)

We **are** not **studying** mathematics now.
(我們現在不在學習數學)

What **is** Tom **doing**? What's he **reading**?
(湯姆正在做什麼？他在讀什麼？)

He **is writing** his exercise. He **isn't reading** a book.
(他正在寫習題。他不在唸書)
Is Mrs. Brown **sitting**? Yes, she **is** (=is sitting).
(布朗夫人正坐著嗎？是的，她正坐著)
Are Mr. and Mrs. Li **eating** lunch?
No, they **aren't** (=are not eating lunch).
(李先生和夫人正在吃午餐嗎？不，他們沒有)
They **are talking** and **laughing**. (他們正在談笑著)
Listen! Someone **is knocking** at the door.
(聽！有人在敲門)
"Where **are** you **going**? **Are** you **going** to the library?"
"No, I'**m going** home."
(「你要去那裡？你正去圖書館嗎？」「不，我正在回家。」)
It **is raining** now. (天在下雨)
It's **getting** dark. (天漸黑了)
James **is working** for an examination.
(詹姆士正在為考試而用功)
The Greens **are living** on Park Road now.
(葛林一家人現住在公園路)

◆ 縮寫法(Contractions) ◆

I am working → I'm working
We are working → We're working
You are not playing → {You're not / You aren't} playing
He is not playing → {He's not / He isn't} playing
Is she not teaching? → Isn't she teaching?
Are they not studying? → Aren't they studying?

【句型】

am・is・are		**～ing**
I **am** 〔I'm〕 We **are** 〔We're〕 You **are** 〔You're〕 He **is** 〔He's〕 She **is** 〔She's〕 They **are** 〔They're〕	(not)	**sitting** 〔standing〕 now. **walking** to the door. **shutting** the window. **running** 〔swimming〕 now. **studying** English now. **playing** tennis now. **having** lunch now. **listening** to the radio. **waiting** for a bus. **going** to the movies. **getting** old.
The sun **is**	(not)	**shining** 〔rising, setting〕.
The wind **is**	(not)	**blowing**.
It **is** 〔It's〕	(not)	**raining** 〔snowing〕.

am・is・are ＋主詞	**～ing**
Am I	**playing** now?
Are / **Aren't** you	**learning** Japanese? **studying** grammar?
Are / **Aren't** they	**working** there? **going** home?
Is / **Isn't** he	**living** in Taipei? **staying** here?

疑問詞＋ **am・is・are** ＋主詞	**～ing**
What **are** you	**doing**?
What **are** they	**looking** for?
What **is** he	**writing**?
Where **are** you	**going**?
Where **is** he	**living**?

Why	is she aren't you	**laughing?** **studying?**

(2)用以表示不久將發生的動作或預定的計畫：

(a)此用法的動詞多爲表「來往」、「出發」、「到達」、「停留」等之動詞，如**go, come, leave, arrive, stay, visit, take, spend,** ……等，並常與表未來時間的副詞連用。

I am going to Tainan *tomorrow.* （明天我要去臺南）
（＝I have planned to go to Tainan tomorrow.）

Where **are** you **going** *next Sunday*?
（下星期日你要去那裡？）

They **are coming** *soon.* （他們馬上就來）

He **is arriving**（will arrive）*tonight.*
（他將在今晚到達）

When **are** you **leaving**? （你〔們〕什麼時候要離開？）

We **are leaving**（＝shall leave）*on Thursday.*
（我們將於星期四離開）

I am staying at home *this afternoon.*
（今天下午我將留在家裡）

She **is visiting** her uncle *next Friday.*
（下星期五她將往訪她的伯父）

I am seeing him *tomorrow morning.*
（明天早上我將會見他）

He is **spending**（＝has planned to spend）his holidays at the Sun-moon Lake *next week.*
（下星期他將在日月潭度假）

Father **is taking** us to the seaside *on Sunday.*
（星期日爸爸將帶我們去海邊）

We **are getting** married *in May.*
（＝We have agreed〔同意〕〔or arranged〔安排〕to get married in May.）
（我們將在五月結婚）

He **is dying.** （他快要死了）

【句型】

am · is · are	**going · coming**, etc.	表未來時間副詞
	going to Tainan	*tomorrow.*(?)
I'm	**coming** here	*this afternoon.*(?)
We're	**leaving** for Japan	*next Monday.*(?)
You're	**arriving** there	*at* 6:00 *p.m.*(?)
He's	**staying** at home	*Tonight.*(?)
She's	**visiting** Mr. A	*next Tuesday.*(?)
They're	**seeing** Mr. B	*on Wednesday.*(?)
Are you	**taking** Bob to the zoo	*on Sunday.*(?)
Is he	**buying** a new car	*next month.*(?)
	having lunch in school	*next week.*(?)

(b)"**be going＋to**～(不定詞)"常用以表示**意向**，或不久**可能發生**的事。

be going＋to～(不定詞)＝將要，打算要，可能會

I **am going to do** it tomorrow.
(＝I intend to do it tomorrow.)
(我打算明天做它)〔表意圖〕

Now I'**m going to tell** you a story.
(現在我要給你們講一個故事)

We **are going to meet** her at two o'clock.
(＝We intend to meet her at two o'clock.)
(我們將於兩點鐘會見她)〔表意圖〕

Are you **going to take** the examination? Yes, I **am**.
(你要參加考試嗎？是的，我要)

Is John **going to buy** a bicycle? No, he **isn't**.
(約翰要買一部腳踏車嗎？不，他不要)

What **is** Mary **going to give** John?
(瑪麗打算給約翰什麼東西？)

How long **are** you **going** (＝do you intend) **to stay** in Taipei?
(你打算要在臺北停留多久？)

They'**re** not **going to begin** the new work until next Wednesday.
(在下星期三以前他們將不會開始新的工作)

She **is going to have** a baby.
(她要生孩子了)〔表可能〕
It's **going to rain.** (天要下雨了)〔表可能〕
(=It likely to rain. I think it will rain.)
It's **going to** be a fine day tomorrow.
(明天將是晴天)〔表可能〕

【提示】"*be going to go*"與"*be going to come*"常用"**be going**"與"**be coming**"來代替。

〔正〕I **am going** to Kaohsiung. (我要去高雄)
〔誤〕I *am going to go* to Kaohsiung.

〔正〕He **is coming** next week. (他下星期要來)
〔誤〕He *is going to come* next week.

*【註】在美國,口語中有時亦用"*be going to go*"。

【句型】

{**am** · **is** / · **are**} +主詞+**going**	不定詞(**to**~)
Are you **Are** they **Is** he **Is** she } **going**	**to buy** it? **to see** him? **to visit** Mr. Brown? **to write** to John?
What {**are** you / **is** he} **going**	**to do** now? **to eat** **to buy**? **to give** her?
When {**are** you / **is** she} **going**	**to do** it? **to make** it? **to leave**?

主詞+{**am** · **is** / · **are**} +**going**	不定詞(**to**~)
I'm **We're** (not) **going**	**to buy** one. **to have** lunch. **to give** Mary a present. **to learn** French.

<table>
<tr><td>You're
He's
She's
They're</td><td>(not) going</td><td>to tell him to come.
to stay here for a week.
to leave next Saturday.
to visit Mr. A tomorrow.
to meet him at 2:00 p.m.
to take the examination.</td></tr>
</table>

*(3)可與**always**（經常），**continually**（不斷地，常常），**constantly**（經常不斷地，時常）等副詞連用，以表示經常反覆的動作。

They **are** *always* **quarrelling.**（他們經常吵架）

He **is** *continually* **complaining** of something.
（他時常抱怨什麼）

She **is** *always* **wasting** money.（她經常浪費金錢）

● 應注意事項 ●

下列動詞因本身已含有「繼續」的性質，故通常不用進行式：

1. 表「狀態」、「存在」與「所有」的動詞不用進行式，如：

① **be**（是，在），**consist**（組成，存在），**stand**（在），**lie**（位於）
② **have**（有），***own**（擁有），**belong to**（屬於）

He **is** a great scholar.（他是一個大學者）
〔誤〕He *is being* a great scholar.

The club **consists** of fifty persons.
（這個俱樂部由五十個人組成）

【提示】**stand** 與 **lie**，如作「站」與「臥」用時可用進行式；如用作「在」，則不用進行式。

The school **stands** on the hill.
（學校在山上）〔簡單現在式〕
He **is standing** by the window.
（他站在窗邊）〔現在進行式〕

Canada **lies** to the north of America.
（加拿大位於美國之北）〔簡單現在式〕
The dog **is lying** on the floor.
（狗臥在地板上）〔現在進行式〕

Mr. A **has** a large house. （A先生有一幢大房子）
〔誤〕Mr. A *is having* a large house.

The house **belongs** to him. （這房子是他的）
〔誤〕The house *is belonging* to him.

【提示】**have** 如不作“有”，而作「吃」、「過」、「使」用時，則可用進行式。
They **are having** supper. （他們正在吃晚飯）
Are you **having** a good time? （你們玩得愉快嗎？）
I **am having** my house painted. （我叫人正漆著房子）

2. 表知覺、知識、感情等的動詞不用進行式，如：

① **see**（看見，瞭解），**hear**（聽見），**seem**（似乎），**appear**（似乎），***resémble**（相似），**notice**（注意到），**smell**（氣味是），**taste**（味道是），**sound**（聽起來～），**feel**（覺得）

② **know**（知道，認識），**understand**（懂），**think**（想，以爲），**suppose**（猜想，假定），**imagine**（猜想，想像，以爲），**mean**（意指，意欲），**find**（發覺），**believe**（相信），**doubt**（懷疑），**wonder**（覺驚奇，極欲知道），**remember**（記得），**forget**（忘記），(dis) **agree**（〔不〕同意）

③ **like**（喜歡），**dislike**（不喜歡），**love**（愛），**hate**（討厭，憎恨），**prefer**（較喜），**want**（想要），**hope**（希望），**wish**（願，希望），**expect**（期望），**mind**（介意），**care**（喜歡，關心），**fear**（怕），**refuse**（拒絕）

④ **depend**（依賴，視～而定），**differ**（不同）

(a) I **see** a man outside; he **is looking** at me.
（我看見外面有一個人，他正在注視著我）

I **see** what you **mean**. （我明白你的意思）
〔誤〕*I am seeing* what you *are meaning*.

【提示】**see** 如用作「會見」或「訪問」等意義時，可用進行式。
I **am seeing** Mr. Smith this afternoon.
（今天下午我將會見史密斯先生）
He **is seeing** the town. （他正在本市觀光）

John **is seeing** a friend off.
(約翰正在給一位朋友送行)

I **hear** a strange sound.　(我聽見一種奇怪的聲音)
〔誤〕*I am hearing* a strange sound.

【提示】**listen** (傾聽，注意聽)可用進行式。
Tom **is listening** to the radio.
(湯姆正在聽收音機)

It **seems** good.　(這似乎是好的)

I **notice** she is wearing a new dress.
(我注意到她穿著新衣)〔誤〕I *am noticing*……

【提示】**wear** (穿，戴)與 **live** (住)，用簡單式或進行式均可。
Helen **wears** a new hat.　(海倫戴著一頂新帽)
＝Helen **is wearing** a new hat.
She **lives** on Roosevelt Road.　(她住在羅斯福路)
＝She **is living** on Roosevelt Road.

The flower **smells** sweet.　(這花有香味)
〔誤〕The flower *is smelling* sweet.

The cake **tastes** nice.　(這餅的味道好)
〔誤〕The cake *is tasting* nice.

I **feel** happy.　(我覺得快樂)
〔誤〕*I am feeling* happy.

【提示】① **feel** (感覺)如用以表示「健康狀態」時，用簡單式或進行式均可。
She **feels** better today.　(今天她覺得好一些)
＝She **is feeling** better today.

② **smeel, taste, feel** 等如作及物動詞，並作「嗅，聞」，「嚐」，「觸，摸」解時，可用進行式。
Mary **is smelling** the flower.　(瑪麗在聞花香)
She **is tasting** the soup.　(她正在嚐湯的味道)
The doctor **is feeling** the boy's arm to see whether the bone is broken.
(醫生正在摸著這孩子的胳臂，看看他的骨頭是否折斷)

(b) I **know** him. (我認識他)〔誤〕I *am knowing* him.
I don't **know** what is happening, and I don't care.
(我不知道正在發生什麼事，而我可也不在乎)

He **understands** French. （他懂得法文）

〔誤〕He *is understanding* French.

I **think** it's going to rain. （我想天要下雨了）

I **think** not.（＝I don't think so.）（我不以爲如此）

【提示】**think** 如用作「思考」或「想念」之意而非表示想法如何時，則可用進行式。

She **thinks**（that）he is a good man.

（她認爲他是個好人）——表想法 〔簡單式〕

What **are** you **thinking** about?

（你在想什麼？）——表思考 〔進行式〕

We **are thinking** of going to Switzerland.

（我們正想到瑞士去）——表示考慮中 〔進行式〕

He **is thinking** of his home.

（他正在想家）——表想念 〔進行式〕

How old do you **suppose** he is? （你猜他幾歲？）

I **suppose** he is about forty. （我想他是四十歲左右）

You are telling the truth, and I **believe** you.

（你在說實話，而我也相信你）

I **doubt** whether he will come. （我懷疑他是否會來）

*Do you **mean**（＝intend）to go? （你想去嗎？）

I **forget** his name. （我忘記他的名字了）

*【提示】He **is forgetting** his Japanese. （他漸漸地忘記日文了）

Dear me, I'**m forgetting** my umbrella!

（＝I almost forgot my umbrella.）

（啊呀，我差一點兒就忘了我的雨傘！）

Do you **remember** that Italian song? （你記得那首意大利歌曲嗎？）

(c) Does he **like** fishing? （他喜歡釣魚嗎？）

〔誤〕*Is* he *liking* fishing?

He **wants** to speak to Mary, but she is walking away.

（他要跟瑪麗說話，可是她正在走開）

I don't **mind** at all. （我一點也不介意）

I **hope** it will be fine tomorrow.

（我希望明天天會晴）

We **expect** to go there in September.

（我們希望在九月間去那裡）

【提示】**hope** 與 **expect** 如用作「期待，等待」等意義時，可用進行式。

We **are hoping** for a good crop this year.
(我們期望著今年豐收)——*crop(收成，收穫)

I **am expecting** your letter.
(我期待著你的來信)

【句型】

	不用進行式的動詞		
I We You He She They	(don't) (doesn't)	**know**(s) **understand**(s) **believe**(s) **remember**(s) **forget**(s) **like**(s) **want**(s)	it. that.
		think(s) **believe**(s) **suppose**(s) **hope**(s)	Tom will win. it is right. so.

—— 習 題 35 ——

(一)*Fill in the blanks with the progressive present tense of the verbs in parentheses:* (用各題括弧內動詞的現在進行式填在空白裡)

1. I __________ (open) the window.
2. We __________ (learn) grammar now.
3. You __________ (make) good progress in your study of English.
4. Mr. White __________ (try) to give up smoking.
5. _____ Mrs. Smith _____ (sit) or _____ (stand)?
6. She _____ not _____ (do) anything.
7. Why _____ John _____ (run)?
8. The dog _____ (lie) on the grass.

9. The boys ______________（swim）in the river.
10. The Browns ______________（leave）Taiwan next Saturday.
11. They ______________（get）old.
12. It ______________（begin）to rain.

(二)*Fill in the blanks with the present tense of "be going to～"*：（用"be going to～"的現在式填在空白裡）

Ex. I <u>am going to tell</u>（tell）you a story.

1. I ______________（visit）my uncle tomorrow.
2. What ______ you ______________（do）?
3. We ______________（go）to the movies tonight.
4. ______ Mary ______________（write）to Betty?
5. He ______ not ______________（buy）it unless it's cheap.
6. It ______________（be）a fine day.
7. Mr. and Mrs. Brown ______________（fly）to Japan.
8. How long ______ they ______________（stay）in Japan?

(三)*Fill in the blanks with the correct form, simple present tense or progressive present tense, of the verbs in parentheses:*（用各題括弧內動詞的正確時式〔簡單現在式或現在進行式〕填在空白裡）

1. The bell ______________（ring）now.
2. The bell ______________（ring）at eight o'clock.
3. Mr. Smith ______________（speak）Chinese very well, but he ______________（speak）English now.
4. We ______________（have）three meals a day.
5. The Whites ______________（have）dinner now.
6. The sun ______________（rise）in the east and ______________（set）in the west.
7. It is a lovely day. The Sun ______________（shine）and the birds ______________（sing）.
8. The sun ______________（set）now.
9. ______ it ______（rain）? Yes, it ______________（rain）very hard. You can't go out yet.
10. It often ______________（rain）here in summerr.

11. ________ you ________ (mind) if I ________ (ask) you a question? That ________ (depend) on the question.
12. What ________ this word ________ (mean)?
13. Their house ________ (stand) on a hill.
14. The land ________ (belong) to Mr. Green.
15. ________ the wine ________ (taste) good?
16. The answer ________ (seem) correct.
17. ________ he ________ (know) them?
18. I ________ (understand) it now.
19. He is busy now. He ________ (write) a letter.
20. John often ________ (write) to Tom.
21. You ________ (write) the exercise in the wrong notebook. What ________ you ________ (think) about?
22. I ________ (think) that I have seen him before but I ________ not ________ (remember) his name.
23. I ________ (look) for my pen but I ________ not ________ (see) it.
24. I ________ (see) that you ________ (wear) your best clothes. ________ you ________ (go) to a party?
25. Mr. Wells ________ (go) to sell his car.
26. They ________ (go) to Hongkong next month.
27. John ________ (go) to school on foot every day.
28. He usually ________ (go) to bed at ten o'clock.
29. I ________ (take) the children to the zoo next Sunday.
30. Peter ________ (come) in a minute.
31. Betty ________ (come) this way.
32. Here ________ (come) the bus!
33. She always ________ (get) on the bus at this stop.
34. You must take more exercise. You ________ (get) fat.
35. Why ________ you ________ (walk) so fast today? You usually ________ (walk) quite slowly.
36. My brother ________ (study) for an examination.

37. The boy never ____________ (study) hard.
38. We ____________ not ____________ (study) on Sunday.
39. Tom ____________ (want) to be a doctor.
40. I ____________ (like) him very much but I ____________ not ____________ (love) him.
41. I ____________ (fear) it is too late to help him.
    I ____________ (feel) sorry for him.
42. Please be quiet; we ____________ (listen) to the radio.
43. Listen, someone ____________ (knock) at the door.
44. Look! The two boys ____________ (fight).
45. Hurry, James ____________ (wait) for us.

(四)*Substitution*：換字（每個空格填一個單字）

1. We are expecting you.
   =We ________ ________ forward ________ your coming.
2. Do you intend to see him?
   =________ you ________ to see him?
3. It is likely to rain. I think it will rain.
   =It ________ ________ to rain.
4. I shall stay in Taipei for three days next week.
   =I am ________ in Taipei for three days next week.
5. He will come home soon.
   =He is ________ home soon.

B.過去進行式（Progressive Past Tense）

was / **were** } ＋～**ing**＝過去進行式

(1) 用以表示於過去某時正在繼續或進行中的動作：

I **was writing** a letter when he *came* in.
（他進來時我正在寫信）

It **was raining** when we *started.*
（我們出發時天正下著雨）

I *saw* Mr. Huang when I **was walking** to school.
（我走路上學時遇見了黃先生）

Where **were** you **living** when the war *broke* out?
（戰爭爆發時你住在那裏？）

We **were living** in Tainan *then.*
（那時我們住在臺南）

He **wasn't teaching** *then.*（那時候他不在教書）

She **was reading** that book *all*（the）*afternoon.*
（整個下午她都在讀那一本書）

He **was sitting** on a chair and **eating** something.
（〔那時〕他正坐在椅子上吃東西）

It **was getting** darker.（〔那時〕天漸漸黑了）

Mary **was cleaning** the windows and Helen **was setting** the table.
（〔那時〕瑪麗在擦窗子而海倫在擺桌子）

While I **was sowing** seeds, he **was digging** up potatoes.
（我在播種時，他在挖馬鈴薯）

Bill *said* that he **was studying** English grammar all day.
（比爾說他整天都在研讀英文法）

*He *said* that he **was** always **forgetting** something.
（他說他經常忘記什麼）

【句型】

過去進行式（**was・were＋～ing**）	簡　單　過　去　式
1. I **was reading** a book	when he *came* in.
2. We **were playing** tennis	when it *began* to rain.
3. The sun **was shining**	when we *went* out.
4. **Was** it **raining**	when they *arrived*?
5. When I **was looking** for the letter,	I *found* this card.
6. While he **was sleeping,**	someone *stole* his money.
7. As he **was leaving** the office,	the telephone *rang.*

簡　單　過　去　式	過去進去式（**was・were＋～ing**）
1. When he *came* in,	I **was writing** a letter.
2. When the bell *rang,*	she **was playing** the piano.

3. When she *returned,*	they **were listening** to the radio.
4. I *met* a friend	when I **was walking** to school.
5. I *saw* John	when he **was crossing** the street.
6. *Did* you *see* Tom	while you **were staying** there?
7. He *hurt* himself	while he **was playing** football.

過去進行式	過去進行式
1. Some **were reading**	and some **were writing.**
2. John **was studying**	while you **were playing.**
3. While she **was cooking,**	he **was cutting** the grass.

(2) 用以表示過去某時的意圖、計劃、或即將發生的事：

He **was going** out when I *arrived.*
（我到達時，他正要出去）

She *said* that she **was leaving** the next day.
（她說她第二天要離開）

Tom *told* me that they **were coming** before long.
（湯姆告訴我說，他們不久會來）

The old man **was dying.**
（〔那時〕這老人快要死了）

【句型】

簡單過去式	過去進行式
1. He *said*	(that) he **was going** to Taipei.
2. I *asked* him	when he **was leaving** here.
3. Mary *told* me	(that) they **were coming** soon.

C.未來進行式(Progressive Future Tense)

shall / will } **be**＋～**ing**＝未來進行式

用以表示於未來某時將在進行的動作：

I shall be playing tennis *all* (the) *afternoon.*
(我將整個下午都在打網球)

I'll be seeing you *tomorrow morning.*
(我將在明天早晨見你)

Don't be late.　We **shall be having** supper at 7:30.
(請不要遲到。七點半時我們就在吃晚餐了)

He **will be travel(l)ing** on the train *at this time tomorrow.*
(明天這個時候，他就坐著火車在旅行了)

They **will be waiting** at the station.
(他們將在車站等著)

Will he **be going** to the party?　(他將參加宴會嗎？)

When **will** you **be coming** again?　(你什麼時候會再來？)

I hope it **won't be raining** when we *get* there.
(我希望我們到達那裏時天將不再下雨)

The weather **will be getting** better *by then.*
(到那時天氣將變得好些了)

【句型】

shall / will } **be**	～**ing**	
I **shall be**	**going**	to town tomorrow.
We **shall be**	**staying**	in Taipei for a week.
I'll be	**seeing**	you later.
He **will be**	**waiting**	there.
He'll be	**coming**	soon.
They **will be**	**playing**	basketball after school.
They'll be	**leaving**	before long.

Shall / Will } ＋主詞＋**be**	～**ing**	＋？
	coming	tomorrow?

Will { you / he / they } **be**	**going**	away?	
	meeting	Miss C tonight?	
	visiting	her?	
	having	dinner at home?	
	staying	here long?	

——習 題 36——

(一)*Change the verbs into* ① *the progressive past tense and* ② *the progressive future tense*:(試將各種動詞改為①過去進行式和②未來進行式)

1. I am working in an office.
2. We are eating our lunch.
3. He is waiting for you.
4. The wind is not blowing.
5. Are they coming to Taipei?

(二)*Change the verbs into the progressive past tense:*
(試將各動詞改為過去進行式)

1. I studied English grammar.
2. We played tennis.
3. You sat behind him.
4. She made a dress.
5. They went to the movies.
6. The soldier died.
7. The sun shone.
8. The flowers opened.
9. What did you do yesterday afternoon?
10. Did John shut the door then?

(三)*Fill in the blanks with the correct form, simple past tense or progressive past tense, of the verbs in parentheses*:(用各題括弧內動詞的正確時式〔簡單過去式或過去進行式〕填在空白裏)

1. I ____________ (sleep) well last night.
2. I ____________ (sleep) when you telephoned last night.
3. It ____________ (rain) hard when I ____________ (get) up this morning.

4. It ____________ (rain) hard yesterday.
5. It ____________ (be) a fine day. The sun ____________ (shine) brightly.
6. I ____________ (come) to work by bus this morning.
7. While I ____________ (come) to work this morning, I ____________ (meet) an old friend.
8. When the teacher ____________ (come) in, the boys ____________ (play).
9. Tom ____________ (study) very hard last year.
10. Tom ____________ (study) last night when John ____________ (call).
11. My father ____________ (study) English for several years.
12. I ____________ (read) three books last week.
13. I ____________ (read) the newspaper when he ____________ (arrive).
14. She ____________ (read) while I ____________ (write).
15. I ____________ not ____________ (know) that you ____________ still ____________ (read) it.
16. They ____________ (have) dinner when I ____________ (go) to see them.
17. Bob ____________ (have) milk and eggs for breakfast.
18. He ____________ (have) a bath when the bell ____________ (ring).
19. I ____________ (be) sorry that I ____________ (have) to leave the party early, because I ____________ (enjoy) myself.
20. ______ the book still ______ (lie) on the table when you ____________ (leave) the room?
21. What ______ you ______ (think) of it ? I ____________ (like) it very much.
22. What ______ you ______ (do) yesterday at 7:30 p.m.?
23. When I ____________ (listen) to the radio last night, I ____________ (hear) a loud noise.
24. I ____________ (see) Mary when I ____________ (walk) along Lincoln Street.
25. She ____________ (wear) a blue dress and ____________ (look) very pretty.

26. As they ____________ (know) that the police ____________ (look) for them, they __________ (hide) the money in the ground and ______________ (run) away.
27. She ______________ (fall) down and ______________ (hurt) herself while she ______________ (run).
28. She ______________ (cut) her finger while she ______________ (cut) the bread.
29. We ______________ (live) in Japan when the war ________________ (begin).
30. We ______________ (drink) coffee every day when we ______________ (be) in the United States.

(四) *Fill in the blanks with the progressive future tense of the verbs in parentheses*：(用括弧內動詞的未來進行式填在空白裏)

1. Mr. Brown ______________ (leave) in a few days.
2. How long ______________ he ______________ (stay) there?
3. ______________ you ______________ (go) to the party?
4. We ______________ (have) dinner in half an hour.
5. When ______________ we ______________ (see) you again?
6. John ______________ (travel) all night.
7. I hope it ______________ not ______________ (rain) when you arrive there.
8. Tomorrow morning I ______________ (enjoy) the sunshine of Kaohsiung.
9. I wonder what the Greens ____________ (do) at this time tomorrow.
10. Mr. and Mrs. Green ______________ (listen) to the radio and their children ______________ (watch) the television.

(五) *Translation*：翻譯(每個空格填一個單字)

1. 他們正在河裏游泳時，天開始下雨了。

   They ______ ______ in the river when it ______ to rain.

2. 電話響的時候，她正做什麼？

   What ______ ______ ______ when the telephone ______?

3. 我問他要去那裏，可是他沒有回答。

I asked him where ______ ______ ______, but he ______ not ______.

4. 你到達臺北時，我們將在機場等著。

We ______ ______ ______ at the airport when you ______in Taipei.

5. 當他在紐約期間，他將訪問威爾遜一家嗎？

______he ______ (*v*)______ the Wilsons while he ______ in New York?

D.現在完成進行式

(Progressive Present Perfect Tense)

have } been＋～ing＝現在完成進行式 has }

用以表示**從過去一直繼續到現在**，而**仍繼續進行或剛剛完成**的動作：

I **have been reading** this book *for two days* (and I am still reading it now).

(這本書我已讀了兩天了)〔現在仍繼續在讀〕

We **have been living** here *for ten years* (and we are still living here).

(我們已在這裏住了十年了)〔現在仍繼續住在這裏〕

How long **have** you **been studying** English?

(你已學了多久的英文了？)

I've been studying it *for three years.* (＝I've studied it for three years and I'm still studying it now.)

(我學它已學了三年了)〔現在仍繼續在學〕

Mr. Lin **has been teaching** in this school *since* 1950 (and he is still teaching now).

(林先生自一九五〇年起就在本校教書了)〔現在仍繼續在教〕

It **has been raining** *since three days ago* (and is still raining now).

(從三天前起天一直下著雨)〔現在仍繼續在下〕

What **has** she **been doing**? （她一直在做什麼？）

She **has been writing** letters *all* (the) *morning*.
（她整個上午都在寫信）

He is very tired because he **has been swimming** *for an hour*.
（他很疲倦，因爲他已游泳了一小時了）

Have they **been waiting** for me *long*?
（他們已等了我很久了嗎？）

They **have been waiting** here *since two o'clock*.
（從兩點鐘起他們就一直在這裏等著）

【句型】

have・has＋been	**～ing**
I **have** 〔I've〕 / We **have** 〔We've〕 / You **have** 〔You've〕 / He **has** 〔He's〕 / She **has** 〔She's〕 / They **have** / They've } **been**	**reading** *all day*. / **writing** letters *all morning*. / **studying** grammar *for a year*. / **learning** English *for* 3 *years*. / **teaching** history *for ten years*. / **living** here *since* 1955. / **staying** there *for six months*. / **waiting** for Mary *since two o'clock*. / **playing** baseball *for two hours*. / **listening** to the radio.
It **has been**	**raining** *for two days*. / **snowing** *since yesterday*.

have・has＋主詞＋been	**～ing**
Have { you / they } **Has** { he / she } **been**	{ **studying** English / **waiting** for me / **living** here / **working** there } long?
What { **have** you / **has** he } **been**	**doing**?

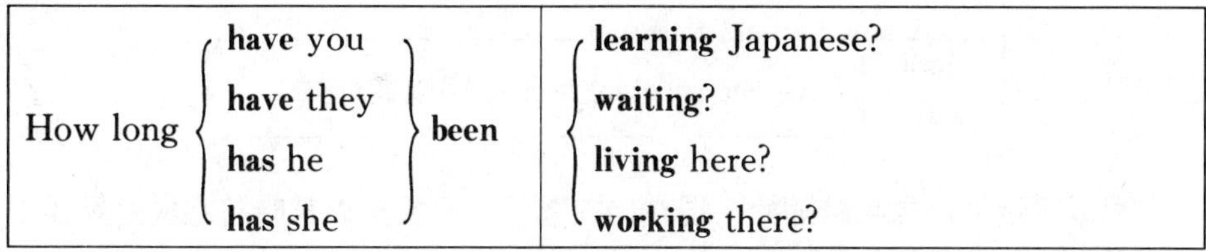

How long	**have** you **have** they **has** he **has** she	**been**	**learning** Japanese? **waiting**? **living** here? **working** there?

E.過去完成進行式

(Progressive Past Perfect Tense)

had been＋～ing＝過去完成進行式

用以表示**一直繼續到過去某時，而當時仍在繼續進行或剛完成的動作**：

I **had been studying** English for three years before I *came* to this school (and was still studying then).

(來本校之前，我已學過三年的英語了)〔並且那時仍在繼續學習〕

He *told* us that he **had been living** there since 1955 (and was still living there then).

(他告訴我們，他從一九五五年起就一直住在那裏)

We **had been waiting** (for) about an hour when he *arrived*.

(他到達時，我們已等了將近一小時了)

【句型】

had been		**～ing**	
I We You He She They	**had been** 〔'd been〕	**studying** English **teaching** French **playing** tennis **working** here **living** there **staying** in Taipei **waiting** for John	for many years. for a long time. all afternoon. for two years. since 1960. since last week. for half an hour.

F. 未來完成進行式

(Progressive Future Perfect Tense)

shall will } have been＋～ing＝未來完成進行式

用以表示從過去某時開始，現在仍在進行，而於未來某時將完成的動作：

By June, we **shall have been learning** English for three years.

（到六月，我們將已學了三年的英語了）

If it rains again tomorrow, it **will have been raining** for a week.

（假如明天再下雨，就已經下了一星期的雨了）

*【提示】未來完成進行式亦可用以表示對過去可能已繼續了一段期間的動作的推測或假定。

Hallo, I'm sorry to be late. You **will have been waiting** for some time.（＝I suppose you have been waiting for some time.）

（哈囉，對不起，我來遲了。你已等了一些時候了吧？）

── 習 題 37 ──

㈠*Fill in the blanks with the progressive present perfect tense of the verbs in parentheses*：（用各題括弧內動詞的現在完成進行式填在空白裏）

1. I ______________ (listen) to the radio.

2. We ______________ (use) this machine for twelve years.

3. He ______________ (sit) in the garden for an hour.

4. She ______________ (play) the paino all afternoon.

5. Mrs. Smith______________ (rest) in bed all day.

6. They ______________ (look) for him everywhere.

7. What ______________ you ______________ (make)?

8. How long ______________ he ______________ (work) there?

㈡*Fill in the blanks with the present perfect form or progressive present perfect of the verbs in parentheses*：

（用現在完成式或現在完成進行式填在空白裏）

1. Where ______________ you ______________ (be) and what ______________ you ______________ (do)?
2. I am cold because I ______________ (swim) since two o'clock.
3. I ______________ not ______________ (see) you for a long time.
4. I ______________ (wait) for her since seven o'clock, and she ______________ not ______________ (come) yet.
5. Mary ______________ (write) a letter for an hour, but she ______________ not ______________ (finish) it yet.
6. We ______________ (know) him more than twenty years.
7. My brother ______________ (try) to go abroad for years, but he ______________ not ______________ (succeed) yet.
8. That book ______________ (lie) on the table for weeks. ______________ n't you ______________ (read) it yet?

㈢*Put the following sentences in ① the progressive past perfect tense and ② the progressive future perfect tense by changing the verbs and adding the words indicated*：(藉改換動詞並加括弧內的單字，將下列各句改為　①過去完成進行式　②未來完成進行式)

1. I have been reading it for three day. (①by then ② by tomorrow morning)
2. You have been learning English for three years. (①by July ②by next month)
3. He has been teaching for fifteen years. (①then ②by next year)
4. How long has she been staying here? (①by the end of last month ②by the end of this month)

㈣*Fill in the blanks with the correct progressive perfect form* ：(用正確的完成進行式填在空白裏)

1. How long ______________ you ______________ (study) English?
2. I ______________ (study) English for three years when I came to this school.
3. I ______________ (study) Japanese for two months by next week.
4. It ______________ (rain) since yesterday.
5. If it rains again tomorrow, it ______________ (rain) for a week.
6. By next month, the Wang family ______________ (live) in Japan for a year.
7. They ______________ (live) in Germany for six years when the war began.
8. I ______________ (live) here since I was born.
9. I asked him what he ______________ (do).
10. We were very tired because we ______________ (run) for half an hour.

㈤*Choose the correct words*：(選擇正確的字)

1. I (have, had, shall have) been reading this book since I had supper.
2. John told me that he (has, had, will have) been playing football all afternoon.
3. It (was, has been, had been) snowing (for, from, since) last night.
4. He has been (work, worked, working) there (for, from, since) April.
5. Betty has not (buy, bought, been buying) a new hat (for, from, since) a long time.

第三節　應注意的動詞用法

㈠幾個常用動詞的用法

(1)Have

have　有，取，吃，喝，過，經歷，作，患，使，必須

(a) I **have** a book in my hand. （我手裏有一本書）

He **hasn't** a car. （他沒有汽車）

(=He *hasn't got* a car.) 〔英國口語〕

(=He *doesn't have* a car.) 〔美國口語〕

How much money **have** you? （你有多少錢？）

(=How much money *have* you *got*?) 〔英國口語〕

(=How much money *do* you *have*?) 〔美國口語〕

I **hadn't** time to visit him yesterday.

(=I *hadn't got* time to ……) 〔英國口語〕

(=I *didn't have* time to ……) 〔美國口語〕

（昨天我沒有時間去拜訪他）

(b) May I **have** (=take) this? （我可以拿這個嗎？）

What do you **have** (=eat) for breakfast?

（你早餐吃些什麼呢？）

Please **have** (=drink) tea. （請喝茶）

Did you **have** a good time? （你過得愉快嗎？）

(=Did you enjoy yourself?)

Let me **have** a look at that book.

（請讓我看一看那本書）

I'll **have** (=take) a bath. （我要洗澡）

I **had** (=took) a walk after supper.

（晚飯後我作了一次散步）

He **has** a cold. （他受涼了）

(c)①

have(使)+受詞〔人〕+原式

Have him *open* the door. （叫他開門）

He **had** me *do* that. （他叫我做那個）

②

have(使)+受詞〔物・(人)〕+過去分詞(被～)

I must **have** (=get) my shoes *repaired.*

（我必須叫人修理我的鞋子）

Where did you **have** (=get) your hair *cut*?

（你在那裏理的髮？）

③ **have**（把）＋受詞（物）＋過去分詞（給～）

He **had** his leg *broken.* （他把他的腿給弄斷了）
She **had** her money *stolen.* （她把她的錢讓別人偷了）
【提示】作「取」，「吃」，「喝」，「過」，「作」，「使」用的 **have** 須加 **do, does, did** 以形成疑問句和否定句。

(d) **have to**（＝must） 必須，不得不

You **have to**（＝must）*do* it. （你必須做它）〔現在式〕
Do you **have to**（＝Must you）*go* there every day?
（你必須天天去那裏嗎？）〔疑問句〕
You don't **have to**（＝needn't）*do* that.
（你不必做那個）〔否定句〕
You will **have to** *do* it. （你將不得不做它） 〔未來式〕
He **had to** *work* hard. （他不得不努力工作） 〔過去式〕

【提示】① 在美國"**have to** ～"的疑問句與否定句均須加 **do, does, did**。
*② 在美國，臨時性義務的疑問與否定，有時亦用"**Have you**（got）**to**～?""**You haven't**（got）**to** ～"的形式，但例行的或習慣性的義務，則仍須加**do, does, did**。
Has he（got）**to** *go* now? 〔英式〕
＝**Does** he **have to** *go* now? 〔美式〕
（他必須現在就去嗎？）——〔臨時性義務〕
You **haven't to** *go* there today, have you? 〔英〕
＝You **don't have to** *go* there today, do you? 〔美〕
（今天你不必去那裏吧？）——〔臨時性義務〕
Do they **have to** *work* on Saturdays? 〔英・美〕
（星期六他們必須工作嗎？）——〔例行的義務〕

◆ have 的成語 ◆

have a baby 有孩子，生孩子
Mrs. White is going to **have a baby.**
（懷特夫人要生孩子了）
have～on 穿（衣），戴（帽）
Mary **has** a new hat **on.** （瑪麗戴著一頂新帽子）
（＝Mary is wearing a new hat.）

***have to do with** 與～有關

This **has** nothing **to do with** you. （這與你無關）

(2) Get

get 得到，收到，取來，買，到達，得(病)，被，變成，使

(a) He **got** some money. （他得到一些錢）

I **got**（＝received）a letter from him. （我收到他的來信）

Get（＝fetch）me the book, please. （請把那本書拿給我）

When did you **get**（＝buy）that hat?

（你什麼時候買了那頂帽子？）

The train **gets** to（＝arrives at）Kaohsiung at 5:45.

（這一班火車於五點四十五分到達高雄）

Mr. Lin **got** home at a quarter to six.

（林先生六點差一刻到家）

Mary **got** sick, but she **has got well.**

（瑪麗得了病，但已好了）

He **got** hurt〔killed〕. （他受了傷〔被殺了〕）

He **is getting**（＝is growing）old. （他漸漸地老了）

It **is getting** warmer. （天氣漸漸熱了）

You will **get**（＝become）used to it soon.

（你不久會變得習慣了）

(b)① **get**(使)＋受詞〔人〕＋不定詞(to～)

I'll **get** him *to do* it. （我將叫他做那個）

（＝I'll *have* him *do* it. I'll *make* him *do* it.）

② **get**(使)＋受詞〔事物〕＋過去分詞(被～)

He **got**（＝had）it *done*. （他已叫人把它做好了）

I must **get**（＝have）my hair *cut*.

（我必須〔叫人〕把我的頭髮剪一剪）

(c)在英國，於口語中 **have got** 可用以代替 **have**（有）：

What **have** you **got** there? （你那裏有什麼？）

（＝What *do* you *have* there?）〔美式〕

Have you **got** to go now? （你必須現在就去嗎？）
（＝*Do* you *have* to go now?）〔美式〕

◇ get的成語 ◇

get along 過活，進展，相處

How are you **getting along**? （你〔們〕好嗎？）

（＝How are you? How are things with you?）

I can't **get along** with him. （我無法跟他相處）

get away（＝leave, escape） 離開，逃脫

One of the prisoners **got away**（＝escaped）.

（有一個犯人逃走了）

get back（＝return） 回來，取回

When did you **get back**? （你什麼時候回來的？）

I lent him two books, and can't **get** them **back**.

（我借給他兩本書而無法討回）

get down 下來

He climbed up the ladder, but soon **got down.**

（他爬上了梯子，但很快就下來了）

***get in** 進入，進站

He stopped the car and invited his friend to **get in.**

（他停車請他的朋友上車）

This train is supposed to **get in** at 5:30.

（這一班火車應在五點半進站）

get into 進入，陷入

Don't **get into** the habit of smoking.

（不要養成抽煙的習慣）

He has **got into** trouble. （他已陷入困境）

get off〔the bus, the train〕 下車

get on〔the bus, the train〕 上車

Get on a（No.）12 bus and **get off** at the third stop.

（乘十二路車在第三站下車）

get on one's nerves 令人不安，使人心煩

get out（of）（＝leave） 出去，離開

Get out（of here）! （出去！）

get over（＝recover from） 克服，痊癒

He **got over** his illness (＝became well again).
(他的病好了)

***get through**　完成，及格

When I **get through** my work, I'll call you up.
(做完工作我就打電話給你)

Did you **get through** the exam?　(你考試及格了沒有？)

***get together**　聚首

They **get together** at least once a year.
(他們至少每年聚首一次)

get up　起床

John **got up** at six o'clock this morning.
(約翰今天早晨六點鐘起床)

(3) Make

make　做，製造，成爲，使

(a) She **makes** good cakes.　(她會做好餅)
He will **make** me a box.　(他將做一個箱子給我)
(＝He will make a box for me.)
Mary **made** herself a new dress.
(＝Mary made a new dress for herself.)
(瑪麗給自己做了一套新衣服)
A desk *is* **made** *of* wood.　(桌子是木頭做的)〔被動〕
(＝We **made** a desk *out of* wood.)〔主動〕
Butter *is* **made** *from* milk.　(奶油是用牛奶製成的)〔被動〕
(＝We **make** butter *from* milk.)〔主動〕
We **make** flour *into* many things.
(我們把麵粉做成許多東西)
I **made** a box with paper board.
(我用紙板做一個箱子)
Two and three **make**(s) five.　(二加三等於五)
*She will **make** a good wife.　(她將成爲一個好妻子)

(b)

make (使)＋受詞＋名詞或形容詞

His parents **made** him *a doctor.*
(他的父母使他成爲一個醫生)

He **made** them *happy*. （他使他們快樂）

(c) **make**(使)＋受詞＋原式

John **makes** me *laugh*. （約翰使我發笑）
He **made**（＝had）us *work* hard. （他叫我們用功）
（＝We *were* **made** *to work* hard〔by him〕.）〔被動態＋不定詞〕

◇ make 的成語 ◇

make a mistake 犯錯　　**make a speech** 發表演說
make it a rule to～ 使～成爲慣例
　I **make it a rule** to get up at six.
　　（我自定經常於六時起床）
make oneself at home 像在自己家裏一樣，不必拘束，別客氣
　Please **make yourself at home.** （請不要客氣）
make faces 扮鬼臉
　He **made faces** at me. （他對我扮鬼臉）
make friends with 與～爲友
　I **made friends with** him. （我跟他做朋友）
make fun of 跟～開玩笑
　They **made fun of** him. （他們跟他開玩笑）
make haste（＝hurry） 趕快
make money 賺錢
　He has **made** a lot of **money.** （他賺了很多錢）
make out（＝understand） 了解
　I can't **make out** what he's trying to say.
　　（我無法了解他想說什麼）
make sure（*or* certain） 務必，查明，獲得證實
　Make sure that the doors are locked before you go to bed.
　　（睡覺以前一定要把門鎖好）
　I want to **make sure** of it. （我想查明這件事）
***make up for** 補救，補償，彌補
　We must **make up for** lost time.
　　（我們必須彌補失去的時間）
make up one's mind 決心，決定

I have **made up my mind** to study hard.
(我決心要用功)

(4) Do

do 做，完畢，適合，可用，進展，過活，照應

(a) I don't know who **did** it. (我不知道誰做的)
Have you **done** (=finished) yet? (你做完了沒有？)
Will this book **do** (=be good enough)? (這本書可以嗎？)
How is he **doing** (=getting on)? (他如何過活？)
How do you **do?** (你好嗎？)〔初次見面時用〕
(助動詞用法的 do 見第 416 頁)

*(b) She is **doing** (=brushing) her hair. (她在梳頭)
Will you **do** (clean, peel) the potatoes?
(請你弄〔洗，削皮〕馬鈴薯好嗎？)
He **does** (=works in) the garden every Saturday.
(他每星期六整理花園)
do the dishes　洗碗碟　　**do** the windows　擦窗
do the homework　做課外作業

◇ do的成語 ◇

do one a favor　施惠於(某人)
Will you **do me a favor**? (請你幫我一點忙好嗎？)
(=May I ask a favor of you?)
***do away with**　廢除
do one's best　盡力而爲，盡最大努力
I'll **do my best.** (我當盡力而爲)
do (a person) **good**　對(人)有益，有效
It will **do you good.** (它將對你有益)
do (a person) **harm**　對(人)有害
It won't **do anyone** much **harm.**
(它對任何人都不會有多大害處)
***do without** ～　無需，沒有～而過活
We can't **do without** water. (我們不能沒有水而過活)

(5) Take

take 拿，握，接受，吃，喝，乘，花費，需要，引導，帶，以為，作，拍照，訂(報)，採用，選擇，佔有，佔領

Who has **taken** my pen? (誰拿了我的鋼筆?)
He **took** (=held) the boy's hand. (他握住這個男孩的手)
(=He took the boy by the hand.)
I **take** (=accept) your advice. (我接受你的勸告)
I **take** (=eat) breakfast at seven. (我在七點鐘吃早餐)
Will you **take** (=drink) tea or coffee?
(你要喝茶還是咖啡?)
I'll **take** a bus. (我將乘公共汽車)
It **took** me two hours to finsih the work.
(我費了兩個小時完成這項工作)
He **took** John upstairs. (他帶約翰到樓上)
We **took** him to be a foreigner. (我們以為他是外國人)
I **took** (=had) a pleasant walk. (我作了一次愉快的散步)
*He's going to **take** (in) a newspaper (他打算訂一份報)
I **took** a picture of her. (我拍了一張她的照片)
I had my picture **taken.** (我叫人拍了我的照片)
*Please **take** a seat. (請坐下)

◇ take 的成語 ◇

take after 像(父母等)
Tom **takes after** his father. (湯姆像他的父親)
take away 拿走，帶走
Please **take** this dog **away.** (請把這條狗帶走)
take care of (=look after) 照顧
She **takes care of** the five children.
(她照顧這五個小孩)
take cold (=catch cold) 傷風，感冒
I have **taken cold.** (=I have *a* cold.) (我感冒了)
***take down** 記下，寫下，吞下，拿下
***take it** 〔*or* things〕 **easy** 輕鬆一點，不要緊張

take (A) **for** (B)　誤認 A 爲 B，把 A 當作 B

He **took** me **for** John.（他誤認我是約翰）

What do you **take** me **for**?（你把我當作什麼？）

take off　脫(衣帽)，起飛

He **took off** his hat when he entered the house and put it on again when he went out.

（他進屋時脫了帽子而出去時又戴上了它）

She arrived a minute or two before the airplane **took off.**

（她在飛機起飛前兩分鐘到達）

take out　取出

He **took out** a handkerchief and wiped his face.

（他拿出手帕擦他的臉）

***take over**　接管，接收

take part in　參加

I'll **take part in** the game.（我將參加比賽）

take place　擧行，發生

When will the party **take place**?（宴會什麼時候擧行？）

***take one's time**　不慌不忙地做，慢慢做

Take your time and eat slowly.（不要慌，慢慢吃）

***take a turn**　轉一轉，散步，有轉變，轉向

***I took a turn** in the garden.（我在花園裏散步）

***take a** new〔good〕**turn**　有新的轉變〔好轉〕

Take the first **turn** to the right.（在第一轉彎處向右轉）

take turns　輪流

We **took turns** (at) driving the car.（我們輪流開車）

(＝We drove the car by turns.)

***take up**　佔(時，地)

It **takes up** too much time.（它佔的時間太多）

(6) Keep

keep　保留，保存，保持，保守，遵守，經營，飼養，養活

(You may) **keep** the change.

(〔你可以〕不必找錢了)〔你可以把找的錢保留〕

Do you **keep** your money in the bank or at home?
（你把你的錢存在銀行還是放在家裏？）
Please **keep** this seat for me. （請給我留下這個座位）
Meat doesn't **keep** in hot weather. （熱天肉類不易保存）
My watch **keeps** good time. （我的錶走得準確）
You should always **keep** your promise〔*or* word〕.
（你必須經常遵守諾言）
My brother **keeps** a store in Taipei.
（我哥哥在臺北經營一家商店）
They **keep** a dog. （他們養一條狗）
Keep off the grass. （不要踐踏草地）〔保持離開草地〕
Keep away from the fire. （不要靠近火）
Keep to the right〔left〕. （靠右邊〔左邊〕走）

keep（＋受詞）＋形容詞

Keep *quiet*! （保持肅靜！）
He **kept** *silent.* （他保持沉默）
She always **keeps** the room *clean.*
（她經常保持室內清潔）

keep（保持，繼續）（＋受詞）＋～ing

Keep *smiling*! （保持著微笑）
Keep the fire *burning.* （使火繼續燃燒）
He **keeps** *asking* me for money. （他繼續向我要錢）
I am sorry to have **kept** you *waiting.*
（對不起，我讓你久等了）

◆ keep的成語 ◆

keep on ～ing 繼續～
The leaves **kept on** *falling.* （樹葉不斷地落下）
Will it **keep on** *raining* all the morning?
（整個上午雨會下個不停嗎？）
keep……from～ing 使……不能～，阻止，防止，忍住
That noise **kept** me **from** *sleeping.*
（那噪音使我不能入睡）

***keep in mind** 記住
***keep in touch with～** 與～保持聯繫
***keep up with～** 跟上，保持與～同樣速度

(7) Leave

leave 留置，遺忘在，剩餘，遺留，聽任，離開，啓程

I **left** the book on the table.
(我把書留〔或遺忘〕在桌子上了)
Have you **left** anything for me to eat?
(你有沒有給我留下什麼吃的東西？)
Four from ten **leaves** six. (十減四剩六)
He **left** a wife and two children. (他遺下一妻二子)
Leave the window open. (讓窗子開著吧)
When do you **leave** (＝go away from) Taipei?
(你什麼時候要離開臺北？)
We're **leaving** for Japan next week.
(下星期我們將啓程前往日本)
The children **leave** school at four o'clock.
(孩子們在四點鐘離開學校)
I **left** school two years ago.
(我兩年前離開了學校〔畢業了〕)

◇ leave 的成語 ◇

leave home 從家裏出發，離家
I **leave home** at seven every morning.
(我每天早上七點鐘由家裏出發)
He **left home** and went abroad.
(他離家去海外了)
***leave college** 大學畢業
He **left college** in 1960. (他於一九六〇年大學畢業)

(二)動詞的成語

(1)come＋副詞〔或介系詞〕

***come about**	發生	**come across**〔介詞〕	遇到，碰見
come along	跟著來，趕快	**come back**	回來
come down	下來，降低，傳下	**come downstairs**	下樓
come home	回家	**come in**	進來
come on	來吧！	**come out**	出來，出刊
***come round**	來訪	**come true**	實現，成爲事實

(2)go＋副詞

go about	四處走動	**go abroad**	出國
go ahead	開始做，做下去	**go away**	走開，離去
go back	回去	***go bad**	變壞
go down	下去，下降	**go on**	繼續下去
go out	出去，熄滅	**go up**	上升
go upstairs	上樓		

(3)run ＋副詞〔或介系詞〕

run across〔介詞〕	遇到，碰見	**run after**〔介詞〕	追
run away	逃走	***run into**〔介詞〕	撞
***run out (of)**	用盡	**run over**〔介詞〕	輾過

(4)動詞＋after

look after	照顧	**run after**	追趕
take after	像(父母等)		

(5)動詞＋away

***do away with**	廢除	**go away**	走開，離去
***pass away**	逝世	**run away**	逃走
take away	取去		

(6)動詞＋back

come back	回來	**go back**	回去
get back	回來，取回	**give back**	歸還

(7)動詞＋down

break down	損壞	***cut down**	砍倒，使減少
come down	下來，降低，傳下	**go down**	下去，下降
sit down	坐下	***take down**	記下，吞下

(8)動詞＋off

*call off	取消	*cut off	切去，截斷
get off	下車	keep off	不靠近
*put off	延期	set off	出發
take off	脫去，起飛	turn off	關(水電，收音機等)

(9)動詞＋on

call on	拜訪(人)	come on	來吧！
get on	上車	go on	繼續下去
put on	穿上，載上，開燈	turn on	開(水電，收音機等)

(10)動詞＋out

*break out	發生(戰爭，火警等)	carry out	實行，實現
find out	找出	get out	出去
go out	出去，熄滅	look out	當心，注意
make out	了解	pick out	挑選
point out	指出	*put out	伸出，使熄滅
*run out	用盡	set out	出發
take out	拿出	turn out	結果，竟是，判明爲
watch out	當心，注意	wear out	穿壞，精疲力竭

(11)動詞＋over

get over	克服，痊癒	run over	輾過
*take over	接管	talk over	討論
*turn over	翻，翻開		

(12)動詞＋up

bring up	養育	call up	打電話
*catch up with	趕上	clear up	轉晴
come up	前來	*cut up	切碎
get up	起床	give up	放棄，停止
grow up	長大	*keep up with	跟上
look up	尋找(物)	pick up	拾起
*put up	供膳宿	*put up with	忍耐
sit up	坐著不睡	stand up	起立
*take up	佔(時，地)		

——習 題 38——

(一)*Choose the right word:*（選擇對的字）

1. He has (had, done, made) a big mistake.
2. Have you (done, made, written) your homework?
3. He (did, had, made) a good speech yesterday.
4. I think the train leaves at nine, but you had better (do, get, make) certain.
5. Will you (do, help, make) me a favor?
6. It won't (do, give, make) you any harm.
7. I have (cold, a cold, the cold) today.
8. I had a tooth (pull, to pull, pulled) out yesterday.
9. He had John (take, takes, taken) it.
10. He will (have, has, had) to go.
11. I got him (do, to do, done) it.
12. I must get my bicycle (repair, to repair, repaired).
13. They made me (study, to study, studied) hard.
14. Can you make this old car (start, starts, to start)?
15. This box is made (of, out of, from) paper.
16. It kept (on, to, from) raining all day.
17. He left (to, for, away) the United States last Sunday.
18. They went (upstair, upstairs, the upstairs).

(二)*Vocabulary in context:* 文意語彙（在各題中選擇正確的解釋，把它的號碼填在題前括弧內）

(　)1. Do you <u>*have*</u> to make it every day?
①有　②必須　③使

(　)2. What time do you <u>*have*</u> supper?
①get　②eat　③drink

(　)3. I'll <u>*have*</u> him do it.
①get　②make　③take

(　)4. He <u>*had*</u> his arm broken.
①不得不　②使　③把

(　)5. Tom <u>*got*</u> a letter yesterday.
①reached　②received　③bought

(　)6. You must <u>*get*</u> your hair cut.
①take　②make　③have

(　)7. We *got* there at 3:30 p.m.
　①獲得　②收到　③到達

(　)8. I *got* used to it soon.
　①變得　②得到　③到達

(　)9. The news *made* them happy.
　①造成　②使　③成爲

(　)10. He *took* us to the zoo.
　①抓　②帶　③採用

(　)11. I *took* him for his brother.
　①帶　②需要　③誤認爲

(　)12. He *takes* a cup of milk every morning.
　①eats　②drinks　③spends

(　)13. I usually *take* a walk after supper.
　①get　②have　③make

(　)14. The policeman *took* him by the hand.
　①捕　②帶　③握住

(　)15. It *took* two days to finish the work.
　①had　②got　③needed

(　)16. That will *do*.
　①做　②有益　③可以

(　)17. *Leave* it there.
　①留置　②遺忘　③離開

(　)18. Did you *have a good time*?
　①過得快樂　②有足夠的時間　③把握良機

(　)19. Have you *got over* your cold?
　①超越　②痊癒　③驅除

(　)20. Helen *takes after* her grandmother.
　①照顧　②懷念　③像

(　)21. He likes to *take pictures*.
　①集畫　②拍照　③當明星

(　)22. I saw a jet plane *take off*.
　①離開　②起飛　③脫去

(　)23. He and I *took turns* driving the car.
　①輪流　②轉彎　③兜風

(　)24. He has *made up his mind* to work hard.
　①planned　②tried　③decided

( )25. The two children are *making faces* at each other.
①化粧 ②扮鬼臉 ③生氣

( )26. He always *keeps his word.*
①不苟言笑 ②保持沉默 ③守信

( )27. She couldn't *keep from* crying.
①保持 ②防止 ③忍住

( )28. I'll *carry out* my plan.
①放棄 ②實行 ③帶走

( )29. I *called up* Bob and asked if he had any news.
①visited ②invited ③telephoned

( )30. I must call at the library to *give* this book *back*.
①歸還 ②取回 ③調換

( )31. Please *go on* playing.
①上去 ②參加 ③繼續

( )32. The light *went out* and we were left in the dark.
①出去 ②用完 ③熄滅

( )33. *Look out*! There's a car coming.
①注意 ②看外面 ③停

( )34. I'm going to *look up* this word in the dictionary.
①查 ②檢查 ③研究

( )35. *Pick out* the one you like best.
①摘下 ②拾起 ③挑選

( )36. I had to *put up with* a lot of noise when the children were at home.
①供膳宿 ②忍耐 ③提高

( )37. He was *run over* by a car.
①撞 ②超車 ③輾過

( )38. She *sat up* all night with her sick child.
①看護 ②不睡 ③睡不著

( )39. The man *turned out* to be a thief.
①變爲 ②竟是 ③被逐出

( )40. He was *worn out* with too much work.
①穿出去 ②穿壞 ③精疲力竭

㈢ *Translation:* 翻譯（每個空格限填一字）

1. 我的錶走得準確。

My watch ______ good time.

2. 乘公共汽車到那裏需時多久？

How long does it ______ to ______ there by bus?

3. 我不知道在那裏下車。

I don't know where to ______ ______ the bus.

4. 約翰進屋時脫了帽子而出去時又戴上了它。

John ______ ______ his hat when he entered the house and ______ it ______ again when he went out.

5. 湯姆跟約翰做朋友。

Tom made ______ with John.

6. 請你們不要客氣。

Please ______ ______ at home.

7. 去年他們相處得很好。

They ______ along well together last year.

8. 不要染上說謊的習慣。

Don't ______ into the habit of telling lies.

9. 會議於昨天上午舉行。

The meeting took ______ yesterday morning.

10. 你有沒有參加賽跑？

Did you take ______ in the race?

11. 我已盡了最大努力。

I have ______ my best.

12. 昨天他必須去看病。

He ______ ______ go to see the doctor yesterday.

13. 他的病使他未能來。

His illness kept him ______ coming.

14. 我不會讓你久等的。

I won't ______ you ______ long.

15. 不要踐踏草地。 Keep ______ the grass.

16. 我希望這本書將來對你大有裨益。

I hope this book will ______ you a great deal of ______.

17. 這件事與他無關。

It has nothing to ______ with him.

18. 在回家的路上，我碰見了喬治。

I came ______ George on my way home.

19. 他已放棄出國的念頭了。

He has ______ up the idea of going ______.

20. 今日事今日畢。

Never put ______ till tomorrow what you can do today.

㈣ *Substitution:* 換字（每個空格限填一字）

1. He has to do it. =He ______ do it.
2. We enjoyed ourselves very much.
   =We ______ a very good time.
3. He arrived at the station at 7:30.
   =He ______ to the station at 7:30.
4. I hope you'll get well again soon.
   =I hope you'll get ______ your illness soon.
5. Hurry up! =______haste!
6. I couldn't make out what he was saying.
   =I couldn't ______ what he was saying.
7. He went away from Taiwan last week.
   =He ______ Taiwan last week.
8. Who is going to ______ care of them?
   =Who is going to ______ after them?

㈢容易混用的動詞

1.

speak	說話，說	(「說出話語」之意)
say	說	(「發表思想」之意，常用以引用話語)
talk	談，說	(「連續說話」之意，常用以表示兩人或許多人之間的談話)
tell	告訴，講，叫	(「傳達思想」或「發命令」之意)

(a) Can the child **speak**? (這個小孩會說話嗎？)
He did not **speak** a word. (他沒有說過一句話)
He cannot **speak** English. (他不會說英語)
Don't **speak** to him. (不要跟他說話)
He **spoke** of 〔*or* about〕 you. (他說到你)
I'll **speak** to him about it. (我將跟他談這件事)

(b) Who **said** it? （誰說的？）
What did he **say**? （他說了什麼？）
He **said**, "Wonderful!" （他說，「妙極了！」）
He **said** he was going out. （他說他正要出去）
Don't **say** anything to him. （不要對他說什麼）

(c) He **was talking** to Tom. （他正在跟湯姆談話）
We **talked** about that. （我們談到那件事）
Don't **talk** too much. （說話不要太多）

(d) **Tell** me what happened. （告訴我發生了什麼事）
He **told** us about that. （他告訴了我們那件事）
I **told** the story to the children. （我給孩子們講這個故事）
I **told** him to go away. （我叫他走開）
He **told** me not to do it. （他叫我不要做那個）

◇ Phrases 成語 ◇

speak ill 〔*or* well〕 **of~** 說~的壞〔好〕話
He always **speak well of** others.
（他總是說人家的好話）
tell a lie 〔*or* lies〕 說謊話
tell 〔*or* speak〕 **the truth** 說實話
tell (**the**) **time** 看鐘報時 **talk over** 商討，討論

2.
see	①(無意識的)看見 ②會面 ③瞭解
look (**at**)	①(有意識的)看，瞧，注視，注意看 ②看來好像

I **looked** out of the window, but **saw** nothing.
（我看窗外但沒有看見什麼）
Please **look** at this picture. （請注意看這張圖畫）
How many men can you **see** in the picture?
（在這張圖畫裏面你能看見多少人？）
A blind man can't **see** anything. （盲人看不見東西）
You will **see** the mistake if you **look** carefully.
（你如果仔細地看就會看出毛病來）

I **saw** some boys *playing* there.
(我看到幾個男孩在那裏玩著)〔**see**+受詞+現在分詞〕
I **saw** him *come.*
(我看見他來了)〔**see**+受詞+動詞原式〕
Do you **see** (=understand) what I mean?
(你懂得我的意思嗎?)
I shall **see** (=meet) him in Tainan next week.
(下星期我將在臺南見他)
Look here, please. (請注意看這裏)
He **looks** (=appears) very old. (他看來很老)
It **looks** like rain. (天好像要下雨)
(=It seems probable that there will be rain.)

◇ look與see的成語 ◇

look after 照料
look for 尋找
***look into** 調查,考查
***look on** 旁觀
***look on** (to) 面向
look up 查(字)
***look down on** 〔*or* upon〕 瞧不起
look forward to 期望,盼望
look like 看來好像
***look on** 〔*or* upon〕 **as** 視爲,認爲
look out 當心,注意
***look up to** 尊敬,敬重
see (somebody) **off** 爲(某人)送行
***see to** 注意,照料

3. **hear** 聽見,聽到; **listen** (to) 傾聽,注意聽

I **listened** carefully, but **heard** nothing.
(我留心地聽,但沒聽到什麼)
We **hear** with our ears. (我們用耳朵聽)
I **heard** him *laughing.*
(我聽到他在笑)〔**hear**+受詞+現在分詞〕
They **heard** her *cry.*
(他們聽到她哭)〔**hear**+受詞+動詞原式〕
I like to **listen** *to* music. (我喜歡聽音樂)
Listen *to* me, please. (請注意聽我講話)
Don't **listen** *to* him; he is not telling the truth.
(不要聽他的,他不是在說實話)

◇ hear 的成語 ◇

hear about 〔*or* of〕　聽到關於～的事

I have **heard** a lot **about** you.

（我聽到很多關於你的事）

hear from ～　得到～消息

I **heard from** him last week.

（我上星期得到他的信息）

4. | **borrow**　借，借入；　**lend**　貸，借給 |
|---|

I want to **borrow** a dictionary.　（我想借一本字典）

Will you **lend** me your book?　（你的書請借給我好嗎？）

5. | **take**　拿，帶；　**bring**　帶來；　**carry**　搬運，携帶 |
|---|

Take it with you.　（把它拿去）

Have you **brought** your pen with you?

（你有沒有帶鋼筆來？）

He **is carrying** a bag.　（他提著一個袋子）

6.

lie	躺，臥，位於	*lie, lay, lain, lying*	〔不及物〕
lie	說謊	*lie, lied, lied, lying*	〔不及物〕
lay	放置，生蛋	*lay, laid, laid, laying*	〔及　物〕

(a) The dog **lies** on the grass.　（狗臥在草地上）

The cat **is lying** on the ground.　（貓正臥在地上）

The book **lay** on the floor last night.

（昨夜書擺在地板上）

Taichung **lies** to the south of Hsinchu.

（臺中位於新竹之南）

(b) You **lied** to me.　（你對我撒謊）

(c) Lay the book on the desk.　（把書放在書桌上）

I **laid** it on the table yesterday.

（昨天我把它放在桌子上）

The hen **lays** an egg every day.

（這隻母鷄每天生一個蛋）

7.

rise 升起…*rise, rose, risen* 〔不及物〕
raise 舉，籌募，飼育…*raise, raised, raised* 〔及物〕

The sun **rises** in the east. （日出於東）
Please **raise** your hands. （請舉手）
They **are raising** money. （他們正在籌款）
He **raised** chickens. （他養鷄）

8.

shine	①照耀……*shine, shone, shone*	〔不及物〕
	②擦亮……*shine, shined, shined*	〔及物〕

The sun **was shining** brightly. （太陽燦爛地照耀著）
Have you **shined** your shoes? （你的皮鞋擦亮了嗎？）

9.

hang	①掛，吊……*hang, hung, hung*
	②絞死……*hang, hanged, hanged*

I **hung** the picture on the wall. （我把圖畫掛在牆上）
The robber was **hanged.** （這强盜被絞死）

10.

fall 落下……其變化為 *fall, fell, fallen*
fail 失敗……其變化為 *fail, failed, failed*
feel 感覺……其變化為 *feel, felt, felt*

Many trees **fell.** （許多樹都倒了）
If you **fail,** try again. （你如果失敗，再試一次）
She **feels** happy. （她覺得快樂）

11.

fly 飛……*fly, flew, flown, flying*
flow 流……*flow, flowed, flowed, flowing*

He **flew** to Tokyo last week. （上星期他飛往東京）
The river **flows** into the sea. （這條河流入海）

12.

used〔just〕**to** 慣常 〔**used**＋**to**～（不定詞）〕
be used〔just〕**to** 慣於 〔**be used to**＋名詞〕

I **used to** *get* up early. （我慣常早起） 〔過去式〕
I **am used to** *getting* up early. （我慣於起早） 〔形容詞〕

【提示】過去式 **used** 用以表「過去的習慣或曾存在的狀態」。

13. | **like**　喜歡；　**be like**　像 |
|---|

I **like** him. （我喜歡他）
He **is like** his brother. （他像他的兄弟）

14. | **reach**（到達）=**arrive at**〔*or* in〕=**get to** |
|---|

He will { **reach** / **arrive at** / **get to** } Taichung tomorrow.
（他將於明天到達臺中）

15. | **set out**（*for*）=**set off**（*for*）=**start**（*for*）=**leave**（*for*） } 動身（前往） |
|---|

He will { **set out** / **set off** / **start**（from here） / **leave**（here） } *for* Japan soon.
（他不久將動身前往日本）

16. | **cross**〔動詞〕過；　**across**〔介系詞〕過 |
|---|

We **crossed** the Pacific.（我們渡過太平洋）
We sailed **across** the Atlantic. （我們航渡大西洋）

17. | **died**〔過去式動詞〕　死　　**dead**〔形容詞〕　死的
death〔名詞〕　死 |
|---|

He **died** *three years ago.* （他死於三年前）
He *has been* **dead** *for three years.* （他已死了三年了）
His **death** was very sudden. （他的死是很突然的）

18. | **lose**〔luz〕　失去，遺失，迷失，輸，(鐘錶)走慢… *lose, lost, lost*
loose〔lus〕〔形容詞〕　鬆的
loss〔lɔs〕〔名詞〕　損失 |
|---|

He **lost** his watch. （他的錶丟了）
They **lost** the game. （他們比賽輸了）
My watch **loses** two minutes a day. （我的錶每天慢兩分鐘）

The coat is too **loose.** （這件外衣太寬了）
It was a great **loss** to me. （這對我是一大損失）

19.

succeed〔動詞〕 成功 **success**〔名詞〕 成功
successful〔形容詞〕 成功的

If you work hard, you **will succeed.**
（如果你努力工作，你將會成功）
I congrátulate you *on* your **success.** （我祝賀你的成功）
He *was* **successful** *in* business. （他在事業上是成功的）

20.

advise〔əd'vaɪz〕〔動詞〕 勸告
advice〔əd'vaɪs〕〔單數名詞〕 勸告
***advices**〔əd'vaɪsɪz〕〔複數名詞〕 消息，報告

I **advised** him to give up smoking. （我勸他戒烟）
You had better take my **advice.** （你還是接受我的勸告比較好）

—— 習 題 39 ——

(二)*Choose the correct word:* (選擇正確的字)

1. He (spoke, said, talked, told) that he was very busy.
2. Can he (speak, say, talk, tell) Chinese?
3. What did the doctor (speak, say, talk, tell) to you?
4. He (spoke to, said to, talked to, told) me not to eat too much.
5. (Speak to, Say to, Talk to, Tell) me your name.
6. What are they (speaking, saying, talking, telling) about?
7. He (spoke to, said to, talked to, told) her a story.
8. She (speaks, says, talks, tells) too much.
9. He is (speaking, saying, talking, telling) a lie.
10. I always (speak, say, talk) the truth.
11. Don't (speak, say, talk, tell) ill of others.
12. The child is only five, but he can (speak, say, talk, tell) the time.
13. Did you (see, look) Bob this morning? He didn't (see, look) very well.

14. I (saw, looked) at the picture, but I didn't (see, look) anybody I know in it.
15. I went to the station to (see, look) my friend off.
16. We've been (look, seeing, looking) for you everywhere.
17. I saw him (enter, to enter, entered) the house.
18. We (see, look) with our eyes and (hear, listen) with our ears.
19. We often (hear, listen) to the radio in the evening.
20. I (hear, listen) he is going abroad.
21. If you (hear, listen) carefully you can (hear, listen) the sound.
22. I've never (heard, listened) of it.
23. John heard the bell (ring, to ring, rang) .
24. Don't (lend, borrow) money from your friend.
25. He will (lend, borrow) it to you.
26. (Take, Bring) me some water, please.
27. The cat likes to (lie, lay) in the sun.
28. Just (lie, lay) it on the floor.
29. He (lied, lay, laid) down to have a rest.
30. He has (lied, laid, lain) there for two days.
31. Our hen (lie, lies, lay, lays) an egg every day.
32. The bird has (lied, laid, lain) some eggs.
33. Don't (rise, raise) your hands too often.
34. He (rises, raises) potatoes and tomatoes.
35. The sun (rose, raised) at 6:20 yesterday.
36. The July sun (shined, shone) brightly on the island.
37. I (shined, shone) my shoes last night.
38. Who (hang, hung, hanged, hunged) the picture up there?
39. John (falls, falled, failed, fell) down and broke his leg.
40. Mary (feel, fell, felt) sorry for him.
41. His father (died, was died, dead) last week.
42. He (flied, flew, flowed) from London to Paris.
43. The ship saied (cross, across) the Atlantic in 1492.

44. I (used, am used, was used) to hear the Johnsons talk about him.
45. John is used to (go, going, gone) to bed early.
46. Can we (reach, arrive, get) to the station in time?
47. Mr. Smith will (reach, arrive, get) in Taiwan on the fifth.
48. If you don't study hard, you will (fall, fail, be fall, be fail).
49. I hope you will (success, succeed, successful).
50. I'll take your (advice, advices, advise).

(二) *Vocabulary in context:* 文意語彙(在各題中選擇正確的解釋,把它的號碼填在題前括弧內)

( )1. I have *lost* my watch.
①遺失 ②走慢 ③輸

( )2. He *lost* his way in the woods.
①遺失 ②迷失 ③輸

( )3. He has *lied* many times.
①躺下 ②倒下 ③說謊

( )4. You must *shine* your shoes every day.
①照耀 ②擦亮 ③照亮

( )5. I *used to* take two eggs for breakfast.
①習慣於 ②過去常常 ③用了

( )6. I haven't *heard from* him for a long time.
①得到信息 ②接到電話 ③聽~訓話

( )7. John is *like* his father.
①像 ②喜歡 ③愛

( )8. I *see* your point.
①看見 ②會見 ③明白

( )9. I'll *see to* it myself.
①會見 ②照管 ③送行

( )10. She *looks ill*.
①看病 ②好像有病 ③探視病人

( )11. Will you *look after* my garden while I am away?
①看~後面 ②照料 ③管理

( )12. I'll help you (to) *look for* it.

①檢查　　②調查　　③尋找

(　)13. I'm *looking forward to* seeing him next week.

①打算　　②盼望　　③尋找

(　)14. When you are walking in the woods, *look out* for snakes.

①看外面　　②找出　　③當心

(　)15. Will you *try to find* his number in the telephone directory?

①look out　　②look up　　③look up to

(　)16. He *looks down on* anyone who doesn't have money.

①往下看　　②關心　　③輕視

(　)17. The house *looks on* the river.

①似在～上　　②往上看　　③面向

(　)18. They *looked on* him as a hero.

①旁觀　　②視為　　③尊敬

(　)19. He will *set out* next Monday.

①出發　　②開始　　③搬出

(　)20. *Talk* it *over* with him and give me your answer tomorrow.

①說服　　②勸使　　③商討

第四節　否定句與疑問句 (Negatives and Questions)

(1)否定句

(一)一般限定動詞的否定

(Negatives with Ordinary Finites)

do not (=don't) **does not** (=doesn't)	＋動詞原式＝現在式否定句
did not (=didn't)	＋動詞原式＝過去式否定句

	肯定句 (Affirmative)	否定句 (Negative)
現在式	I **go.**	I **do not** *go.*
現在式	He **goes.**	He **does not** *go.*
過去式	He **went.**	He **did not** *go.*

You **like** it. → You **do not** (=don't) *like it.*
(你喜歡它) (你不喜歡它)
She **lives** here. → She **does not** (=doesn't) *live* here.
(她住在這裏) (她不住在這裏)
We **saw** him. → We **did not** (=didn't) *see* him.
(我們看見了他) (我們沒有看到他)

【句型】

do • does • did+not		原 式
I / We / You / They	**do not** (don't) / **did not** (didn't)	*like* 〔want, need〕 it. *do* 〔make, take〕 that. *know* 〔see〕 her. *speak* 〔understand〕 Japanese. *want* 〔like〕 to do it. *give* him anything. *have* any good books. *have* to go. *come* 〔go〕 to school. often *go* there. *feel* well. *think* so.
He / She / (It)	**does not** (doesn't) / **did not** (didn't)	

(二)特殊限定動詞的否定

(Negatives with Special 〔*or* Anomalous〕 Finites)

特殊限定動詞〔亦稱變則限定動詞〕共有 **24** 個：

> **am, is, are, was, were; have, has, had; do, does, did; shall, should; will, would; can, could; may, might** (或許，可以)；**must** (必須，必定)；**need** (需要)；**ought** (應當), **dare** (敢), **used** 〔just〕(慣常)

特殊限定動詞之後加 **not** 即成否定句。

> 特殊限定動詞+**not**=否定句

I **am** *not* (=I'm not) John.　(我不是約翰)
He **is** *not* (=isn't) working.　(他不在工作)
There **are** *not* (=aren't) any books.　(沒有什麼書)
He **was** *not* (=wasn't) at home.　(他沒有在家)
They **were** *not* (=weren't) there.　(他們沒有在那裏)
I **have** *not* (=haven't) read it.　(我沒有讀過它)
She **has** *not* (hasn't) come yet.　(她還沒有來)
They **had** *not* (=hadn't) seen her.　(他們沒有見過她)
You **shall** *not* (=shan't) do that.　(我不許你做那個)
He **will** *not* (=won't) do that.　(他將不做那個)
You **should** *not* (=shouldn't) do it.　(你不該做這個)
I **would** *not* (=wouldn't) do it.　(我不願意做這事)
He **can** *not* (=can't) make it.　(他不會做這個)
We **could** *not* (=couldn't) go.　(我們不能去)
You **may** *not* (=mayn't) go.　(你不可以去)〔表不允〕
He **might** *not* (=mightn't) be there.　(他也許不在那裏)
You **must** *not* (=mustn't) eat it.　(你不可以吃它)〔表禁止〕
You **need** *not* (=needn't) come.　(你不必來)
(=You do not need to come.)
You **ought** *not* (=oughtn't) to take it.　(你不該拿它)
I **dare** *not* (=daren't) ask him.　(我不敢問他)
(=I do not dare 〔to〕 ask him.)
He **used** *not* (=usedn't) to do it.　(他不常做這個)
(=He did not use to do it.)　〔口語〕
【發音提示】 mustn't 〔ˈmʌsnt〕　*usedn't 〔ˈjusnt〕

【句型】

am・is・are・was・were } +**not**	
I **am** 〔I'm〕 *not* You **are** *not* 〔aren't〕 He **is** *not* 〔isn't〕 She **is** *not* 〔isn't〕 It **is** *not* 〔isn't〕 We **are** *not* 〔aren't〕	hungry. always happy. so tall as he. living here.

They **are** *not* 〔aren't〕 He **was** *not* 〔wasn't〕 They **were** *not* 〔weren't〕	feeling well.
There **is** *not* 〔isn't〕	a man.
There **are** *not* 〔aren't〕	many men.
There **was** *not* 〔wasn't〕	*any* child.
There **were** *not* 〔weren't〕	*any* children.

have · has · had+not	
I / We / You / They — **have** *not* 〔haven't〕 He / She / (It) — **has** *not* 〔hasn't〕 I 〔We, You, He, She, They〕 — **had** *not* 〔hadn't〕	much money. *any* more food. got *any* books. seen him. read it *yet.* been told *anything.*

shall, should, will, would, can,···*etc.* **+not**	
I / We / You / He / She / They — **shall** *not* 〔shan't〕 **should** *not* 〔shouldn't〕 **will** *not* 〔won't〕 **would** *not* 〔wouldn't〕 **can** *not* 〔can't〕 **could** *not* 〔couldn't〕 **may** *not* 〔mayn't〕 **might** *not* 〔mightn't〕 **must** *not* 〔mustn't〕 **need** *not* 〔needn't〕 **dare** *not* 〔daren't〕 **ought** *not* 〔oughtn't〕 to **used** *not* 〔usedn't〕 to	*do* it. *have* that. *go* there. *be* here.

● 應注意事項 ●

1. "**have**"的否定之形成：

(a)作「有」用的 "**have**" 有兩種否定句。

I **have** a car. （我有一部汽車） 〔肯定〕
I **haven't** a car. （我沒有汽車） 〔否定〕
=I **don't have** a car. 〔美語〕 〔否定〕

He **has** a bicycle. （他有一輛脚踏車） 〔肯定〕
He **hasn't** a bicycle. （他沒有脚踏車） 〔否定〕
=He **doesn't have** a bicycle. 〔美語〕 〔否定〕

(b)完成式中的助動詞 "**have**" 是特殊限定動詞，須在 **have** 後面加 **not** 以形成否定句。

I have seen it. （我見過它了） 〔肯定〕
I **have** *not* **seen** it. （我沒有見過它） 〔否定〕

He has come. （他來了） 〔肯定〕
He **has** *not* **come**. （他沒有來） 〔否定〕

(c)"**have**" 如用作「吃」，「喝」，「經歷」，「令」等之意，則非特殊限定動詞，須加 **do**〔does, did〕以形成否定句。

I **do not have** lunch at home. （我不在家裏吃午餐）
We **did not have** a good time. （我們過得並不快樂）
I **didn't have** my hair cut yesterday. （昨天我沒有去理髮）

(d)在美國，"**have to**～(必須)"通常加 **do**〔does, did〕以形成否定句。

We **have to** work on Sundays. 〔肯定〕
（星期日我們必須工作）
We **do not have to** work on Sundays. 〔否定〕
（星期日我們不必工作）

He **has to** do it. （他必須做這個） 〔肯定〕
He **doesn't have to** do it. （他不必做它） 〔否定〕

He **had to** go. （他不得不去） 〔肯定〕
He **didn't have to** go. （他不必去的） 〔否定〕

2. 肯定句中的"**some**", 在否定句中須改爲"**not any**"。

I have **some** money. (我有一些錢) 〔肯定〕
I haven't **any** money. (我沒有什麼錢) 〔否定〕

She bought **some** bread. (她買了一些麵包) 〔肯定〕
She did **not** buy **any** bread. (她沒有買麵包) 〔否定〕

3. 肯定句中的"**already**(已經)",在否定句中須改爲"**not yet**(尚未)"。

I have done it **already.** (我已做完了它) 〔肯定〕
I have **not** done it **yet.** (我還沒有做完它) 〔否定〕

4. 肯定句中的 **too**(亦),在否定句中須改爲 **not either**(亦不)。

I like it, **too.** (我也喜歡它) 〔肯定〕
I don't like it, **either.** (我也不喜歡它) 〔否定〕

5. "**as～as**(一樣～)"在否定句中宜改爲"**not so～as**(不如～)"。

I am **as** tall **as** he. (我跟他一樣高) 〔肯定〕
I am **not so** tall **as** he. (我沒有他那樣高) 〔否定〕

6. "**a lot of**(許多)"在否定句中宜改爲 **not many** 或 **not much**。

There are **a lot of** books. (有許多書) 〔肯定〕
There are **not many** books. (沒有許多書) 〔否定〕

There is **a lot of** money. (有許多錢) 〔肯定〕
There is **not much** money. (沒有許多錢) 〔否定〕

7. "**a long way**(遠)"在否定句中宜改爲 **not far**。

It's **a long way** from here. (離這裏遠) 〔肯定〕
It's **not far** from here. (離這裏不遠) 〔否定〕

8. **more**(較多)之否定,不可用 **not more,** 應以 **fewer**(較少數)或 **less**(較少量)代替。

I have **more** books than he. (我的書比他的多)
I have **fewer** books than he. (我的書比他的少)

This is **more** interesting than that. (這個比那個有趣)
This is **less** interesting than that. (這個不如那個有趣)

9. "**not**"通常位於第一個動詞(即限定動詞)之後。

There **will** *not* **be** any girls there.
(將不會有女孩子在那裏)

〔誤〕There *will be not* any girls there.

You **should** *not* **have said** it yesterday.
(昨天你不該說那個)
〔誤〕You *should have not said* it yesterday。

10.「**need**＋不定詞」的否定式是「**need not**＋原式」或「**do not need**＋不定詞」。

You **need** *to go.* (你須要去) 〔肯定〕
You **need not** *go.* (你不必去) 〔否定〕
(＝You do not need to go.)〔習慣性動作的否定〕
〔誤〕You need not *to go.*

He **needs** *to come.* (他須要來) 〔肯定〕
He **need not** *come.* (他不必來) 〔否定〕
——本否定句中的 **need** 是特殊限定動詞，不加"s"。
(＝He does not need to come.)〔習慣性動作的否定〕
〔誤〕He *needs* not *to come.*

11."**had better**～(以～爲宜)"的否定式是"**had better not**～(以不～爲宜)"。

You **had better** do it. (你最好做它) 〔肯定〕
You **had better** *not* do it. (你最好不要做它) 〔否定〕
We **had better** go. (我們還是去好些) 〔肯定〕
We **had better** *not* go. (我們還是不去好些) 〔否定〕

12."**would**〔*or* had〕**rather**～(寧願，寧可)"的否定式是"**would**〔*or* had〕**rather not**～(寧願不，寧可不)"。

I **would** (＝I had *or* I'd) **rather** go. (我寧願走) 〔肯定〕
I **would rather** *not* go. (我寧願不去) 〔否定〕

13.「不定詞的否定＝**not**＋不定詞」

He told me **not to go.** (他叫我不要去)
〔比較〕He **did not tell** me to go. (他沒有叫我去)

14.祈使句的否定式是"**Do not** (＝Don't)～(不要～)"。

Come in. (進來) 〔肯定〕
Don't come in. (不要進來) 〔否定〕
Be quiet. (要肅靜) 〔肯定〕
＝**Don't be** noisy. (不要吵鬧) 〔否定〕

—— 習 題 40 ——

(一)*Change the following sentences into the negative form:*
(將下列各句改爲否定式)

(a)1. They speak Chinese.
2. The sun sets in the east.
3. Bill studied very hard.
4. He wants to learn English.
5. I need a car.
6. We went to the movies last night.
7. Mary read two stories.
8. She does that every day.
9. We have to work on Saturday afternoons.
10. I had milk and eggs for breakfast.

(b)1. This box is made of wood.
2. There are some apples on the table.
3. It was raining yesterday.
4. John will be here at three o'clock.
5. We have seen him.
6. My brother can swim well.
7. Children must play in the street.
8. I may be able to go with you.
9. You should do that.
10. He ought to take it.

(c)1. Bob did his homework.
2. Do that again.
3. Be lazy.
4. He often goes to the library.
5. Tom gave him something.
6. I have got some money.
7. We have a good dictionary. (改爲兩種否定句)
8. He has a bicycle. (改爲兩種否定句)
9. The grass has been cut this week.
10. They have read it already.
11. She saw him, too.
12. Mr. White drinks a lot of wine.
13. You need to come tomorrow.
14. This is more important than that.

15. We shall be able to go.
16. They ought to have told him that.
17. You had better stay here.
18. I would rather take it.

(二)*Choose the correct word:*（選擇正確的字）

1. I (am, was, do) not think so.
2. The house (is, do, does) not belong to me.
3. He did not (come, comes, came).
4. They couldn't (get, got, to get) it.
5. John does not (have, has) a watch.
6. We (hadn't, didn't have) a pleasant time.
7. I (haven't, don't have) heard from him for a long time.
8. You (needn't, don't need) a new hat.
9. He (need not, needs not, need not to) buy it.
10. The rich are (always not, not always) happy.
11. She might (not be, be not) there.
12. There has (not been, been not) much rain during the last two months.

(2)疑問句

(一)一般限定動詞的疑問句

(Questions with Ordinary Finites)

現在式疑問句＝{**Do** / **Does**}＋主語＋動詞原式＋……(問號)？
過去式疑問句＝**Did**＋主語＋動詞原式＋……(問號)？

敍　述　句		疑　問　句 (Interrogative)
現在式	You **like** it.	**Do** you *like* it?　(你喜歡它嗎？)
現在式	He **likes** it.	**Does** he *like* it?　(他喜歡它嗎？)
過去式	He **liked** it.	**Did** he *like* it?　(那時他喜歡它嗎？)
You **know** him. (你認識他)		→ **Do** you *know* him? (你認識他嗎？)

She **comes** often. → **Does** she *come* often?（她常來嗎？）

They **studied** hard. → **Did** they *study* hard?（他們用功嗎？）

You **have** three meals. → **Do** you *have* three meals?（你們吃三餐嗎？）

Tom **has** to go. → **Does** Tom *have* to go?（湯姆必須去嗎？）

He **had** a good time. → **Did** he *have* a good time?（他過得愉快嗎？）

【句型】

Do・does・did＋主詞		原　式
Do (Don't) **Did** (Didn't)	I / we / you / they	*like*〔want, need〕it? *do*〔make, take〕that? *know*〔see〕them? *speak* English? *want*〔like〕to do it? *study*〔work〕hard? *come* very often? often *go* there? *live*〔work〕here? *have* tea? *have* to go?
Does (Doesn't) **Did** (Didn't)	he / she / it	

㈡含有特殊限定動詞的疑問句

(Questions with Special〔*or* Anomalous〕Finites)

特殊限定動詞（*is, have, will,*……等 24 個動詞）通常和主語互換位置以形成疑問句。

特殊限定動詞＋主語（或 **there** 等）＋……（問號）？＝疑問句

敍述句	疑問句
You **are** a student.（你是個學生）	**Are** *you* a student?（你是學生嗎？）

There **was** a girl.	**Was** *there* a girl? （有一個女孩子嗎？）
They **were** absent.	**Were** *they* absent? （他們沒有到嗎？）
He **is** not here. = *He* **isn't** here.	**Is** *he* not here? = **Isn't** *he* here? （他不在這裏嗎？）
You **do** not know. = *You* **don't** know.	**Do** *you* not know? = **Don't** *you* know? （你不知道嗎？）
You **have** a brother.	**Have** *you* a brother? （你有一個哥哥〔弟弟〕嗎？）
He **has** a car.	**Has** *he* a car? （他有一部汽車嗎？）
They **have** gone.	**Have** *they* gone? （他們走了嗎？）
She **has** come.	**Has** *she* come? （她來了嗎？）
There **has** been a storm.	**Has** *there* been a storm? （有過一次暴風雨嗎？）
We **shall** be late.	**Shall** *we* be late? （我們會遲到嗎？）
There **will** be a boy.	**Will** *there* be a boy? （將會有一個男孩子嗎？）
Your sister **can** swim.	**Can** *your sister* swim? （你妹妹會游泳嗎？）
You **must** go.	**Must** *you* go? （你必須去嗎？）
He **should** do it.	**Should** *he* do it? （他應該做那個嗎？）
He **ought** to come.	**Ought** *he* to come? （他應該來嗎？）

【句型】

Am・is・are・was・were } ＋主語 或 there	

Am *I* **Are**〔Aren't〕*we*〔you, they〕 **Is**〔Isn't〕*he*〔she, it〕 **Was**〔Wasn't〕*I*〔he〕 **Were**〔Weren't〕*you*〔they〕	happy? taller than Tom? feeling well?
Is〔Isn't〕*there*	an apple?
Are〔Aren't〕*there*	many apples?
Was〔Wasn't〕*there*	any man?
Were〔Weren't〕*there*	any people?

Have・has・had＋主語 或 there	
Have〔Haven't〕*you*〔I, we, they〕 **Has**〔Hasn't〕*he*〔she, it〕 **Had**〔Hadn't〕*you*〔I, we, he, she, they〕	any brothers? seen him? read it yet?
Has〔Hasn't〕*there* been	a storm?
Have〔Haven't〕*there* been	storms?
*What **had** *I* better	do?
***Hadn't** *we*〔you, he〕better	go〔stay〕?

Shall, should, will would, can,……*etc.* ＋主語	
Shall〔Shan't〕 **Should**〔Shouldn't〕 **Will**〔Won't〕 **Would**〔Wouldn't〕 **Can**〔Can't〕 **Could**〔Couldn't〕 **May**〔Mayn't〕 **Might**〔Mightn't〕 **Must**〔Mustn't〕 **Need**〔Needn't〕 **Dare**〔Daren't〕 + I / *we* / *you* / *he* / *she* / *it* / *they*	do it? go? be there? have one?

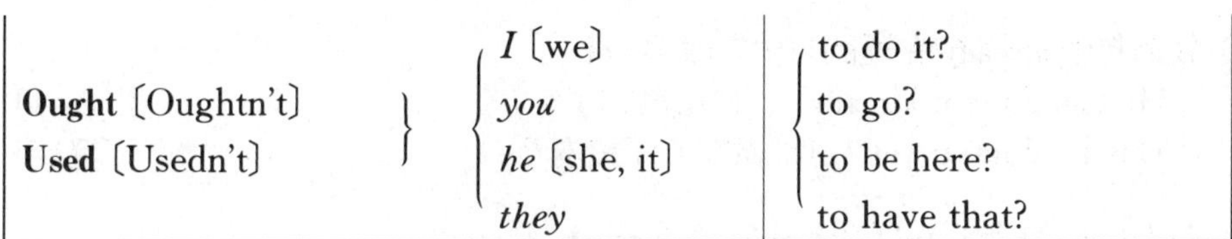

Ought 〔Oughtn't〕 **Used** 〔Usedn't〕	*I* 〔we〕 *you* *he* 〔she, it〕 *they*	to do it? to go? to be here? to have that?

● 應注意事項 ●

1. 敍述句變爲疑問句時，**"have"**的變化如下：

(a)**"have"** 作「有」用時可造成**兩種疑問句**。

You have a pencil.（你有鉛筆）〔敍述〕
Have you a pencil?（你有鉛筆嗎？）〔疑問〕
＝**Do you have** a pencil?〔美語〕〔疑問〕

He has a pen.（他有鋼筆）〔敍述〕
Has he a pen?（他有鋼筆嗎？）〔疑問〕
＝**Does he have** a pen?〔美語〕〔疑問〕

(b)完成式中的 **"have"** 是特殊限定動詞，須**和主語互換位置**以形成疑問句。

You **have seen** him.（你見過他了）〔敍述〕
Have *you* **seen** him?（你見過他嗎？）〔疑問〕

He **has read** it.（他讀過它了）〔敍述〕
Has *he* **read** it?（他讀過它嗎？）〔疑問〕

(c)**"have"** 如用作「吃」，「喝」，「經歷」，「令」等之意，則非特殊限定動詞，須加 **do**〔does, did〕以形成疑問句。

Do you have lunch at home?（你在家裏吃午餐嗎？）
〔誤〕*Have you* lunch at home?
Did you have a good time?（你過得愉快嗎？）
When **did you have** your house painted?
（你什麼時候叫人油漆了房子？）

(d)在美國，**"have to～**(必須)**"**通常加 **do**〔does, did〕以形成疑問句。

Do you have to go?（你必須去嗎？）
Does he have to do it?（他必須做它嗎？）

2. 敍述句變爲疑問句之後，通常須將 **some** 改爲 **any**。

There are **some** books.（有一些書）〔敍述〕
Are there **any** books?（有一些書嗎？）〔疑問〕

3. 敍述句中 **already** 在疑問句中宜改爲 **yet**。

He has done it **already.** （他已做完了它） 〔敍述〕
Has he done it **yet?** （他做完它了沒有？） 〔疑問〕

4. "**a lot of**（許多）"在疑問句中宜改爲 **much** 或 **many**。

You have **a lot of** books. （你有許多書） 〔敍述〕
Have you **many** books? （你有許多書嗎？） 〔疑問〕

He has **a lot of** money. （他有許多錢） 〔敍述〕
Has he **much** money? （他有許多錢嗎？） 〔疑問〕

5. 否定疑問句的形成法如下：

He **is not** at home. （他不在家） 〔否定敍述句〕
Is *he* **not** at home? （他不在家嗎？） 〔否定疑問句〕
=**Isn't** *he* at home? 〔口語〕 〔否定疑問句〕

He **does not** like it. （他不喜歡它）
Does *he* **not** like it? （他不喜歡它嗎？）
=**Doesn't** *he* like it? 〔口語〕

You **will not** go. （你不願意去）
Will *you* **not** go? （你不願意去嗎？）
=**Won't** *you* go? 〔口語〕

6.「**need**＋不定詞」在疑問句中應改爲「**Need**＋主詞＋原式」或「**Do**＋主詞＋**need**＋不定詞」。

You need *to do* it. （你須要做它） 〔敍述〕
Need you *do* it? （你須要做它嗎？） 〔疑問〕
（=Do you need to do it?）〔習慣性動作〕 〔疑問〕
〔誤〕 Need you *to do* it?

He needs *to go* right now. （他須要馬上去） 〔敍述〕
Need he *go* right now? （他須要馬上去嗎？） 〔疑問〕
No, he needn't. （不，他不必）
〔誤〕 *Needs* he *to go*?

7. "**dare**（敢）"在疑問句中的用法如下：

He dares *to do* that! （他膽敢做那個！） 〔敍述〕
Dare he *do* that? （他敢做那個嗎？） 〔疑問〕
（=Does he dare to do that?）
〔誤〕 *Dares* he *to do* that?

* He dare (to) say that. (他敢說那個) 〔過去式〕
Did he dare say that? (他敢說那個嗎？)

8. "**used to** (慣常)"在疑問句中的用法如下：

He used to come here very often. 〔敍述〕
(過去他常來這裏)

Used he to come here very often? 〔疑問〕
(=Did he use to come here very often?)
(過去他常來這裏嗎？)

—— 習 題 41 ——

(一)*Change the following sentences into the question form:*
(將下列各句改爲疑問句)

(a)1. You get up early every morning.
2. John studies hard at school.
3. Bill and Tom went to the movies last night.
4. You saw them go out.
5. Mr. Taylor teaches English.
6. Your father still does that.
7. You did your best.
8. It takes two hours to get there by train.
9. He hurt himself.
10. She put the oranges on the table.
11. Bob read some books during the vacation.
12. They sent John something.
13. His friends often write to him.
14. You see what I mean.
15. They know where he lives.

(b)1. The pen on the desk is yours.
2. The Taylors are going to buy a new car.
3. The book was written by him.
4. He has done his work already.
5. We shall go by bus.
6. They will be here soon.
7. You would like to go.

8. We can get to the station before nine o'clock.
9. Your brother could speak English two years ago.
10. John and Mary must go to school today.
11. We should do that.
12. He ought to take it.

(c)1. This is the boy whose father is a musician.
2. You think it is going to rain.
3. They are not Chinese.
4. You do not know his name.
5. You will not come with us.
6. He can not make that.
7. They have a car. （改爲兩種疑問句）
8. She has some money. （改爲兩種疑問句）
9. Good people always have good faces.
10. You have milk for breakfast.
11. You had a pleasant time.
12. They have to work on Saturdays.
13. He had his tooth taken out.
14. You have been feeling well.
15. John and Mary had never seen it before then.
16. There were a lot of people at the party.
17. There will be a train to Taipei at eight o'clock.
18. There has been very little rain this year.
19. You dare to swim in that cold water.
20. She needs to come tomorrow.

㈡*Choose the correct words:*（選擇正確的字）

1. Did Bob (come, comes, came) yesterday?
2. Does he (like, likes, liked) to play tennis?
3. Where (are, were, do) you live?
4. Whom (is, do, does) it belong to?
5. When (is, was, did) John buy it?
6. Why (you didn't, didn't you) go?
7. (Is not he, Is he not) your uncle?
8. What does he (have, has, had) in his hand?
9. (Had they, Did they have) a good journey?

10. What time (you have, have you, do you have) breakfast?

11. (Have, Do, Did) you had your lunch?

12. (Must he, Musts he, Does he must) finish it today?

13. Ought he (do, does, to do) that?

14. Need she (go, goes, to go) so soon?

15. (Dare, Dares) he come again?

(3) 簡答句 (Short-Form Answers)

在簡答句中，常用**特殊限定動詞**(do, is, have, will……等 24 個動詞)代替整個述部，以避免重複。

1. 用以回答問句：

(a)
Do you like fruit? (你喜歡水果嗎？)
Yes, I **do** (=like fruit). (是的，我喜歡水果)
No, I **don't** (=don't like fruit). (不，我不喜歡水果)

Does John know it? (約翰知道這個嗎？)
Yes, he **does**. (是的，他知道)
No, he **doesn't**. (不，他不知道)

Didn't you see him? (你沒有看到他嗎？)
Yes, I **did**. (有，我看見過他)
No, I **didn't**. (不，我沒有看到他)

Are you fond of music? (你喜歡音樂嗎？)
Yes, I **am**. (是的，我喜歡音樂)
No, I'**m not**. (不，我不喜歡音樂)

Were you there? (那時你〔們〕在那裏嗎？)
Yes, I **was** 〔we were〕. (是的，我〔們〕在那裏)
No, I **wasn't** 〔we weren't〕. (不，我〔們〕沒在那裏)

Is there a school? (有一所學校嗎？)
Yes, there **is**. (是的，有)
No, there **isn't** 〔*or* there's not〕. (不，沒有)

Isn't today Monday? (今天不是星期一嗎？)
Yes, it **is**. (是的，今天是星期一)
No, it **isn't** 〔*or* it's not〕. (不，今天不是星期一)

Have you met her?	（你見過她嗎？）
Yes, I **have**.	（是的，我見過她）
No, I **haven't**.	（不，我沒有見過她）
Won't you go?	（你不願意去嗎？）
Yes, I **will**.	（我願意去）
No, I **won't**〔*or* I'll not.〕	（我不願意去）
Can your sister play tennis?	（你妹妹會打網球嗎？）
Yes, she **can**.	（是的，她會打網球）
No, she **can't**.	（不，她不會）
May I go out?	（我可以出去嗎？）
Yes, you **may**.	（是的，你可以出去）
No, you **may not**.	（不，你不可以出去）
Must he come?	（他必須來嗎？）
Yes, he **must**.	（是的，他必須來）
No, he **needn't**.	（不，他不必來）

【提示】 ①問句中用"**must**（必須）"時，在否定簡答句中須用"**needn't**（不必）"。
②在口語中，簡答句的動詞常用**簡縮字**。

(b) Who **gave** you that book? Tom **did.**
（那本書是誰給你的？湯姆給我的）
Which of you **can** drive a car? John **can.**
（你們之中那一位會開車？約翰會）
Why **have** you **taken** my book? But I **haven't.**
（你爲什麼拿了我的書？可是我沒有拿呀）
Why **didn't** you tell him that? But I **did.**
（你爲什麼沒有告訴他那個呢？可是我告訴過他了）

2. 對肯定或否定的敍述，表示**贊同或反對**：

John **is** a clever boy.	（約翰是個聰明的孩子）
Yes, he **is**.	（是的，他是個聰明的孩子）
No, he **isn't**〔*or* he's not〕.	（不，他不是）
His name **is** John Brown.	（他的名字是約翰・布朗）
Yes, it **is**.	（是的）
No, it **isn't**〔*or* it's not〕.	（不，不是）

He **works** hard every day.　（他天天用功）
Yes, he **does**.　（是的，他天天用功）
No, he **doesn't**.　（不，他並不如此）

It **won't rain** today.　（今天不會下雨的）
Oh, yes, it **will**.　（噢，會下雨的）
No, it **won't**.　（不會下雨）

That clever boy **has passed** the examination.
（那個聰明的孩子考試及格了）
Of course he **has**.　（那當然了）

Look, John **is driving** a car.　（看，約翰在開車）
So he **is**.　（可不是！）〔表驚訝〕

John **is** very rich.　（約翰很有錢）
But he **isn't**.　（可是他並非如此）

He **can** speak Japanese, but I **can't**.
（他會說日語，可是我不會）

I **must** get up early tomorrow, but you **needn't**.
（明天我必須起早，但你不必）

【句型】

Yes, *etc.*	主　詞	動　詞
Yes, Oh, yes, Of course So But	I	am〔was〕.
	he〔she, it〕	is〔was〕.
	we〔you, they〕	are〔were〕.
	I〔we〕 you〔they〕	do〔did〕. have〔had〕.
	he she	does〔did〕. has〔had〕.
	I〔we〕 you he〔she, it〕 they	shall〔should〕. will〔would〕. can〔could〕. may〔might〕. must〔ought〕.

No, *etc.*	主 詞	動 詞
No, Oh, no, Of course But	I	’m not 〔wasn’t〕.
	he 〔she, it〕	isn’t 〔wasn’t〕.
	we 〔you, they〕	aren’t 〔weren’t〕.
	I 〔we〕 you 〔they〕	don’t 〔didn’t〕. haven’t 〔hadn’t〕.
	he she	doesn’t 〔didn’t〕. hasn’t 〔hadn’t〕.
	I 〔we〕 you he 〔she, it〕 they	shan’t 〔shouldn’t〕. won’t 〔wouldn’t〕. can’t 〔couldn’t〕. mayn’t 〔mightn’t〕. mustn’t 〔needn’t〕. daren’t 〔oughtn’t〕. usedn’t.

3. 以「**so＋動詞＋主詞**（亦復如此）」之型式，附加於**肯定敍述句之後**：

He **is** a good swimmer. （他是個游泳好手）
So am I.（＝I am too.）（我也是）

Peter **can** swim well. （彼得很會游泳）
So can Tom.（＝Tom can swim well, too.）（湯姆也是如此）

They **must** work hard this term. （這一學期他們必須用功）
So must we.（＝We must work hard, too.）（我們也須如此）

He **heard** her sing last night. （昨晚他聽到她唱歌）
So did I.（＝I heard her sing, too.）（我也聽到了）

Mary **was** busy yesterday and **so was Betty.**
（＝Mary was busy yesterday and Betty was busy, too.）
（昨天瑪麗很忙，貝蒂也很忙）

John **likes** apples and **so does Bill.**
（＝John likes apples and Bill likes apples, too.）
（約翰喜歡蘋果，比爾也喜歡）

4. 以「**neither**（or **nor**）＋動詞＋主詞（亦不～）」之型式，附加於**否定敍述句之後**：

He **doesn't** work on Saturdays.　（星期六他不工作）
Neither do I.（＝I don't, either.）（星期六我也不工作）

He **won't** be here tomorrow.　（明天他將不到這裏）
Nor shall I.（＝I shall not, either.）（我也將不到這裏）

I can't come this afternoon, nor can Tom.
（今天下午我不能來，湯姆也不能）

【句型】

So・nor・neither	動　詞	主　詞
So / Nor / Neither	am〔was〕	I.
	is〔was〕	he〔she〕.
	are〔were〕	we〔you, they〕.
	do〔did〕 have〔had〕	I〔we〕. you〔they〕.
	does〔did〕 has〔had〕	he. she.
	shall〔should〕 will〔would〕 can〔could〕 may〔might〕 must〔ought〕 need	I. we. you. he. she. they.

—— 習　題　42 ——

(一)*Give short-form answers to the following questions:*
（以簡答句回答下列各句）

Ex.　*Is he a student?*

Yes, he is.　　*No*, he isn't.

1. Aren't you Mr. A?
   Yes, ____________________. No, ____________________.
2. Were you here last year, Mr. A?
   Yes, ____________________. No, ____________________.

3. Were the children very happy?
   Yes, ______________________. No, ______________________.
4. Wasn't there an old lady?
   Yes, ______________________. No, ______________________.
5. Do you like music, Bill?
   Yes, ______________________. No, ______________________.
6. Doesn't John play baseball?
   Yes, ______________________. No, ______________________.
7. Did Mary come to see you?
   Yes, ______________________. No, ______________________.
8. Has she been here this week?
   Yes, ______________________. No, ______________________.
9. Haven't you seen her?
   Yes, ______________________. No, ______________________.
10. Can your father speak English?
   Yes, ______________________. No, ______________________.
11. Will you tell me what has happened?
   Yes, ______________________. No, ______________________.
12. May I have this?
   Yes, ______________________. No, ______________________.
13. Must you work tomorrow, boys?
   Yes, ______________________. No, ______________________.
14. The man goes to work by bus.
   Yes, ______________________. No, ______________________.
15. It rained last night.
   Yes, ______________________. No, ______________________.
16. Today is Saturday.
   Yes, ______________________. No, ______________________.
17. The Browns won't come.
   Yes, ______________________. No, ______________________.
18. All the people present had a good time.
   Yes, ______________________. No, ______________________.

㈡*Choose the right words:*(選擇題)

1. Bill and Tom work hard every day.
   Yes, they (①work ②are ③does ④do).

2. Does he know it?

Yes, he (①know　②knows　③does　④do).

3. Didn't Mary go to Hongkong?

Yes, she (①did　②didn't　③was　④wasn't).

4. Don't you like eggs?

①Yes, I don't.　②No, I do.

③Yes, I like.　④Yes, I do.

5. Won't you have tea?

①Yes, I won't.　②Yes, I will.

③No, I will.　④Yes, I do.

6. Who's taken my book?

①John is.　②John does.

③John has.　④John's.

7. Mary likes to play tennis.

①So is Betty.　②So likes Betty.

③So does Betty.　④So do Betty.

8. John has finished his work.

①So am I.　②So do I.

③So has I.　④So have I.

9. He isn't fond of playing cards.

①So do I.　②So am I.

③Neither I am.　④Nor am I.

10. You needn't hurry but I (①need　②needn't　③must　④mustn't).

(三)*Substitution:* 換字(每個空格限填一字)

1. We were too.　=So ______ ______.

2. He won't either.　=Neither ______ ______.

3. You shouldn't either.　=Nor ______ ______.

4. She likes flowers and I like flowers, too.

=She likes flowers and so ______ ______.

5. John went and I went, too.

=John went and so ______ ______.

6. Bill wasn't there and Tom wasn't there, either.

=Bill wasn't there and neither ______ ______.

7. He has not been to Japan and I have not been there, either.

=He has not been to Japan and nor ______ ______.

8. Mary can speak French and her sister can speak French, too.

=Mary can speak French and ______ ______ her sister.

⑷ 附帶問句（*Tag-Questions*）

談話時附加在敍述句句末，以徵求對方的同意的簡問句叫做附帶問句。

㈠肯定敍述句＋否定附帶問句

(a) You **are** a student, **aren't** you? （你是個學生吧？）
***I am** taller than he, **aren't** I? （我比他高吧？）
He **is** living here, **isn't** he? （他住在這裏吧？）
Mary **was** there, **wasn't** she? （〔當時〕瑪麗在那裏吧？）
Tomorrow **is** Sunday, **isn't** it? （明天是星期日吧？）
There's an apple on the table, **isn't** there?
（桌子上有一個蘋果吧？）
You **have** a pen, **haven't** you?
（你有鋼筆吧？）
John and Bill **have** read it, **haven't** they?
（約翰和比爾讀過它了吧？）
Mr. A **has** been to Japan, **hasn't** he?
（A 先生去過日本吧？）
We **had** better stay, **hadn't** we?
（我們還是留下好些，不是嗎？）
We **shall** get there before noon, **shan't** we?
（我們將在中午以前到達那裏吧？）
They **will** come, **won't** they?
（他們會來吧？）
You **would** like to come, **wouldn't** you?
（你願意來吧？）
Peter **can** swim, **can't** he?
（彼得會游泳吧？）
She **may** pick some flowers, **mayn't** she?
（她可以採一些花吧？）
They **must** come again, **mustn't** they?
（他們必須再來，不是嗎？）

Tom **ought** to study hard, **oughtn't** he?
(湯姆應該用功，不是嗎？)

(b) You **know** him, **don't** you? (你認識他吧？)
John **likes** her, **doesn't** he? (約翰喜歡她吧？)
Mary **came** yesterday, **didn't** she? (瑪麗昨天來過吧？)
They **had** a good time, **didn't** they? (他們過得很愉快吧？)
He **used** to come on Sunday, **didn't** he?
(他慣常在禮拜天來，不是嗎？)

【提示】

1. 敍述句和附帶問句的**主詞須一致**。
敍述句如用名詞或代名詞作主詞，附帶問句主詞則須用相符的**人稱代名詞**。
This is your book, isn't **it**?
(這是你的書吧？)
Those books are yours, aren't **they**?
(那些書是你的吧？)
2. 敍述句和附帶問句的**動詞型式與時式須一致**。
①敍述句動詞如用**特殊限定動詞**(*is, can, will* 等)，附帶問句亦須用**同一個特殊限定動詞**。
②敍述句如用**一般限定動詞**，附帶問句則用 **do, does, did** 等。
3. 附帶問句動詞須用**簡縮字**。

◇ 附帶問句的音調 (Intonation) ◇

附帶問句應讀成升調或降調，須視說者能否確信自己所說之話而定，若能確信，用**降調**；反之則用**升調**。

He lives in Taipei, doesn't he↓? 〔降調〕
(他住在臺北吧？)〔我相信如此〕
He lives on Park Road, doesn't he↑? 〔升調〕
(他住在公園路，是不是？)〔不知是否如此〕

㈡否定敍述句＋肯定附帶問句

(a) You **aren't** a baby, **are** you? (你不是嬰孩吧？)

I'm **not** so fat as you, **am** I? （我沒有你那麼胖吧？）
She **isn't** living here, **is** she? （她不住在這裏吧？）
It **isn't** cold today, **is** it? （今天天氣不冷，是嗎？）
The Browns **weren't** there, **were** they?
（布朗一家人沒在那裏吧？）
There's **nothing** in the box, **is** there? （箱子裏沒有東西吧？）
There **weren't** many people present, **were** there?
（出席的人不多吧？）
He **hasn't** a car, **has** he? （他沒有汽車吧？）
They **haven't** arrived yet, **have** they?
（他們還沒有到達吧？）
You **won't** be late, **will** you? （你將不會遲到吧？）
You **shouldn't** drive so fast, **should** you?
（你不應該開得那麼快，是嗎？）
Tom **can't** drive a car, **can** he? （湯姆不會開車吧？）
He **couldn't** make it, **could** he? （他不能做它吧？）
He **mustn't** take it, **must** he? （他不可以拿它，是嗎？）
You **needn't** go home yet, **need** you? （你還不必回家吧？）
You **daren't** ask him, **dare** you? （你不敢問他吧？）

(b) They **don't** know him, **do** they? （他們不認識他吧？）
He **doesn't** live in Taipei, **does** he? （他不住在臺北吧？）
She **didn't** come yesterday, **did** she? （昨天她沒有來吧？）
You **don't** have to go, **do** you? （你不必去吧？）

—— 習 題 43 ——

(一)*Add a tag-question to each of the following sentences:*
（在下列各句後面加一附帶問句）

1. Mary is beautiful, __________?
2. You're coming tomorrow, __________?
3. Bob and Tom aren't good boys, __________?
4. You were happy, __________?
5. It's not very hot today, __________?

6. That is your bicycle, __________?
7. Yesterday was Wednesday, __________?
8. There isn't much time left, __________?
9. There are thirty days in June, __________?
10. You know his name, __________?
11. John speak French, __________?
12. They always work hard, __________?
13. You broke the window, __________?
14. Betty sang well, __________?
15. You don't go every day, __________?
16. I didn't hurt you, __________?
17. Your sister doesn't want to go, __________?
18. You have a lot of books, __________?
19. He has his lunch at one o'clock, __________?
20. They have heard about it, __________?
21. Your father has never been to Japan, __________?
22. She hadn't met you before, __________?
23. You had better do it, __________?
24. We shall meet again next week, __________?
25. You'll lend me your dictionary, __________?
26. Mr. Smith won't be here, __________?
27. You shouldn't smoke, __________?
28. We should think before we speak, __________?
29. Your uncle can speak English, __________?
30. The Taylors couldn't get it, __________?
31. Tom may come, __________?
32. They might be there, __________?
33. We must go now, __________?
34. He needn't come tomorrow, __________?
35. You ought to visit him, __________?

(二) *Choose the correct words:* (選擇正確的字)

1. You went there yesterday, (①went you ②did you ③did you go ④didn't you)?
2. He drinks too much, (①isn't he ②does he ③doesn't he ④does he not)?

3. John can't swim well, (①can John ②can't John ③can he ④can't he)?
4. Mary wasn't writing anything, (①was Mary ②was she ③wasn't Mary ④wasn't she)?
5. This is mine, (①is this ②isn't this ③is it ④isn't it)?
6. Those people don't like it, (①do those people ②do those ③do they ④ don't they)?
7. She's read it already, (①is she ②isn't she ③has she ④hasn't she)?
8. If he has time, he will come tomorrow, (①has he ②hasn't he ③will he ④won't he)?

第五節 語 態(Voice)

主動語態 (**Active Voice**)—〔主詞是動作的發動者〕
I *teach* you. (我教你們)
被動語態 (**Passive Voice**)—〔主詞是動作的接受者〕
You *are taught* by me. (你們被我教)

(1)被動語態的形成

be+過去分詞=被動語態

1. **am・is・are+過去分詞=被動現在式**

I **am loved** by my parents. (我被雙親所愛)
(=My parents love me.)
We **are taught** English by him. (我們被他教授英語)
(=He teaches us English.)
We **are** *not* **taught** by Miss A. (我們不是由A女士教的)
Are *you* **taught** Japanese at school?
(你〔們〕在學校被教授日語嗎?)

Japanese **is** *not* **taught** in our school.
(我們的學校不教日語)

English **is spoken** in the United States.
(＝They speak English in the United States.)
(在美國，人們說英語)
Is English **spoken** in Taiwan? (在臺灣說英語嗎？)
It **is** (＝It's) not **spoken** here. (此地不說它)

Chinese **is used** by Chinese. (中國話被中國人所使用)
Is it **understood** by Americans? (它爲美國人所了解嗎？)

These books **are written** in English. (這些書是用英文寫的)
They **are** not **written** in Chinese. (它們不是用中文寫的)

What **is** (＝What's) this box **made** of?
(這個箱子是用什麼做的？)
It's **made** of wood. (它是木頭做的)
Wine **is made** from grapes. (酒是葡萄做的)

【句型】

am・is・are	過去分詞	**by**＋受詞
I **am** (not) We **are** (not) You **are** (not) He 〔She, It〕 **is** (not) They **are** (not) **Are** you 〔we, they〕 **Aren't** you 〔we, they〕 **Is** he 〔she, it〕 **Isn't** he 〔she, it〕	**loved** **taught**(it) **understood**	by John (?). by him (?). by Mary (?). by her (?). by it (?). by them (?). by you (?). by me (?). by us (?).
English **is** (not) Chinese **is** (not) **Is** 〔Isn't〕 it **Are** 〔Aren't〕 they	**spoken** **used** **understood**	by Americans(?). by Chinese (?). by Japanese (?).

am・is・are	過去分詞	

English **is** (not) Chinese **is** (not) Japanese **is** (not) **Is** [Isn't] it	**spoken** **used** **understood**	in the U.S.A. (?). in China (?). in Taiwan (?). in Japan (?). here (?). there (?).
Tea **is** (not) Rice **is** (not) Apples **are** (not)	**grown**（種植） **sold**	
It **is** (not) They **are** (not) Is it [Are they]	**written**	in English (?). in Chinese (?). in Japanese (?).
The box My house } **is** (not)	**made**	of wood. of bricks.（磚）
Bread **is** (not) Wine **is** (not) **Is** [Isn't] it	**made**	from flour (?). from rice (?). from grapes (?).

2. **was・were＋過去分詞＝被動過去式**

I **was taught** English by an American.
（＝An American taught me English.）
（我被一個美國人教過英語）

We **were taught** English conversation by him.
（我們被他教過英語會話）

By whom **were** you **taught** to swim?
（＝Who taught you to swim?）（你被誰教過游泳？）

She **was loved** by them.
（＝They loved her.）（她被他們所愛）

It **wasn't understood** by her, **was** it?
（＝She didn't understand it, did she?）（這不爲她所了解吧？）

He **was taken** to (the) hospital.（他被送到醫院去）

The window **was broken** by Tom.（窗子是湯姆打破的）

This car **was made** in Japan.（這部汽車是日本製造的）

The book **was written** in English.（這本書是用英文寫的）

These books **were written** by Mr. A.（這些書是A先生寫的）

Was America **discovered** by Columbus?
（美洲是哥倫布所發現的嗎？）

Were they **killed** by him?　（他們是他殺死的嗎？）

He **was** not **caught** by the police.　（他沒有被警察捉到）

Bill and Lucy **were** not **invited** to the party.
（比爾和露茜沒有被邀請參加宴會）

{ Where **were** you **born**?　（你在那裏出生的？）
{ I **was born** in Tainan in 1950.　（我於一九五〇年出生於臺南）

【句型】

was・were	過去分詞	**by**＋受詞
I He〔She, It〕} **was**（not） We〔You, They〕} **were**（not） **Was** I〔he, she, it〕 **Were** you〔we, they〕	**loved** **understood** **taught** it **told** that **invited**	by Tom（?）. by him（?）. by Lucy（?）. by her（?）. by it（?）. by them（?）. by you（?）. by me（?）. by us（?）.
It **was**（not） They **were**（not） **Was**〔Wasn't〕it **Were**〔Weren't〕they	**taken**〔stolen〕 **broken**〔lost〕 **done**〔made〕 **seen**〔found〕 **discovered** **invented** **sold**〔bought〕 **killed**〔caught〕 **written**〔read〕 **sung**〔drawn〕	

3. **shall be** / **will be** }＋過去分詞＝被動未來式

I **shall be punished** by Mr. A.　（我將被 A 先生處罰）
（＝Mr. A will punish me.）

We **shall** not **be punished** by him.　（我們將不會被他處罰）
（＝He will not punish us.）

Shall we **be taught** English by Miss A?
（=Will Miss A teach us English?）
（我們將被 A 女士教授英語嗎？）
You **will be sent** to Japan. （你將被送往日本）
He **will** not **be allowed** to go abroad. （他將不會被允許出國）
It **will be sold** cheaply. （它將以廉價出售）
Will all the bananas **be sold** abroad?
（所有的香蕉都將外銷嗎？）
Will they **be invited** to the party next week?
（下星期他們將被邀請參加宴會嗎？）

【句型】

shall / **will** } **be**	過去分詞	**by**＋受詞
I / We } **shall**（not）; You / He〔She, It〕/ They } **will**（not）; **Shall** I〔we〕; **Will** you〔he, they〕} **be**	**taught**（it） / **invited** / **punished** / **forgotten** / **sent** there / **taken** there / **allowed** to do it	by him（?）. / by her（?）. / by it（?）. / by them（?）. / by you（?）. / by me（?）. / by us（?）.
It〔They〕**will** （not）; **Will** it〔they〕} **be**	**sold**〔bought〕 / **brought** here / **made**〔done〕 / **written**〔read〕	by him（?）. / by them（?）. / tomorrow（?）. / next week（?）.

4. **am** / **is** / **are** } ＋**being**＋過去分詞＝被動現在進行式

I **am being taught** English by him.
（=He is teaching me English.）（我正被他教授英語）
Are you **being taught** Japanese? （你們正被教授日語嗎？）
We **are** not **being taught** Japanese. （我們現在沒有被教授日語）
English **is being studied** by many people.

（＝Many people are studying English.）
（英語正被許多人學習著）
A new road **is being made** now.（有一條新路現在修築中）
Motor-cars **are** not **being made** in this factory.
（本廠現在不製造汽車）
I **am being taken** to the theater by the Smiths tonight.
（＝The Smiths are taking me to the theater tonight.）
（今晚我將被史密斯一家人帶去看戲）

【句型】

am・is・are＋being	過去分詞	**by＋受詞**
I **am** (not)		by him (?).
We **are** (not)		by her (?).
You **are** (not)		by it (?).
He〔She, It〕**is** (not) } **being**	**taught** it	by them (?).
They **are** (not)		by you (?).
Is he〔she, it〕		by me (?).
Are you〔we, they〕		by us (?).
	taught	by him (?).
	studied	by her (?).
It **is** (not)	**played**	by them (?).
They **are** (not) } **being**	**done**	by you (?).
Is〔Isn't〕it	**made**	by me (?).
Are〔Aren't〕they	**built**	by us (?).
	written	now (?).
	grown	here (?).

was / **were** }＋**being**＋過去分詞＝被動過去進行式

I **was being taught** to walk then.（那時我正被教著走路）
We **were being taught** English by him.
（那時我們正被他教授英語）
English **was** not **being studied** by people then.
（＝People were not studying English then.）
（當時英語並沒有被人們在學習）

A house **was being built** for us.
（＝They were building a house for us.）
（有一幢房子正在爲我們而建造）
The rooms **were being cleaned.** （房間正被打掃清潔）
Was the car **being driven** to the station?
（這部汽車當時正被開往車站嗎？）
The car **was** not **being driven** carefully.
（這部汽車當時未被小心駕駛）

【句型】

was・were＋being	過去分詞	**by**＋受詞
I〔He, She, It〕 **was** (not) We〔You, They〕 **were** (not) **Was** I〔he, she, it〕 **Were** you〔we, they〕 } **being**	**taught** it	by him (?). by her (?). by them (?). by you (?). by me (?). by us (?).
It **was** (not) They **were** (not) **Was**〔wasn't〕 it **Were**〔weren't〕 they } **being**	**done** **made** **built** **taught** **studied** **driven** **cleaned**	by him (?). by her (?). by them (?). by you (?). by me (?). by us (?). then (?).

【提示】未來進行式和完成進行式通常不用被動句。

6. **have** / **has** } ＋**been**＋過去分詞＝被動現在完成式

I **have been taught** English by him for two years.
（＝He has taught me English for two years.）
（我已被他教過兩年英語了）
We **have** not **been told** what has happened.
（＝They have not told us what has happened.）
（我們未被告訴過發生了什麼事）

The house **has been sold** already.
（此屋已被賣掉）
The car **has** not **been sold** yet.
（汽車還沒有被賣掉）
Have the letters **been written** yet?
（那些信已經寫好了嗎？）
All his money **has been stolen.**
（他所有的錢都被偷了）
（＝Somebody has stolen all his money.）
Two thieves **have been caught** by the police.
（＝The police have caught two thieves.）
（有兩個賊被警察捉到了）

【句型】

have・has＋been	過去分詞	by＋受詞
I〔We, You, They〕**have** (not) / He〔She, It〕**has** (not) / **Have** you〔we, they〕/ **Has** he〔she, it〕 **been**	**taught** it / **told** that	by Mr. A (?). by him (?). by Miss C (?). by her (?). by it (?).
It **has** (not) / They **have** (not) / **Has**〔hasn't〕it / **Have**〔haven't〕they **been**	**done**〔made〕 **sold**〔bought〕 **written**〔read〕 **stolen**〔taken〕 **cut**〔killed〕 **caught**〔found〕 **eaten**〔drunk〕	by them (?). by you (?). by me (?). by us (?). (already). (yet)(?).

7. **had been**＋過去分詞＝被動過去完成式

I **had been taught** English for two years by Mr. A before I came here.
（來此地之前，我已被 A 先生教過兩年英語了）
He told me that my exercise **had been done** very carelessly.
（他告訴我說我的習題做得很不細心）
Had the work **been finished** then?
（那時工作已經完成了嗎？）

The house **had been burnt** down when the firemen arrived.
(當消防隊員到達時房子已被燒毀了)
He said he **had been robbed** of 1,000 dollars.
(＝He said the robbers robbed him of 1,000 dollars.)
(他說他被搶了一千元)
The robbers **had** not **been caught** by eight o'clock last night.
(迄昨夜八時止强盜尚未被捕)

8. **shall / will } have been**＋過去分詞＝被動未來完成式

We **shall have been taught** English for three years by next June.
(到明年六月，我們將已被敎過三年英語了)
The work **will have been finished** by then.
(到那時，工作將已完成了)
Everything **will have been eaten** by the time we get there.
(＝They will have eaten everything by the time we get there.)
(我們到達那裏時，一切東西都將已被吃光了)
*That book **will have been read** by the students already.
(我想那本書已經被學生們讀過了)

(2)主動語態與被動語態

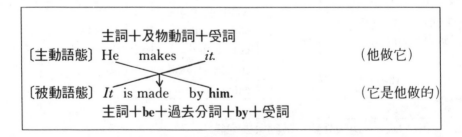

主詞＋及物動詞＋受詞
〔主動語態〕He makes *it.* (他做它)
〔被動語態〕*It* is made by **him.** (它是他做的)
主詞＋**be**＋過去分詞＋**by**＋受詞

		主動語態	被動語態
簡單式			
	現在	I **write** it.	＝It **is** *written* by me.
	過去	I **wrote** it.	＝It **was** *written* by me.
	未來	I **shall write** it.	＝It **will be** *written* by me.

進行式

現在 I **am writing** it. =It *is* **being** *written* by me.
過去 I **was writing** it. =It *was* **being** *written* by me.
未來 I **shall be writing** it. —(缺)

完成式

現在 I **have written** it. =It *has* **been** *written* by me.
過去 I **had written** it. =It *had* **been** *written* by me.
未來 I **shall have written** it. =It *will have* **been** *written* by me.

【提示】1. 主動語態變為被動語態的方法如下：

①主動句的受詞變成被動句的主詞。
②主動句的主詞變成被動句的介系詞 **by** 的受詞。
③將主動句的本動詞變為過去分詞之後，被動句動詞用「**be**＋過去分詞」的型式，"**be**"隨時式而變化。
④語態改變後，**shall, will, have, has, is, was,**……等助動詞須和新句的主詞一致。

2. 在被動簡單式「**am**（或 was）＋過去分詞」中間加"**being**"即成為被動進行式。

3. 在主動完成式「**have**＋過去分詞」中間加"**been**"即成為被動完成式。

● 應注意事項 ●

1. 主動語態和被動語態動詞時式須一致。

I **teach** English.（我教英語）〔主動現在式〕
=English **is taught** by me.（英語由我教）〔被動現在式〕

He **caught** five fish.（他捕獲五條魚）〔主動過去式〕
=Five fish **were caught** by him.〔被動過去式〕

She **will punish** me.（她將處罰我）〔主動未來式〕
=I **shall be punished** by her.（我將被她處罰）〔被動未來式〕

We **are studying** grammar.（我們正在學習文法）〔主動現在進行式〕
=Grammar **is being studied** by us.〔被動現在進行式〕

They **have done** it.（他們已做完了它）〔主動現在完成式〕
=It **has been done** by them.〔被動現在完成式〕

2. 及物動詞若有「直接」和「間接」兩個受詞，可改為兩種被動句。

He gave **me** *a book.* （他給我一本書） 〔主動〕
=**I** was given *a book* by him. 〔被動〕
=*A book* was given (to) **me** by him. 〔被動〕

She told **us** *a story.* （她給我們講一個故事） 〔主動〕
=**We** were told *a story* by her. 〔被動〕
=*A story* was told (to) **us** by her. 〔被動〕

Mr. A teaches **them** *English.* （A 先生教他們英語） 〔主動〕
=**They** are taught *English* by Mr. A. 〔被動〕
=*English* is taught (to) **them** by Mr. A. 〔被動〕

3. 不及物動詞通常不能改爲被動語態，但「**不及物動詞＋介系詞**」可視同及物動詞，並可改變語態如下：

They **laughed at** him. （他們嘲笑他） 〔主動〕
=He **was laughed at** by them. （他被他們嘲笑） 〔被動〕

A car **ran over** a man. （汽車輾過一個人） 〔主動〕
=A man **was run over** by a car. 〔被動〕

She **is looking for** you. （她正在找你） 〔主動〕
=You **are being looked for** by her. 〔被動〕

4. 否定句的語態改變法：

They **do not teach** French. （他們不教法文） 〔主動〕
=French **is not taught** by them. 〔被動〕

【提示】*They* **teach** *French.*＝*French* **is taught** *by them.*

5. 疑問句的語態改變法：

Do they **speak** English? （他們說英語嗎？） 〔主動〕
=**Is** English **spoken** by them? 〔被動〕

【提示】*They* **speak** *English.*＝*English* **is spoken** *by them.*

6. "**By whom**（被誰）"須置於句首。

Who broke it? （誰打破了它的？） 〔主動〕
=**By whom** *was it broken*? （它是誰打破的？） 〔被動〕
〔誤〕Was it broken *by whom*?

Who taught you English? （誰教過你英語？） 〔主動〕
=**By whom** *were* you *taught* English? 〔被動〕

Who has told you that? （誰告訴你那個的？） 〔主動〕
=**By whom** *have* you *been told* that? 〔被動〕

【句型】

By whom	was were	主　詞	過　去　分　詞
By whom	was was were	it the book he〔she〕 you〔they〕	**broken**〔found, invented〕? **written**〔taken, stolen〕? **taught** English〔it〕? **told** that?

7.「助動詞＋原式」(主動)→「助動詞＋be＋過去分詞」(被動)

You **must** *learn* it. （你必須學它） 〔主動〕
＝It **must** *be learned* by you. 〔被動〕

He **ought** *to do* it. （他應該做它） 〔主動〕
＝It **ought** *to be done* by him. 〔被動〕

Can they *understand* it? （他們能了解它嗎？） 〔主動〕
＝**Can** it *be understood* by them? 〔被動〕

8.「不完全及物動詞＋受詞＋補語」的語態改變法：

We **chose** John *captain.* （我們選約翰當隊長） 〔主動〕
＝John **was chosen** *captain* (by us). 〔被動〕
（約翰被我們選爲隊長）

They **elected** him *chairman.* （他們選他當主席） 〔主動〕
＝He **was elected** *chairman* (by them). 〔被動〕

9.「**see**（看見）, **hear**（聽見）, **make**（使）＋受詞＋原式」的句型，在被動句中須用不定詞代替原式。

We **saw** him *come.* （我們看見他來） 〔主動〕
＝He **was seen** *to come* (by us). 〔被動〕

I **heard** her *sing* last night. （昨晚我聽見她唱歌） 〔主動〕
＝She **was heard** *to sing* (by me) last night. 〔被動〕

They **made** me *do* it. （他們使我做這個） 〔主動〕
＝I **was made** *to do* it (by them). 〔被動〕

10.被動命令句的句型是「**Let**＋受詞＋**be**＋過去分詞」：

Do *it* at once. （立刻做那個） 〔主動〕
＝*Let it* **be done** at once. 〔被動〕

Open *them.* （打開它們） 〔主動〕
＝*Let them* **be opened.** 〔被動〕

11.主動句如用 **people, they, you, we, somebody** 等作主詞而含糊地表示「人」，「大家」等意思，則於改變語態時通常將 **by people, by them**……等略去。

They **speak** English in Canada. 〔主動〕
（在加拿大，他們說英語）
＝English **is spoken** in Canada. 〔被動〕

People **say** that he is very rich. （據說他很有錢） 〔主動〕
＝*It* **is said** that he is very rich. 〔被動〕
＝He **is said** to be very rich. 〔被動〕

We 〔or *They*〕 **call** him "Little Peter". 〔主動〕
（我們〔他們〕叫他「小彼得」）
＝He **is called** "Little Peter" *by us* 〔or *them*〕. 〔被動〕
（他被稱爲「小彼得」）

Somebody **stole** his hat yesterday. 〔主動〕
（昨天有人偷他的帽子）
＝His hat **was stolen** (*by somebody*) yesterday. 〔被動〕
（他的帽子昨天被偷去）

【提示】主動句的主詞不明或不必表明時，常用被動語態表示：

He **was wounded** in the war. （他在戰爭中受了傷）

The letter **is written** in English.
（這封信是用英文寫的）

The boy **was drowned** in the river.
（這男孩淹死在河裏）〔draund〕

He **is supposed** to come at eight o'clock.
（他應該在八點鐘來）—*be supposed to*（被認爲，應該）

12.用其他介系詞代替 **by** 的被動句如下：

The news surprised me. （這消息使我吃驚） 〔主動〕
＝I **was surprised** *at* the news. 〔被動〕

The story interested them. 〔主動〕
＝They **were interested** *in* the story. 〔被動〕
（他們對這故事感到興趣）

Everybody knows him. 〔主動〕
＝He **is known** *to* everybody. （他爲人人所知） 〔被動〕

【提示】*be known to*～（爲～所知） *known by*～（相識，由～得知）

Snow covered the hill.　〔主動〕
＝The hill **was covered** *with* snow.　（山上滿是雪）　〔被動〕

My explanation satisfied〔或 pleased〕him.　〔主動〕
＝He **was satisfied**〔或 **pleased**〕*with* my explanation.
（他對我的解釋覺得滿意）　〔被動〕

Someone killed the dog with a stone.　〔主動〕
＝The dog **was killed** *with* a stone.　〔被動〕
（這隻狗被人用石頭擊斃）

【提示】*with* 常用以表示「**工具**」。

13.被動語態亦可用「**get**（**become, grow**）＋**過去分詞**」的型式：

They **are** married.　（他們已結婚）　〔表狀態〕
＝They **got** married last week.　（他們於上星期結婚）　〔表動作〕

I **am** used to getting up early.　（我已慣於起早）　〔表狀態〕
You must **get** used to getting up early.　〔表動作〕
（你必須習慣於起早）

He **was** known to people.　（他爲衆人所知）　〔表狀態〕
He **became** known to people.　（他漸爲衆人所知）　〔表動作〕

*14.主詞不變而用**主動語態**或**被動語態**均能表示**同一意義**的句子如下：

He **graduated** from a university in 1950.
＝He **was graduated** from a university in 1950.
（一九五〇年他畢業於某大學）

She **married** Mr. A.　（她和 A 先生結婚）
＝She **was**〔或 got〕**married** *to* Mr. A.

15.「**have**（或 **get**）＋**受詞**＋**過去分詞**」的型式含有**被動性質**

He **had** his money *stolen.*　（他的錢被偸去）
I had〔或 **got**〕my hair *cut.*　（我〔叫人〕理了髮）
I had〔或 **got**〕my leg *hurt.*　（我的腿受了傷）

—— 習 題 44 ——

㈠ *Change each of the following sentences into three passive forms*（①*affirmative* ②*interrogative* ③*negative*）：
（將下列各句改爲三種被動句 ①肯定句 ②疑問句 ③否定句）

Ex. He taught you.

①You were taught by him.

②Were you taught by him?

③You were not taught by him.

1. We do it.
2. We did it.
3. We shall do it.
4. We are doing it.
5. We were doing it.
6. I have done it.
7. I had done it.
8. I shall have done it.
9. He makes them.
10. He made them.
11. He will make them.
12. He is making them.
13. He was making them.
14. She has made them.
15. She had made them.
16. She will have made them.

㈡*Put the following sentences into the passive voice:*（改為被動語態）

1. They want you.
2. The teacher corrects our exercises.
3. Everybody respects him.
4. He teaches us mathematics. （改為兩個被動句）
5. She does not understand Tom and me.
6. Do Chinese speak English?
7. All the people in the village liked him.
8. Columbus discovered America in 1492.
9. Mary wrote two letters.
10. We sang many beautiful songs.
11. The boys elected him captain of the team.
12. A car ran over the child.
13. The police did not catch the thieves.
14. You didn't hurt him, did you?
15. Did John break the glass?

16. Betty invited you to the party, didn't she?
17. Who invented the telephone?
18. Who told you that?
19. I am afraid they will kill the bird.
20. I shall punish them.
21. Mr. Jones is writing a book.
22. Many people are studying English and Japanese.
23. John was drawing a picture.
24. Were they cutting the grass?
25. Many students have read this book.
26. The boy has put the boxes on the floor.
27. Mr. Brown has given a present to the children. （改爲兩個被動句）
28. Has Charles won the first prize?
29. Who has taken it?
30. Let John do it.

㈢ *Change to the passive. Omit the by-phrase.*
（改爲被動語態，並將 by 片語省略）

1. We grow very good tea in Taiwan.
2. They make good wine in France, don't they?
3. People speak English all over the world.
4. They sell sugar by the pound.
5. You have to do it at once.
6. They call him Jack.
7. People say that this tree is three thousand years old.
8. They told us to wait outside.
9. We took him to be a foreigner.
10. The teacher did not allow the boys to play football yesterday.
11. He made me go.
12. We saw a man enter the house.
13. We shall never hear his voice again.
14. They will ask you some questions.
15. Will they allow us to drive the new car?
16. They are building new houses outside the town.

17. They were not using that book.
18. Was he washing the car?
19. Somebody has eaten all the cakes.
20. They have not finished the work yet.
21. Have you found the lost money?
22. I have never heard him speak ill of others.
23. We cannot see it in the daytime.
24. Somebody must finish the work.
25. People mustn't take these books away.
26. You should read it more than once.
27. You ought to obey the rules.
28. Shut the door.

㈣ *Change the following sentences from passive to active:* (改爲主動語態)

1. He was taught music by a foreigner.
2. She was heard to sing an Italian song (by someone).
3. Our teachers should not be forgotten.
4. Spanish is spoken in South America.
5. Is French taught in your school?
6. It is said that he has gone abroad.
7. Some flowers will be brought you by John.
8. Some chairs are being put in that room by him now, aren't they?
9. My pen has been stolen.
10. I have been told that she is sick.
11. By whom is the baby looked after?
12. By whom were you shown the way?

㈤ *Substitution:* 換字(每個空格限塡一字)

1. Japanese is not spoken by us.
   =We ______ ______ ______ Japanese.
2. Was your book found?
   =______ you ______ your book?
3. Didn't they tell you to be here?
   =______ ______ ______ to be here (by them)?
4. French is to be taught by Miss C.

=Miss C ______ ______ ______ French.

5. They are building a bridge.
   =A bridge ______ ______ ______ by them.
6. The work has been done by us.
   =We ______ ______ the work.
7. Can he understand it?
   =______ ______ ______ ______ by him?
8. The doctor must be sent for.
   =We ______ ______ ______ the doctor.
9. The cat killed some mice.
   =Some mice ______ ______ by the cat.
10. Snow covers the mountain.
    =The mountain ______ covered ______ snow.
11. History interests me.
    =I ______ interested ______ history.
12. His progress surprised us.
    =We ______ surprised ______ his progress.
13. My answer satisfied him.
    =He ______ satisfied ______ my answer.
14. The new dress pleased her.
    =She ______ pleased ______ the new dress.
15. Everybody knows Lincoln.
    =Lincoln ______ known ______ everybody.

(六)*Correct the errors:*（改錯）

1. Mary is born in Taipei.
2. John was bring up by his grandmother.
3. They are suppose to arrive on Wednesday.
4. The roof of the house may be blow off by the wind.
5. The boy drowned yesterday.
6. His book is being reading by many people.
7. It must have taken by someone.
8. Your teeth ought to be keep clean.
9. We were made study hard.
10. He was laughed by the boys.

(七)*Choose the correct words:*（選擇正確的字）

1. The table is made (by, of, from) wood.
2. Bread is made (by, of, from) flour.
3. The letter is written (by, in, with) English.
4. What language is spoken (by, in, with) the Philippines?
5. He was looked down upon (by, of, with) the villagers.
6. The room is filled (by, of, with) people.
7. The duck was killed (by, of, with) a stone.
8. Mary was married (by, to, with) Bill.

第六節 語 氣(Mood)

1. 直說法(語氣) (**Indicative Mood**)〔ɪnˊdɪkətiv mud〕
   He *is* kind. (他和善)
2. 祈使法(語氣) (**Imperative Mood**)〔ɪmˊpɛrətɪv〕
   Be kind. (要和善)
3. 假設法(語氣) (**Subjunctive Mood**)〔səbˊdʒʌŋktɪv〕
   If you *were* kind, they *would* like you.
   (假如你對人和善，他們定會喜歡你)

(1) 直 說 法 (Indicative Mood)

直說法用以陳述事實或表疑問，亦稱“**Fact Mood**”(敍實法)：

肯 定	否 定
He is honest. (他誠實)	He is not honest. (他不誠實)
He studies hard. (他用功)	He does not study hard. (他不用功)
Is she here? (她在這裏嗎？)	Is she not here? Isn't she here? (她不在這裏嗎？)

If it rains, I shall not go. (如果下雨，我就不去)
——本句所述者爲事實而非假設，故句中雖有 *if*，但仍屬於直說語氣。

(2) 祈 使 法 (Imperative Mood)

祈使法用以表示命令，勸告，請求，禁止等：

1. (a) 祈使法動詞用原式

【提示】主詞"*You*"通常省去，但必要時也可以加"*You*"。

Stand up.　（起立）　〔命令〕

You **come** here.　（你過來）　〔指名〕〔命令〕

Lend me your pencil, please.　〔請求〕
（請把你的鉛筆借給我）

Please **put** it on the table.　〔請求〕
（請把它放在桌子上）

【句型】

	祈使動詞（原式）	
(You)	**Stand**	up.
	Sit	down, please.
	Come	in, please.
	Go	there.
	Get	out of here!
	Hurry	up!
	Open	the window.
	Shut	the door, John.
Please	**put**	it on the table.
	Keep	this seat for me, please.
	Help	yourself to the cake.
	Pass	me the sugar, will you?

(b) 原式 Be＋形容詞

Be careful.　（要小心）　〔勸告〕

Be honest, Tom.　（要誠實，湯姆）　〔勸告〕

Be quiet!　（要肅靜！）　〔命令〕

【句型】

Be	形容詞等

Be	*honest*〔polite, punctual（守時）〕. *kind* to others. *quick*（快）!〔quiet!〕 *careful*〔ambitious（有雄心）〕. a good boy.

2. 否定祈使句：① **Don't** 或 **Do not**（不可）② **Never**（絕不可）} ＋原式

Don't *tell* a lie.　（不要說謊）　〔禁止〕

Don't *mind.*　（不要介意）　〔勸告〕

Don't *be* lazy.　（不可偷懶）　〔勸告〕

Don't *be* noisy.　（不要吵鬧）　〔禁止・命令〕

【提示】*tell*（告訴）與 *mind*（介意）是動詞，前面不須再加 **"be"**；但 *lazy*（懶惰的）與 *noisy*（吵鬧的）是形容詞，故前面須加動詞原式 **"be"**。

Never *mind.*（千萬別介意）
Never *do* it again.（絕不可以再做這種事）

【句型】

Don't, *etc.*	原　　式
Don't **Do not** **Never**	**mind**〔hurry（慌忙）〕. **tell** a lie. **do** it again〔forget it〕. **go** there〔come again〕. **get** excited（激動）. **be** *late*〔lazy, noisy〕. **be** *afraid*〔angry, jealous〕. **be** *foolish*〔selfish〕.

3. 肯定祈使句可添加强語氣的 **do** 以表懇求：**do**＋原式

'**Do** *tell* me.（請告訴我吧）
Please '**do** *come.*（請一定來）

4. 用 **Let** 的祈使句：**let十受詞十原式**

Let me *go*!（讓我走吧！）〔請求〕
Let us *know* whether you can come.〔請求〕
（讓我們知道〔請告訴我們〕你是否能來）
Let him *do* it.（讓他做那個）〔肯定〕〔間接命令〕
Don't let him *do* it.（不要讓他做那個）〔否定〕〔命令〕
Don't let us *wait.*（不要讓我們等）〔否定〕〔請求〕
Let's（＝let us）**not** *wait.*（我們不要等吧）〔否定〕〔提議〕
Let's *go* by bus, shall we?（我們乘公共汽車去好嗎？）〔提議〕
【提示】**"Let～"**的否定句有**"Let～not"**與**"Don't let～"**兩種。
Let it *be* done.（做它吧）〔間接命令〕
—本句是"*Do it.*"的被動句，不常用。

【句型】

Let	受　詞	原　式
Let (Don't let)	me us (not) him her it them	**go**〔try wait〕. **do**〔know it〕. **have** a cup of tea. **see** if it is right.

5. **祈願句**：①　**原式**　＊②　**May～十原式**　}＝"願～；祝～"

Long *live* the King!（國王萬歲！）
God *be* with you.（願神與你同在）
May you *succeed*!（祝你成功！）
May you *be* happy!（祝你快樂！）

—— 習　題　45 ——

(一)*Choose the right words:*（選擇對的字）

1.（Sit, Sitting, Be sit）own, please.

2. (Have, To have, Having) a cup of tea, won't you?
3. (Speak, To speak, Speaking) the truth, (don't, not, not to) tell lies.
4. Please (—, be, to be) quiet.
5. Don't (—, be, being) selfish.
6. Don't (hurry, be hurry, to hurry) , there's plenty of time.
7. (Never, Not, Do not to) mind what he says.
8. Let (I go, me go, me to go) .
9. Let Bill (do, does, to do) it at once.
10. May you (—, are, be) happy!
11. God (save, saves, be save) the Queen!
12. Long (live, lives, lived) the President!

(二)*Correct the errors:* (改錯)

1. John, helps yourself to the fruit.
2. To be here at nine o'clock.
3. Be forget about it.
4. Kind to others.
5. Don't be open the door without knocking.
6. Don't afraid, boys!
7. Let the boy to try.
8. Let she has a chance.
9. May you are succeed!
10. May God blesses you!

(三)*Change to the negative form:* (改爲否定句)

1. Take these books away.
2. Be jealous of others.
3. Please come in.
4. Let Tom know that.
5. Let's go to the movies tonight.

(3) 假設法 (Subjunctive Mood)

假設法用以表示假定，想像，願望等非事實的觀念，亦稱"Thought Mood" (敍想法)：

條件句(Conditional Sentences)

A. 非事實的現在(Present-Unreal)

—表示跟現在(或未來)的事實相反的假設和想像：

① 條件子句(*if* 子句)動詞用過去式。
【提示】be 動詞只用 **were** 一式。〔口語中可用 **was**〕

② 主要子句動詞用「過去式助動詞(*should, would, could, might* 等)+原式」。

If+……{過去式〔were〕}，……			
	should	(將)	+原式
	would	(將，願意)	
	could	(能)	
	might	(或許)	

If I **had** a car, I **should be** very happy.
—(But I have no car.)
(假如〔現在〕我有一部汽車，我將很快樂)〔可是我沒有汽車〕

If I **were** rich, I **would buy** a car.
—(But I am not rich.)
(假如我富有，我要買一部汽車)〔可是我並不富有〕

If I **were** a bird, I **could fly.**
—(But I am not a bird, so I can't fly.)
(假如我是一隻鳥，我就能飛了)〔可是我不是鳥，所以不能飛〕

If he **took** his doctor's advice, he **might** soon **be well** again.
—(But he doesn't take his doctor's advice.)
(假如他接受醫生的勸告，他可能很快就會好的)〔但他不接受勸告〕

If you **could do** so, it **would be** very nice.
—(I don't know whether you can do so or not.)
(假如你能這樣做，那就太好了)〔不知道你是否能這樣做〕

If it **were** not raining, we **should go** for a picnic.
—(But it is raining.)
(如果天不在下雨，我們將去郊遊)〔可是天在下雨〕

He **would learn** more quickly if he **worked** harder.
—(But he won't work harder.)
(如果用功些，他將會學得更快)〔可是他不肯用功些〕

They **would be** silly if they **did not take** the opportunity.
(假如他們不把握住這個機會，他們將是愚蠢的)

What **would** you **do** if you **were** in my place?
（假如現在你處在我這個地位，你將怎麼辦呢？）

【句型】

if-clause（條件子句）	main clause（主要子句）
過 去 式	{ **should, would, could, might,** *etc.* } ＋**原式**
1. If I **were** rich enough,	I **would buy** a car.
2. If I **had** a car,	I **should be** happy.
3. If I **were** you,	I **wouldn't do** that.
4. If I **had** wings,	I **would fly** to you.
5. If you **could** come,	it **would be** very nice.
6. If he **came**,	I **might see** him.
7. If I **saw** him,	I **should tell** him that.
8. If Tom **were** here now,	he **would help** me.
9. If you **fell** into the river,	you **would be** drowned.
10. If you **had** more time,	**would** you **study** Japanese?
11. If it **stopped** raining,	you **could go** out.
12. If the plane **left** at noon,	it **would reach** Tokyo at four o'clock.

main clause（主要子句）	if-clause（條件子句）
1. I **should come**	if I **had** time.
2. I **should be** pleased	if you **came**.
3. I **would go** abroad	if I **had** enough money.
4. I **shouldn't do** that	if I **were** you.
5. I **would help** him	if he **asked** me.
6. He **could make** it	if he **tried**.
7. He **would do** it	if he **could**.
8. She **would be** here by now	if she **took** a taxi.（出租汽車）

9. They **would be** silly	if they **didn't take** the opportunity.
10. You **might enjoy** yourself	if you **went**.
11. You **would be** ill	if you **ate** too much.
12. What **would** you **do**	if you **were** in my place?

B. 非事實的過去（Past-Unreal）

—表示**跟過去的事實相反**的假設和想像：

① **條件子句動詞用過去完成式。**
② **主要子句動詞用「過去式助動詞(should 等)＋完成式」。**

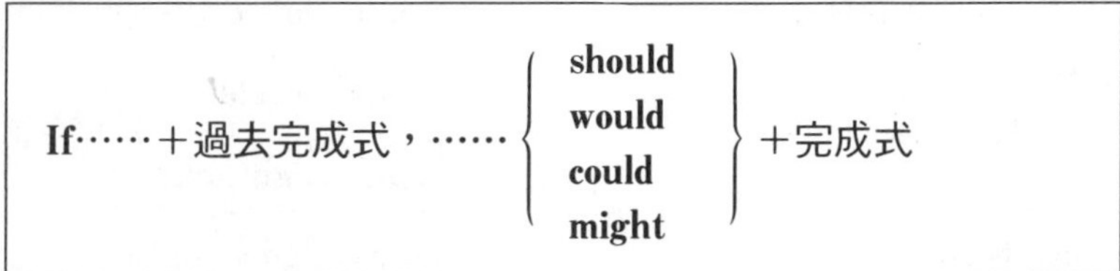
If……＋過去完成式，……{should / would / could / might}＋完成式

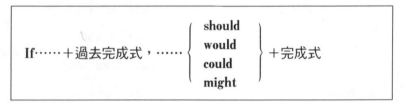

If I **had had** enough money, I **should have bought** it.
—(But I didn't have enough money, so I didn't buy it.)
(假如那時我有足夠的錢，我就買了它)
—〔但那時我沒有足夠的錢，所以沒有買它〕

If he **had worked** hard, he **would have passed** his examination.
—(But he didn't work hard, so he didn't pass.)
(假如過去他努力用功，他考試就會及格了)
—〔但他沒有用功，所以考不及格〕

If he **had been** able to swim, he **would not have been** drowned.
—(But he was not able to swim, so he was drowned.)
(假如那時他會游泳，他就不會淹死了)
—〔但他不會游泳，所以就淹死了〕

If it **had not rained** yesterday, he **might have come.**
—(But it rained yesterday, so he did not come.)
(假如昨天沒有下雨，他也許來了)
—〔可是昨天下了雨，所以他沒來〕

If you **hadn't told** her where Tom was, she **would never have known** it.

—(But you told her where Tom was, so she knew it.)
(假如你沒有告訴她湯姆在那裏，她永遠不會知道的)
—〔可是你告訴了她，所以她已經知道了〕

We **could have caught** the train if **we had started** earlier.
—(But we didn't start earlier, so we didn't catch it.)
(假如我們早一點出發，就能趕上火車了)
—〔可是我們沒有早一點出發，所以沒有趕上火車〕

【提示】If I **had taken** your advice then, I **should be** happier now.
(假如當時接受了你的忠告，我現在會更幸福些)

【句型】

if-clause (條件子句)	main clause (主要子句)
過去完成式	{ **should, would** / **could, might,** *etc.* } +完成式
1. If I **had been** rich,	I **should have gone** abroad.
2. If I **had had** enough money,	I **would have bought** it.
3. If he **had known** that,	he **would have come.**
4. If he **had come,**	I **should have seen** him.
5. If I **had seen** him,	I **should have told** him that.
6. If you **had not told** him,	he **would** never **have known.**
7. If he **had asked** you to marry him,	**would** you **have accepted?**
8. If he **had worked** harder,	he **might have succeeded.**
9. If you **had fallen** into the river,	you **would have been** drowned.
10. If you **had started** earlier,	you **would not have been** late.
11. If he **had taken** his doctor's advice,	he **might not have died.**
12. If it **had not been** raining,	we **should have gone** for a picnic.

main clause (主要子句)	if-clause (條件子句)
1. I **should have come**	if I **had had** time.
2. I **should not have done** that	if I **had been** you.
3. I **would have helped** him	if he **had asked** me.
4. You **could have made** it	if you **had tried.**
5. He **could have caught** the train	if he **had hurried.**
6. He **would not have been** drowned	if he **had been** able to swim.
7. She **would have gone** to the party	if she **had been** invited.
8. They **might have avoided** the accident	if they **had been** more careful.

C−1.　非事實的未來(Future-Unreal)

—表示跟未來的事實相反的假設和想像：

① 條件子句動詞不分人稱與數均用「**were to**＋原式」。
② 主要子句動詞用「過去式助動詞(should 等)＋原式」。

If……were to＋原式，… { **should, would, could, might** } ＋原式

If I **were to go** abroad, I **would go** to Japan.
—(But I know I can't go abroad.)
(倘若有一天我能出國，我要去日本)(但我知道我不能出國)

If you **were to get** one million dollars, what **would** you do?
(假如你將得到一百萬元，你要做些什麼呢？)

C−2.　不確定的未來(Future-Uncertain)

—表示對未來極大的懷疑：

① **條件子句動詞不分人稱與數一律用"should"。**
【提示】用於對未來表懷疑的"*should*"不含有"應該"的觀念。
② **主要子句動詞可用「祈使句」，直說法的"shall, will", 假設法的「should, would＋原式」等。**

If…should＋原式，… { should〔或 shall〕/ would〔或 will〕/ could〔或 can〕/ might〔或 may〕} ＋原式 / 祈使句

If it **should rain** tomorrow, I **will**〔*or* would〕**not go.**
—(I don't think it will rain.)
(萬一明天下雨，我就不去)〔我想明天不會下雨〕

If he **should come**, tell him to wait.
—(I don't think he will come.)
(萬一他來的話，告訴他等著)

If I **should fail**, what **shall**〔*or* should〕I **do**?
(萬一失敗的話，叫我怎麼辦呢？)

C−3. 可能的未來〔或現在〕(Future-Possible)

—表示未來〔或現在〕可能發生但不確定的事情：
條件子句動詞用「原式」，主要子句用「shall, will＋原式」
【提示】現代英語已很少用「**If＋原式**」的型式，而多以**直說法現在式**來代替。

If… { 現在式 / 〔原式〕 }，… { shall, will, / can, may } ＋原式 / 現在式 / 祈使句

If I **have** time, I **shall come** and see you.
(如果我有時間，我會來看你〔們〕)〔可能發生的事〕

If you **work** hard, you **will succeed.**
(如果努力工作，你將會成功)

If you **do not study** hard, you **will not pass** your examination.
(如果不用功，你將會考不及格)

If they **don't like** it, they **can have** another one.
（如果他們不喜歡它，他們可以拿另外一個）
If he **starts** now, he **will be** in time.
（如果現在出發，他將來得及）
If he **doesn't hurry**, he **won't catch** the train.
（若不趕快，他將趕不上火車）
If it **rains**, you **will get** wet.
（如果下雨，你會淋濕的）
What **shall** we **do** if he **comes?**
（如果他來，我們將怎麼辦？）
If you **see** him, **tell** him to write to me.
（如果你看到他，請告訴他寫信給我）

【句型】

條件子句(if 子句)	主　要　子　句
現　在　式	{ **shall・will** / **・can・may** } ＋原式
1. If it **is** fine tomorrow,	I **shall play** tennis.
2. If it **rains,**	I **shall not go** out.
3. If you **work** hard,	{ you **will succeed.** / you **can get** it. }
4. If you **don't work** hard,	{ you **won't succeed.** / you **will fail.** }
5. If you **go** to town,	**will** you **buy** it for me?
6. If he **goes** to Taipei,	he **will meet** Bob.
7. If he **comes,**	**tell** him to wait.
8. If they **start** now,	they **will be** in time.

main clause（主要子句）	if-clause（條件子句）
1. I **shall come** and see you	if I **have** time.
2. I **shall be** very angry	if you **break** it again.
3. We **shall be** pleased	if our team **wins** the game.

4. You **will be** ill	if you **eat** so much.
5. He **will come**	if you **wait**.
6. She **will catch** the train	if she **takes** a taxi.

● 假設法 if 的省略 ●

在文言中,可將假設法條件子句的主詞與動詞倒置,並將 **if** 省略。在這種倒置的假設句中,**be** 動詞須用 **were**, 不可用 **was**。

If I were rich, I would go abroad.
= *Were I* rich, I would go abroad.
(倘我富有,我要出國)

If I had been there, I would have helped you.
= *Had I been* there, I would have helped you.
(假如當時我在那裏,我一定會幫助你的)

If he should come, I will let you know.
= *Should he come*, I will let you know.
(萬一他來,我定會通知你)

● 其他各種用法 ●

(1) 表祈願用假設法現在式(=原式)

God **save** the Queen. (願上帝保佑女王)
Long **live** the President! (總統萬歲!)

(2) …**wish**…(主詞)+假設法動詞

表難以實現的願望時,在 **wish** 之後接由 **that** 引導的子句,並在子句中使用假設法動詞,而通常把 **that** 省略。

1. 表現在(或未來)不能實現的願望: …**wish**…+過去式

I *wish* I **were** a bird. —(But I am not a bird.)
(但願我是一隻鳥)〔但我不是鳥〕

I *wish* I **could fly**. —(But I cannot fly.)
(但願我能飛)〔可是我不能飛〕

I *wish* I **knew** how to do it.　—(I'm sorry I don't know.)
(但願我知道怎樣做它)〔可是很抱歉，我不知道〕

He *wishes* they **would go** away.
—(He would like them to go away, but they probably won't.)
(他希望他們將會離去)〔可是他們大概不會走〕

【提示】I *wish to know* it.　(我想知道這件事)〔非假設法〕

【句型】

主要子句	從屬子句(名詞子句)	
主詞＋**wish**	主詞＋	過去式
I wish **He wishes**	I we you he she they	**were** a bird〔birds〕. **were** there〔here〕now. **had** a car. **knew** it. **went.** **didn't go.** **could do** it. **would**（not）**come.**

2. 表過去未能實現的願望：　…**wish**…＋過去完成式

I *wish* you **had told** me the truth.
—(You didn't tell me the truth.)
(要是你對我說了實話多好)〔可是你沒有說實話〕

I *wish* it **had not rained** yesterday.　—(But it rained.)
(要是昨天沒有下雨多好)〔可是昨天下了雨〕

【句型】

主詞＋**wish**	主詞＋	過去完成式
I wish **He wishes**	I〔we〕 you he〔she, it〕 they	**had**（not）**been** there. **had**（not）**gone.** **had**（not）**rained.** **had told** the truth.

3. **as if** (好像) / **as though** (假若，宛如)〔文言〕 } ＋假設法動詞

He talks *as if* he **knew** everything.
—(But he doesn't know everything.)
(他說起話來好像什麼事情都知道似的)〔但他並不是什麼都知道〕

He lives *as though* he **were** a king.
(他過著宛如國王的生活)〔但他不是國王〕

You look *as if* you **had seen** a ghost.
(你看來好像見了鬼似的)〔goust〕

4. **It is time** (～的時候了)＋主詞＋假設法動詞(過去式)

It's time children **went** to bed.
(＝It's time for children to go to bed now.)
(是孩子們該就寢的時候了)

It's time you **got** up. (是你該起床的時候了)

*5. **if only** (要是～就好了)…＋假設法動詞

If only I **knew** it! —(I wish I knew it.)
(要是我知道它那就好了！)

If only we **had been** more careful!
(要是我們再小心些就好了)

【提示】*If only* it **would stop** raining!
(＝I wish it would stop raining.)
(要是雨會停那就好了！)〔不能實現的願望〕
If only it *will stop* raining!
(＝I hope it will stop raining.)
(要是雨會停那就好了！)〔也許會實現的願望〕

含有假設法動詞的慣用語

1. **had better** (爲宜)＋原式

【提示】**"had"** 是假設法動詞。

You **had better** *go* at once.
(＝It would be better for you to go at once.)
(你最好馬上去；你還是馬上去的好)

He **had better not** *do* it. （他還是不做那個好些）
（=It would be better for him not to do it.）

2. **would rather**（寧願）+原式

I **would rather** *starve* than *steal.* （我寧願挨餓而不願行竊）
（=I would prefer to starve rather than steal.）
I **would rather** *be* happy than rich.
（我寧要幸福而不要富有）
She **would rather not** *go.* （她寧願不去）
*【提示】「**would rather**+主詞+假設法動詞」
I **would rather** he **left** now. （我寧願他現在離開）

3. **should**〔*or* **would**〕**like to**～（欲，願）

I **should**（=I'd）**like to** *go.* （我倒是想去的）
（=If it were possible, I should like to go.）
I **would**（=I'd）**like to** *be* there. （我倒願意在那兒）
【提示】①"*should like*"比"*like*"或"*want*"較爲委婉，鄭重。
②"*I should*〔or *would*〕*like*"常縮寫爲"*I'd like*"。

—— 習 題 46 ——

(一) *Give four conditional forms for each of the following sentences. Follow the example.*（參閱例句，每句寫出四種條件句）

Ex. If he ______ (*know*) it, he ______ (*will help*) us.

(a) *If he* **knows** *it, he* **will help** *us.*
(b) *If he* **should know** *it, he* **would** (or **will**) **help** *us.*
(c) *If he* **knew** *it, he* **would help** *us.*
(d) *If he* **had known** *it, he* **would have helped** *us.*

1. If they ______ (come), it ______ (will be) very nice.
2. If it ______ (rain), he ______ (will not come).
3. If it ______ (be) fine, we ______ (shall start).
4. If I ______ (have) enough money, I ______ (can buy) it.
5. If you ______ (fall) into the river, you ______ (may be) drowned.

6. What ______ (will you say) to him if you ______ (see) him?

㈡*Fill in the blanks with the correct form of the verbs in parentheses:*

(用各題括弧內動詞的正確時式填在空白裏)

1. If I ______ (be) you, I wouldn't do that.
2. If he ______ (be) in your place, he wouldn't have said so.
3. If I ______ (have) enough money, I would buy it.
4. If I ______ (have) enough money, I would have bought it for her.
5. If the plane ______ (leave) at noon, it would reach Tokyo at four o'clock.
6. If he ______ (hurry), he would have caught the train.
7. If he ______ (hear) of your marriage, he would be surprised.
8. If she ______ (take) a taxi, she would have been in time.
9. They might have a good time if they ______ (go).
10. If the sun ______ (be) shining, we should go to the seaside.
11. If the sun ______ (be) shining, we should have gone for a picnic.
12. If you ______ (not work) harder, you will fail.
13. If you ______ (not work) harder, you would fail.
14. If he ______ (not be) busy, he would have come.
15. You ______ (can do) it if you try.
16. You ______ (can do) it if you had tried.
17. You ______ (can do) it if you tried.
18. I ______ (shall go) to Taipei tomorrow if I had time.
19. You ______ (will be) ill if you ate too much.
20. If you had come, you ______ (may see) him.
21. If I had known it was going to rain, I ______ (shall not go) out.

22. If you had more time, ______ (you will be) able to study more?
23. I wish I ______ (be) there now.
24. I wish I ______ (be) there yesterday.
25. He wishes he ______ (can) speak French.
26. I wish you ______ (won't) make so much noise.
27. It's going to rain. I wish I ______ (have) my umbrella with me.
28. The child talks as if he ______ (be) a man.
29. Bob talks as if he ______ not ______ (know) it, but he knows it.
30. Mary talks as if she ______ (see) it with her own eyes.

㈢*Fill in the blanks:* 填充題（每個空格限填一字）

1. I wish he ______ not so lazy.
2. Peter wishes he ______ worked harder when he ______ at school.
3. If it ______ not raining, I should start today.
4. If it ______ be fine tomorrow, I shall ______ waiting for you at the station.
5. ______ he known my trouble, I am sure he ______ ______ come and helped me.
6. Even if the sun ______ to rise in the west, I ______ not change my mind.

㈣*Choose the right words:* （選擇正確的字）

1. If I (①am ②be ③were ④have been) rich, I would go to the United States.
2. If I (①should see ②were to see ③saw ④had seen) her, I would have told her to come.
3. If it hadn't been raining, I (①should go ②should have gone ③had gone ④were to go) to the party with you.
4. If John (①has ②had ③has had ④had had) more time, he would have learned more.
5. He would succeed if he (①will study ②studies ③studied ④had studied) harder.

6. If it (①rain ②rains ③will rain ④should rain) tomorrow, he would not start.
7. (①Will he come ②Shall he come ③Should he come ④Had he come), please let me know at once.
8. I wish you (①came ②should come ③would come ④had come) last night.
9. You (①have ②had ③would be ④would rather) better take my advice.
10. I would rather (①go ②to go ③went ④gone) by air than by sea.

㈤*Rewrite the following sentences, using the Subjunctive Mood:*

(將下列各句改爲假設句)

1. I am sorry you don't like it.
   =I wish you ________ it.
2. I am sorry I was absent.
   =I wish I ________ present.
3. He would like to be a bird.
   =He wishes he ________ a bird.
4. I can't read it, because I'm not a scholar (學者).
   =If I ________ a scholar, I ________ read it.
5. He arrived at the station too late, so he could not catch the train.
   =If he ________ at the station a little earlier, he ________ the train.
6. We were not there, so we did not see her.
   =If we ________ there, we ________ her.
7. You did not work hard, so you did not do well in the examination.
   =If you ________ hard, you ________ well in the examination.
8. He was ill, so he didn't write it.
   =If he ________ ill, he ________ it.
9. He doesn't have enough money, so he won't be able to go abroad.
   =If he ________ enough money, he ______ able to go abroad.

10. But for your help, the tiger would have killed him.

=______ it not ______ for your help, the tiger would have killed him.

=If you ______ not ______ him, he ______ killed by the tiger.

(六) *Translation:*　翻譯（每個空格限填一字）

1. 如果沒有空氣和水，沒有人能活。

If there ______ no air and water, no one ______ live.

2. 假如我們有翅膀，我們就能飛了。

If we ______ wings, we ______ ______ able to fly.

3. 假如昨天沒有下雨，他們也許來了。

If it ______ ______ ______ yesterday, they ______ ______ come.

4. 要是他接受了我的忠告，他就不會失敗了。

______ he ______ my advice, he ______ ______ ______ failed.

5. 即使我將獲得一千萬元，我也不願意幹這種事。

Even if I ______ to get ten million dollars, I ______ not do such a thing.

第七節　助動詞(Auxiliary Verbs)

跟本動詞(Main Verb)一起形成動詞片語，以表示時式、語態、語氣、或疑問、否定等的動詞叫做助動詞。

助動詞＋本動詞＝動詞片語

主要的助動詞如下：

be, am, is, are, was, were, being, been; have, has, had; do, does, did; shall, should; will, would; can, could; may, might, ought（應當）, **need, dare**（敢）, **used**（慣常）

【提示】
① 助動詞必須和本動詞連用，並置於本動詞之前。
② **be, am, is, are was, were, been; have, has, had; do, does, did; need; dare** 等除作助動詞外，亦可用作本動詞。

I **am** an English teacher. 〔*am* 是本動詞〕
(我是個英文教師)——*am*＝“是”
I **am** *teaching* English now.……〔*am* 是助動詞〕
(我現在正在教英文)——*am*（助動詞）＋～*ing*（本動詞）＝現在進行式

He must **be** a teacher.……〔*be* 是本動詞〕
(他一定是位老師)——*must*（助動詞）＋*be*（本動詞）；*be*＝“是”
It *will* **be** *finished* tomorrow.……〔*be* 是助動詞〕
(這項工作將在明天〔被〕完成)
——be（助動詞）＋過去分詞（本動詞）＝被動語態

I have **been** here for two years.……〔*been* 是本動詞〕
(我在這裏兩年了)——*have*（助）＋*been*（本）；*been*＝“在”
I *have* **been** *studying* it for ten years.……〔*been* 是助動詞〕
(我學它已學了十年了)
——*have*（助）＋*been*（助）＋～*ing*（本）＝現在完成進行式

I **have** three brothers.……〔*have* 是本動詞〕
(我有三個兄弟)——*have*＝“有”
I **have** *seen* it many times.……〔*have* 是助動詞〕
(我已見過它許多次)——*have*（助）＋過去分詞（本）＝現在完成式

I **do** it every day.……〔*do* 是本動詞〕
(我天天做那個)——*do*＝“做”
Do you *know* him?……〔*do* 是助動詞〕
(你認識他嗎？)——*Do*＋原式＋？＝表疑問

(1) Verb To Be（Be 動詞）

1. **be＋現在分詞（～ing）＝進行式** 【參看第 295 頁進行式】

He **is** *writing* a letter. (他正在寫信)

2. **be＋過去分詞＝被動語態** 【參看第 374 頁被動語態】

The book **was** *written* by Mr. A. (這本書是 A 先生寫的)

【提示】"Be 動詞"包括be, am, is, are, was, were, being, been 等八個動詞。

3. | **am · is · are · was · were** } +不定詞(**to**～)="預定～,必須～,應該～" |
|---|

I **am** *to go* to Taipei tomorrow. 〔預定計劃〕
(=I have arranged to go to Taipei tomorrow.)
(我預定明天去臺北)

We **are** *to be* married next month. 〔預定計劃〕
(=We have arranged to marry next month.)
(我們預定下月結婚)

He said they **were** *to be* married in May. 〔預定計劃〕
(=He said they had arranged to marry in May.)
(他說他們預定在五月結婚)

You **are** *to leave* at once. (你必須立即離開) 〔命令〕
(=You must leave at once.)

He **is** not *to leave* here. (他不許離開此地) 〔命令〕
(=He must not leave here.)

At what time **am** I *to come*? 〔等候命令〕
(=At what time do you wish me to come?)
(我應該幾點鐘來?〔你要我幾點鐘來?〕)

【句型】

be	**to**～(不定詞)
1. I **am** (not)	**to go** there tomorrow.
2. You **are** (not)	**to do** it.
3. He **is** (not)	**to leave** today.
4. It **is** (not)	**to be** taught this year.
5. We **are** 〔were〕	**to meet** on Monday.
6. They **are** 〔were〕	**to be** married in May.
7. { **Am** I / **Is** he / **Are** they }	{ **to come** tomorrow? / **to leave** today? / **to be** there? }

(2) Have · Has · Had

1. **have＋過去分詞＝完成式** 【參看第 272 頁完成式】

I **have** *lived* here for ten years. （我在這裏已住了十年了）

2. **have＋不定詞（to～）＝must～（必須）**

You **have** *to go.*（＝You must go.）（你必須去）	〔現在〕
You **had** *to come* yesterday.（昨天你必須來的）	〔過去〕
You **will have** *to do* it.（你將必須做它）	〔未來〕
Do you **have** *to go*?（你必須去嗎？）	〔疑問現在〕
Did you **have** *to go*?（你不得不去嗎？）	〔疑問過去〕
Will he **have** *to do* it?（他將必須做它嗎？）	〔疑問未來〕
You don't **have** *to go.*（＝You need not go.）（你不必去）	〔否定現在〕
You didn't **have** *to come.*（你不必來的）	〔否定過去〕
He won't **have** *to do* it.（他將不必做它）	〔否定未來〕

【句型】

have	to～（不定詞）
I〔You〕**have** He〔She〕**has** I〔We, You, He〕**had** I〔We〕**shall have** You〔They〕**will have**	**to go.** **to do** it. **to work** hard. **to be** there.
Do we Did he Will they We don't He doesn't You didn't They won't } **have**	**to do** it (?). **to work** on Sundays (?). **to go** there every day (?). **to change** trains here (?).

3. **have＋受詞＋{原式／過去分詞}＝"使～"**

I **had** him *do* it.　(我叫他做那個)
　　(＝I got him to do it.)
We **had** it *repaired.*　(我們叫人修理了它)
　　(＝We got it repaired. 或 We got someone to repair it.)
【提示】作「使～」用的 *have* 亦可視作本動詞。

【句型】

have(使)	受　詞	原　式
I { **have** / don't **have**	him / you	
He { **has** / doesn't **have**	me / you	**go** (?). / **come** (?).
He { **had** / didn't **have**	them / us	**do** that (?). / **make** it (?).
They { will **have** / won't **have**	me / her	**repair** it (?). / **carry** these boxes (?).
Would you **have**	me	
I wouldn't **have**	you	

have(使，把)	受　詞	過去分詞
I / We } { **shall have**	the house	**painted.**
have	it.	**repaired.**
had	the cards	**printed.**
Tom / He } { **will have**	his hair	**cut.**
has	that tooth	**pulled** out.
had	his car	**repaired.**
Bob / He } { **has had**	his money	**stolen.**
had	his leg	**broken.**

4. **had better**(爲宜)＋原式

You **had better** *start* at once.
　　(你最好立刻動身；你還是馬上出發好些)

You **had better** not *go*.
（你最好不要去；你還是不去的好）

【句型】

had better		原　式
I〔We〕 You He〔They〕	had better（not）	go（?）. do it（?）. take his advice（?）.
Had we **better**		
Hadn't we **better**		

(3) Do · Does · Did

do, does, did＋原式

1. 作成疑問句：【參看第 355 頁】
   Do you *go*, John?（約翰你去不去？）
   Where **did** he *go* yesterday?（昨天他去那裏？）

2. 作成否定句：【參看第 347 頁】
   I don't（＝**do not**）*know*.（我不知道）
   She **doesn't** *like* it.（她不喜歡它）
   Don't *eat* too much.（不要吃得太多）

3. 用以加强語氣或表懇求：
   I **do** *like* it.（我的確喜歡它）
   I **did** *see* him.（我確實看到他）
   Please **do** *come*.（請一定要來）
   Do *be* quiet!（請肅靜！）
   Do *let* me go!（請讓我走吧！）

4. 用以代替前面的動詞以避免重複：【參看第 363 頁】
   He *runs* faster than I **do**（＝*run*）.
   （他跑得比我快）
   Does he *know* it? Yes, he **does**（＝*knows it*）.
   （他知道這件事嗎？是的，他知道）

Who *saw* it? I **did**（＝*saw it*).（誰看到它？我看到它）

I *like* fruit.（我喜歡水果）
So **do** I.（＝*I like fruit, too.*）（我也喜歡水果）

I *don't know* her.（我不認識她）
Nor〔*or* Neither〕**do** I.（我也不認識她）
（＝*I don't know her, either.*）

(4) Shall・Will

shall・will＋原式　【參看第 260 頁】

(5) Should

should＋原式

1. 表過去的未來　【參看第 270 頁】

I *shall* be able to go.（我將能去）〔未來式〕
I *thought* I **should** be able to go.〔過去的未來〕
（我以爲我將能去）

You *shall* go.（我要你去；你必須去）〔意志未來〕
I *said* that you **should** go.〔過去意志未來〕
（我說過我要你去）

2. 用於假設法：　【參看第 397，402 頁】
(a)在條件子句中用以表示對未來極大的懷疑。
(b)在主要子句中用以表示想像〔接第一人稱主詞〕。
If it **should** rain, *we* **should** not be able to go.
（萬一下雨，我們將不能去）

3. 表義務(＝應該)：
(a)現在的義務──「**should＋原式**」：
One **should** *love* one's country.（人應愛其國家）

*(b)過去的義務──「**should＋完成式**」：
He **should** *have come* yesterday.（昨天他應該來的）

You **should** not *have been* lazy. (過去你不應該懶惰的)

【句型】

should	原　式
We / You / He / They } { **should** / **shouldn't** }	**go** 〔come〕. **do** it 〔take it〕. **read** that. **work** hard. **be** lazy.

should	完　成　式
We / You / He / They } { **should** / **shouldn't** }	**have come.** **have gone** there. **have done** it. **have taken** it. **have read** that. **have worked** hard. **have been** lazy.

4. **lest～should** 因恐～，以免～

You must work hard **lest** you **should** fail.
(你們必須用功以免失敗)

He ran away **lest** he **should** be caught.
(他因恐被捕而逃跑)

【提示】表懷疑，義務，恐懼等的 *should* 可接任何人稱與數的主詞。

5. 慣用語：

I should like to～(願，欲)
I should think～(以爲)

I should like to go with you. (我是想跟您去的)
I should think so. (我是這麼想)
【提示】此二句均含有委婉的意味，可視作一種假設語氣。

(6) Would

would＋原式

1. 表過去的未來：　**【參看第 270 頁】**

We *thought* he **would** be glad to come.
（我們以爲他將高興來）〔過去的未來〕

I *offered* him money, but he **would** not take it.
（我要給他錢，可是他不肯接受）〔過去的意志未來〕

2. 表決心或意向：

He **would** never agree to it.（他決不會同意的）

3. 表過去的習慣:

Sometimes the boys **would** play a joke on him.
（有時候孩子們會開他的玩笑）

4. 表鄭重的請求：

Would you do me a favor?
（請您幫我一點忙好嗎？）　favor（恩惠）
——*Would you*？是一種假設語氣，比 *Will you*？更客氣

5. 用於假設法：　**【參看第 397 頁】**

6. 慣用語：

would rather（寧願）＋原式

I **would rather** *stay* at home **than** *go* out.
（我寧願留在家裏而不願出去）

(7) Can・ Could

can・could＋原式

1. 表能力（＝**be able to**）：

He can *speak* five languages.（他能說五種語言）〔肯定〕
（＝He is able to speak five languages.）

Can you come *tomorrow*? (明天你能來嗎?) 〔疑問〕
Yes, I **can**. (我能) 〔肯定〕
No, I **can't**. (我不能) 〔否定〕

He *said* he **couldn't** come. (他說他不能來)

He **could** not come *yesterday*. (昨天他未能來)
(=He was not able to come yesterday.)

【提示】 ① 未來式須用**be able to**代替**can**

You **will be able to** get it. (你將能得到它)
〔誤〕You *will can* get it.

*②過去未曾使用過的能力可用「*could*+完成式」表示之。

I **could have climbed** that mountain ten years ago (but I didn't). (十年前我能夠爬到那山上〔但我未爬〕)

2. 表懷疑，推測等：〔用於疑問句與否定句〕

(a)現在的事——「**can**+原式」：

Can it *be* true? (這會是眞的嗎?) 〔疑問〕
It **can't** (=cannot) *be* true. (這不可能是眞的) 〔否定〕
(=It is impossible that it's true.)

【提示】 It **may** *be* true. (這可能是眞的)
(=it is possible that it's true.)
It **must** *be* true. (這一定是眞的)
(=It seems certain that it is true.)

· He **couldn't** 〔*or* can't〕 *be* her father; he is too young.
(他不可能是她的父親；他太年輕了) 〔否定〕

*(b)過去的事——「**can**+完成式」：

Can he *have said* so? (他會那樣說嗎?) 〔疑問〕
(=Is it possible that he has said so?)
He **cannot** *have said* so. (他不可能那樣說的) 〔否定〕
I *knew* he **couldn't** *have stolen* it as he hadn't been there at the time.
(=I knew it was impossible that he had stolen it…….)
(我知道不可能是他偷的，因爲當時他不在那裏)

3. 表許可(=may)：

Can I go now? (=May I go now?)
(現在我可以走了嗎?)〔多在口語中使用〕

4. 表客氣的請求：

Could you lend me ten dollars?

（您可以借給我十元嗎？）——是一種假設語氣。

5. 慣用語：

"**cannot help**＋～**ing**"（不得不～） ＝「**cannot but**＋原式」

He **could not help** *doing it.*（他不得不做這個）
＝He **could not but** *do* it.

(8) *May・Might*

may・might＋原式

1. 表推測或可能性（＝可能，也許）：

(a)現在的事——「**may**（可能），**might**（也許）＋原式」：

The news **may** *be* true.（這消息可能〔或也許〕是眞的）
（＝Perhaps the news is true.）
It **might** *be* true.（這也許是眞的）

【提示】①*might* 含有委婉的意味。
②可能性較大時用 *may*，較小時用 *might*。

(b)過去的事——「**may**（可能），**might**（也許）＋完成式」：

* He **may** *have read* it.（他可能〔或也許〕已讀過它）
（＝Perhaps he has read it.）
He **might** *have read* it.（他也許已讀過它）
He *thought* it **might be** true.（他想這可能是眞的）

【句型】

	may・might	原　式
He They	may might	**do** it. **take** that. **say**〔think〕so. **go** abroad. **be** there.

You	may〔might〕	**be** wrong.
It	may〔might〕	**rain** tomorrow.

may · might · can · cannot} **be**	
It **may**〔might〕 **Can** it It **cannot** } **be**	{ true (?). he who has taken it (?). they who are dishonest (?).

may · might · can · cannot	完 成 式
He **may**〔might〕 **Can** he He **cannot** }	{ **have said** so (?). **have done** it (?). **have taken** that (?). **have gone** abroad (?). **have been** there (?).

2. 表許可(＝可以)：

May I *go* out, sir? （先生，我可以出去嗎？） 〔疑問〕

{ Yes, you **may.** （是的，你可以出去） 〔肯定〕

{ No, you { **may** / **must** } **not.** （不，你不可以出去） 〔否定〕

【提示】 ①客氣的詢問用 *Might I*……?

②"**may not**"表不准；"**must not**"表禁止；"**shall not**"表强烈的禁止。

③口語中可用"*can*"代替"*may*"。

{ *Can I* go out? （我可以出去嗎？）

{ No, you *can't.* （不，你不可以）

3. 表目的(＝以求)：

that（或**so that; in order that**）～**may** 以求

We *work* hard that we **may** succeed.
（我們努力工作以期成功）

He *studied* hard so that he **might** pass the examination.
（他用功以求考試及格）

4. 表祈願：

May you *be* happy!　（祝你快樂！）
May you *succeed*!　（祝你成功！）

(9) Must

must＋原式

1. 表必要，義務，禁止等（＝**have to**）：

Must I *go*?　（我必須去嗎？）　〔疑問〕
Yes, you **must** *go*.　（是的，你必須去）　〔肯定〕
No, you **need not** *go*.　（不，你不必去）　〔否定〕
I **must** *be* going now.　（現在我得走了）
You **must not** *smoke* here.　（你不可以在這裏吸烟）　〔否定〕

【提示】 must（必須）：過去式須用「**had to～**」；未來式須用「**shall**〔**will**〕**have to～**」

I **must** *work* today.　（今天我必項工作）　〔現在〕
I **had to** *work* yesterday.　（昨天我不得不工作）　〔過去〕
I **shall have to** *work* tomorrow.　（明天我將必須工作）　〔未來〕

2. 表推斷（＝必定）：

(a)現在——「**must**＋原式」：

You **must** *be* very tired.
（＝I am sure you are very tired.）
（你〔現在〕一定很疲倦）

*(b)過去——「**must**＋完成式」：

You **must** *have been* very tired yesterday.
（＝I am sure you were very tired yesterday.）
（你昨天一定很疲倦了）

He **must** *have had* an accident or he would have been here by now.
（他一定有了意外，否則現在他已經到此地了）

【句型】

must	原　式
He / They } **must**	**be** { very tired. / mad（＝crazy）.（瘋）/ there now.
It **must**	**be** time for lunch.（是午餐的時間）
There **must**	**be** something wrong.

must	完 成 式
He / They } **must**	{ **have been** { very tired. / mad. / there then. } / **have had** an accident. / **have known** that yesterday. }

⑽ *Ought*

ought to＋原式

表義務（＝應當）：

(a)現在——「**ought to**＋原式」：

You **ought to** *do* it.（你應當做這件事）〔肯定〕
（＝You **should** *do* it.）

You **ought** not **to** *take* that.（你不應該拿那個）〔否定〕

Ought he **to** *come*?（他應該來嗎？）〔疑問〕
〔誤〕*Ought* he *come*?

*(b)過去——「**ought to**＋完成式」：

You **ought to** *have come* yesterday.〔肯定〕
（昨天你應該來的）

You **ought** not **to** *have told* him about that.〔否定〕
（你不應該告訴他那件事的）

【提示】*Ought* 的意思和 *should* 相似，但比 *should* 强。

ought to	原　式
I / We / You / He / They } { **ought** / **ought not** } **to**	**do** it. **take** that. **work** hard. **be** there. **go** to see her. **tell** him about it. **send** her a present.

ought to	完　成　式
I / We / You / He / They } **ought** (not) **to**	**have done** it. **have taken** that. **have worked** harder. **have been** there. **have gone** to see her. **have told** him about it. **have sent** her a present.

(11) *Need*

助動詞用法
(疑問)**Need**～＋原式……？
(否定)**need not**＋原式

(a)現在：

Need he *come* tomorrow?　〔助動詞〕〔疑問〕
(＝Is it necessary for him to come tomorrow?)
(明天他須要來嗎？)

He **need** not *come.*　(他不必來)　〔助動詞〕〔否定〕
〔誤〕He *needs* not to *come.*

【提示】　助動詞 *need* 僅用於疑問句和否定句。*Need* 作助動詞用時不加 s，後面須接原式。

He **needs** to *work* hard. （他須要努力用功） 〔本動詞〕
Do they **need** *to study* it? （他們須要研讀它嗎？） 〔本動詞〕
He doesn't **need** *to work* every day. 〔本動詞〕
（＝He doesn't have to work every day.）
（他不須要天天工作）
I **need** a new *pen.* （我需要一支新鋼筆） 〔本動詞〕
Do you **need** a new *hat*? （你需要一頂新帽嗎？） 〔本動詞〕
I don't **need** *it.* （我不需要它） 〔本動詞〕

【提示】在「*need*＋受詞（名詞，不定詞等）」的句型中所用的 *need* 是本動詞。

(b)過去：

①「**did not need to～**」（無須）〔不管有沒有做過〕
*②「**need not＋完成式**」（可不必）〔但已做過〕

He **didn't need** *to work.* 〔本動詞〕
（他無須工作）〔他過去有沒有做是另一回事〕
He **needn't** *have worked* so hard. 〔助動詞〕
（他不必那麼辛勤的）〔他過去曾工作得很辛勤〕

(12) *Dare*

助動詞用法
（疑問）**Dare**……＋原式……？
（否定）**dare not**＋原式

Dare he *come*? （他敢來嗎？） 〔助動詞〕〔疑問句〕
He **dare** not *come.* （他不敢來） 〔助動詞〕〔否定句〕
He **dares** *to insult* 〔ɪnˊsʌlt〕 me! 〔本動詞〕〔肯定句〕
（他竟敢侮辱我）
〔慣用語〕I dare say 我以爲，我想

【提示】 ①助動詞 *dare* 通常僅用於疑問句和否定句。*Dare* 作助動詞用時不加 s，後面須接原式。
②用於肯定句的 *dare* 不是助動詞，後面須接不定詞，接第三人稱單數主詞時須加 s。

(13) *Used*

used to＋原式

表「過去的習慣」或「過去曾繼續的狀態」：

He **used to** *call* on me on Sundays.　〔肯定〕
　　（他慣常於星期日來訪問我）

Used he to *come* here every day?　〔疑問〕
＝Did he use to come here every day?
　　（他常是每天到這裏來嗎？）

He **used** not **to** *come* here very often.　〔否定〕
＝He did not use to come here very often.
　　（過去他不很常來這裏）

They **used to** *live* in Paris, *didn't* 〔*or* usedn't〕 they?
　　（過去他們住在巴黎吧？）〔ˈpærɪs〕〔ˈjusnt〕

〔比較〕
I **used** 〔just〕 **to** *get* up early.
　　（我〔過去〕慣常起早）〔*used*……過去式動詞〕
I *am* **used** 〔just〕 **to** *getting* up early.
　　（我慣於起早）〔*be used*(形容詞)＋介系詞 *to*＋受詞〕
I **used** 〔juzd〕 *this knife* to cut it.
　　（我用這把刀割它的）〔*used*……及物動詞〕

● 應注意事項 ●

助動詞	
do, does, did; shall, should; **will, would; can, could;** **may, might; must; ought to;** **need; dare; used to**	＋原式

【提示】 ①上列各助動詞均接原式。
②除**does**外，餘均不加**s**
如：He **will come.**　（他將會來）
〔誤〕He will *comes.*　〔誤〕He will to *come.*
〔誤〕He will *came.*　〔誤〕He *wills* come.

do · does · did	原　式
Do you〔they〕 **Does** he〔she〕 **Did** you〔he, they〕 I **do**（not） He **does**（not） I〔He〕**did**（not）	**go**（?）. **come**（?）. **like** him（?）. **know** her（?）. **have** one（?）. **do** it（?）.

shall · should · will · would · can……, ***etc.***	原　式
I We You He She They **shall**（not） **should**（not） **will**（not） **would**（not） **can**（not） **could**（not） **may**（not） **might**（not） **must**（not） **need not** **dare not** **ought**（not）**to** **used**（not）**to**	**go.** **come.** **do** it. **have** one. **be** here. **work** hard. **ask** him that. **tell** him to come.

—— 習 題 47 ——

㈠*Choose the right words:*（選擇對的字）

1. I'll have John（write, writes, to write）it.
2. We have our house（paint, to paint, painted）every year.
3. He（is, has, had）better not go out.
4. （Is, Does, Shall）he to come tomorrow?
5. Does your father（know, knows, knew）Mr. A?

6. He did (say, says, said) so.
7. Will he (—, be, to be) here?
8. He shall not (read, reads, to read) it.
9. Mary cannot (speak, speaks, to speak) Chinese.
10. I could not (see, to see, saw) her yesterday.
11. Must you (work, to work, working) today?
12. John (must, musts, must to) study hard.
13. Such a thing might (happen, to happen, happened) at any time.
14. You will not (can, able to, be able to) have it.
15. He will (must, be to, have to) go.
16. I (must, had to, have had to) work hard last year.
17. We (should, would) respect our teachers.
18. (Should, Would) you please tell me the way to the station?
19. If we had been there , we (should, would) have been killed.
20. I (should, would) rather go than stay.
21. You shouldn't (tell, have told) him about that last night.
22. (Can, May) I ask your name, sir?
23. (Can, May) it be he that has taken my book?
24. It (can, must) not be a jewel; it (can, must) be a stone.
25. There must (—, is, be) something wrong.
26. He didn't come yesterday; he must (be, being, have been) busy.
27. It's still early, you (must, need) not go yet.
28. He said he (will, would) come.
29. We thought he (can, could) do it.
30. Bob told me that John (may, might) not come.
31. He studies hard in order that he (may, might) succeed.
32. Work hard lest you (should, shouldn't, would, wouldn't) fail.
33. If you (should, would) fail, try again.
34. (Should, Ought) he to do it?

35. He ought to (arrive, arrived, have arrived) yesterday.
36. (Need, Needs) he go?
37. He (does not need, need not, needs not) to learn it.
38. Dare you (try, to try, tried)?
39. He (dare, dares) not come.
40. He (used, is used) to come with Bill.

(二) *Correct the errors:*(改錯)

1. Is your brother can come?
2. He musts be come at once.
3. Don't afraid, you will not be fail.
4. It may be rain tomorrow.
5. May you happy!
6. You should to read more books.
7. He ought not do it.
8. James need not to wait.
9. She couldn't helped laughing.
10. He ran away lest he might be seen.
11. You have better not to leave here.
12. Do to others as you would have others to do to you.

(三) *Translation:*翻譯題(每個空格限填一字)

1. 我們不應該說謊。
   We_____not_____tell lies.
2. 你不應該做那個的。
   You_____not_____done that.
3. 這計劃必須付諸實現。
   This plan must_____ _____out.
4. 他可能有病。
   He_____ _____sick.
5. 你不可能見過鬼的。你一定是做了夢了。
   You couldn't_____ _____a ghost.　You_____ _____dreamed it.

(四) *Substitution:*換字(每個空格限填一字)

1. You have to work hard at school.
   =You_____work hard at school.

2. They do not have to come.
   =They_____not come.
3. It is not necessary for him to make it.
   =He_____not_____it.
4. He was not able to finish it yesterday.
   =He_____not_____it yesterday.
5. Perhaps she is there.
   =She_____ _____there.
6. I am sure that they are mad.
   =They_____ _____mad.
7. You should_____to him.
   =You_____to write to him.
8. It was his duty to do it, but he didn't.
   =He should_____ _____it.
   =He_____to_____ _____it.
9. It is possible that he has lost his way.
   =He _____ _____ _____his way.
10. It is impossible that he saw them.
   =He_____not_____ _____them.
11. I'm sure she enjoyed her holidays there.
   =She_____ _____ _____her holidays there.
12. It wasn't necessary for us to hurry and we didn't hurry.
   =We_____ _____ _____hurry.
13. We have come. But now we see that it wasn't necessary.
   =We_____ _____come.
14. I got him to clean it.
   =I_____him clean it.
15. It would be better for you to take my advice.
   =_____ _____better_____my advice.
16. I took a walk in the morning for some time in the past, but now I don't.
   =I_____to_____a walk in the morning.

第八節　不定詞(Infinitive)

不定詞是「非限定動詞」，形式固定，不受主詞的人稱和數的限制，並含有名詞，形容詞，副詞等的性質。

to十原式＝不定詞

【提示】 ①不定詞是動詞語族的基本形。 【參看第202頁】

②不定詞有"加to的"和"不加to的"。"不加to的不定詞"(**infinitive without "to"**)亦稱原式(**Root Form**)或原形不定詞(**Root Infinitive**)。

不定詞的形態：(以"*do*"爲例)

種類＼語態	主動語態		被動語態
簡單式	(**to**)**do**	*(*to*) *be doing*	(**to**) **be done**
完成式	(**to**)**have done**	*(*to*) *have been doing*	*(*to*) *have been done*

(一)不定詞的用法

(1)可作名詞

1. 用作主詞：

To get up early is good for the health.

＝*It* is good for the health **to get** up early.

(早起有益於健康)——不定詞片語 *to get up early* 是主語。

【提示】 作主詞用的不定詞片語亦可置於句末，而用一"**假主詞 it**"置於動詞之前，以代替"**眞主詞 to～**"。

To speak good English is not easy.

＝*It* is not easy **to speak** good English.

(說良好的英語是不容易的)——主語 *to speak good English* 中 *good English* 是 *to speak* 的受詞。

To obey the laws is everyone's duty.

＝*It* is everyone's duty **to obey** the laws.

(遵守法令是每個人的義務)

【句型】

不定詞(主詞)	**be**	主詞補語
1. **To tell** a lie	is	wrong.
2. **To do** that	was	easy.
3. **To drive** slowly	will be	wiser.
4. **To work** in this room	is	pleasant.
5. **To waste** money	isn't	a good habit.

「**It…to**～(不定詞＝主詞)」的句型

① **It is**〔*or* seems〕…**to**～

It＋be	主詞補語	不定詞(＝主詞)
1. It is	wrong	**to tell** a lie.
2. It's	interesting	**to learn** English.
3. Is it	safe	**to swim** in the river?
4. It was	easy	**to do** that.
5. It will be	wiser	**to drive** slowly.
6. It seemed	useless	**to try.**
7. It's	our duty	**to serve** our country.
8. It's not	a good habit	**to waste** money.

② **It takes**（需時）〔*or* costs（需價）〕…**to**～

It took me an hour **to do** the work.
（＝The work took me an hour.）
（這工作花了我一小時）

How long will *it* take **to go** from Kaohsiung to Tainan by bus?
（從高雄至臺南乘巴士將需時多久？）

It will not cost you anything **to be** polite.
（＝Being polite will not cost you anything.）
（對人有禮貌不會花費你什麼的）

It takes 〔costs〕…	**to** ～(＝主詞)
1. It took me two hours	**to make** that.
2. It will take him six months	**to finish** it.
3. It'll cost you a lot of money	**to go** to the United States by air.

③ **It is … for** (a person) **to** ～

It is necessary **for us to do** it.（我們須要做它）
It is impossible **for him to give** up smoking.
（戒煙在他是不可能的）
Is *it* difficult **for you to answer** that question?
（你回答那個問題困難嗎？）

【句型】

It＋be	主詞補語	主詞(for～to～)
1. It is not	easy	for me **to do** it.
2. It is	important	for you **to know** it.
3. It is	necessary	for him **to go.**
4. Is it	safe	for kids **to play** with matches?
5. It was	impossible	for her **to answer** it.

2. 用作受詞：

(a)用作及物動詞的受詞：

(i) I *like* **to go.**（我喜歡去）
——不定詞 *to go* 是及物動詞 *like* 的受詞。
It *has begun* **to rain.**（天開始下雨了）
——*to rain* 是 *has begun* 的受詞。
Students *need* **to be told** these things.
（學生們須要被告以這些事）——*to be told* 是 *need* 的受詞。

主　　詞	及物動詞	不定詞(＝受詞)
1. I	**want**	**to go.**
2. He	**wishes**	**to find** gold.
3. We	**have**	**to work** hard.
4. Does he	**need**	**to do** it?
5. I'll	**try**	**to make** it.
6. You can't	**hope**	**to be liked** by everyone.
7. He	**refused**	**to accept** it.
8. Did you	**remember**	**to shut** the window?
9. I	**forgot**	**to post** your letters.
10. I have	**promised**	(not) **to help** them.
11. I	**prefer**	(not) **to start** early.
12. We	**decided**	(not) **to go.**

(ii) I *want* you **to learn** it. （我要你學習它）
Do you *wish* him **to come?** （你希望他來嗎？）

【提示】 **not** (*or* never)＋**to** ～＝否定不定詞

{ *Tell* him **to come.** （叫他來）
  Tell him **not to come.** （叫他不要來）

及　物　動　詞	受　詞	不定詞 to～(＝受詞)
1. I **want**	you	**to know** that.
2. Do you **wish**	me	**to go** there?
3. Our teacher **expects**	us	**to work** hard.
4. He **taught**	us	**to speak** English.
5. I **helped**	her	(to) **carry** the box.
6. We can't **allow**	them	**to do** it.
7. Didn't you **ask**	them	not **to do** it?
8. I **ordered** (命令)	him	**to go** at once.
9. She **advised**	him	not **to go.**
10. I **warned** (警告)	him	not **to be** late.

*【註】部份文法學者將此型中的不定詞視作補語。

(iii) I *make* **it** a rule **to get** up at six.

（我規定自己經常六時起床）

——假受詞 *it* 代替眞受詞 *to get up*……做 *make* 的受詞。

I *think* **it** wrong **to waste** money.

（我認爲浪費金錢是不對的）

——*it* 爲假受詞，*to waste money* 爲眞受詞。

及物動詞	it	受詞補語	不定詞(＝眞受詞)
I **found**	it	easy	**to do** that.
I **think**	it	an honor	**to serve** our country.
We **consider**	it	wrong	**to cheat**（欺騙）people.
Do you **think**	it	wise	**to waste** time?

(iv) I don't *know* **what to do.**

（我不知道該做什麼好）

（＝I don't know what I should do.）

He *forgot* **which way to go.**

（他忘記該走那一條路）

（＝He forgot which way he ought to go.）

Tell me **how to use** it.

（告訴我怎樣使用它）

（＝Tell me how I should use it.）

【提示】 疑問詞＋不定詞(to～)＝名詞片語

【句型】

及　物　動　詞	受詞(疑問詞＋不定詞)
1. Do you **know**	**how to do** it?
2. I don't **see**	**how to make** it?
3. I **wonder**	**how to get** there.
4. We must **find** out	**how to open** it.
5. He **explained**	**how to use** it.
6. I can't **decide**	**whom to invite.**
7. I didn't **know**	**which one to take.**
8. **Remember**	**when to return.**

及　物　動　詞	受詞	受詞(疑問詞＋不定詞)
1. I'll **show**	you	**how to use** it.
2. He **taught**	us	**how to swim.**
3. Will you **advise**	me	**which to buy?**
4. **Ask**	him	**where to put it.**

(b)用作介系詞的受詞：

The train is *about* **to start.**（火車即將開出）

——不定詞 *to start* 是介系詞 *about* 的受詞。

He had no wish *except* **to do** his duty.

（他除了盡他的責任外沒有別的願望）

——不定詞 *to do* 是介系詞 *except* 的受詞。

3. 用作補語：

To see is **to believe.**（眼見爲信）

——*to believe*（主詞補語）＝*to see*（主詞）

To teach is **to learn.**（教即是學；教學相長）

To give up is **to fail.**（放棄即是失敗）

His *job* is **to sell** cars.（他的工作是推銷汽車）

My *desire* is **to be** a professor.（我的願望是做大學教授）

The *aim* of science is **to see** things clearly.

（科學的目的是要看清事物）

主　　詞	be	不定詞(＝補語)
1. To see	is	**to believe.**
2. To give up	is	**to fail.**
3. My aim	was	**to help** you.
4. His business	is	**to answer** questions.
5. Her only desire	is	**to be loved** by him.

(2)可作形容詞

1. 限定用法：

(i) I want some *water* **to drink.**

(＝I want some water which I can drink.)
(我要一些喝的水)——*to drink* 用以修飾名詞 *water*。

I have *nothing* **to eat.**
(我沒有東西可吃)——*to eat* 用以修飾不定代名詞 *nothing*。

He has a lot of *things* **to do.** (他有許多事情要做)
(＝He has a lot of things to be done.)
(＝He has a lot of things which he must do.)

The movie "A *song* **to remember**" is sad but beautiful.
(「一曲難忘」這部影片悲而美)
——*a song to remember*＝*a song which can not be forgotten*

It's *time* **to start.** (是該出發的時候了)

We must have a *house* **to live** in.
(我們必須要有住的房子)

You have no *need* **to worry.** (你沒有煩惱的必要)
(＝You need not worry. 或 You don't need to worry.)

【句型】

	名詞或代名詞	不定詞(＝形容詞)
1. I have a lot of	things	**to do.**
2. I want some	water	**to drink.**
3. It's	time	**to start.**
4. You have no	need	**to hurry.**
5. He wants	something	**to eat.**
6. He has	nothing	**to read.**
7. Haven't you	anything	**to do?**

(ii) Here is a new *book* for you **to read.**
(這裏有一本給你讀的新書)

It is *time* for the children **to go** to school.
(＝It is time that the children should go to school.)
*(＝It is time the children went to school.)
(是孩子們該上學的時候了)

Is there any *need* for you **to hurry**?

(＝Is there any need that you should hurry?)
(你有匆忙的必要嗎？)
There may be an *opportunity* for him **to see** the manager this afternoon.
(今天下午他也許有一個機會見經理)

【句型】

	名詞或代名詞	**for～to～**＝形容詞
1. Here is a new	book	for you **to read.**
2. There is no	need	for them **to hurry.**
3. Is there a	house	for us **to live** in?
4. It is	time	for her **to start.**
5. Haven't you	anything	for me **to do?**
6. There's	nothing	for him **to eat.**

2. 敍述用法：

(a)作主詞補語：
This *house* is **to let.** (此屋出租)
The *worst* is still **to come.** (最壞的情形還在後頭)

① **be＋to～**(不定詞)＝"預定～，必須～，應該～，可能～"

「**am, is, are, was, were**＋不定詞(to～)」的句型，常用以表示**預定計劃**、**安排**、**協議**、**命令**、**義務**或**可能性**等：
He *is* **to return** next month. 〔預定計劃〕
(＝He has arranged to return next month.)
(他預定下個月回來)
We *are* **to start** for Italy tomorrow. 〔安排〕
(＝We have arranged to start for Italy tomorrow.)
(明天我們將動身前往意大利)
The meeting *is* **to be held** on March 15. 〔安排〕
(會議定於三月十五日召開)
They *are* **to be married** next year. 〔同意或安排〕
(＝They have agreed 〔*or* arranged〕 to marry next year.)
(他們定於明年結婚)

They *were* **to be married** in May. 〔同意或安排〕
(＝They agreed〔*or* arranged〕to marry in May.)
(他們曾定於五月結婚)

【提示】①**were to**～亦表未來不可能實現的假設。 【見第 401 頁】
*②原已決定而未能實現的安排，用「**was**〔were〕＋完成式不定詞」表示之。
They *were* **to have been married** in May.
(＝They had agreed to marry in May but didn't marry.)
(他們原定於五月結婚，但未按期結婚)

You *are* **to be** here by nine o'clock. 〔命令〕
(＝You must be here……)
(你必須在九點鐘以前到這裏)

Am I **to come** this afternoon? 〔等候命令〕
(＝Do you wish me to come……?)
(今天下午你要我來嗎？)

【提示】 用「**be**＋不定詞」表命令時，其語氣較 **must, should, ought to, have to** 等爲溫和。

Not a star *was* **to be seen** in the sky. 〔表可能〕
(＝Not a star could be seen in the sky.)
(天上看不到一顆星)——表可能時常用被動不定詞。

A good result *is* not **to be expected.** 〔表可能〕
(＝We cannot expect a good result.)
(不能期望有好的結果)

【句型】

am・**is**・**are**・**was**・**were**	**to**～(不定詞)
1. I **am**	**to start** tomorrow.
2. He **is**	**to meet** us at the station.
3. They **were**	**to arrive** during the morning.
4. We **are**	**to obey** the laws.
5. You **are**	**to leave** at once.
6. It **is** not	**to be expected.**
7. { **Am** I / **Is** he / **Are** they }	{ **to do** it? / **to go** there? / **to come** tomorrow? }

② **seem, etc.＋to～（不定詞）**

He *seems* **to like** her.（他好像喜歡她）
（＝It seems that he likes her.）
The plan *proved* **to be** a failure.
（＝The plan turned out to be a failure.）
（事實證明這計劃失敗了）
How do you *come* **to know** that?（你怎麼知道那個呢？）
We *happened* **to be** there.（我們碰巧在那裏）
（＝We were there by chance.）

【句型】

seem, etc.	**to～（主詞補語）**
1. He **seems**	（to be）kind and honest.
2. She **seemed**	**to like** him.
3. He **proved**	（to be）a good man.
4. How do you **come**	**to know** that?
5. I **happened**	**to be** there.

③ **be thought（被認爲）, etc.＋to～（不定詞）**

He *was thought* **to be** a little mad.（他被認爲有一點瘋）
（＝People thought that he was a little mad.）
The news *was proved* **to be** true.
（這消息已被證明屬實）
I *was taken* **to be** he.（我被誤認爲是他）
He *is supposed* **to arrive** at ten o'clock.
（他應該於十點鐘到達）

【句型】

be thought, etc.	**to～（主詞補語）**
1. The man **was thought**	**to be** a fool.
2. He is **believed**	**to be** mad.
3. He **was proved**	**to be** honest.

4. He **was taken**	**to be** a foreigner.
5. They **are supposed**	**to be** here at nine.

(b)作受詞補語：

think（認爲）(a person)＋**to**～(不定詞)

I *thought* him **to be** honest. （我以爲他是誠實的）
(＝I thought that he was honest.)
They *proved* him **to be** a good man.
（他們證明了他是個好人）
We *believe* it **to have been** a mistake.
(＝We believe that it has been a mistake.)
（我們相信那一直是個錯誤）

及 物 動 詞	受 詞	不定詞(＝受詞補語)
1. I **know**	John	(to be) honest.
2. Do you **think**	him	(to be) a good boy?
3. We **proved**	him	(to be) wrong.
4. I **guessed**	her	(to be) about forty.
5. I **think**	the plan	(to be) unwise.
6. They **believe**	it	**to have been** right.

(3)可作副詞

1. 用以修飾動詞：

(a)表目的：

We *come* **to study.** （我們爲讀書而來）
(＝We come in order to study.)
——*to study* 用以修飾動詞 *come* 而說明「來」的目的。
He *stopped* **to have** a rest. （他停下來休息一下）
(＝He stopped in order to have a rest.)
(＝He stopped in order that he might have a rest.)
I'll *go* **to see** him tomorrow. （明天我將去看他）
(＝I'll go and see him tomorrow.)

I *stood* up **to see** better.（我站起來以便看得清楚些）

【提示】①表目的的不定詞如用「**in order to**～（爲了，爲的是）」時，則更爲正式而有力。

I've *come* **in order to have** a talk with you.
（我是爲了要跟你談話而來的）

②如表目的而同時含有結果的觀念時，則可用「**so as to**～（以便，以求）」代替。

I *stood* up **so as to see** better.
（我站起來以便看得淸楚些）
I *stood* up **in order to see** better.
（爲了看淸楚些，我站了起來）

③「**so**（＋形容詞）**as to**～（如此～乃至於）」用以表程度與結果。

He was **so kind as to lend** me these books.
（他是這樣的好心腸乃至於借給我這些書）

④"**Come to see**", "**go to**～", "**try to**～"等，在口語中常用 **and** 代替 **to**。

Come and see（＝come to see）me one of these days.
（在這幾天之內來看我）

【句型】

動　　詞	不定詞(＝副詞)
1. We eat	(in order) **to live.**
2. We go to school	(in order) **to learn** things.
3. They ran	**to help** him.
4. He got up	**to answer** the bell.
5. I've come	**to have** a talk with you.
6. The car is waiting	**to take** you home.

動　　詞	**in order to**～
He worked hard	**in order to pass** his examination.
He started early	**in order to catch** the train.
She took a taxi	**in order not to be** late.

動　　詞	**so as to～**
I bought magazine	(so as) **to read** in the train.
He listened carefully	**so as to hear** every word.
She shut the gate	**so as to stop** the children going out.

(b)表結果：

He *awoke* **to find** the house on fire.
(=He awoke and found the house on fire.)
(他醒來時發現房子著了火)

*He *worked* only **to fail.** (他工作的結果只是失敗)

(c)表理由：

He *must be* a fool **to say so.**
(說這種話，他一定是個傻瓜)

2. 用以修飾形容詞：

(a)用以修飾表情緒的形容詞，以表喜怒哀樂的原因：

主詞＋be＋(感情)形容詞＋不定詞(to～)

I am very *glad* **to see** you. (我見到你很高興)
——to see 用以修飾形容詞 glad 而說明"高興"的原因。

I was *sorry* **to hear** that. (我聽到那個覺得難過)
(=I was sorry when I heard that.)

He was *angry* **to see** that nobody was there.
(他看到沒人在那裏而生氣)

They were *surprised* **to find** that the money had been stolen.
(他們發覺錢已被偷而吃驚)

be＋感情形容詞	**to**～(＝副詞)
1. I am **glad**	**to see** you.
2. I am **glad**	**to have met** you.
3. I shall be **happy**	**to accept** it.

4. I was **delighted**	**to hear** of his success.
5. They were all **pleased**	**to hear** that he had won the first prize.
6. I am **sorry**	**to be** late.
7. We were **sorry**	not **to see** you at the meeting.
8. He was **angry**	**to see** nothing had been done.
9. I am **disappointed**	**to know** that he failed.
10. They were **surprised**	**to know** that.

(b)用以修飾表個人品性或特性的形容詞：

① **人＋be＋(品性)形容詞＋不定詞(to～)**

② **It＋be＋(品性)形容詞＋of＋人＋不定詞(to～)**

{ *You* are very *kind* **to do** so. （你這樣做很仁慈）
=*It* is very *kind of you* **to do** so.

It was very *good of her* **to say** so.
=*She* was very *good* **to say** so.
（她這樣說那她太好了）

It was *unwise of him* **to lend** Bill money.
=*He* was *unwise* **to lend** Bill money.
（他借錢給比爾是不智的）

It was very *polite of John* **to offer** his seat in the crowded bus to the old lady.
=*John* was very *polite* **to offer** his seat in…….
（約翰在擁擠的公共汽車中讓座給那位老婦人是很有禮貌的）

【句型】

It is〔was〕＋品性形容詞	of＋人	to～(不定詞)
1. It is very **good**〔kind〕	of you	**to help** me.
2. It is rather **wise**〔clever〕	of her	**to say** so.
3. It was **honest**	of him	**to tell** you the truth.

4. It was very **careless**	of me	**to forget** that.
5. It was **foolish**	of them	**to make** such a mistake.

(c)接一般形容詞以限定其意義：

主詞＋be＋形容詞(easy, *etc.*)(＋for＋人)＋to～

English is *easy* **to learn.** （英語容易學）
Is this *good* **to eat**? （這可以吃嗎？）
They will be *able* **to get** it. （他們將能得到它）
We are *ready* **to start.** （我們已準備好出發了）
You are not *afraid* **to go,** are you? （你不怕去吧？）
I am *eager* **to see** her. （我極想見她）
He was *anxious* **to know** what had happened.
（他急於想知道發生了什麼事）

【提示】 除主要動詞的主詞之外，另有不定詞的主詞時，則用「……形容詞＋for＋(代)名詞＋不定詞(to～)」的句型。

Chinese is not *difficult* for us **to learn.**
（對我們來說中文是不難學的）
*He is *eager* for them **to meet** her.
（他渴望著他們見她一面）

【句型】

be＋形容詞(easy, *etc.*)	(for～) to～(不定詞)
1. Is this water **good**	(for me) **to drink?**
2. Japanese is **easy**	(for us) **to learn.**
3. She is **afraid**	**to go** alone.
4. Are you **ready**	**to start?**
5. She was not **able**	**to make** it.
6. He is **eager**	**to meet** her.
7. He was **anxious**	**to know** that.
8. They are **sure**	**to come.**

● 應注意事項 ●

⊙代替不定詞的 **to**：

不定詞如接 **want, wish, hope, like, hate, try, have**（必須），**ought, need, used**（慣常），**be able** 或 **be going**（將要）等動詞時，可將不定詞的原式省略，而僅用 **to** 以避免重複。

I don't know him, and I don't **want to** (know him).
（我不認識他，也不想認識他）

Would you like to come with me? Yes, I'd **like to.**
（你願意同我去嗎？是的，我願意）

He wanted to go, but he wasn't **able to.**
（他想去，但不能去）

Have you fed the dog? No, but I'm just **going to.**
（你餵過狗了嗎？沒有，但我正要去餵牠）

3. 用以修飾副詞：

① 形容詞＋**enough**＋**to**～（不定詞）＝"～得足以～"

He is old *enough* **to be** your father.
（＝He is so old that he could be your father.）
（他年紀大得足可做你的父親）
——*to be* 用以修飾副詞 *enough*。

My brother is not old *enough* **to go** to school.
（＝My brother is too young to go to school.）
（我弟弟年紀太小還不能上學）
——*to go* 用以修飾副詞 *enough*。

形容詞＋**enough**	（for～）**to**～（＝副詞）
1. I am old **enough**	**to be** his father.
2. Are you strong **enough**	**to lift**（舉起）that stone?
3. He is tall **enough**	**to touch** the ceiling.
4. He was kind **enough**	**to help** me.
5. She was foolish **enough**	**to believe** anything.
6. They are rich **enough**	**to buy** a car.
7. This book is easy **enough**	for you **to read.**
8. He is not old **enough**	**to understand** it.
9. Bob is not clever **enough**	**to go** to a university.
10. I am not rich **enough**	**to go** abroad.

② **too＋形容詞＋to～（不定詞）＝"太～不能～"**

He is *too* old **to work.** （他年紀太大，不能工作了）
（＝He is so old that he cannot work.）
——*to work* 用以修飾副詞 *too.*

It was *too* cold (for us) **to go** out.
（＝It was so cold that we couldn't go out.）
（天氣太冷，我們無法出去）

too＋形容詞	(for～) **to**～（＝副詞）
1. You are **too** young	**to go** to the university.
2. He is **too** old	**to play** baseball.
3. I have been **too** busy	**to write** it.
4. We are **too** late	**to catch** the train now.
5. We were **too** tired	**to walk** to the station.
6. This coffee is **too** hot	(for me) **to drink.**
7. It was **too** hot	(for us) **to go** out.
8. This bag is **too** heavy	for you **to carry.**
9. Is this book **too** difficult	for him **to read?**
10. It is **too** good	**to be** true.

③ **so＋形容詞＋as to～＝"如此～竟至（或以致於）"**

He was so good **as to send** me a lot of books.
（＝He was good enough to send me…….）
（他是如此的好竟送我許多書）
——"*so…… as to～*"用以表程度與結果。

Would you be **so** kind **as to send** me your catalogue?
（＝Would you be kind enough to send me……？）
（敬請惠寄貴店目錄一份）（〔ˈkætəlɔg〕目錄）

(4)獨立不定詞

在句中單獨使用並用以**修飾全句**的不定詞片語，特稱之爲獨立不定詞。

To tell the truth, I don't know. （老實說，我不知道）

To begin with, I don't like its color.
（第一，我不喜歡它的顏色）

She is not pretty, **to be sure,** but she is very clever.
（她的確並不美麗，但是她很聰明）

Strange to say, the goose could speak.
（說也奇怪，這隻鵝竟會說話）

*He is , **so to speak,** a walking dictionary.
（他可以說是個活字典）——**so to speak**　如同，可以說

***To be frank with you,** I don't agree to your opinion.
（不瞞你說，我不贊成你的意見）

***To make matters worse,** it began to rain.
（更糟的是，天開始下雨了）

㈡不定詞與述部動詞之間的時制關係

用簡單不定詞時，其動作發生的時間和述部動詞所表的時間一致。

I am sorry **to be** late.（很抱歉，我遲到了）〔現在〕
（＝I *am* sorry that I *am* late.）

I was glad **to meet** him.（當時我很高興見到他）〔過去〕
（＝I *was* glad when I *met* him.）

I shall be pleased **to see** her.（我將高興見她）〔未來〕
（＝I *shall be* pleased if I *can see* her.）

He **seems to be** ill.（他〔現在〕好像有病）〔現在〕
（＝It *seems* that he *is* ill.）

He **seemed to be** ill.（〔那時〕他好像有病）〔過去〕
（＝It *seemed* that he *was* ill.）

【句型】

現在式或過去式	簡單不定詞
1. I **am**〔was〕sorry	**to hear** that.
2. I **know**〔knew〕him	**to be** a good student.
3. I **should like**	**to see** that movie.
4. You **are**〔were〕wise	**to do** that.
5. He **is**〔was〕happy	**to find** it.
6. He **is**〔was〕said	**to be** very rich.
7. He **appears**〔appeared〕(似乎)	**to be** sick.

2. 用完成不定詞時，表示其動作發生的時間先於述部動詞所表示的時間。

I **am** glad **to have met** you.　(我見過你覺得很高興)
(=I *am* glad that I *have met* you.)

He **seems to have been** ill.　(他似曾患過病)
(=It *seems* that he *was* 〔*or* has been〕ill.)

He **seemed to have been** ill.　(那時他似曾患過病)
(=It *seemed* that he *had been* ill.)

【句型】

	完全不定詞
1. I am sorry	**to have made** such a mistake.
2. I am sorry	**not to have taken** his advice.
3. I know him	**to have been** a good student.
4. I should like	**to have seen** that movie.
5. You are wise	**to have done** that.
6. He is happy	**to have found** it.
7. He is said	**to have been** very rich.
8. She appears	**to have been** sick.

3. 簡單不定詞若與 **hope**（希望）, **wish**（希望，願）, **expect**（期望）, **intend**（意圖）, **promise**（約定，答應）等含有未來觀念的動詞連用時，所表示的則爲未來時間。

I **hope to see** him again.　(我希望再見到他)
(=I *hope* I *shall see* him again.)

I **expect** you **to write** to me.　(我期望著你寫信給我)
(=I *expect* you *will write* to me.)

He **promised to help** me.　(他答應過要幫助我)
(=He *promised* that he *would help* me.)

*4. 完成不定詞若與表希望、願望、期望或意欲等過去式動詞（如 hoped, wished, expected, intended〔=meant〕等）連用，則表示過去未實現的願望等。

I **wished to have gone** abroad (but I didn't go abroad).
(我原希望出國的)〔但未實現〕

I expected to have met him there (but I didn't meet him.)

(我本來期望在那裏見到他)〔但未能見到他〕

I meant (=intended) **to have called** on you, but was prevented from doing so.

(我本來打算拜訪你，但因受阻而未能實現)

㈢不加 to 的不定詞(＝原式)的用法

1. 用於下列各**助動詞**之後：【參看第 427 頁】

do, does, did; shall, should; **will, would; can, could; may,** **might; must; need; dare** (敢)	＋原式 (不加 **to** 的不定詞)

【句型】

助　　動　　詞	原　　式
Do 〔**Did**〕 you	**go** 〔do it〕?
Does 〔**Did**〕 he	**come** 〔do it〕?
Shall 〔**Should**〕 he **Will** 〔**Would**〕 you **Can** 〔**Could**〕 they **May** 〔**Might**〕 he **Must** 〔**Need**〕 you **Dare** he	**go**? **come**? **do** it? **help** her? **be** there?

助　　動　　詞	原　　式
I **do** 〔**did**〕 not	**go** 〔do it〕.
He **does** 〔**did**〕 not	**come** 〔do it〕.
I We You He She They　**shall** 〔**should**〕 (not) **will** 〔**would**〕 (not) **can** 〔**could**〕 (not) **may** 〔**might**〕 (not) **must** (not) **need** not **dare** not	**go.** **come.** **do** it. **help** her. **be** there.

【提示】 ①「助動詞 **ought**（應當）＋不定詞 **to~**」：
He **ought to study** hard. （他應該努力用功）
②「助動詞 **used**（慣常）＋不定詞 **to~**」：
I **used to take** a walk in the morning.
（我慣常在早晨散步）

2. 用於**知覺動詞**之後：

see（看見）, **hear**（聽見）, **feel**（感覺）, **watch**（注視）, **notice**（注意）, **look at**（注視，注意看）, **listen to**（傾聽）	＋原式

I **saw** him **come.** （我看見他來了）
I **heard** her **sing** an English song.
（我聽到她唱英文歌）
We **watched** them **cross** the street.
（我們注視著他們越過馬路）
Do you like **listening to** other people **talk**?
（你喜歡聽別人談話嗎？）

【句型】

知覺動詞	受詞	原式
1. Did you **see**	him	**go** out?
2. I **saw**	her	**come** in.
3. I like to **hear**	her	**sing.**
4. They **heard**	the car	**stop.**
5. We **felt**	the house	**shake.**（震動）
6. **Watch**〔Look at〕	the boy	**jump!**
7. I didn't **notice**	anyone	**hit** the cat.（打貓）

【提示】 **知覺動詞**如用於**被動語態**，後面須接"**加 to 的不定詞**"。
He **saw** them **go** out.
（他看見他們出去）
＝They *were seen* **to go** out.
（他們被看見出去）

被　動　語　態	不　定　詞
1. *Were* they *seen*	**to go** out?
2. They *were seen*	**to get** on a bus.
3. *Was* he *heard*	**to leave** that room?
4. He *was heard*	**to open** the door.

3. 用於**使役動詞**之後：

let（讓）, **make**（使）, **have**（使）, ***bid**（吩咐） ＋原式

Let him **come.**　（讓他來吧）
Let me **see.**　（讓我想想看）
Let's go.　（我們走吧）
I will **make** them **go.**　（我要使他們走）
I **had** him **do** it.　（我叫他做那個）
***Bid** her **wait.**　（＝Tell her to wait.）（叫她等著）

【句型】

使　役　動　詞	受　詞	原　式
1. **Let**	me	**go.**
2. Don't **let**	him	**come.**
3. He **made**	us	**work** hard.
4. What **makes**	you	**think** so?
5. **Have**	him	**open** it.
6. I wouldn't **have**	her	**do** that.
7. **Bid**	them	**wait** here.

【提示】　①使役動詞如用於**被動語態**，後面須接"**加 to 的不定詞**"。

They **made** me **go.**　（他們使我走）
＝I *was made* **to go.**　（我被迫而走）

被　動　語　態	不　定　詞
1. He *was made*	**to do** it.

2. They *were made*	**to go** away.
3. We *were bidden* （被命令）	**to leave** at once.

②「**get**（使）＋不定詞 **to**～」：

I must **get** him **to repair** it.

（我必須叫他來修理它）

〔誤〕I must get him *repair* it.

③「**help**（幫助）＋不定詞或原式」：

Help me (to) **carry** this box. （幫我搬這箱子）

——在美語中，**help** 通常接原式。

4.

① **had better** （以～爲宜） ② **Would**〔*or* **had**〕**rather** （寧願） ③ **cannot but** （不得不） ④ **do nothing but** （只是）	＋原式

You **had better** *stay* at home. （你還是留在家裏好些）

You **had better** not *go* out. （你還是不出去的好）

I **would rather** *die* than *do* it. （我寧死也不願做這種事）

I **cannot but** *think* so. （我只能作如是想）〔文言〕

（＝I can't help thinking so.）〔口語〕

He **does nothing but** *play* all day. （他整天只是玩）

—— 習 題 48 ——

(一)*Choose the right words:* （選擇對的字）

1. To tell lies (is, are, to be) wrong.
2. Is it easy (speak, to speak, speaking) English?
3. It's important (to learn it for you, for you to learn it).
4. What do you want me (do, did, to do)?
5. Would you like (come, came, to come) with me?
6. He wishes (go, went, to go) abroad.
7. He allowed the children (go, went, to go) swimming.
8. He wouldn't let Tom (go, gone, to go).
9. The boy can't (swim, swims, to swim) well.

10. You ought (go, to go, to have gone) today.
    It may (rain, to rain, be rain) tomorrow.
11. I advised him (study, studied, to study) hard.
12. He ordered them (not take, not to take, do not take) it.
13. You had better (not be, be not, not to be) so lazy.
14. Do you (ask him come, ask him to come, to ask him to come)?
15. He didn't (tell me make, tell me to make, told me to make) it.
16. I told him (not break, not to break, don't break) it.
17. He needs a friend (helps, to help, for help) him.
18. Are there any books (to read for me, for me to read, to me for read)?
19. Mary's business is (take, to take, to taking) care of the children.
20. When is she going (help, to help, helping) you?
21. She is (arrive, arrived, to arrive) tomorrow.
22. I used (live, to live, to living) in Taipei.
23. John seems (know, knows, to know) that.
24. I saw him (go, went, to go) out.
25. He was seen (get, got, to get) on a bus.
26. I heard the clock (strike, strikes, to strike) ten.
27. We felt the house (shake, shakes, to shake).
28. Some children are watching the plane (take, takes, to take) off.
29. He made me (cry, cried, to cry).
30. They were made (work, to work, to be worked) day and night.
31. I'll have him (clean, cleans, to clean) my bicycle.
32. I must get someone (carry, carries, to carry) it for me.

㈡*Correct the errors:* （改正錯誤）

1. He wants some water drink.
2. I went to the station see a friend off.

3. You'll be able do it yourself before long.
4. I had him wrote a letter.
5. I couldn't make him to understand it.
6. Let me see him to do it.
7. I have seen many people to go away.
8. He often heard her to say so.
9. He was seen enter the house.
10. They watched John to get off the bus.
11. You ought not waste your time.
12. I used getting up early when I lived there.

(三) *Fill in the blanks:* 填充題(每個空格限填一字)

1. I found ______ difficult ______ make a speech in English.
2. He showed the children how ______ ride a bicycle.
3. There is no time to ______ lost.
4. The plane was about ______ take off.
5. The meeting is to ______ held next Saturday.
6. He is supposed ______ arrive at three.
7. John is considered to ______ the best student in the class.
8. What a fool he is ______ do such a thing!
9. "Come with me." "I should like ______, but I'm sorry I can't."
10. I am sorry to ______ kept you waiting.
11. It was too cold ______ go out.
12. I am not rich enough ______ buy a car.

(四) *Translation:* 翻譯題(每個空格限填一字)

1. 放棄即是失敗。

   ______ give up is ______ fail.

2. 外國人要寫好的中文是困難的。

   ______ is difficult ______ foreigners ______ write good Chinese.

3. 你完成這工作將需時多久?

   How long will ______ take you ______ finish this work?

4. 承蒙邀請參加宴會，極感厚意。

______ was very kind ______ you ______ invite me to the party.

5. 他不願意被人看見。

He did not want ______ ______ seen by people.

6. 我認爲浪費金錢與時間是不對的。

I think ______ wrong ______ waste time and money.

7. 孩子們爲學習事物而上學。

Children go to school in ______ ______ learn things.

8. 我傾耳細聽以便聽到每一個字。

I listened carefully so ______ ______ hear every word.

9. 敬請惠示高見。

Will you be ______ kind as ______ tell us your opinion?

10. 這消息太好了，不會是眞的。

The news is ______ good ______ ______ true.

11. 老實說，我不希望他在這裏工作。

______ ______ the truth, I don't want him ______ work here.

12. 我很高興找到了這樣好的一個住處。

I am very happy to ______ ______ such a nice place to live in.

13. 我聽到那個不禁笑了起來。

I could not ______ laugh ______ hear that.

14. 你還是接受我的勸告好些。

You ______ better ______ my advice.

15. 我寧願走路而不願等巴士。

I would ______ ______ than ______ for the bus.

16. 他每天不做任何事而只是看書。

He does nothing ______ ______ books every day.

(五) *Substitution:*　換字(每個空格限塡一字)

1. To serve our country is our duty.

=______ is our duty ______ serve our country.

2. I spent two years ______ finish this.

=______ took ______ two years ______ finish this.

3. It is necessary that we should study grammar.

   =It is necessary ______ us ______ study grammar.

4. He was wise to do that.

   =______ was wise ______ him ______ do that.

5. It is time that they should start.

   =It is time ______ them ______ start.

6. He opened the door so that the cat might go out.

   =He opened the door ______ the cat ______ go out.

7. You must leave at once.

   =You have ______ leave at once.

   =You are ______ leave at once.

8. He could not get there in time yesterday.

   =He ______ not able ______ get there in time yesterday.

9. Please tell me what I should do.

   =Please tell me what ______ do.

10. He said to me, "Don't open it."

    =He told me ______ ______ open it.

11. He worked hard in order ______ he might pass the examination.

    =He worked hard in order ______ pass the examination.

12. Would you ______ kind enough ______ lend me your dictionary?

    =Would you ______ so kind ______ ______ lend me your dictionary?

13. Bob is so young that he cannot understand it.

    =Bob is ______ young ______ understand it.

    =Bob is not old ______ ______ understand it.

14. He was there by chance.

    =He ______ to ______ there.

15. People thought he was a fool.

    =People thought ______ to ______ a fool

    =He ______ thought to ______ a fool.

16. They believe that he was a good man.

    =He ______ believed to ______ ______ a good man.

17. He is said to be very rich.

=______ is said that he ______ very rich.

18. They seemed to be very poor.

=______ seemed that they ______ very poor.

19. He seemed to have done something wrong.

=______ seemed that he ______ ______ something wrong.

20. His parents expect him to study hard.

=His parents expect that ______ ______ study hard.

21. I was surprised when I heard that he had won the first prize.

=I was surprised ______ ______ that he had won the first prize.

22. I am sorry that I did not take your advice.

=I am sorry ______ ______ ______ ______ your advice.

23. Nobody could hear a sound.

=Not a sound was ______ ______ heard.

24. We ______ not see her ______.

=______ was not seen ______ come.

第九節　分　詞(Participles)

分詞是「非限定動詞」，形式固定，不隨主詞的人稱和數而變化，並含有動詞和形容詞的性質。

分詞有現在分詞和過去分詞兩種：

> **現在分詞(Present Participle)**：
> ——「原式＋ing＝現在分詞」，常含有主動的意味。
> **過去分詞(Past Participle)**
> ——有原式加 **-d, -ed** 的規則形和其他不規則形，常含有被動的意味。

分詞的形態：

（及物動詞以 *write*, 不及物動詞以 *go* 爲例）

語態／動詞／種類	及物動詞		不及物動詞
	主動語態	被動語態	主動語態
現在分詞	**writing**	**being written**	**going**
過去分詞	——	**written**	**gone**
完成分詞	**having written**	**having been written*	**having gone**

(1)分詞的用法

1.(a) be＋現在分詞＝進行式 【見第 295 頁】

(b)① have＋過去分詞＝完成式 【見第 272 頁】

② be＋過去分詞＝被動語態 【見第 374 頁】

2. 用作形容詞：

(a)現在分詞：

(i)前位修飾(現在分詞位於被修飾的名詞之前)：

a ˊ**sleeping** ˊ*baby* （一個睡著的嬰孩） 〔主動〕
(＝a baby that is sleeping)

ˊ**boiling** ˊ*water* （沸騰的水） 〔主動〕
(＝hot water which is boiling)

a ˊ**burning** ˊ*building* （燃燒著的建築物） 〔主動〕
(＝a building which is burning)

a ˊ**dancing** ˊ*doll* （會跳舞的洋娃娃） 〔主動〕
(＝a doll that dances)

the ˊ**rising** ˊ*sun* （上升的太陽） 〔主動〕
(＝the sun which is rising)

【提示】 用於前位修飾的**現在分詞**與被修飾的**名詞**均須**重讀**。

(ii)後位修飾(現在分詞位於被修飾的名詞之後)：

The *girl* **writing** (＝who is writing) a letter is Mary.
(在寫信的那個女孩子是瑪麗)

The *man* **driving**（＝who was driving）the car was drunk.
（開車的這個人喝醉了酒）〔主動〕
Anyone **wishing**（＝who wishes）to leave early may do so.
（任何人想早離開的都可以離開）〔主動〕

(b)過去分詞：

(i)前位修飾：

a **broken** *glass*（一個破了的玻璃杯）〔被動〕
（＝a glass which is broken）
boiled *water*（開水）〔被動〕
（＝water which has been boiled）
wounded *soldiers*（受傷的軍人）〔被動〕
（＝soldiers who were wounded）〔w′undid〕
spoken *English*（口講的英語）〔被動〕
（＝English which is spoken by people）
a **well-known** *author*（一位著名的作家）〔被動〕
（＝an author who is well known）

【提示】不及物動詞的過去分詞不含有被動的意味。
a **fallen** tree（＝a tree which has fallen）
（倒下的樹）
the **risen**〔′rɪzn〕sun（＝the sun which has risen）（升起的太陽）
a **learned**〔′lɝnɪd〕man（＝a man who has learned much）
（有學問的人）

(ii)後位修飾：

This is the *book* **written**（＝which was written）by him.
（這一本就是他寫的書）
Mary is wearing a new *dress* **made**（＝which was made）by her mother.
（瑪麗穿著她媽媽做的新衣服）
The *lady* **dressed**（＝who is dressed）in light blue is Miss Wilson.
（穿著淺藍色衣服的婦人是威爾遜女士）
We can see a high *mountain* **covered**（which is covered）with snow.
（我們能看見一座被雪覆蓋的高山）

3. 用作補語：

(a)現在分詞：

(i)主格補語：

John *came* **running.** (約翰跑來了)

The little boy *went* away **crying.** (這小孩哭著走了)

He *lay* **sleeping.** (他躺著睡著了)

It *kept* **raining** for two days. (一連下了兩天雨)

I *was kept* **waiting** for an hour.
　　(〔人家〕讓我等了一個小時)

【句型】

不完全不及物動詞	現在分詞(主格補語)
1. He *came*	**running** to us.
2. I'll *go*	**fishing** 〔shopping〕 tomorrow.
3. They *sat*	**talking** to each other.
4. He *kept*	**working** till midnight.
5. I *was kept*	**waiting** for a long time.
6. He *was seen*	**running** away.

(ii)受格補語：

I *saw* him **coming.** (我看見他來了)

I *heard* her **singing** a song. (我聽見她在唱歌)

Can you *smell* something **burning**?
　　(你能聞到什麼東西在燃燒嗎？)

I *found* him **working** at his desk.
　　(我發現他在桌子上工作著)

He *kept* me **waiting.** (他讓我等著)

*I can't *have* you **doing** that. (我不能讓你做那個)

【提示】 「**see** 〔*or* hear〕＋受詞＋現在分詞」與「**see** 〔*or* hear〕＋受詞＋原式」之不同點如下：

①用現在分詞時，著重於動作的繼續。
②用原式時，著重於事實，或動作的完成。

I *saw* him **walking** across the street.
　　(我看見他在橫越馬路) 〔著重動作〕

I *saw* him **walk** across the street.
　　(我看見他越過馬路) 〔著重事實〕

{ I *heard* her **crying.** （我聽見她在哭）　〔著重動作〕
{ I *heard* her **cry.** （我聽見她哭）　〔著重事實〕

【句型】

不完全及物動詞	受　　詞	現在分詞(受格補語)
1. I *saw*	him	**reading** a book.
2. He *saw*	the thief	**running** away.
3. He *heard*	someone	**calling** him.
4. We *watched*	the train	**leaving** the station.
5. We *listened* to	the band	**playing** in the park.
6. I *found*	him	**sleeping** under a tree.
7. Don't *keep*	me	**waiting** too long.
8. They *left*	me	**waiting** outside.

(b)過去分詞：

(i)主格補語：

We *were* **surprised** to hear the news.
（我們聽到這個消息感到驚奇）

They *got* **married.** （他們結婚了）

The old man *seemed* **satisfied.**
（這老人似乎滿足了）

He *looked* **pleased** to hear of my success.
（他聽到我的成功顯得很快樂）

【句型】

不完全不及物動詞	過去分詞(主格補語)
1. I *was*	**surprised** at the news.
2. She *was*	**dressed** in white.
3. They will soon *get*	**married.**
4. The old man *seemed*	**satisfied** with his son.
5. He *looked*	**pleased** with my success.

(ii)受格補語：

I *found* him **wounded.** （我發現他受了傷）

Have you ever *seen* a man **hanged?**

(你曾經見過一個人被吊死嗎？)

The best way to learn English is to *hear* it **spoken** around us and read a lot of books.

(最好的英語學習法是聽它在我們的周圍被人說，並且讀很多的書)

He tried to *make* himself **understood.**

(他力求使自己〔的話〕能為別人所了解)

I *had* 〔*or* got〕 my car **repaired.** (我叫人修理了我的汽車)

不完全及物動詞	受　詞	過去分詞(受格補語)
1. I *found*	the man	**killed.**
2. He *heard*	his name	**called.**
3. He *felt*	himself	**lifted** up. (被抬起來)
4. I *want*	this work	**finished** quickly.
5. I couldn't *make*	myself	**understood.**
6. You must *get*	your hair	**cut.**
7. We shall *have*	our house	**painted.**
8. She *had*	her money	**stolen.**

(2) 分詞構句 (Participial Construction)

兼有形容詞片語和副詞子句的性質，而用以修飾句中主詞和動詞的分詞片語(participle phrase)，叫做分詞構句。

【提示】
①分詞構句多在文言中使用。
②分詞構句的作用等於「連接詞＋主詞＋動詞」。
③分詞構句通常置於句首，但亦可置於句中或句尾。
④在分詞構句和主句之間，須加逗點。
⑤分詞構句如其意義上的主詞和主句的主詞相同，則須將分詞構句的主詞省去。

(1) 表時間：

Arriving (＝When he arrived) at the station, *he found* the train had left already.

(當他到達火車站時，火車已經開走了)

Walking（＝While she was walking）along the street, *she met* Mr. A.
（當她在街上走著的時候，她遇見 A 先生）

Having finished（＝After I had finished）my work, *I went* home.
（做完工作之後，我回家了）

【提示】

①分詞構句所表的時間，如和主句動詞所表的時間一致，則用現在分詞。 ②分詞構句所表的時間，如先於主句動詞所表的時間，則用完成分詞。

(2) 表理由・原因：

Being（＝As he is）a good student, *he is liked* by all the teachers.
（他因爲是個好學生，故爲全體老師所喜愛）〔現在〕

Being（＝As I was）poor, *I could not afford* to buy books.
（我因爲窮，買不起書）（cannot affórd 不堪）〔過去〕

Having（＝As I had）nothing to do, *I went* out for a walk.
（因爲沒有事可做，我就出去散步）

Not knowing（＝As she did not know）what to do, *she began* crying.
（她因不知如何是好，就哭起來了）

【提示】 分詞的否定用「**not＋～ing**」。

Living（＝As we live）a long way from town, *we* rarely *have* visitors.
（因住在離市鎭很遠的地方，我們很少有客人來訪）〔現在〕

Having lived（＝As he has lived）in England for many years, *he can speak* English very well.
（他因在英國住過多年，所以能講英語講得很好）〔現在完成〕

Having lived（＝As they had lived）in China for many years, *they could speak* Chinese very well.
（他們因在中國住過多年，所以能講華語講得很好）〔過去完成〕

(3) 表條件：

Turning（＝If you turn）to the right, *you will find* the post-office on the left.（如你向右轉彎，你會看到郵局在左邊）

(4) 表讓步：

Admitting（＝Though I admit）what you say, *I* still *think* that you are wrong.
（雖然我承認你所說的，我仍以爲你不對）

(5) 表附帶情況：

He went out of the room, **singing** a song.
（他唱著歌走出室外）

I stood there, **waiting**（＝and waited）for her.
（我站在那裏等著她）

She wrote to her brother, **begging**（＝and begged）him to call on Mr. A. （她寫信給他的哥哥，請他去拜訪 A 先生）

The train left Taipei at 9 p.m., **reaching**（＝and reached）Kaohsiung next morning.
（火車於下午九時離開台北，次晨到達高雄）

分詞構句(現在分詞＋～)	主　　句
1. **Walking** to school,	I saw Tom and Bob.
2. **Arriving** at the station,	he saw the train leave.
3. **Seeing** me,	he ran away.
4. **Seeing** her son,	she cried for joy.(喜極而泣)
5. **Being** poor,	he cannot afford to buy books.
6. **Having** no money,	I could not buy it.
7. **Feeling** tired,	he went to bed early.
8. **Being** tired,	I soon fell asleep.
9. **Living** in the country,	he seldom has visitors.
10. **Looking** at the picture,	I began to remember things of the past.

分詞構句(完成分詞＋～)	主　　句
1. **Having finished** my work,	I have nothing to do.
2. **Having finished** his work,	he went home.
3. **Having seen** her son,	she felt much better.
4. **Having been** ill for a year,	he died last week.
5. (Having been) **printed** in haste,	the book has some mísprínts. (印錯的字)

● 應注意事項 ●

1. 分詞構句中，過去分詞之前的"**Being**"和"**Having been**"可以省去。
(Being) **tired** with his work, *he went* to bed early.
(他因工作疲乏，所以早睡)
(Having been) **written** in haste, *the book has* some faults.
= *The book*, (having been) **written** in haste, *has* some faults.
(那本書因倉促寫就，故有一些缺點)

*2. **分詞構句**如其意義上的**主詞**和**主句**的**主詞**不同，則須在分詞前面加**主詞**而**不可省略**，此類分詞片語特稱之爲**獨立分詞構句**(Absolute Participial Construction)。
School *being* over, **they** *went* home.
(因爲學校放學，所以他們都回家了)
The moon *having risen*, **we** *put out* the light.
(因爲月亮出來，我們就熄了燈)

【句型】

獨立分詞構句	主　　句
1. The weather **being bad,**	I stayed at home.
2. It **being** very cold,	we made a fire. (生火)
*3. Weather **permitting**(許可)，(如果天氣好的話)	I'll go with you.
4. There **being** nothing to do,	we went home.
5. The village **being** small,	he had no difficulty in finding the house.
6. The sun **having set,**	the thermometer (溫度計) began to fall.

*3. 分詞構句通常**不加連接詞**，但有時爲使分詞片語與主句的關係更爲清楚，亦可在分詞片語之前加連接詞。

Though **living** near his house, I seldom see him.
(雖然住在他家附近，但我很少看見他)
While **fighting** in Korea, he was taken prisoner.
(他在韓國作戰時被俘)

4. 在一般分詞構句中，**主句主詞和分詞構句意義上的主詞不可以脫節**。
〔錯〕**Looking** up, *an airplane* was seen.
〔正〕**Looking** up, I saw an airplane.
(當我向上看的時候，我看見一架飛機)
——"向上看"的是"我"而不是飛機，因此不可以用"an airplane"作主句主詞。

◇ 慣用獨立分詞片語 ◇

慣用的**獨立分詞片語**(Absolute Participle Phrase)之前通常不加主詞。
Generally speaking, (the) Chinese are hardworking.
(一般地說來，中國人是勤勉的)
Judging from his accent, he cannot be an American.
(由他的腔調判斷，他不可能是美國人)
Generally speaking 一般地說來 **Strictly speaking** 嚴格而論
Judging from ～ 由～判斷 **Considering** ～ 就～而論
Speaking 〔*or* talking〕 **of** ～ 說到～，談到～

—— 習 題 49 ——

(一) *Choose the correct words:* (選擇正確的字)

1. The boy (writes, writing, written) at the desk is Tom.
2. I found the book (wrote, writing, written) in French.
3. I could not understand the language (speak, speaking, spoken) in that country.
4. Who is the man (speaks, speaking, spoke) to her?
5. John likes the song (sing, singing, sung) by her.
6. He heard some birds (sang, singing, sung) merrily.
7. I saw him (to walk, walking, walked) in the garden.

8. I saw a rat (catch, catching, caught) in a trap. (捕捉機)
9. A (drown, drowning, drowned) man will catch at a straw. (溺水者即一草也將攀附)(straw 〔strɔ〕稻草)
10. We found the dog (kill, killing, killed).
11. I could find nothing but a (broke, breaking, broken) chair in the room.
12. The girl (reads, read, reading) a magazine is Lucy.
13. The boy (lie, lying, lain) under the tree is Bob.
14. The brids (fly, flying, flown) in the sky look very happy.
15. That mountain (covers, covering, covered) with snow is Mt. Yu. (玉山)
16. We like these newly (plant, planting, planted) trees.
17. I like my eggs half (boil, boiling, boiled).
18. I told the man that he was (mistake, mistaking, mistaken).
19. I was (interest, interesting, interested) in this book.
20. He found the book (interest, interesting, interested).
21. It's a (surprise, surprising, surprised) news.
22. They seemed very much (surprise, surprising, surprised) at the news.
23. We were all (excite, exciting, excited) by the news.
24. The city lies (sleep, sleeping, slept).
25. Keep (try, to try, trying), you'll get it soon.
26. They kept him (wait, waiting, waited) for an hour.
27. He made it (knows, knowing, known) to his friends.
28. I got my shoes (to mend, mending, mended).
29. Have your bicycle (lock, locking, locked).
30. He had his bicycle (steal, stealing, stolen).
31. (Hear, Hearing, Heard) the sound, I looked out of the window.
32. (Be, Being, Been) tired with the work, I sat down to rest.
33. (Finishing, Finished, Having finished) his work, he left the office.

34. The boy, (losing, lost, having lost) his bicycle, had to walk to school.
35. The book, (writing, written, having written) in simple English, is suitable for beginners. (初學者)

(二)*Correct the errors:*(改錯)

1. A roll stone gathers no moss. (滾動之石不生苔)
2. The boy stand behind Tom is my brother.
3. Who is the boy that sitting over there?
4. I found John slept under a tree.
5. Mary wore a dress making by her mother.
6. Walk to school, I came across John's father.
7. Run across the street, I lost my money.
8. He came to see me, brought his cousin with him.
9. The boys, play in the room, made much noise.
10. Know not what to do, I stood still. (站著不動)
11. Living in this city for ten years, I know a lot of people here.
12. Being fine, I went hunting.
13. Writing in haste, the letter was full of wrong words.
14. Entering the room, a large table was seen by me.
15. Being a good student, his teacher likes him.

(三)*Translation:*翻譯(每個空格限填一字)

1. 你必須喝大量的開水。

   You have to drink plenty of ______ water.
2. 戴著帽子的那位婦人是史密斯夫人。

   The lady (*w*)________ a hat is Mrs. Smith.
3. 穿著白衣的那個女孩子是瑪麗。

   The girl (*d*)_______ in white is Mary.
4. 我發現她在廚房裏哭著。

   I found her ______ in the kitchen.
5. 約翰跑進屋裏來。

   John came ______ into the house.
6. 他把腿弄斷了。

   He had his leg (*b*)________.

7. 我聽到有人叫我的名字。

I heard my name ______.

8. 他未能使人了解他的話。

He couldn't make himself ______.

9. 很抱歉，讓你久等了。

I am sorry to have kept you ______.

10. 他因爲窮，買不起它。

______ poor, he could not afford to buy it.

11. 因爲身上沒有帶錢，所以我沒有買那本書。

______ no money with me, I did not buy the book.

12. 吃完早餐後，她就上學了。

______ finished her breakfast, she went to school.

(四)*Substitution:*換字（每個空格限塡一字）

1. The sun which is setting looks beautiful.

=The ______ sun looks beautiful.

2. The man who lives in this house is a professor.

=The man ______ in this house is a professor.

3. He is a man who has learned much.

=He is a ______ man.

4. This is the book written by him.

=This is the book which ______ ______ by him.

5. Seeing her son, she wept for joy.

=When ______ ______ her son, she wept for joy.

6. Having seen her, he felt much better.

=After ______ ______ ______ her, he felt much better.

(五)*Change to the participial construction:*（改爲分詞構句）

1. I ran to the station, and arrived just in time for the train.

=I ran to the station, ______ just in time for the train.

2. He turned to me, and asked me a hard question.

=He turned to me, ______ me a hard question.

3. He is very poor, so he cannot go to the university.

=______ very poor, he cannot go to the university.

4. She found no one at home and left the house in a bad temper.

(不高興地)

=______ no one at home, ______ left the house in a bad temper.

5. When I turned on the light, I was astonished at what I saw.

(我開了燈時，我所看到的使我驚駭)

=______ on the light, I was astonished at what I saw.

6. I have done my work, and have nothing to do now.

=______ my work, ______ have nothing to do now.

7. As I had nothing to do, I went to the movies.

=______ nothing to do, I went to the movies.

8. As he was ill, he did not go.

=______ ill, he did not go.

9. He had spent all his money, and had to stay at home.

=______ all his money, ______ had to stay at home.

10. The vacation was over, and the students came back to school.

=___________ over, the students came back to school.

第十節 動名詞(Gerund)

動名詞是「**非限定動詞**」，不隨主詞的人稱和數而變化，**兼有動詞和名詞**的性質。

原式+ing=動名詞

動名詞的形態：(以 *do* 爲例)

種類＼語態	主 動 語 態	被 動 語 態
簡單式	**doing**	**being done**
完成式	**having done**	* *having been done*

㈠動名詞的用法

1. 用作**主詞**：

Reading makes us happy.
（讀書使我們快樂）

Smoking is a bad habit.
（吸煙是一種壞習慣）

Spending *money* is easier than **making** *it.*
（花錢比賺錢容易）——*money* 是動名詞 *spending* 的受詞。

【提示】 動名詞除有名詞性質外，仍兼有動詞性質，故後面可接受詞。

Early **rising** is good for (the) health.　（早起有益於健康）
（＝**Rising** *early* is good for (the) health.）

*【提示】 ①*Early rising* 中的 **rising** 是名詞性質較强的動名詞，故用形容詞 **early** 在前面修飾之。
②*Rising early* 中的 **rising** 是動詞性質較强的動名詞，故用副詞 **early** 由後面修飾之。

It is no use **crying** *over spilt milk.*
（爲灑了的牛奶而哭，於事無補；覆水難收）
——*It* 爲假主詞，用以代替眞主詞 *crying*……。

【句型】

動名詞(＝主詞)	(＋單數動詞)
Swimming **Playing** tennis **Growing** flowers Early **rising** **Rising** early **Walking** in the morning	is good for (the) health.

It ＋ be	主格補語	主詞(＝動名詞片語)
1. It's	no use	**crying** over spilt milk.
2. It's	no use	your **trying** to do that.
3. It's	no good (沒有用)	**hoping** for their help.
4. It's	foolish	**behaving** (行爲) like that.

2. 用作及物動詞的受詞：

I *like* **swimming.** (我喜歡游泳)
He *likes* **fishing.** (他喜歡釣魚)
She *enjoys* **cooking.** (她喜歡烹調)
It *has stopped* **raining.** (雨停了)
We must *avoid* **making** such a mistake.
(我們必須避免犯這種錯誤)

3. 用作介系詞的受詞：

I am fond *of* **swimming.** (我喜歡游泳)
We are tired *of* **hearing** the same story.
(我們聽厭了同一個故事了)
He is tired *with* **teaching** all day.
(他因終日教書而疲乏)
Mr. A makes a living *by* **writing** books.
(A 先生靠著寫書謀生)
We must go *on* **working.** (我們必須繼續工作)
He insisted *on* **doing** that. (他堅持要做那個)
He is good *at* **driving** a car. (他開汽車開得好)
Keep him *from* **going** to sleep. (防止他睡著)
The storm prevented me *from* **starting.**
(暴風雨使我未能動身) 〔prevent ～ from…阻止～…〕

【提示】 介系詞通常以動名詞爲受詞，而不接不定詞。

介系詞＋動名詞(＝受詞)

He is fond *of* **playing** basketball.
(他喜歡打籃球)

〔誤〕He is fond of *to play* basketball.
〔誤〕He is fond *to play* basketball.

【句型】

	介系詞	動名詞(＝受詞)
1. I am fond	**of**	**playing** tennis.
2. Are you afraid	**of**	**doing** that?
3. I am tired	**of**	**doing** the same thing.
4. He is tired	**with**	**walking.**
5. We look forward	**to**	**seeing** you.
6. She is used	**to**	**getting** up early.
7. She is good	**at**	**cooking.**
8. He washed his hands	**before**	**having** lunch.
9. He got fat	**by**	**eating** too much.
10. It kept	**on**	**raining.**
11. They went	**on**	**talking.**
12. They insisted	**on**	**going.**
13. He was prevented	**from**	**coming.**
14. He went away	**without**	**saying** a word.

4. 用作補語：

Seeing *is* **believing**.(＝To see is to believe.)（眼見爲信）
Teaching *is* **learning**.（教即是學；教學相長）
His hobby *is* **collecting** stamps.（他的嗜好是集郵）
My favorite sport *is* **swimming**.（我最喜歡的運動是游泳）

主詞＋**be**	動名詞(＝主格補語)
1. Seeing is	**believing.**
2. My job is	**teaching.**
3. Her hobby is	**collecting** stamps.
4. The best exercise in summer is（夏天最好的運動是）	**swimming.**

● 應注意事項 ●

1. **動名詞＋單數動詞（is 等）**

Growing flowers *is* my hobby. （種花是我的嗜好）
Reading books *makes* one happy and wise.
（讀書使人快樂、聰明）

【提示】 ①「**兩個動名詞**（兩種事物）＋**複數名詞**（**are** 等）」：
Saying and **doing** *are* quite different things.
（言與行是完全不同的兩回事）
Skiing and **skating** *are* good winter sports.
（滑雪與溜冰是良好的冬季運動）
②下列各字已失去動名詞的性質而成純粹的名詞。
a **building**, many **buildings** （建築物）
a **blessing**, many **blessings** （恩惠，幸福）
a **drawing**（一幅畫） a **meeting**（一次會議）

2. **（名詞或代名詞的）所有格＋動名詞**

Thank you for *your* **coming**. （謝謝你的光臨）
He insists on *my* **going** there. （他堅持要我去那裏）
（＝He insists that I should go there.）

3. **動名詞**與**述部動詞**之間的**時制關係**如下：

(a)簡單式**動名詞**所表的時間與**述部動詞**所表的時間一致，或表未來。
He **insists** on **being** right. （他堅持他對） 〔現在〕
＝He **insists** that he is right.
He **insisted** on my **being** wrong. （他堅持我不對） 〔過去〕
＝He **insisted** that I **was** wrong.
I **am** sure of his **coming.** （我確信他會來） 〔未來〕
＝I **am** sure he **will come.**

(b)完成式**動名詞**所表的時間**先於述部動詞**所表的時間，並常用以代替過去式，現在完成式，和過去完成式等。
I **am** ashamed of **having done** that.
＝I **am** ashamed that I **have done** that.
（做了那件事我覺得慚愧）

She **thanked** him for **having saved** her child.
＝She **thanked** him because he **had saved** her child.
（她爲了他搭救她的孩子而感謝他）

4. **被動動名詞**的用法如下：
I don't like **being disturbed** while reading.
（我不喜歡在讀書時被打擾）

5. **短句「No＋動名詞」用以表禁止：**
No **smoking!**　（禁止吸煙！）
No **parking!**　（不准停車！）（park 停車）

6. 動名詞可用以形成**複合名詞：**
the ˊ**dining**（－）roon　餐室，飯廳　〔動名詞〕
（＝the room in which meals are eaten）
the ˊ**smoking**（－）room　吸煙室　〔動名詞〕
（＝the room for smoking）
a ˊ**swimming** pool　游泳池　〔動名詞〕
（＝a pool for swimming）
〔比較〕
a ˊ**sleeping** ˊ*baby*　睡著的嬰孩　〔現在分詞〕
（＝a baby that is sleeping）
a ˊ**sleeping** car　臥車　〔動名詞〕
（＝a car for sleeping; a railway car with beds）
——「供睡眠用的車輛」，非「睡著的車」之意。
a ˊ**walking** ˊ*dictionary*　活字典(＝博學之士)　〔現在分詞〕
（＝a dictionary that can walk.　能走路的字典）
a ˊ**walking**-stick　散步用的手杖　〔動名詞〕
（＝a stick that a man carries while walking）
a ˊ**dancing** ˊ*doll*　會跳舞的洋娃娃　〔現在分詞〕
（＝a doll that dances）
a ˊ**dancing**-master　舞師　〔動名詞〕
（＝a man who teaches dancing）

【提示】　動名詞連接名詞而形成複合名詞時，常以連字時"－"（hyphen）連接(不用連字號亦可)，且**僅重讀動名詞**。

(二)動名詞與不定詞

1. 下列動詞後面可以接動名詞或不定詞：

start（開始）, **begin**（開始）, **continue**（繼續）, **like**（喜歡）, **dislike**（不喜歡）, **hate**（討厭，憎恨）, **lver**（喜愛）, **prefer**（較喜）, **intend**（打算，計劃）, ***regret**（懊悔）, **remember**（記得）, **forget**（忘記）, **be worth while**（值得）, ***be accustomed to**（習慣於）	＋	動名詞（**-ing**） 不定詞（**to** ～）

It *began* **raining**〔or **to rain**〕.（開始下雨了）
It *is worth while* **doing**〔or **to do**〕it.（這值得做）
*I *am accustomed to* **doing**〔or **do**〕it this way.
（我習慣於這樣做它）

I *prefer* **reading** *to* **playing**.（我喜歡讀書，不喜歡玩）
I *prefer* **to do** this.（我較喜歡做這個）

I *remember* **seeing**（＝having seen）him. 〔表過去的動作〕
（＝I remember that I saw him.）（我記得曾見過他）
Please *remember* **to post** the letter. 〔表未來的動作〕
（請記住要寄這封信）

I *like* **swimming.**（我喜歡游泳）〔不一定自己下水〕〔一般性〕
I *like* **to swim.**（我喜歡游泳）〔自己下水游泳〕〔特殊性〕

He *loves* **going to** the movies.（他喜歡看電影）〔表習慣〕
I *should love* **to go** with you.（我倒喜歡跟你去的）
——〔表條件或未來〕

【句型】

及物動詞	動名詞或不定詞(＝受詞)
1. We have **started**	**learning**（＝to learn）it.
2. He **began**	**talking**（＝to talk）.
3. They **continued**	**working**（＝to work）.
4. He **likes**	**singing**（＝to sing）.
5. I **prefer**	**staying**（＝to stay）indoors.
6. I **hate**	**disturbing**（＝to disturb）you.
7. He **regrets**	**having done**（＝to have done）it.

8. I **regret**	**going**（去過）there.
9. I **rememer**	**his asking**（問過）this.
10. I'll never **forget**	**hearing**（聽過）you sing.

2. 下列動詞後面只接不定詞而不接動名詞：　【見第 435 頁】

wish（欲，願），**hope**（希望），**care**（願，欲），**prómise**（約定，保證），**agree**（同意），**expect**（期待），**pretend**（假裝）	＋不定詞（**to** ～）

I *wish* **to see** him.　（我希望見到他）
I *hope* **to see** you again.　（我希望再見到你）

3. 下列動詞後面只接動名詞而不接不定詞：

avoid（避免），**enjoy**（欣賞，享受樂趣），**mind**（介意），**finish**（完成），**complete**（完成），**go on**（繼續），**keep**（on）（繼續），**give up**（放棄），**stop**（停止）	＋動名詞（**-ing**）

He *went*〔or *kept*〕*on* **speaking.**　（他繼續講話）
He *gave up* **smoking.**　（他戒煙了）
I *enjoy* **hunting**.　（我喜歡打獵）
We must *avoid* **doing** such a thing.
（我們必須避免做這種事）
I have *finished* **writing** my composition.
（我已寫完我的作文了）

Would you *mind* **opening** the window for me?
（請您替我打開窗子好嗎？）
Do you *mind* **opening** the window?
（你介意打開窗子嗎？）

【提示】　**stop** 接不定詞時有不同的意義。

He *stopped* **smoking.**　（他戒煙了）〔停止吸煙〕
He *stopped* **to smoke.**
（＝He stopped in order to smoke.）
（他停下來吸煙）〔爲吸煙而停下〕

及物動詞等	動名詞(＝受詞)
1. We must **go on**	**working.**
2. He **kept on**	**studying.**
3. She **enjoys**	**playing** the piano.
4. Try to **avoid**	**making** such a mistake.
5. She **couldn't help**	**laughing.**
6. Would you **mind**	**coming** earlier next time?
7. Do you **mind**	my **staying** a little longer?
8. Don't **give up**	**trying.**
9. Please **stop**	**talking.**
10. Have you **finished**	**talking**?

◇慣 用 語◇

① **cannot help**（不能不）＋動名詞

I *cannot help* **doing** so. （我不能不這樣做）

② **feel like**（想，欲）＋動名詞

I *feel like* **crying**. （＝I wish to cry.）（我想哭）
I don't *feel like* **working** today. （今天我不想工作）
（＝I don't wish to work today.）

③ **It is no use**（無益）＋動名詞
（＝It is of no use to ～〔不定詞〕

It *is no use* **crying**. （徒哭無益）
It's *no use* **waiting**. He won't come.
（＝It's of no use to wait……）
（＝It's useless to wait……）
（等也沒有用，他不會來的）

④ **be used to**（慣於）＋動名詞

I *am used to* **doing** that. （我慣於做這個）
He *is* not *used to* **going** to bed early. （他不慣於早睡）

⑤ **On＋動名詞＝As soon as ～（一～就）**

On **arriving** at the station, I found him waiting there.
（＝As soon as I arrived at the station, I found……）
（一到車站我就看到他在那裏等著）

⑥ **be worth（值得）＋動名詞**

This book *is worth* **reading**.（這本書值得讀）

⑦ **be busy（忙於）＋動名詞**

She *is busy*（in）**preparing** breakfast.（她忙於準備早餐）

—— 習　題　50 ——

(一)*Choose the correct words:*（選擇正確的字）

1. Collecting insects（昆蟲）(is, are, being) my hobby.
2. I am tired of (do, to do, doing) that.
3. She is fond (to play, of play, of playing) tennis.
4. The rain prevented him (to come, from come, from coming).
5. He is used (to go, going, to going) to bed early.
6. The leaves kept on (fall, to fall, falling).
7. I am not good at (remember, to remember, remembering) the names of people.
8. Don't you remember (meet, to meet, meeting) me in Tainan two years ago?
9. Do you mind (close, to close, closing) the window?
10. Do you enjoy (do, to do, doing) these exercises?
11. You had better avoid (see, to see, seeing) him.
12. My father gave up (to drink, drinking, to drinking).
13. The museum is worth (to visit, visiting, to visiting).
14. The wind has stopped (blow, to blow, blowing).
15. I was very tired, so I stopped (to work, to rest, resting).

(二) *Translation:* 翻譯(每個空格限填一字)

1. 眼見爲信。Seeing is ______.
2. 讀書使人聰明。
   ______ ______ one wise.
3. 我們盼望著你的來臨。
   We are ______ forward to ______ ______.
4. 我喜歡聽音樂。
   I like ______ to music.
5. 他放棄出國的主意了。
   He gave up the idea of ______ abroad.
6. 他不去上學而去游泳。
   Instead of ______ to school, he went ______.

(三) *Substitution:* 換字(每個空格限填一字)

1. It began to rain.
   =It began ______.
2. She is afraid to go alone.
   =She is afraid of ______ alone.
3. Do you like to study history?
   =______ you fond ______ ______ history?
4. It is of no use to complain. (抱怨)
   =It is no use ______.
5. I could not but laugh.
   =I could not help ______.
6. Are you sure that he will come?
   =Are you sure of ______ ______?
7. He insists that you should pay the money.
   =He insists on ______ ______ the money.
8. They punished him for being late.
   =They punished him because he ______ late.
9. I remember that I have told you that.
   =I remember ______ you that.
10. I am not ashamed (覺慚愧) that I am poor.
    =I am not ashamed of ______ poor.
11. Are you not ashamed that you have done such a thing?
    =Are you not ashamed of ______ ______ such a thing?

12. As soon as he heard that, he turned pale.
    =On ______ that, he turned pale.（面孔失色）

㈣*Fill in the blanks with the correct verb form* (*infinitive with or without* **to**, *participle, or gerund*):（用正確的動詞式〔原式，不定詞，分詞，或動名詞〕填在空白裏）

1. He used ______ (smoke) very much.
2. Are you used to ______ (get) up early?
3. Would you like ______ (go) to the movies?
4. Would you please ______ (lend) me your knife?
5. Would you mind ______ (lend) me your bicycle?
6. You will live until you stop ______ (breathe).
7. I didn't know how ______ (get) to your house, so I stopped ______ (ask) the way.
8. I advise you ______ (stop) ______ (think) of ______ (carry) out such a plan.
9. I don't feel like ______ (go) to the office this morning.
10. Avoid ______ (read) such a book.
11. He is busy ______ (write) something.
12. Please go on ______ (write), I don't mind ______ (wait).
13. I have just finished ______ (write) a letter.
14. He enjoys ______ (take) a walk every morning.
15. Ask him ______ (come) in; don't keep him ______ (stand) at the door.
16. Keep the dog from ______ (go) out.
17. Who is the boy ______ (sit) beside you?
18. Get your hands ______ (wash) before ______ (eat) the cake.
19. You must ______ (do) what I tell you ______ (do) without ______ (ask) why.
20. That movie is worth ______ (see).

㈤*Classify each word in italics. Follow the example.*

（試將用斜體字印的各單字加以分類。參照例句）

Ex. Smoking is bad for the health.

Smoking——*gerund*（動名詞）

1. My hobby is *growing* flowers.
2. I have *been working* there for ten years.
3. The *flying* birds are *enjoying flying*.
4. They are *smoking* in the *smoking* room.
5. A man of great *learning* is *called* a *learned* man.
6. I prefer *walking* to *riding*.
7. He was *prevented* from *taking* it.
8. *Being* a good boy, he is *loved* by everybody.
9. I am not *used to being called* like that.
10. He came home *running*.
11. Have you *read* the book yet?
12. I had my hair *cut* yesterday.

第六章 副詞

Adverbs

副詞是用以修飾動詞、形容詞或其他副詞的字，有時也用以修飾全句、子句、片語等。

He *works* **hard.**
(他工作努力)——副詞 *hard* 修飾"動詞 *works*"。

I am **very** *happy.*
(我很快樂)——副詞 *very* 修飾"形容詞 *happy*"。

He runs **very** *fast.*
(他跑得很快)——副詞 *very* 修飾"副詞 *fast*"。

Happily *he did not die.*
(幸而他沒有死)——副詞 *Happily* 修飾全句。

He came here **soon** *after the war.* (戰後不久他就來這裏了)
——副詞 *soon* 用以修飾片語"*after the war*"。

He left here **soon** *after they came.*
(他們來了之後不久他就離開那裏了)
——副詞 *soon* 用以修飾子句"*after they came*"

*【提示】 有些副詞可以用以修飾名詞、代名詞等：
Even *a child* can do that.
(甚至小孩也能做那個)——副詞 *Even* 修飾"名詞 *child*"。
Only *John* was absent.
(唯有約翰缺席)——副詞 *Only* 修飾"名詞 *John*"。

第一節 副詞的種類(Kinds of Adverbs)

副詞可分類如下：

1. 簡單副詞(Simple Adverb)：
如：happily (快樂地), well (好), soon (不久),
very (非常), here (這裏), yes (是), *etc.*
2. 疑問副詞(Interrogative Adverb)：
如：when (何時)? where (何處)? how (如何)? why (爲何)?, *etc.*
3. 關係副詞(Relative Adverb)：
如：when, where, how, why, *etc.*

簡單副詞依其意義可分類如下：

1. **表情狀的副詞(Adverb of Manner)**：
   如：well (好), hard (努力地), quickly (快), happily (快樂地), carefully (小心地), *etc.*

2. **表時間的副詞(Adverb of Time)**：
   如：now (現在), then (那時), soon (不久, 即刻), today (今天), tomorrow (明天), yesterday (昨天), *etc.*

3. **表次數(頻率)的副詞(Adverb of Frequeney)**：
   如：always (總是, 經常), usually (通常), often (常常, 往往), sometimes (有時), once (一次), *etc.*

4. **表程度用副詞(Adverb of Degree)**：
   如：very (非常), much (多, 很), enough (足夠), too (過於), so (如此), almost (幾乎), hardly (幾乎不), *etc.*

5. **表地方的副詞(Adverb of Place)**：
   如：here (這裏), there (那裏), far (遠), near (近), out (向外), up (向上), everywhere (到處), *etc.*

6. **表肯定・否定的副詞(Adverb of Affirmation and Negation)**：
   如：yes, no, not, *etc.*

● 副詞的形成 ●
(Formation of Adverbs)

1. 有許多**副詞**(尤其表情狀的副詞)係由**形容詞加 ly** 而成。

① 「**形容詞＋ly**」

形 容 詞	副　詞
kind　和善的	**kindly**　和善地
sudden　突然的	**suddenly**　突然地
careful　謹慎的	**carefully**　謹慎地
successful　成功的	**successfully**　成功地

② 「**形容詞字尾 le-e＋y**」

possible　可能的	**possibly**　可能地
simple　簡單的	**simply**　簡單地，祇是
〔例外〕whole〔houl〕整個	**wholly**　完全地

③ 「**形容詞字尾子音＋y→i＋ly**」

happy　快樂的	**happily**　快樂地

easy 容易的 — easily 容易地
heavy 重的 — heavily 沉重地，猛烈地

④ 「形容詞字尾 ll＋y」
full 滿的 — fully 完全地

⑤ 「形容詞字尾 ue-e＋ly」
true 眞的 — truly 眞實地，忠實地

2. 有些形容詞和副詞同形(但意義有時略有不同)。

形 容 詞	副　　詞
It is too **late.** (太遲了)	He came **late.** (他來遲了)
I am an **early** riser. (我是個早起的人)	I rise **early.** (我起的早)
I went by a **fast** train. (我乘快車去)	Don't speak so **fast.** (不要說得那麼快)
I am very **well.** (我很好)……形容詞*well*(安好)	He can swim **well.** (他很會游泳)
He is a **hard** worker. (他是一個工作勤奮的人)	He works **hard.** (他工作勤奮)
English is not **hard.** (英文不難)	It rained **hard.** (雨下得厲害)
It is as **hard** as a stone. (此物硬如石)	
It is **pretty.** (它美麗)	It's **pretty** good. (頗佳)

3. 有些形容詞和副詞加 **ly** 後意義改變。

形 容 詞		副　　詞	副　　詞	
late	遲，晚	(遲，晚)	**lately**	最近，近來
near	近	(近)	**nearly**	差不多(＝*almost*)
scarce	稀少		**scarcely**	殆不
hard	難，硬，勤勉	(勤勉，厲害)	**hardly**	幾乎不
short	短，矮	(短)	**shortly**	不久(＝*soon*)
direct	直接的	(直接地)	**directly**	立即
high	高	(高)	**highly**	極，很
bad	不好	(惡劣地)	**badly**	甚

John studies very **hard.**　(約翰很用功)
I could **hardly** believe it.　(我幾乎無法相信它)

He sat up **late** last night.　(昨晚他很晚才睡覺)
Have you seen him **lately** (＝recently)?
(你最近有沒有見過他？)

● 應注意事項 ●

1. 形容詞 **good** (好)的副詞是 **well** (好)。
   He speaks **good** *English.*　(他說英語說得好)
   ＝He *speaks* English **well.**

2. 不完全不及物動詞＋形容詞(補語)

She { **is** (是) / **looks** (似) / **seems** (似) / **feels** (感覺) / **became** (變成) } **happy.** (快樂，幸福)　(〔誤〕*happily*)

It { **sounds** (聽起來) / **tastes** (味道是) / **smells** (氣味是) } { **good.** (〔誤〕*well*) / **sweet.** (甜，甘美) (〔誤〕*sweetly*) }

3. 有些單字字尾雖有 **ly** 但非副詞。
   friendly　(友善的)──〔形容詞〕
   lovely　(可愛的)──〔形容詞〕

第二節　副詞的用法

(1) 簡單副詞 (Simple Adverbs)

(一)表情狀的副詞(Adverb of Manner)

表情狀的副詞通常修飾動詞，有時也修飾形容詞、副詞或全句。

常用的情狀副詞如下：

well	好	hard	努力地	fast	快
slow	慢	quickly	快	slowly	慢

kindly	親切地	happily	快樂地	merrily	快樂地
carefully	小心地	wisely	賢明地	bravely	勇敢地
beautifully	美麗地	sweetly	甘美地，悅耳地		
diligently	勤勉地	sincerely〔sinˊsɪrlɪ〕	誠懇地		

1. 修飾動詞時，情狀副詞的位置如下：

① 不及物動詞＋(情狀)副詞

You *work* **hard.** （你工作努力）
She *sings* **well.** （她唱得好）
He *drives* **carefully.** （他開車小心）
They *laughed* **happily.** （他們快樂地笑了）

【句型】

不及物動詞	(情狀)副詞
1. I'll *speak*	**slowly.**
2. You *listen*	**carefully.**
3. John *runs*	**fast.**
4. He *works*	**hard.**
5. He *learns*	**quickly.**
6. Mary *sings*	**well**〔sweetly, beautifully〕.
7. She *sang*	**merrily**〔happily〕.
8. It *rained*	**hard**〔heavily〕.

②(a) 及物動詞(或動詞片語)＋受詞＋副詞

(b) 副詞＋及物動詞(或動詞片語)＋受詞

John *plays* tennis **well.** （約翰網球打得好）
He *speaks* English **fluently.** （他英語講得流利）
{ I *examined* it **carefully.** （我仔細地檢查它）
{＝I **carefully** *examined* it.
{ He *picked up* the ball **quickly.** （他趕快把球撿起來）
{＝He **quickly** *picked up* the ball.
He **kindly** *lent* me his book. （他好意地借書給我）

I **simply** *don't know* what he means.
（我簡直不懂他的意思）

【提示】 **hard**（努力，厲害），**well, badly**（惡劣地，不好）等副詞須用於句末，不可用於動詞之前或動詞與受詞之間。
He speaks English **well.** （他說英語說得好）
〔誤〕He speaks *well* English.
He has done that work **badly.**
（他那工作做得不好）
〔誤〕He *badly* has done that work.

【句型】

及物動詞＋受詞	（情狀）副詞
1. I *read* the letter	**carefully.**
2. He *teaches* English	**well.**
3. She *played* the piano	**well**〔badly〕.
4. You *can understand* it	**easily.**
5. John *opened* the door	**quickly.**

（情狀）副詞	及物動詞＋受詞
1. I **carefully**	*examined* it.
2. I **quickly**	*opened* the box.
3. He **kindly**	*showed* us the way.

情狀副詞通常置於所修飾的形容詞或副詞之前。

（情狀）副詞＋形容詞或副詞

He is **dangerously** *ill.* （他病危）
The noise is **simply** *terrible.* （這噪音簡直可怕）
It flies **wonderfully** *fast.* （它飛得驚人的快）

3. 修飾全句的情狀副詞通常置於句首。

（情狀）副詞＋全句

Happily *he did not die.* （幸而他沒有死）

——*Happily* 修飾全句。

〔比較〕He did not *die* **happily.** （他死得不幸）

——*happily* 修飾 *die*。

Suddenly *he jumped up and ran out of the room.*

（突然地，他跳起來而跑出室外）——*Suddenly* 修全句。

〔比較〕The car *stopped* **suddenly.** （汽車突然停下來）

——*suddenly* 修飾 *stopped*。

—— 習 題 51 ——

㈠*Put the following adjectives into adverbs*：

（將下列形容詞改爲副詞）

1. gentle （溫和的）
2. successful （成功的）
3. angry （忿怒的）
4. real （實在的）
5. true （眞的）
6. comfortable （舒適的）
7. dull （遲鈍的）
8. possible （可能的）

㈡*Choose the right words*：（選擇對的字）

1. He does his work (good, well).
2. He writes (good, well) Chinese.
3. How are you? I am very (good, well), thank you.
4. Work (hard, hardly), boys!
5. He (hard, hardly) knows anything.
6. Come (near, nearly), George.
7. Have you bought any books (late, lately)?
8. He arrived very (late, lately) last night.
9. He ran out of the house (sudden, suddenly).
10. Your answer seems (correct, correctly).
11. The music sounds (sweet, sweetly).
12. They sang (merry, merryly, merrily).
13. She feels very (happy, happyly, happily).
14. You can get it (easy, easyly, easily).
15. It is (easy, easyly, easily) to learn.
16. He examined the letter as (careful, carefuly, carefully) as he could.
17. He became (wiser, more wisely) than before.

18. They (walked quickly, quickly walked).
19. He (showed me kindly, kindly showed me) the way.
20. He was (dangerously ill, ill dangerously).

㈢*Substitution*：換字(每個空格限填一字)

1. Mary spoke good English.
   =Mary spoke English ______.
2. John is a very good swimmer.
   =John ______ very ______.
3. He is not a hard worker.
   =He ______ not work ______.
4. Bob is a careful driver.
   =Bob drives ______.
5. Bill is a careless worker.
   =Bill works ______.
6. They waited in silence.
   =They waited ______.

㈡表時間的副詞(Adverb of Time)

表時間的副詞和副詞片語通常用以修飾動詞。
常用的表時間的副詞和副詞片語如下：

now (現在), **at present** (現在)；**then** (那時)；**today** (今天)；**tomorrow**〔~afternoon, (the) day after~〕明天 (明天下午，後天)；**yesterday**〔~evening, (the) day before~〕昨天 (昨晚，前天)；**this** *morning*〔~week, ~month, ~year〕今晨 (本〔週，月，年〕)；**next** *week*〔~Monday, ~month, ~year〕下星期 (下星期一，下月，明年)；**last** *night*〔~Sunday, ~week, ~month, ~May, ~year〕昨夜 (上星期日，上星期，上一個月，去年五月，去年)；**one day** (有一天)；**the other day** (日前)；**some day** (他日，日後), **sometime** (某時), **some time** (一些時間)；**already** (已經), **yet** (尚，迄今), **still** (仍然)；**early** (早), **late** (遲，晚)；**before** (以前), **ago** (以前)；**beforehand** (預先，事先), **afterwards** (後來)；**recently** (近來，新近), **lately** (最近，近來)；**soon** (不久，快，早), **before long** (不久), **presently** (不久，即刻), **directly** (即刻), **immediately**〔ɪ'midɪɪtlɪ〕(立即)，**at once** (立刻)；**right away** (立刻)；**forever** (永遠)；**finally** (最後)，**at last** (最後，終於)；**once upon a time** (昔時，從前)；**long, long ago** (很久以前，昔時)，*etc.*

1. 表時間者：

用以回答"**when**（何時）?"的副詞和副詞片語通常置於句末或句首。

I *went* to see him **yesterday.** （昨天我去看他）
=**Yesterday** I *went* to see him.

He *is going* to Japan **next month.** （下個月他將赴日）
=**Next month** he *is going* to Japan.

She *goes* to church **on Sundays.** （星期日她去做禮拜）
=**On Sundays** she *goes* to church.

They *left* **three months ago.**
（他們於三個月前離開）

He *will come* **soon.**
（他馬上就來）

He *will be* back **in a few minutes.**
（過幾分鐘他就回來）

We *left* Taipei **at eight o'clock. At noon** our plane *landed* at Tokyo airport.
（我們八點鐘離開臺北。在中午時，我們的飛機降落東京機場）

【提示】 表時間的副詞語（副詞和副詞片語）中 **today, tomorrow～, yesterday～, next～**（下一～）, **last～**（上一～）, **this～**（本～）, **～ago, ～before** 等不加介系詞。

He came **last night.** （他昨晚來過）
〔誤〕He came *on last night.*

We shall leave **next Monday.**
（我們將於下星期一離開）
〔誤〕We shall leave *on next Monday.*

【句型】

動　　詞	（表明確時間的）副詞語
We *learn* it	**today**〔tonight〕. **this** morning〔～afternoon, ～evening, ～week, ～month, ～June, ～term, ～summer, ～year〕.
He *came*	**yesterday**〔～morning, ～afternoon, ～evening〕. **the day before yesterday.** **last** night〔～Sunday, ～week, ～month, ～September, ～term,

	~autumn, ……year〕. a few days **ago** 〔two weeks~, three months~, five years~〕.
He *will come*	**tomorrow** 〔~morning, ~afternoon, ~evening, ~night〕. **next** Sunday 〔~week, ~month, ~April, ~term, ~spring, ~year〕.

動　　詞	介系詞	(表明確時間的)副詞語
He *will leave*	on by (在~以前)	**Sunday** 〔Monday morning〕. **the first of May.**
	in during	**the afternoon** 〔the night〕. **July** 〔summer〕.
	at by before after	**six o'clock.** **noon** 〔midnight (深夜)〕. **sunrise** 〔dawn (天亮)〕. **sunset.**
He *will arrive*	in	**a few** minutes 〔~hours, ~days〕.
They *came*	in	**1960.**

動　　詞	(表時間的)副詞語
1. He *is* here	**now.**
2. He *was* there	**then** 〔the other day日前)〕.
3. He *will be* here	**soon** 〔before long (不久), some day (他日)〕.
4. Please *start*	**at once** (=right away)(立刻).
5. It *must be sent*	**immediately** (立即).
6. I'll *come*	**presently** (=directly)(立刻就).
7. *Have* you *seen* him	**lately** (=recently)(近來，最近)?
8. He *came*	**early** (早)　〔late (晚)〕.

2. 表期間者：

(a) 用以回答"**how long**（多久）?"的表期間的副詞和副詞片語可分爲四組：①用"**for**"者(for 有時可以省略)；②用"**from～to～**"者；③用"**until, till up to**（直至）"者；④用"**since**（自從）"者。

(b) 期間副詞語通常置於句末，但需要加强語氣時則可置於句首。

He *has been ill* **for a week.**
（他已病了一星期了）——「**for**＋期間」

He *has been* ill **since last Monday.**
（他從上星期一就病了）——「**since**＋某時」

He *worked* hard **from morning till night.**
（他日以繼夜地工作）

I *was living* in Taipei **from 1960 to 1965.**
（一九六〇年至一九六五年我住在台北）

For the last few days *we've had* cold, wet weather.
（最近這幾天天氣又冷又潮濕）

【句型】

動　　詞	(期間)副詞語
I *have been* here	(for) **two days** 〔～weeks〕. **for months** 〔years〕. **for a long time.**
He *has been* here	**since two o'clock.** **since last summer.** **since ten years ago.**

(期間)副詞語	動　　詞
1. **From 9:00 until noon**	he *was teaching* English.
2. **From 1950 till 1960**	I *was living* in Tainan.
3. **Up to last year**	I *had lived* in Taipei.

● 應注意事項 ●

1. **already**（已經）；**yet**（迄今，尚）；**still**（仍，還）

(a) *Has* he *come* **yet?** 〔疑問句〕
　　（他來了沒有？）
He *has not come* **yet.** 〔否句定〕
　　（他還沒有來）
　They *have left* **already.** 〔肯定句〕
　　（他們已經離開了）
＝They *have* **already** *left.*
What? *Have* they *left* **already?** 〔表反問〕
　　（什麼？他們已經離開了？）
　He **already** *knows* all about it. 〔肯定句〕
＝He *knows* all about it **already.**
　　（這事他已經都知道了）

【提示】 ①"**yet**（迄今，尚）"（＝until now, so far〔迄今〕）通常用**疑問句**和否定句，並置於句末。
②"**already**" 除表**反問**時外，通常用於**肯定句**；
"**already**"可置於動詞之前，助動詞與本動詞之間，或句末。

(b) John *is* **still** in bed; he *is not* out of bed **yet.**
　　（約翰還在床上；他還沒有下床）
Has Tom *finished* breakfast **yet?** 〔疑問句〕
　　（湯姆吃完早餐了嗎？）
No, *not* **yet,** he *has not finished* breakfast **yet.** 〔否定句〕
　　（不，還沒有，他還沒有吃完早餐）
He *is* **still** eating.（他還在吃） 〔肯定句〕
I **still** *have* five dollars in my pocket.
　　（我口袋裏還有五元）

【提示】 "**still**（仍）"應置於 ① **be** 動詞（現在式或過去式）之後；②助動詞與本動詞之間；③單一 的動詞之前。

(c) Tom is tall but his brother is **still** *taller.*
　　（湯姆的身材高，而他的兄弟還更高）
He is **still** *worse.*（他更壞）
【提示】「**still**（更）＋比較級」

【句型】

	位於句中的時間副詞	動 詞(普通限定動詞)
1. I	**already**	*know* it.
2. He	**already**	*owes* (欠) me 100 dollars.
3. We	**soon**	*found* what we wanted.
4. She	**still**	*hopes* to get news of him.
5. The engine	**still**	*makes* a lot of noise.

助 動 詞(變則限定動詞)	位於句中的時間副詞	本 動 詞(非限定動詞)
1. I *have*	**already**	*found* it.
2. He *has*	**just**	*finished* lunch.
3. We *shall*	**soon**	*be* there.
4. We *are*	**still**	*waiting*.
5. He *is*	**still**	*standing* there.

2. **ago** (以前);**before** (以前)

He *died* **two years ago.** 〔*before now*〕

(他死於兩年前)——以「現在」爲起點,用於過去式並且常和"～*hours*, ～*days*"等表期間的副詞並用。

He was absent that day; he *had left* his house **three days before.**

〔*before then*〕

(那天他沒有出席,在那天的三天前他就離開家了)

——以「過去」爲起點,表示「在那時以前」。

I have met him **before.**

(我以前曾見過他)——含糊地表示「以前」,用於過去式,現在完成式,過去完成式等句子。

3. **just** (剛剛);**just now** (剛才)

He *has* **just** *arrived*. (他剛剛到)

——*just* 常和完成式並用。

He *was* here **just now.** (剛才他在這裏)

——*just now* (剛才)常和過去式連用。

(三)表次數(頻率)的副詞(Adverb of Frequency)

表次數的副詞和副詞片語通常修飾動詞或形容詞等。
常用的表次數的副詞和副詞片語如下：

always（總是，經常），**usually**（通常），**generally**（通常，一般），**often**（常常，往往），**occasionally**〔əˈkeʒənəlɪ〕（有時，偶而），**sometimes**（有時），**seldom**（很少，不常），**rarely**〔ˈrɛrlɪ〕（很少，罕有地），**ever**（曾經，任何時候），**never**（永不，從未），**once**（一次），**twice**（兩次），**many time**（許多次），**every day**（每天），*ect.*

1. 次數副詞 **always, often, sometimes, seldom, never** 等，通常位於句中。

① 次數副詞(always, etc.)＋動詞

John **always** *walks* to school.（約翰總是走路上學）
He **often** *comes* to see me.（他常來看我）
＝He *comes* to see me **often.**
I **usually** *get up* early.（我通常起得早）
I **generally** *have* breakfast at seven.
（我通常七點鐘吃早餐）
Mary **sometimes** *goes* to the library.
（瑪麗有時去圖書館）
She **seldom** *goes* to the movies.（她很少去看電影）
——*seldom＝not often*
She **never** *goes* fishing.（她從來不去釣魚）

【提示】①"**sometimes**"可置於動詞之前，句首，或句末。
I **sometimes** go there.（我有時去那裏）
＝**Sometimes** I go there.
＝I go there **sometimes.**
②"**often**"可置於動詞之前或句末，若被 *quite* 或 *very* 修飾時，則須置於句末。
He comes here **very often.**（他常來這裏）
〔誤〕He *very often* comes here.

【句型】

	次數副詞	動詞
1. The sun	**always**	*rises* in the east.
2. Mary	**always**	*stays* at home on Sundays.

3. I	**usually**	*get up* early.
4. I	**generally**	*go* to school on foot.
5. I	**sometimes**	*go* by bus.
6. Tom	**seldom**	*goes* to the movies.
7. He	**rarely**	*writes* to me.
8. He	**never**	*plays* the piano.

② **am・is・are・was・were**＋次數動詞(always, etc.)

He is **always** busy. （他經常忙碌）

——次數副詞 always 修飾形容詞 busy。

The rich are not **always** happy. （富者未必幸福）

（＝Sometimes the rich are not happy.）

He is **often** late for school. （他時常上學遲到）

It is **never** too late to learn. （學習永不嫌遲）

【句型】

am・is・are ・was・were	次 數 副 詞	
1. I am	**always**	at home on Sundays.
2. He is	**often**	away from home.
3. She is	**often**	ill〔sick〕.
4. He was	**seldom**	absent.
5. We are	**never**	too old to learn.

③ 助動詞＋次數副詞(always, ect.)＋本動詞

Do you **often** *play* tennis?

（你常打網球嗎？）

Have you **ever** *been* to Japan?

（你曾去過日本嗎？）

I *shall* **never** *forget* my teacher.

（我將永不忘記我的老師）

【句型】

助　動　詞	次數副詞	本　動　詞
1. I *have*	**often**	*been* there.
2. He *has*	**never**	*been here.*
3. I *shall*	**never**	*go* there again.
4. We *should*	**always**	*try* to be punctual (守時).
5. You *must*	**never**	*do* that again.
6. They *don't*	**often**	*do* that.

2. 表次數的副詞片語：

"every day", **"once a year"**, **"three times a week"**等表次數的副詞片語和**"once"**, **"twice"**等部份表次數的副詞通常置於句末，但若需加强語氣亦可置於句首。

I have been there **many times.** (我去過那裏許多次)

(＝I have **often** been there.)

He plays tennis **three or four times a week.**

(他一星期打三、四次網球)

We have English lessons **every other day.**

(我們每隔一天上一次英文課)

They stopped to rest **every three hours.**

(他們每三小時就停下來休息一次)

I see him **now and then.** (我有時看到他)

(＝I see him **sometimes.**)

Again and again I've warned you not to be late.

(我一再地警告過你不要遲到)

【句型】

動　詞	次數副詞語
I *go* there	**every day.** **every other day** (＝every two days). **every three days.** (每三天一次)
He *comes* here	**once a week.** **twice a month.** **two or three times a year.**

I *have seen* it He *has heard* it	**once**〔twice〕. **three times**〔four times〕. **now and then.** **very**〔quite〕**often.**
Read it	**again**〔again and again〕. **many times.**

● 應注意事項 ●

once（一次，曾經，往時）　〔用於肯定句〕 **ever**（曾經，任何時候）〔通常用於疑問句或否定句〕

I **once** lived in New York.（我曾在紐約住過）
I have been to New York **once.**（我去過紐約一次）

Have you **ever** been to the United States?
（你曾去過美國嗎？）
Yes, I've been there **once.**（是的，我去過那裏一次）
No, I've **never**（＝not＋ever）been there.
（不，我未曾去過那裏）

*【提示】"**ever**"有時亦可用於肯定句以表示加强語氣。
This is the best book that I **ever** saw.
（這是我曾經看到過的最好的書）
I have known him **ever since** he was a boy.
（從他小時我就認識他了）

—— 習 題 52 ——

㈠*Choose the correct words*：（選擇正確的字）

1. Did you see John（today, this, last）morning?
2. It rained very hard（yesterday, last, the last）night.
3. I went shopping（yesterday, on yesterday, last）afternoon.
4. Helen came（in, on, —）the day before yesterday.
5. He will arrive（on, on the, —）Thursday.
6. We went to the zoo（once upon a time, some day, the other day）.

7. I wish to go abroad (some day, some time, lately).
8. He has been in Taipei (for, since, from) last year.
9. We've been waiting for him (for, since, in)an hour.
10. I went to the Sun-moon Lake two weeks (ago, before).
11. Last week he told me that they had left there a few months (ago, before).
12. I met him somewhere (ago, before).
13. I heard the news (now, just now).
14. He is working in an office (just now, at present, presently).
15. Have you read today's paper (already, yet)?
    No, I haven't read it (already, yet).
16. He is (still, yet) living there.
17. Mary sometimes (go, goes) to school by bus.
18. The sun (always, usually, never) rises in the east.
19. The sun (always, often, never) sets in the morning.
20. We (usually, seldom, never) have three meals a day.
21. He (always, often, rarely) writes to me. He usually writes to me once a week.
22. It (always, often, seldom) rains here during the rainy season.
23. I walk to school (everyday, every day, on every day).
24. There (ever, once) lived a king who had three beautiful daughters.
25. This is the most interesting book that I have (ever, once) read.

(二)*Substitution*：換字(每個空格限填一字)

1. I met her the other day.
   =I met her a ______ days ______.
2. He told them to leave immediately.
   =He told them to leave at ______.
   =He told them to leave ______ away.
3. I hope we shall meet again soon.
   =I hope we shall meet again ______ long.

4. Once upon ______ ______ there lived an old man who was very rich.
   =Long, ______ ______ there lived an old man who was very rich.
5. Finally they won the game.
   =At ______ they won the game.
6. He has been to Japan many times.
   =He has ______ been to Japan.
7. I go to the library now and then.
   =I ______ go to the library.
8. He does not come here often.
   =He ______ comes here.
9. I am not always happy.
   =______ I am not happy.
10. She comes here every two days.
   =She comes here every ______ day.

㈢ *Word Order*：字的順序(重組下列字彙使成為正確的句子)

Ex. I ①have ②spoken to him ③never
(1, 3, 2) (*I have never spoken to him*)

1. I ①drive ②carefully ③always
2. He ①is ②kind to us ③always
3. Do ①you ②walk to school ③always?
4. They ①in the afternoon ②play baseball ③always
5. I ①eat breakfast ②at seven ③usually
6. We ①are ②at home ③on Sunday afternoons ④generally
7. John ①eats ②too much ③often
8. Bob ①ill ②is ③seldom
9. Have you ①seen ②a lion ③ever?
10. Does he ①work ②on Saturday afternoons ③ever?
11. I ①work ②on Sundays ③never
12. You ①must ②forget that ③never
13. Mary ①has ②read ③that book ④twice
14. We ①have ②English lessons ③a week ④five times
15. The buses ①run ②ten minutes ③every

16. He ①is going　②for Japan　③to leave　④tomorrow
17. I　①have　②finished　③reading this book　④just
18. They ①are　②in Taipei　③still
19. Has Tom ①finished　②his work　③yet?
20. He said　①that movie　②that he had　③seen　④already

㈣表程度的副詞(Adverb of Degree)

表程度的副詞通常修飾動詞、形容詞或其他副詞。
常用的表程度的副詞如下：

very（很）, **much**（多，很）, **little**（少，很少）, **a little**（有一點）, **more**（更）, **less**（較少，較不）, **most**（最，極）, **enought**〔ɪˊnʌf〕（足夠）, **too**（太，過於）, **just**（剛剛）, **so**（如此）, **quite**〔kwaɪt〕（完全地，十分，相當）, **entirely**〔ɪnˊtaɪrlɪ〕（完全地）, **completely**（完全地）, **thoroughly**〔ˊθɝəlɪ〕（完全地，徹底地）, **rather**（頗，相當地）, **fairly**（相當地）, **somewhat**（有幾分）, **almost**（幾乎，差不多）, **nearly**（幾乎，差不多）, **hardly**（幾乎不）, **searcely**〔ˊskɛrslɪ〕（殆不，殆無）, **badly**（甚）, **awfully**〔ˊɔfulɪ〕（非常地）, **slightly**（稍微）, **simply**（僅，簡直）, **only**（僅，只）, **certainly**（確然）, **exactly**（完全地，恰好）, **possibly**（可能，或許）, **probably**（大概）, **perhaps**（或許）, *etc.*

1. 表程度的副詞通常置於其所修飾的形容詞或副詞之前。

程度副詞＋形容詞或副詞

It is **very** *interesting.*　（它很有趣）
I feel **a little** *better* today.　（今天我覺得稍微好一點）
I know him **quite** *well.*　（我對他十分熟悉）
It's **quite**（＝rather, very）*cold* this morning.
（今天早上天氣相當冷）
He is **rather** *ill.*　（他病得相當重）
She is a **fairly** *good* singer.　（她是相當好的歌手）
He is **too** *young.*　（他太年輕；他的年紀太小）
Don't walk **so** *fast.*　（不要走那麼快）

【提示】　程度副詞"**enough**（足夠）"須置於所修飾的形容詞或副詞之後。

形容詞或副詞＋enough（足夠，充分）

Is this box *large* **enough** for your books?
（這個箱子裝你的書夠大嗎？）

He is *old* **enough** to understand it.
（他長得已足夠了解它了）

He is not *old* **enough** to go abroad yet.
（＝He is too young to go abroad yet.）
（他年紀太小還不能出國）

The meat is not *cooked* **enough.**
（這肉煮得還不夠熟）

I don't know him *well* **enough** to borrow money from him.
（我認識他還沒到能向他借錢的程度）

【句型】

	程度副詞	形容詞或副詞
1. It is	**very**	*good*〔nice〕.
2. This is	**more**	*interesting* than that.
3. He is	**too**	*old* to work.
4. I am	**as**	*strong* as he.
5. Don't speak	**so**	*fast.*
6. It's	**quite**（完全）	*correct.*
7. They are	**certainly**（確實）	*nice.*
8. He was	**almost**（幾乎）	*dead.*
9. I am	**pretty**（相當）	*well.*
10. It is	**fairly**（相當）	*good.*
11. It's	**rather**（相當）	*hot*〔cold〕.
12. He has a	**rather**（頗）	*bad* cold.

2. "**quite**（完全，十分，頗）", "**almost**（幾乎，差不多）", "**nearly**（差不多）", "**hardly**（幾乎不）"等通常置於所修飾的動詞之前。

程度副詞(almost, hardly 等)＋動詞

I quite *understand.*　（我完全懂）

I **almost** *hit* it.　(我幾乎打中了它)
He **nearly** *missed* the train.　(他幾乎誤了那班火車)
He **only** *studied* that.　(他只學過那個)
He **hardly** *knows* anything.　(＝He knows very little.)
(他幾乎什麼都不知道；他知道得很少)

【提示】 ①"**hardly** (幾乎不)"與"**scarcely** (殆不)"因本身已含有否定之意，故不可再加 **not**。

I could **hardly** understand him.
(我幾乎無法了解他的意思)
〔誤〕I could *not hardly* understand him.
There is **scarcely** any money left.
(幾乎沒有剩下什麼錢了)
〔誤〕There is *scarcely not* any money left.
He **hardly ever** (＝very seldom) goes to the movies.
(他很少去看電影)
〔誤〕He *hardly never* goes to the movies.

② **hardly** 是指程度而言，**scarcely** 是指數量而言，但兩字常互相替用。

Scarcely (＝hardly) anybody knows that.
(＝Very **few** people know that.)
(幾乎沒有人知道那個)

【句型】

	程度副詞	動　詞
1. I	**quite**	*agree* with you.
2. I	**really**	*wish* to go.
3. He	**almost**	*forgot* it.
4. He	**nearly**	*missed* the bus.
5. I	**hardly**	*believe* it will rain.
6. We	**only**	*want* that.
7. He	**also**	*speaks* German.

3. 表程度的副詞通常置於**助動詞與本動詞之間**。

助動詞＋程度副詞＋本動詞

He was **quite** (＝completely) satisfied.　(他完全滿足了)

I had **completely** forgotten it. （我完全把它忘了）
I have **almost** finished. （我差不多做完了）
He could **hardly** belive it. （他幾乎無法相信它）
I am **much** interested in it. （我對它很感興趣）

助 動 詞	程 度 副 詞	本 動 詞
1. I *am*	**quite**	*satisfied.*
2. I *was*	**much**	*interested* in it.
3. I *can*	**hardly**	*understand* it.
4. We *have*	**almost**	*finished* the work.
5. He *has*	**just**	*finished* breakfast.
6. He *will*	**surely**	*fail.*
7. Do *you*	**really**	*know* him?
8. He *would*	**rather**	*stay* at home.

● 應注意事項 ●

1. **Very**（很）＋原級形容詞〔或副詞〕，現在分詞
Much（很，多）＋動詞，過去分詞，比較級〔或最高級〕形容詞〔或副詞〕

He is **very** *well.* （他甚安好）
He is **much** *better* today. （今天他好的多了）

He runs **very** *fast.* （他跑得很快）
He runs **much** *faster* than I. （他跑得比我快得多）

I am **very** *fond* of it. （我很喜歡它）
I *like* it very **much.** （我很喜歡它）

I have a **very** *interesting* book.
（我有一本有趣的書）
I am **much** *intersted* in mathematics.
（我對數學很感興趣）

I heard a **very** *surprising* news.
（我聽到一個非常驚人的消息）
He was **much** *surprised* at it.
（他對它非常驚奇）

He doesn't *swim* **much** (＝often or well).
(他不常游泳；他不大會游泳)
I am **much** *satisfied* with it. (我對它很滿意)
*This wine is much *the best* of all.
(這種酒遠勝於其他所有的酒)

【提示】 ①"**very** (很，非常)"只可修飾形容詞、副詞、和已形容詞化的過去分詞，**不能直接修飾動詞**。
He likes it **very** *much.* (他很喜歡它)
〔誤〕He *very* likes it.
Thank you **very** *much.* (多謝你)
〔誤〕*Very* thank you.

②已形容詞化的過去分詞如 **pleased** (高興), **delighted** (高興)等在口語中常用 **very**, 但文字上常用 **much** 來修飾。
I was **very** 〔*or* **much**〕 *pleased* 〔delighted〕.
(我很高興)

③「**very**＋**tired** (疲倦)」：
I am very *tired.* (我很疲倦)

*④「**much**＋**afraid** (怕)」：
He was **much** *afraid* to be punished.
(他很怕受責罰)

*2. **fairly** (相當地)；**rather** (相當地，頗)

① **fairly** 常用以形容好的或令人喜歡的，如 *good, well, clever*; **rather** 常用以形容壞的或不令人喜歡的，如 *bad, ill, stupid* 等。
② **rather** 如用以形容好的，則其意義與"**very** (頗，很)"相似而不含有喜歡或不喜歡的觀念。
③ **rather** 可接比較級而 **fairly** 則否。

You did **fairly** *well* in your exam, but Bill did **rather** *badly.*
(你考的相當好，但比爾考得較差)
I am **fairly** *well* today. (今天我相當好)
He has a **rather** *bad* cold. (他患了相當重的感冒)
It's **rather** *hot* today. (今天天氣相當熱)

He is **rather** *better* 〔or *worse*〕 this morning.
（他今晨較為好些了〔病勢較重〕）

*3. "**only**（僅，只）"通常置於所修飾的字之前，若修飾句末一字時亦可置於字後；但在口語中常將 **only** 置於動詞之前而重讀任何其所欲修飾的字。

I **only** ′*hoped* **to** see you. （我只希望見你〔別無他望〕）
Only *I* hoped to see you. （只有我希望見你）
（=′*I* **only** hoped to see you.）
I hoped to see *you* **only.** （我只希望見你〔不希望見別人〕）
（=I **only** hoped to see *you.*）

4. 下列副詞用以表確實性與眞實性：

certainly（=without doubt） 確然地，無疑地
exactly（=correctly, quite, just） 精確地，完全地，恰好
surely（=certainly） 必定地，無疑地

Certainly our team will win the game.
（我們的〔球〕隊一定會贏得這場比賽）
He will **certainly** die if we don't send for a doctor at once.
（如果不立刻請醫生來，他一定會死）
He is **certainly** a good man. （他確是個好人）
Your answer is **exactly**（=quite）right. （你的答案完全對）
That's **exactly**（=just）what I want. （那正是我所要的）
Surely this wet weather won't last much longer.
（當然這種雨天不會再延續太久）
He will **surely** fail. （他一定會失敗）

indeed（=really） 的確，實在——〔多用於加强確實性〕
really 眞正地，實在地——〔指不和事實相違背〕
truly 眞實地，眞正地——〔指物的性質上的眞而言〕
***actually**（=really, in fact） 實在地，實際上

I was **indeed** very glad to hear the news.
（我聽到這消息的確很高興）
Thank you very much **indeed.** （實在很感謝你）
Do you **really** think so? （你眞的以為這樣嗎？）
I **really** do not know. （我實在不曉得）

This is a **truly** beautiful picture.
（這是一幅眞正美麗的圖畫）
We **actually** thought that he was a thief.
（我們眞地以爲他是一個賊）
Actually they haven't done anything for us.
（實際上他們並沒有爲我們做了什麼事）

5. 下列副詞用以表**可能性**：

próbably	〔副詞〕（大概，或許）——"*most likely*（極可能）"之意，可用於句中或句首。
likely	〔形容詞・副詞〕(或有可能，大概)——僅用於句中不用於句首。
póssibly	〔副詞〕（可能，或許）——意思和 **perhaps** 相似，可用於句中或句首，用於句中時常和 *can* 或 *may* 等連用。
perháps	〔副詞〕（或許）含有「也許如此，也許不如此」之意，與美語 **maybe** 相似，常用於句首。
maybe	〔副詞〕〔美語〕（或許）——常用於句首。

Probably he will succeed.（他大概會成功）
＝He will **probably** succeed.
Perhaps（＝Maybe）he will succeed.（他也許會成功）
Possibly he has not heard the news yet.
（他或許還沒聽到這消息）
It may **possibly** be true.（這也許是眞的）
【提示】"**likely**"作形容詞用時較多。
He is quite **likely** to come.（他很可能會來）〔形容詞〕
（＝He will probably come.）

【句型】

助　動　詞	可能性副詞	本　動　詞
1. He *will*	**probably**	*come.*
2. He	**probably**	*wants* to buy it.
3. He *may*	**possibly**	*be* there.

可能性副詞	
Probably **Possibly** **Perhaps** **Maybe**	you are right. he has already left. they will come tomorrow.

6. **too**（也）；**also**（亦，也）；**as well**（也）

He **also** speaks German. （他也說德語）
＝He speaks German **too.**
＝He speaks German **as well.**

【提示】 ① 副詞"**too**（亦，也）"與副詞片語"**as well**（亦，也）"通常置於句末。"**too**（亦）"有時亦可置於所修飾的字之後。
You are wrong, **too**〔*or* as well〕. （你也錯了）
＝You, **too,** are wrong.
② "**also**（亦，也）"通常置於本動詞之前或 **be** 動詞之後。
He **also** gave me one. （他也給我一個）
You are **also** wrong. （你也錯了）

7. **too**（亦）；**not either**（亦不）

I can swim. （我會游泳）
I can swim, **too.** （我也會游泳） 〔肯定〕

He doesn't know that. （他不知道那個）
I don't know that, **either.** （我也不知道那個） 〔否定〕
〔誤〕I don't know that, *too.*

【提示】 ①"**too**（亦）"僅用於肯定句和疑問句，在否定句中，須用"**not either**（亦不）"。
②"**either**（亦）"須置於句末。

8. ① **too**（過於，太）＋原級形容詞或副詞
② **too**～**to**～（太～不能～）

He is **too** *old.* （他年紀太大）
Don't walk **too** *fast.* （不要走得太快）

That's **too** *bad.* (那很糟糕；那眞可惜)

**too*= *very* 〔口語用法〕

He was **too** poor *to buy* it. (他太窮買不起它)

(=He was so poor that he couldn't buy it.)

(=He was not rich enough to buy it.)

It was **too** cold for us *to go* out.

(=It was so cold that we couldn't go out.)

(天氣冷，我們不能出去)

【句型】

動詞或形容詞	副　詞
1. I *went* there,	**too.**
2. Will you *come,*	**too?**
3. He isn't right, and you *aren't,*	**either.**
4. I *like* apples	**very much.**
5. Is this box *large*	**enough?**

9. **as** (一樣)〔程度副詞〕**+形容詞或副詞+as** (與)〔連接詞〕

John is **as** *tall* **as** his sister.

(約翰跟他姐姐一樣高)

I can walk **as** *quickly* **as** he can.

(我能走得同他一樣快)

10.副詞"so (如此)"的用法：

① **so** (如此)**+形容詞或副詞**

I didn't expect him to be **so** *old.*

(想不到他的年紀那麼大)

I didn't know he could write **so** *well.*

(我不知道他能寫得那麼好)

② **so** (=very)(很)**+形容詞或副詞**

Thank you **so** (=**very**) *much.* (多謝你)

It's not **so** *bad.* (它還不錯)

③ **動詞+so** (如此)

Please don't *say* **so.** （請不要這樣說）
"Will it be fine tomorrow?" "I *hope* **so.**"
（「明天天會晴嗎？」「我希望如此」）

④ **So**（就是這樣）＋主詞＋（變則限定）動詞

"It was cold yesterday." "**So** *it was*".
（「昨天天氣很冷。」「可不是。"——*so*＝*yes*）
"Mr. A teaches very well." "**So** he *does.*"
（「A 老師教得很好。」「可不是。」）

⑤ **So**（也是這樣）＋（變則限定）動詞＋主詞

You are a student, and so *am I*（＝I am also a student).
（你是個學生，我也是）
Tom went to London last week, and **so** *did John.*
（上星期湯姆去倫敦，約翰也去了）
"I must work hard." "**So** *must I*（＝ I must study hard, too."）
（「我必須努力用。」「我也必須如此。」）

⑥ **not so**……＋形容詞＋**as**～　沒有～那樣……

I am **not so** *tall* **as** he（is).（我沒有他那麼高）
It is **not so** *hot* today **as**（it was）yesterday.
（今天沒有昨天那麼熱）

⑦ **so**……＋形容詞＋**as to**～（不定詞）　如此……乃至於～

He was **so** *fortunate* **as** *to pass* his examination.
（＝He was fortunate enough to pass his examination.）
（他倖能考試及格）
He is not **so** *foolish* **as**（＝not foolish enough）*to do* that.
（他不致於愚蠢得竟做那事）
Will you be **so** *kind* **as** *to help* me with this heavy box?（＝Will you be kind enough to help me……?）
（請你好心幫我搬這個重箱子好嗎？）

⑧ **so as** ＋**to** ～（不定詞）　以便

I got up early **so as** to *catch* the first train.
(＝I got up early so that I might catch…….)
(我早起以便趕上第一班火車)
We hurried **so as** not *to be* late. (我們趕快以免遲到)
(＝We hurried so that we might not be late.)

⑨ **so十形容詞或副詞十that**　如此～以致於

It's **so** *small* **that** we can't see it.
(它是如此的小，以致我們看不見它)
He was **so** *angry* **that** he could not speak.
(他氣得說不出話來)
He worked **so** *hard* **that** he succeeded at last.
(他工作得如此勤奮以致終獲成功)

⑩ **so that～may**〔*or* can〕以便，以求

Work hard **so that** you **may** pass the examination.
(努力用功以便考試及格)
He spoke slowly **so that** they **might** understand well.
(他慢慢地講以便他們可以清楚地了解)

⑪

◇ So的成語 ◇

so far (＝up to now) 到此爲止，迄今
Everything is all right **so far.**
(到現在爲止一切都很順利)
so far as　至～程度
So far as I know, he is not rich.
(就我所知，他並不富有)
So long! (＝Good-bye!)〔俗語〕 再見！
and so on〔*or* and so forth〕(＝etc.) 等等，以此類推

—— 習 題 53 ——

(一)*Choose the correct words:* (選擇正確的字)

1. He is (too, very, so) old to work now.
2. Though he was (too, very, so) rich, he was not happy.

3. He spoke (too, very, so) fast that we could (hardly, hardly not, not hardly) understand him.
4. I saw it and (so, also, neither) did Tom.
5. I don't like it, (too, either, neither).
6. This is (good enough, enough good) for me.
7. I slept very (little, a little) last night.
8. This picture is (certain, certainly, exactly) good.
9. This is (very, much, more) better than that.
10. The sun is (very, much) bigger than the moon.
11. I am (very, much) glad to have met you.
12. I was (very, much) interested in that game.
13. He told me a (very, much) amusing story.
14. We were (very, much) tired.
15. (Nearly, Hardly, Almost) anybody belives that.
16. There is (scarcely, scarcely not) anything left.
17. I hardly (ever, never) see him.
18. The weather is (fairly, rather) bad today.
19. I (very, quite) agree to your opinion.
20. It's (very, quite) all right.
21. He came home (complete, completely) worn out. （精疲力竭）
22. Do you (real, realy , really) think so?
23. Tom works as (hard, harder, hardly) as Bill.
24. It's never too (late, later, lately) to learn.

㈡*Substitution*：換字（每個空格限填一字）

1. Mary likes music very much.
   =Mary is ______ ______ of music.
2. We had a very good time.
   =We enjoyed ourselves ______ ______.
3. This is just what I wanted.
   =This is ______ what I wanted.
4. He is too weak to work.
   =He is ______ weak that he cannot work.
   =He is not ______ ______ to work.
5. John and George are of the same age.

=John is ______ old ______George.

6. I am ______ tall than he.

=I am not ______ tall ______ he.

7. He knows very little Japanese.

=He knows ______ any Japanese.

8. I have scarcely anything to eat.

= I have ______ anything to eat.

9. Which team is likely to win?

=Which team will ______ win?

10. I prefer staying at home to going to the movies.

=I would ______ ______ at home than go to the movies.

㈤表地方的副詞(Adverb of Place)

表地方的副詞通常修飾動詞。
常用的表地方和方向的副詞如下：

here（這裏), **there**（那裏）；**near**（近), **far**（遠）；**in**（向裏), **out**（向外）；**up**（向上), **down**（向下）；**on**（上，進行中), **off**（離開，拿掉）；**away**（離去), **back**（回原處，退後）；**forward**(s)（向前）；**backward**(s)（向後）；**upstairs**（在〔或向〕樓上), **downstairs**（在〔或向〕樓下）；**somewhere**（在某處）；**anywhere**（任何地方）；**everywhere**（到處), **elsewhere**（在他處), **nowhere**（無處）；**home**（=at home, toward home)（在家，向家，到家）；**abroad**（在〔或向〕國外), etc.

1. 表地方的副詞通常置於所修飾的動詞之後。

動詞十地方副詞

{ *Come* **here.** （來這裏）
{ *Go* **there.** （去那裏）

〔誤〕Come *to* here.
〔誤〕Co *to* there.

{ *Come* **in.** （進來）
{ *Go* **out.** （出去）

{ *Stand* **up.** （起立）
{ *Sit* **down.** （坐下）

{ He *went* **away.** （他離開了）
{ She *came* **back.** （她回來了）

{ Did he *go* **anywhere** yesterday? （昨天他去過什麼地方沒有？）
{ 〔誤〕Did he *go to* anywhere yesterday?

He *looked* **everywhere** for the lost dog.
（他到處尋找這隻失去的狗）

We *went* **upstairs.** （我們上樓）
They *came* **downstairs.** （他們下樓）
〔誤〕They come *to downstair.*

Let's *go* **home.** （我們回家吧） 〔誤〕Let's *go to* home.
He *has gone* **abroad.** （他出國了）
〔誤〕He has gone *to* abroad.

【提示】 **"here", "there", "home", "abroad", "upstairs"**等表地方的副詞之前不加介系詞。但下例中之 *here* 與 *home* 爲名詞而非副詞，故須加介系詞。

It is **not far** *from here.* （離這裏不遠）
Is there anybody *at home*? （有人在家嗎？）
Every boy went back *to* his *home.* （每個男孩都回家去了）

We did not *go* very **far.** （我們沒走多遠）
He *lives* quite **near.** （他住的很近）
——副詞 *near* 修飾 *lives*
They *live* **near the park.** （他們住在公園附近）
——介系詞 *near*+ *the park*=副詞片語

【句型】

動　　　詞	地　方　副　詞
1. I *work*	**here.**
2. He *works*	**there.**
3. Please *come*	**in.**
4. Sit	**down,** please.
5. *Come*	**near.** （走近些）
6. He *ran*	**away.**
7. I *am going*	**home**
8. He *went*	**abroad** last year.
9. I *have seen* him	**somewhere.**
10. Can you *find* one	**elsewhere?**
11. They *went*	**upstairs.**
12. I *look*	**forward** to seeing you.

動　　詞	(表地方的)副詞片語
1. We *live*	**in Taiwan.**
2. He *lives*	**a long way** (遠) **from here.**
3. They *walked*	(for) **five miles.**
4. I *put* it	**on the table.**
5. He *is sitting*	**under the tree.**

2. 動詞副詞結合語：

動詞若與副詞一起形成另一不同意義的片語時，特稱之爲動詞副詞結合語。

如：**put on**　穿上，戴上　**take off**　脫掉，起飛

***put off**　延期　**call up** (＝ring up)　打電話

give up　放棄　**look up**　查(字)

①(a) 動詞＋副詞＋(名詞)受詞

(b) 動詞＋(名詞)受詞＋副詞

Put on your hat.　(戴上你的帽子)
＝**Put** your hat **on**.

He **took off** his coat.　(他脫掉他的上衣)
＝He **took** his coat **off.**

Turn on the light.　(開燈)
＝**Turn** the light **on**.

I must **look up** these words in the dictionary.
＝I must **look** these words **up** in the dictionary.
(我必須在字典裏面查這些字)

【提示】 "**get on** (上車)"與"**get off** (下車)"爲例外，此二片語的動詞與副詞不可分開。

He **got off** the bus.　(他下公共汽車)
〔誤〕He *got* the bus *off.*

② 動詞＋(代名詞)受詞＋副詞

Put it on.　(把它戴〔穿〕上)　〔誤〕*Put on it.*

He **took** it **off.** （他脫掉它） 〔誤〕He *took off* it.
Turn it **on.** （開它） 〔誤〕*Turn on it.*
I must **look** them **up** in the dictionary.
（我必須在字典裏面查它們）
〔誤〕I must *look up them* in the dictionary.

【句型】

動詞＋副詞	（名詞）受詞
1. Please *turn* **on**	the light.
2. I *turned* **off**	the radio.
3. *Put* **on**	your coat.
4. *Take* **off**	your shoes, please.
5. Don't *put* **off**	your work.
6. He *called* **up**	Tom and Bob.
7. He *gave* **up**	smoking.

動詞＋(〔代〕名詞)受詞	副 詞
1. Please *turn* the light	**on.**
2. Please *turn* it	**on.**
3. I *turned* the radio	**off.**
4. I *turned* it	**off.**
5. *Put* your coat	**on.**
6. *Put* it	**on.**
7. *Take* your shoes	**off.**
8. *Take* them	**off.**
9. He *called* Tom and Bob	**up.**
10. He *called* (＝rang) them	**up.**

3. 用於句首的 **Here** 與 **There**：

①用於感嘆句中表地方的 **Here** 與 **There**：

Here **There** } ＋動詞＋名詞主詞

Here *is* your ′book! （你的書在這裏！）

Here *comes* ′John！　(約翰往這邊來了！)
There *goes* ′Tom！　(湯姆往那邊去了！)

Here **There** } ＋人稱代名詞＋動詞

Here it ′*is*　(它在這裏！)
Here you ′*are!*
(＝①You've arrived.)　(你到了！)
(＝②Here is what you need.)　(你要的東西在這裏！)
There you ′*are!*　(你要的東西在那裏！喏，給你！)
There they ′*come!*　(他們從那邊來了！)
【提示】①此二種句型的句尾均須重讀。②表地方的 there 讀音爲〔ðɛr〕。

【句型】

Here **There**	動詞＋名詞主詞
1. **Here** 2. **Here** 3. **Here** 4. **Here** 5. **There** 6. **There**	*is* your pen! *are* your books! *comes* the teacher! *come* John and Tom! *comes* the bus! *goes* Mary!

Here **There**	人稱代名詞主詞＋動詞
1. **Here** 2. **There** 3. **Here** 4. **There** 5. **Here** 6. **There**	it *is!*　(它在這裏！) he *is!*　(他在那裏！) we *are*　〔you are〕！ you *are!*　(喏，給你！) he *comes*　〔they come〕！ she *goes*　〔they go〕！

②僅表存在的 **There**：

There〔ðɚ〕*is* a book on the desk.
(桌子上有一本書)——*there is*＝「有」不含「那裏」之意。

There〔ðɚ〕*are* a lot of people there〔ðɛr〕.
　　（有許多人在那裏）——*there are*＝「有」
Once upon a time **there** *lived* a king whose name was John.
　　（＝There once lived a king……）
　　（從前住有一位名叫約翰的國王）
【提示】 表存在的 **there** 須讀弱音〔ðɚ〕。

【句型】

There is	單數或不可數主詞	
There *is* **There** *was*	an *apple* some *money* not any *water* a lot of *paper* a little *meat* not much *wine*	(here).

There are	複　數　主　詞	
There *are* **There** *were*	two *bottles* (of wine) some *books* not any *pencils* no *boxes* a lot of *children* a few *glasses.* not much *knives.*	(here).

● 應注意事項 ●

1. "**far**（遠）"通常用於疑問句或否定句，在肯定句中通常用"**a long way**（遠距離）"代替 **far**：
   Is it **far** from here?（離這裏遠嗎？）〔疑問句〕
   I did not go very **far.**（我沒有多走遠）〔否定句〕
   It's a **long way** from here.（離這裏的路程遠）〔肯定句〕
   *An elephant is **far** *larger* than a horse.（象比馬大得多）
   （＝An elephant is much larger than a horse.）

2. 兩個以上的副詞的次序如下：

①同類的兩個以上副詞的次序：

小單位副詞＋大單位副詞

I'll meet you *at three o'clock* **this afternoon.**
(我將於今天下午三點鐘見你)

I saw the movie *on Tuesday evening* **last week.**
(我在上星期二晚上看過這部影片)

We spent the holidays *in a cottage* **in the mountains.**
(我們在山中一個小屋裏渡假)

He lives *in a small village* **in Kaohsiung.**
(他住在高雄鄉下的一個小村莊裏)

②異類的兩個以上副詞的次序：

①情狀＋②地方＋③次數＋④時間

We are going *to the Sun-moon Lake* **next week.**
(下星期我們打算去日月潭)

I have been *to Taichung* several times **this year.**
(今年我去過臺中幾次)

She sang *very well* in the concert **last night.**
(她昨晚在音樂會中唱得很好)

I arrived *at the station* by bus **at 8:30.**
(我乘公共汽車於八點半到達車站)

【提示】　時間副詞亦可置於句首。
We went to the movies **last night.**
＝**Last night** we went to the movies.
(昨天晚上我們去看電影)

*3. 加强語氣時，副詞可用於句首。

①

副詞＋人稱代名詞＋動詞

Off they *went*! (＝They went off.)　(他們走了！)
Away it *flew*! (＝It flew away.)　(牠飛去了！)
Down it *fell*! (＝It fell down.)　(它倒下來了！)

②

副詞＋動詞＋名詞主詞

Off *went* the man! (＝The man went off.)
(這個人走了！)
Away *flew* my hat! (＝My hat flew away.)
(我的帽子飛掉了！)
Down *fell* the tree! (＝The tree fell down.)
(這棵樹倒下來了！)

㈥表肯定與否定的副詞
(Adverbs of Affirmation and Negation)

表肯定與否定的副詞通常修飾全句或修飾動詞，有時也修飾其他副詞。常用的表肯定與否定的副詞如下：

yes (是), **no** (不是), **not** (不), **never** (決不)；**certainly** (確然，當然), **exactly** (確實), **surely** (＝sure) (確實，當然), **indeed** (實在，的確), **of course** (當然), *etc.*

1. 副詞 **Yes** 與 **No** 通常置於句首。 | Yes〔*or* No〕＋全句 |

Is he a student? (他是學生嗎？)
Yes, *he is.* (是的，他是學生)
No, *he isn't.* (＝he's not.) (不，他不是)

Is she **not** (＝Isn't she) a student? (她不是學生嗎？)
Yes, *she is.* (她是學生) 或 **No,** *she isn't.* (她不是學生)

Did you see him? (你看見他沒有？)
Didn't you see him? (你沒有看到他嗎？)
Yes, *I did.* (有的) 或 **No,** *I didn't.* (沒有)

【提示】 不管問法如何，肯定的回答總是答“**Yes**”，否定的回答總是答“**No**”。

2. **Not** 在句中的位置如下：

① | 限定動詞(第一個動詞)＋**not** |

I *did* **not** ask him to go. (我沒有請他去)
He *can* **not** have said so. (他不可能這麼說的)

② | **not**＋不定詞〔分詞・動名詞〕 |

I asked him **not** *to go*.
（我請求他不要去）〔**not**＋不定詞〕

Not *knowing* what to do, she cried.
（她因不知如何是好，就哭了）〔**not**＋現在分詞〕

He insisted on **not** *paying* the money.
（他堅持不肯付此款）〔**not**＋動名詞〕

3. 句中含有"**I think**（以爲）〔**believe**（相信）, **hope**（希望）, **am afraid**（恐怕）〕"等字時可造成簡答句如下：

① 肯定簡答句＝I { **think, believe, hope, am afraid** } **so.**

② 否定簡答句＝I { **think, believe, hope, am afraid** } **not.**

Do you think it will rain tomorrow?
（你想明天會下雨嗎？）
I *think* **so.**（我是這麼想）
（＝I think it will rain tomorrow.）
I *think* **not.**（＝I don't think so.）（我不以爲如此）
（＝I don't think it will rain tomorrow.）
I *am afraid* **so.**（恐怕會下雨）
（＝I am afraid it will rain tomorrow.）
I *hope* **not.**（希望明天不會下雨）
（＝I hope it won't rain tomorrow.）

Is this book a good one?（這是一本好書嗎？）
I *believe* **so.**（我相信如此）
（＝I believe it's a good one.）
I *hope* **so.**（我希望如此）
I *think* **so.**（我以爲如此）
I'm *afraid* **not.**（恐怕並不如此）
（＝I'm afraid it's not a good one.）

It's not going to rain.（不會下雨的）
I *hope* **not.**（希望不會）〔誤〕I hope *so*.
（＝I hope it's not going to rain.）

4. **Certainly**（not）, **sure**（**ly**）, **of course**（not）等可代替 **yes** 或 **no** 以表示肯定或否定。

{ Will you lend me your knife? （你的小刀借我一下好嗎？）
{ **Certainly!** （＝Yes!） （當然可以）

{ Would you mind my asking a question?
{ （您會介意我問一個問題嗎？）
{ **Certainly not.** 〔或 Of course not.〕 （當然不會）

{ May I speak to you? （我可以同你講話嗎？）
{ **Surely.** （＝Sure.〔美語〕） （當然可以）

{ You'll come with us, won't you? （你要同我們一起去吧？）
{ **Of course,** I will. （我當然要）

{ You won't buy it, will you? （你不要買它吧？）
{ **Of course not;** it's too expensive. （我當然不要，它太貴了）

5. **No, never:**

Never *do* such a thing. （決不可做那種事）

There was **no** *less* 〔*more*〕 than thirty dollars in the drawer.
（抽屜裏的錢不少〔多〕於三十元）

He **no** *longer* lives here. （他不再住在這裏了）

—— 習 題 54 ——

㈠*Choose the correct words:* （選擇正確的字）

1. I went (there, to there) last year.
2. He came (home, to home) very late last night.
3. He has given up the idea of going (abroad, to abroad).
4. I did not go (anywhere, to anywhere).
5. I live quite (near, nearly).
6. They went (upstair, upstairs, to upstairs).
7. Please turn (it off, off it).
8. Will you (call up, look out, look up) his address in the telephone directory（電話簿）?
9. Here (come Bob, comes Bob, Bob comes)!
10. There (they go, go they)!
11. There (is, are, have) a lot of mice in the house.
12. There (was, were, had) no children in the room.
13. There (once, ever, was) lived a poor farmer who had three sons.

14. The station is (far, a long way) from here.
15. Are you not a Chinese? (Yes, No), I am.
16. Isn't he here? (Yes, No), he isn't.
17. Don't you like apples? (Yes, No), I do.
18. Was he at home? (Yes, No), he was out.
19. Have you a bicycle? No, I have (no, not).
20. Haven't you any money? (Yes, No), I have (no, not) money.
21. You are (no, not) longer a child.
22. I can't walk (some, any, no) more.
23. Your mother won't be angry with you, will she?
    I hope (so, not, no).
24. "Would you mind doing it for me?" "(Yes, Certainly, Certainly not), I'll do it for you right now."

(二)*Substitution:* 換字(每個空格格限塡一字)

1. He telephoned Tom last night.
   =He ______ ______Tom last night.
2. Will you return me the book I lent you?
   =Will you give ______ ______the book I lent you?
3. A year has twelve months.
   =______ ______twelve months in a year.
4. We've arrived.=Here______ ______.
5. Here is what you were asking for.
   =Here ______ ______.
6. I want no more tea, thank you.
   =I______ want ______more tea, thank you.
7. A: "Do you think he will come?" B: "I hope he will come." C: "I'm afraid he will not come."
   =A: "Do you think he will come?" B: "I hope______." C: "I'm afraid ______."
8. A: "It's going to rain." B: "I don't think it's going to rain."
   =A: "It's going to rain." B: "I think______."
   =A: "It's going to rain." B: "I______think______."

(三) *Word Order:* 字的順序 (重組下列字羣使成爲正確的句子)

Ex. He speaks ①English ②well ③very

(1, 3, 2)(*He speaks English very well.*)

1. Will you ①take ②off ③it?
2. I ①the bus ②get ③on ④usually ⑤at this stop
3. Mr. A is rich and ①Mr. B ②is ③so
4. We are ①old to learn ②never ③too
5. It's ①easy ②to write Chinese ③for foreigners ④well ⑤not
6. He told me ①out ②to go ③not
7. You ought ①to have ②done that ③not
8. I do ①any more ②believe it ③not
9. He insists on ①my ②staying ③here ④not
10. ①there ②is ③still ④it?
11. ①there ②is ③not a watch in the drawer?
12. He arrived ①yesterday ②at 4:30 p.m. ③there
13. I am going ①next week ②to Tainan ③for a few days
14. I saw that movie ①twice ②last week ③at the Far East Theater
15. He was born ①in the year 1950 ②on July 4th ③at 5:00 a.m.
16. He ①spends his holidays ②in the mountains ③in a village ④always
17. He was working ①at his office ②very hard ③all day yesterday
18. I went ①this morning ②by taxi ③to school

(四)*Correct the errors:* 改錯

1. Is English easily to learn?
2. The answer seems correctly.
3. He writes quick and good.
4. I am prettily well, thank you.
5. He studied so hardly that he has passed his examination.
6. It is hardly not possible.
7. It's too lately now.

8. Bob is too younger to go to school.
9. I don't believe it, too.
10. This book is very much interesting.
11. They were very surprised to hear that.
12. John is very taller than George.
13. Is he enough brave to go?
14. Tom sometime walks to school.
15. Have you ever seen it? Yes, I have ever seen it once.
16. She left there three days before.
17. She arrived at here on yesterday morning.
18. He returned to home the last week.
19. I got up this morning very early.
20. There have a lot of flowers in the garden.

(五) *Vocabulary in context:*　文意語彙（把代表正確答案的號碼寫在左邊括弧內）

(　)1. Are they all *well*?　①良好　②安好　③善良
(　)2. I know her very *well*.　①良好　②安好　③熟
(　)3. Mary plays tennis *pretty well*.　①相當好　②美而又好　③美妙
(　)4. This dress *wears well*.　①美觀大方　②經久耐穿　③舒適合身
(　)5. It's blowing *hard*.　①努力　②厲害　③幾乎不
(　)6. He is a *hard* worker.　①勤奮的　②硬的　③厲害的
(　)7. I could *hardly* believe it.　①幾乎　②幾乎不　③堅決地
(　)8. I need it *badly*.　①惡劣地　②迫切地　③恰巧
(　)9. He has studied it *thoroughly*.　①概略地　②普遍地　③澈底地
(　)10. He has not come *yet*.　①仍然　②然而　③迄今
(　)11. You had better go *right away*.　①靠右邊走　②光明正大地　③即刻
(　)12. They started *at once*.　①突然　②立刻　③一齊
(　)13. He'll come again *before long*.　①不久　②立刻　③他日

(　)14. He comes to see me *now and then.* ①現在與過去 ②一直 ③偶而

(　)15. He speaks French *as well.* ①也 ②一樣 ③一樣好

(　)16. I started early *so as not to* be late. ①所以 ②以便 ③以免

(　)17. *So far,* he has been very successful. ①如此之遠 ②到目前爲止 ③ 就我所知

(　)18. *Good-bye* ①And so on ②Too long ③So long

(　)19. Please *put on* your hat. ①放上 ②戴上 ③穿上

(　)20. The meeting has been *put off.* ①延期 ②取消 ③舉行

(2)疑問副詞(Interrogative Adverbs)

用以發問之「何時」,「何處」,「如何」,「何故」等副詞叫做**疑問副詞**。主要的**疑問副詞**如下:

When (何時)?	**Where** (何處)?
How (如何)?	**Why** (何故)?

【提示】 ① 疑問副詞通常置於**句首**。

② 以疑問副詞開始的**直接問句**,須用**疑問句動詞**,即主詞與動詞互換位置,或加 **do, does, did** 等助動詞於主詞之前。

● 用　法 ●

1. **When** (何時) ——用以問時間

When *did you see* him? (你什麼時候看到他?)
〔誤〕When *you saw* him?
I saw him yesterday morning. (我昨天上午看到他)

When *will he* come? (他什麼時候會來?)
〔誤〕When *he will* come?
He will come tomorrow. (他明天會來)

【提示】 ①問"幾點鐘?"時宜用"**what time?**"。

What time do you get up every morning?
（你每天早晨幾點鐘起床？）
I usually get up at six.　（我通常六點鐘起床）

②"**when**（何時）?"亦可和介系詞連用。

Since when has he been ill?
（他從什麼時候病了的？）
He has been ill since last Thursday.
（他從上星期四就病了）

2. **Where**（何處）　——用以問地方

Where are you going?　（你要去那裏？）
I am going to the post office.　（我正要去郵局）

Where does she live?　（她住在那裏？）
She lives on Chunghua Road.　（她住在中華路）

【提示】　"**where**（何處）"有時亦可和介系詞連用。
From where shall we start?
（我們要從什麼地方開始？）

Where are you from?　（你是那裏人？）　〔問籍貫〕
（=Where do you come from?）
I am〔*or* come〕from Kaohsiung.
（我是高雄人；我來自高雄）

Where did you come〔*or* have you come〕from?
（你是從那裏來的？）　〔問出發地點〕
I came〔*or* have come〕from Taipei.　（我是從臺北來的）

3. **How**（如何）

(a)用以問方法，狀態，程度等：

How do you know it?　（你怎麼知道的？）　〔問方法〕
John has told me so.　（約翰這樣告訴我的）

How did you come?　（你是怎麼來的？）　〔問交通工具〕
I came by bus〔by taxi, by bicycle, on foot〕.
（我是乘公共汽車〔乘計程車、騎腳踏車，走路〕來的）

How is this book?　（這本書怎麼樣？）　〔問程度等〕
It's very interesting〔good, easy to understand〕.
（它很有趣〔好，容易了解〕）

How do you like it? （你喜歡不喜歡它？） 〔問意見〕
I like it very much. （我很喜歡它）
I don't like it very much. （我不大喜歡它）

How are you today? （你今天好嗎？） 〔問身體狀況〕
I am very well 〔*or* fine〕, thank you. （我很好，謝謝你）

A: "**How** do you do?" （你好嗎？） 〔初見面時用之〕
B: "**How** do you do?" （你好嗎？）

【提示】 初見面時雙方對答均用"How do you do?"。

(b)"**how**"可和形容詞或副詞等連用，以問數量、期間、次數、距離、年齡、高度、寬度、深度等：

How *many* pens have you 〔*or* do you have〕? 〔問數量〕
（你有幾枝鋼筆？）
I have two pens. （我有兩枝鋼筆）

How *much* sugar do you want? （你要多少糖？） 〔問量〕
I want one pound (of sugar). （我要一磅糖）

How *much* money has he 〔*or* does he have〕? 〔問款額〕
（他有多少錢？）
He has two hundred dollars. （他有二百元）

How *much* is this dictionary? 〔問款額〕
(＝What is the price of this dictionary?)
（這本字典多少錢？）
It is thirty dollars. （三十元）

How *long* is the river? （這條河多長？） 〔問長度〕
(＝What is the length of the river?)
It's about 3,000 miles long (＝in length).
（它大約有三千哩長）

How *high* is Mt. Yu? （玉山有多高？） 〔問高度〕
(＝What's the height of Mt. Yu?)
It's about 4,000 meters high (＝in height).
（它約有四千公尺高）

How *deep* is the lake? （這湖有多深？） 〔問深度〕
(＝What's the depth of the lake?)
It's about ten feet deep (＝in depth). （它約有十呎深）

How *wide* is the door? （這門有多寬？） 〔問寬度〕
(＝What's the width of the door?)
It's three feet wide (＝in width). （它有三呎寬）

How *long* have you been studying English?　〔問期間〕
(你已學了多久的英語了？)
I have been studying it for three years.
(我學它已學了三年了)

How *often* do you go to the movies?　〔問次數〕
(你看電影的次數多少？)
I go to the movies once a month.
(我一個月去看一次電影)
I seldom go to the movies.　(我很少去看電影)

How *tall* are you?　(你的身高多少？)　〔問身高〕
(＝What is your height?)
I am five feet and four inches tall (＝in height).
(我身高五呎四吋)

How *many* kilograms do you weigh?　〔問重量〕
(＝What's you weight?)　(你的體重是多少公斤？)
I weigh forty-eight kilograms.　(我的體重是 48 公斤)

How *old* is your father?　(你父親多大年紀了？)　〔問年齡〕
(＝What is your father's age?)
He is fifty years old (＝years of age).　(他是五十歲)

How *far* is it from here to the station?　〔問距離〕
(＝What's the distance from here to the station?)
(從這裏到車站有多遠？)
It's about five minutes' walk.　(約走五分鐘的路)

4. **Why** (爲什麼) ——用以問原因或理由

【提示】why? for what reason? what for?

Why is John absent?　(約翰爲什麼缺席？)
Because he has a cold.　(因爲他感冒了)

Why do you cry? (＝What do you cry for?)
(你爲什麼哭？)
(Because) I've lost my bicycle.　(〔因爲〕我丟了我的腳踏車)

Why don't you buy it?　(你爲什麼不買它？)
Because I have no money.　(因爲我沒有錢)

You can't go.　(你不能去)
Why not? (＝Why can't I go?)　(爲什麼不？)

【句型】

疑問副詞	動詞＋主詞
How }	*are* you?
How }	*are* they?
Where }	*is* he?
Where **How much** }	*is* it?

疑問副詞	助動詞＋主詞＋本動詞
When }	{ *do* you *go* there?
How }	{ *did* he *come*?
Why }	{ *will* they *come* here?
Where	{ *do* you *live*? *does* he *work*? *are* you *going*? *is* he *going*? *has* she *gone*?

5. 間接問句(從屬疑問句)：【參看第 88 頁】
句中疑問詞引導從屬子句者叫做間接問句或從屬疑問句。

> 間接問句＝{ 主詞＋**know, ask, tell** 等 }＋疑問詞＋主詞＋動詞
> (主要子句)　(從屬子句)

{ **Why** *was he* absent? （他為什麼缺席？） 〔直接問句〕
{ Do you know **why** *he was* absent? 〔間接問句〕
（你知道他為什麼缺席嗎？）

{ **Where** *have you been*? （你去那裏？） 〔直接問句〕
{ I want to know **where** *you have been.* 〔間接問句〕
（我要知道你去那裏？）

{ **When** *did you go* there? （你什麼時候去那裏？） 〔直接問句〕
{ Tell me **when** *you went* there. 〔間接問句〕
（告訴我你什麼時候去那裏）

How much *does he want*?（他要多少？）〔直接問句〕
Ask him **how much** *he wants.*（問他要多少）〔間接問句〕

【提示】 在間接問句中，從屬子句的主詞和動詞的位置與肯定句相同，其順序仍爲「主詞＋動詞」。

【句型】

主要子句	疑問副詞＋主詞＋動詞
Tell me Do you know I know I don't know Nobody knows Let me know Ask him	**where** he *is* (?). **where** she *lives* (?). **where** they *are living* (?). **where** they *have been* (?). **when** he *went* there (?). **when** he *will come* (?). **how** he *thinks* of it (?). **how** old he *is* (?). **why** he *can't come* (?). **why** he *didn't go* (?).

6. **疑問詞＋不定詞(to～)＝名詞片語**

Tell me **how** *to use* it.（告訴我怎樣使用它）
(＝Tell me how I should use it.)
I don't know **where** *to go.*（我不知道該去那裏）
(＝I don't know where I should go.)
He will tell you **when** *to start.*
(＝He will tell you when you should start.)
（他將告訴你什麼時候動身〔或開始〕）

【句型】

	疑問副詞＋不定詞(＝名詞片語)
Tell me Will you tell me He will tell us I know	**how** *to do* it. (?) **how** *to swim.* (?) **how** *to drive* a car. (?) **where** *to go.* (?)

I don't know Do you know Let me know Ask him	**where** *to buy* it.（?） **where** *to find* them.（?） **when** *to start.*（?） **when** *to leave.*（?）

(3) 關係副詞（Relative Adverbs）

關係副詞兼有副詞與連接詞的兩種作用。
主要的**關係副詞**有：

when, where, why, how; whenever（無論何時）， **wherever**（無論何處），**however**（無論怎樣），etc.

●用　　法●

1. 前述詞＋關係副詞（when, where, why, how）

【提示】 ①有前述詞時，關係副詞所引導的子句是**形容詞子句**。
②關係副詞可改爲「**介系詞＋關係代名詞**」。

I still remember *the day* **when**（＝on which）he arrived.
（我還記得他到達的那一天）〔表時間〕

【提示】 "*time*（時間）", "*day*（日）", "*year*（年）"等可用關係副詞 **when** 來代替。

This is *the house* **where**（＝**in which**）he lived.
（這就是他住過的房子）〔表地方〕

【提示】 "*house*（房屋）", "*place*（地方）", "*town*（城鎮）", "*village*（村莊）"等可用關係副詞 **where** 來代替。

This is *the reason* **why**（＝for which）I like it.
（這就是我喜歡它的理由）〔表理由〕

Can you tell me *the way* **how**（＝by which）you did it?
（你能告訴我你做它的方法嗎？）〔表方法〕

【提示】 關係副詞亦可用於**非限定用法**：【見第 103 頁】
Please wait till Tuesday, **when**（＝and then）I shall tell you everything.
（請等到星期二，那時我將告訴你一切）

I went to Rome, **where** (＝and there) I stayed for two days.
(我去羅馬，在那裏逗留兩天)

2. **沒有前述詞的關係副詞：**
關係副詞的前述詞可以省略。沒有前述詞時關係副詞所引導的子句是名詞子句或副詞子句。
Tell me (the time) **when** you can come.
(告訴我你什麼時候能來)——"*when*…"是名詞子句。
That is **where** you are mistaken.
(那就是你錯誤的所在)——"*where*…"是名詞子句。
Where there is a will, there is a way.
(有意志之處即有路〔有志者事竟成〕)——"*where*…"是副詞子句。
That's (the reason) **why** I don't like it.
(那就是我不喜歡它的理由)——"*why*…"是名詞子句。
That was (the way) **how** he used to do.
(那就是他過去的慣常做法)——"*how*…"是名詞子句。

(前述詞)	關係副詞＋主詞＋動詞
Tell me (the time)	**when** you can come.
This is (the place)	**where** he was born.
That is (the reaseon)	**why** I like him.
That's (the way)	**how** he makes money (賺錢).

3. **複合關係副詞(Compound Relative Adverb)：**
主要的複合關係副詞有：**whenever** (無論何時), **wherever** (無論何處), **however** (無論怎樣)等。
You may come **whenever** (＝at any time when) you like.
(隨你喜歡什麼時候你都可以來)
He may go **wherever** he likes.
(他可以到任何他所喜歡的地方去)
He will never succeed, **however** clever he is.
(無論怎樣聰明，他永不會成功的)

4. **the＋比較級 , the＋比較級** (愈～愈～)

【提示】 前面的 **the** 可視作**關係副詞**，後面的 **the** 是指示副詞。

The *more* one has, the *more* one wants.
（所有愈多，欲望愈大）
The *sooner* you start, the *sooner* you will get there.
（愈早出發，你將愈早到達那裏）
The *sooner* the *better.* （越快〔或早〕越好）
The *longer* I listen to him, the *less* I like him.
（聽他講話愈久，我就愈不喜歡他）
The *more* he ate, the *fatter* he became.
（他吃得愈多就變得愈胖）
The *more* we get together, the *happier* we'll be.
（我們愈在一起就愈快樂）

—— 習 題 55 ——

㈠*Fill each blank with an interrogative or relative adverb:*
（用疑問副詞或關係副詞填在空白裏）

1. ______was he absent? Because he was not well.
2. ______are you today? Fine.
3. ______were you born? In Tainan.
4. ______were you born? In 1950.
5. ______are the boys going? To Taipei.
6. ______are they going? Tomorrow.
7. ______did he arrive? By train.
8. ______do you like Taiwan, Mr. A? Very much.
9. ______does Miss Green come from?
10. ______far is your school from here?
11. ______is John so angry with you?
12. I wonder______he is late.
13. Let's ask him______the museum is.
14. I don't know______to get there.
15. That's the reason______I didn't go.
16. This is the town______he was born.
17. Let me know the exact time______he will arrive.
18. ______there is a will, there is a way.
19. The Sun-moon Lake, ______he spent his holidays, is famous for its scenery.

20. ______longer he stayed there, ______more he liked the place.

(二)*Correct the underlined words:* （改正劃底線的字）

1. Why you didn't come yestereday?
2. When you went there?
3. Tell me where is he now.
4. I don't know when will he come?
5. Do you know how did he make it?
6. Nobody knows where does she live.
7. Will you show me the house which he lived?
8. A: "How do you do, Mr. B?" B: "Very well, thank you."
9. "How do you go abroad?" "Once a year."
10. Some people think that the more something costs, the good is must be.

(三)*Substitution:* 換字（每個空格限填一字）

1. What do you learn that for?
   =______do you learn that?
2. By what means do you get there?
   =______do you get there?
3. At what time can you come?
   =______can you come?
4. Do you know his address?
   =Do you know______ ______lives?
5. I want to know the place of his birth.
   =I want to know______he______born.
6. What is your age?
   =______ ______are you?
7. What's John's heigth?
   =______ ______is John?
8. What's the height of Mount Everest (埃弗勒斯峯)?
   =______ ______is Mount Everest?
9. What is the price of this bicycle?
   =______ ______is this bicycle?

10. What is the distance from Keelung to Kaohsiung?
 =______ ______is it from Keelung to Kaohsiung?
11. How much time does it take to fly from Taipei to Tainan?
 =______ ______does it take to fly from Taipei to Tainan?
12. What is the length of the Yang-tze River?
 =______ ______is the Yang-tze River?
13. Sunday is the day on which I am least busy.
 =Sunday is the day______I am least usy.
14. Tell me where I should begin.
 =Tell me where______ ______.
15. She weeps at any time when she hears a sad story.
 =She weeps______she hears a sad story.

第三節 副詞的比較(Comparison of Adverbs)

大多數表情狀的副詞和少數表時間或程度的副詞可以和形容詞一樣地形成**比較級和最高級**。

(1) {單音節副詞・ / 少數二音節副詞} {+er=比較級 / +est=最高級}

Positive 原級	Comparative 比較級	Superlative 最高級
hard(努力地)	harder	hardest
fast(快)	faster	fastest
soon(快)	sooner	soonest
early(早)	earlier	earliest
late(晚,遲)	later	{latest(最遲) last (最後)}
〔often(常常,屢次)	(oftener)	oftenest〕

(2) {**more** / **most**} + {二音節以上副詞・ / ~**ly**} = {比較級 / 最高級}

often(常常,屢次)	more often	most often

seldom（罕，不常）	more seldom	most seldom
carefully（小心地）	more carefully	most carefully
clearly（清楚地）	more clearly	most clearly
kindly（親切地）	more kindly	most kindly
quickly（迅速地）	more quickly	most quickly

(3)不規則的比較:

well（好）	better	best
badly, ill（惡劣地）	worse	worst
much（多）	more	most
little（少）	less	least
far（遠）	farther（更遠地）	farthest
	further（更遠地，更進一步地）	furthest

●用　　法●

形容詞的比較所適用的原則，大體上也適用於副詞的比較。

He *studies* **hard.**（他用功）〔原級〕
He *studies* **harder** than I.（他比我用功）〔比較級〕
He *studies* (the) **hardest** in our class〔最高級〕
（我們班裏他最用功）

【提示】 **最高級副詞之前通常不加定冠詞 the, 但在口語中最高級副詞可以加 the。**

1. 同等比較：

(a)肯定： **as＋原級副詞＋as～＝"和～一樣……"**

I work *as* **hard** *as* John (does).
（我跟約翰一樣工作勤奮）

Tom can run *as* **fast** *as* I (can).
（湯姆能跑得跟我一樣快）

【句型】

主詞＋動詞	as＋原級副詞＋as	主詞(＋動詞)
1. I *work*	*as* **hard** *as*	he (does).
2. He *goes* there	*as* **often** *as*	I (do).

3. John *ran*	*as* **fast** *as*	they(did).
4. I *walked*	*as* **quickly** *as*	I could.

【提示】 ①「**as～as** (one) **can** （儘可能地～）」

I ran *as fast as* I *could.* （我儘我所能地快跑）

Come *as soon as* you *can.* （儘快來）

② *fast* （速度）快　　　*quickly* （動作）快，敏捷

(b)否定： **not so** 〔*or* **as**〕＋原級副詞＋**as**～＝"不如～……"

He does *not* work *so* **hard** *as* you (do).

(＝He works less hard than you.)

（他不像你這樣工作努力）

I *can't* write *so* 〔or *as*〕 **well** *as* he (can).

（我不能寫得像他那麼好〔跟他一樣好〕）

主詞＋～not＋動詞	{so / as} ＋原級副詞＋as	主詞(＋動詞)
1. I *don't work*	*so* **hard** *as*	he (does).
2. He *doesn't come* here	*as* **often** *as*	you (do).
3. They *didn't walk*	*so* **far** *as*	we (did).
4. She *can't run*	*as* **fast** *as*	I (can).

2. 不等比較：

(a) 兩者間的比較： 動詞＋比較級副詞＋**than**

He *runs* faster *than* I (do). （他跑得比我快）

I *learned* **more quickly** *than* she (did).

（我學得比她快）

(＝She learned less quickly than I.)

You should *eat* **less**, *drink* **less**, and *sleep* **more**.

（你應當少吃，少喝酒，多睡眠）

He can *speak* Japanese **better** *than* English.

（他能說日語說得比英語更好）

Which do you *like* **better** 〔*or* more〕, this or that?

（你比較喜歡那一個，這個還是那個？）

【提示】①"**like** (喜歡)"的比較級和最高級通常用 **like better, like best** 而

"**love** (愛)"的比較則用 **love more, love most,** 但 *like* 有時亦可用 *like more* 〔*most*〕。

I *like* this **better** than that.
(我喜歡這個甚於那個)
I *love* you **more** than my life.
(我愛你甚於愛我的生命)

*②在下列兩句中，用 **he** 與 **him** 時，意義不同。

I like you better than **he** (likes you).
(我喜歡你甚於他喜歡你)——*he* 爲主詞。
I like *you* better than (I like) **him.**
(我喜歡你甚於喜歡他)——*you* 與 *him* 同爲受詞。

③「**mush＋比較級＝～得多**」

Mary sings **much** *better* than Helen.
(瑪麗唱得比海淪好得多)
John learns **much** *more quickly* than the other students.
(約翰比其他學生學得快的多)

主詞＋動詞	比較級副詞＋than	主詞(＋動詞)
John *works*	**harder** *than*	I (do).
He *walked*	**farther** *than*	any other boy.
I *know* it	**better** *than*	he (does).
She can *run*	**faster** *than*	you (can).
They *go* there	**more often** *than*	we (do).
John *wrote*	**more carefully than**	Tom (did).

(b)三者以上之間的比較：**動詞＋最高級副詞**

Bill *runs* (the) **fastest** in the class.
(比爾在班裏跑得最快)
(=Bill runs faster than any other student in the class.)
(=No other student in the class runs so 〔*or* as〕 fast as Bill.)
John *works* (the) **most carefully** of all.
(全體當中約翰工作最細心)

Which do you ***like***（the）**best,** apples, oranges or bananas?
（你最喜歡那一種，蘋果、橘子或香蕉？）

What wan ***needs*** **most** is liberty.
（人類最需要的是自由）.

He *worked* **the most,** and yet *was paid* **the least.**
（他的工作最多，而所得的報酬最少）

【句型】

主詞＋動詞	(the)最高級副詞
I *like* summer	(the) **best.**
John *works*	(the) **hardest** in the class.
He *ran*	(the) **fastest** of the three.
Mary *wrote*	(the) **most carefully** of all.

***【提示】**「**most十形容詞或副詞**」亦可作“非常～”，“極～”解。

This is a **most** *interesting* book.
（這是一本極有趣的書）

It is **most** *kind* of you to give me such a present.
（你送我這樣的禮物眞客氣極了）

She danced **most** *beautifully.*
（她舞跳得很美〔或最美〕）

—— 習 題 56 ——

㈠*Fill each blank with the correct form of the adverb indicated:* （用下列各句括弧內副詞的正確型式塡在空白裏）

1. Mary is working______（hard）than most other students in her class.
2. John learns______（quickly）in the class.
3. Helen sang______（beautifully）than the other girls.
4. Mary plays the piano______（well）than Jane and I.
5. Tom plays tennis______（well）among the three boys.
6. Mrs. Brown drives much______（carefully）than her husband.
7. I got up______（early）today than yesterday.

8. Bill walked______(far) than Tom did.

9. He eats______(much) than I do.

10. I like sports as______(much) as he does.

11. The______(much) a man learns, the______(much) he sees his ignorance.

12. The______(long) they listen to him, the______(little) they like him.

13. The Changs (張家) haven't lived here as______(long) as we have.

14. No______(soon) had we left the house than it began to rain.

15. It will come______(soon) or______(late).

(二)*Choose the correct words:* （選擇正確的字）

1. I can swim as (fast, faster, fastest) as (she, her).

2. Bob swims (well, better, more well) than (I, me).

3. George plays (badly, badlier, worse) than John.

4. Mary lives (nearer, more near, more nearer) than Betty.

5. Tom arrived (late, later, more lately) than John.

6. Bob studies less (hard, harder, hardly) than Bill.

7. Which do you like (much, better, best), summer or winter?

8. Which do you like (more, better, best), A or B or C?

9. I love A(−, much, more) than B.

10. Peter no (long, longer, longest) lives here.

(三)*Substitution:* 換字(每個空格限填一字)

1. Who is the most diligent student in your class?

=Who works______in your class?

2. Spring is her favorite season.

=She likes spring______.

3. He writes less well than you.

=He does not write so______ ______you.

=You write______ ______he.

4. No other students in the class speak English so fluently as Bill.

=Bill speaks English______ ______than all the other students in the class.

=Bill speaks English______ ______in the class.

(四) *Underline each adverb:* (在各副詞下面畫一橫線)

1. He usually gets up early.
2. Yes, I have been here once.
3. No, he has not come yet.
4. I am pretty well, thank you.
5. I know him quite well.
6. Where is he now?
7. How many books did you get yesterday?
8. I like it very much, too.
9. Do you have enough money to go abroad?
10. I still remember the day when I first met her.
11. This is much more interesting than that.
12. The faster you walk, the sooner you will reach there.

第七章

  介系詞

Prepositions

置於名詞或名詞相等語之前，以表示該名詞或名詞相等語和句中其他字之間的關係的字，叫做介系詞(介詞或前置詞)。

位於介系詞之後的名詞或名詞相等語是介系詞的受詞。

The book is { **on** (上面) / **in** (裏面) / **under** (下面) / **beside** (旁邊) } *the desk.*

(書在桌子上面〔裏面，下面，旁邊〕)
——介系詞 **on, in, under, beside** 等用以表示其受詞"*the desk*"與句中其他字"*The book is* (書在)"之間的位置關係。

He arrived { **at** (在) / **before** (之前) / **after** (之後) } *noon.*

(他在中午〔～之前，～之後〕到達)
——介系詞 **at, before, after** 等用以表示其受詞"*noon* (中午)"與句中其他字"*arrived* (到達)"之間的時間關係。

● 應注意事項 ●

1. 介系詞的種類：

①簡單介系詞(Simple Preposition)——只有一字的介系詞

如：at, in, on, of, from, to, till (直到), with (跟), about (關於), after (之後), *etc.*
He worked hard **from** *morning* **till** *night.* (他從早到晚辛勤地工作)
She is afraid **of** *the dog.* (她怕這隻狗)

②雙重介系詞(Double Preposition)——兩個介系詞一起連用者如：from under (從～底下), till after (直到～之後), *etc.*
The cat ran out **from under** *the table.*
(這隻貓從桌子底下跑出來)
They waited **till after** *supper.*
(他們一直等到晚飯後)

③**片語介系詞**(Phrase Preposition)——兩個以上的單字在一起形成一個片語而用作介系詞者

如：as for (至於), because of (由於), in front of (在前面), instead of (代替，～而不), *etc.*

There is a tree **in front of** *the house.*
(房子前面有一棵樹)

I'll have this **instead of** *that.* (我要這個而不要那個)

2. | 介系詞＋受詞＝介系詞片語 |

介系詞和它的受詞構成一個介系詞片語(Prepositional Phrase)。
介系詞片語可用作形容詞片語或副詞片語等。

The pen **on** *the desk* is mine. (桌子上的鋼筆是我的)
——介系詞片語 *on the desk* 是用以修飾 *The pen* 的形容詞片語。

He walked **into** *the house.* (他走進屋裏)
——介系詞片語 *into the house* 是用以修飾 *walked* 的副詞片語。

【提示】 片語介系詞(**Preposition phrase or Phrase preposition**)是用作介系詞的片語。
介系詞片語(**Prepositional phrase**)是由介系詞帶頭的片語。

3. **介系詞的受詞：**

凡是介系詞，一定有其受詞。介系詞的受詞通常是**名詞、代名詞、動名詞、名詞片語、名詞子句等。**

〔介系詞〕〔受詞〕	受　詞
I am fond **of** *music.* (我愛好音樂)	〔名詞〕
I went **with** *him.* (我同他去)	〔代名詞〕
He insisted **on** *going.* (他堅持要去)	〔動名詞〕
Don't worry **about** *how to complete it.* (別為如何完成它而煩惱)	〔名詞片語〕
Everything depends **on** *whether he will help us.* (一切都要看他是否願意幫助我們)	〔名詞子句〕

【提示】 ①凡是介系詞必有其受詞，**雖形同介系詞而無受詞者，仍非介系詞。**

{ He was **in** *the room.* (他在室內) 〔介系詞〕
{ *Come* ′**in** (進來)——副詞 *in* 須重讀。 〔副詞〕

{ The ship sailed **down** *the river.* 〔介系詞〕
{ (這條船向下游行駛)
{ *Sit* ′**down.** (坐下)——副詞 *down* 須重讀。 〔副詞〕

She left here soon **after** *the war.* 〔介系詞〕
(戰後不久她便離開此地了)
She left here soon **after** *the war was over.*
(戰爭結束後不久她便離開此地了) 〔連接詞〕

②副詞如用作介系詞的受詞，則應視爲名詞相等語。

How far is it **from** *here* **to** *there*?
(從這裏到那裏有多遠？)
——介系詞 **from** 與 **to** 的受詞 *here* 與 *there* 是名詞相等語。

〔類例〕**until** now　直到現在　　**since** then　自那時以來

③不定詞通常不用作介系詞的受詞，但「介系詞 **about** (即將)＋**to** ～」爲例外。

The train was **about** *to start.* (火車即將開行)

4. **介系詞的位置**:

介系詞通常置於其**受詞之前**，但遇有下列情形時則置於**句末**：

①受詞爲**疑問詞**時：

What are you talking **about**? (你們在談什麼？)
Where did you come **from**? (你來自何處？)

②受詞爲**關係代名詞**時：

He is the boy (*whom*) we have been looking **for.**
(他就是我們一直在尋找的那個男孩)
This is the town (*that*) he lives **in.**
(這就是他住的城鎮)

③位於用作形容詞的**不定詞之後**時：

He has no *house* to live **in.** (他沒有房子住)
Bring me a *chair* to sit **on.** (拿一把椅子來給我坐)

④含有介系詞的**動詞片語**用於**被動語態**時：

He was *laughed* at by them. (他被他們嘲笑)
(＝They laughed at him.)
The child must be *taken care* **of.**
(這孩子必須有人照料)

第一節　表地方的介系詞

(1) **At; In:**

at（在）——用於一地點或較小的地方，如：**village**（村莊），**small town**（小鎮），**bus stop**（巴士停車站）等之前。
in（在）——①用於較大的地方，如：**large town**（大鎮），**city**（都市），**province**（省），**country**（國家）等之前。
②如表示「在～裏面」，**in** 亦可用於小地方，如：**room, house, garden, village** 等之前。

We live **in** *Taipei*〔or **in** *Taiwan*, **in** *China*〕.
（我們住在臺北〔在臺灣，在中國〕）—大地方，或省，國家等用 **in**。
He lives **at** *Chunghsing* (*New*) *Village*, **in** *Nantou Hsien.*
（他住在南投縣中興新村）——指遠處一小村用 **at**。
They live **at** (*No.*) 10 *Asia Road.*
（他們住在亞洲路十號）——指一地點用 **at**。
I was born **in** *this village*〔or *town*〕.
（我在本村〔或本鎮〕出生）——指在本村〔鎮〕裏用 **in**。

He arrived **at** *Taipei Station* at 2:00 p.m.
（他於下午二時到達臺北車站）——「**at**＋地點或小地方」
He arrived **in**〔or **at**〕*Taipei* yesterday afternoon.
（他昨天下午到達臺北）
He arrived **in** *New York*〔or **in** *the U.S.*〕on May 5.
（他於五月五日抵達紐約〔美國〕）——「**in**＋大都市或國家」

【提示】 **at** 與 **in** 常因觀念的不同而有不同的用法。說話的人在臺北時用"arrive *in* Taipei"，這是十分正確的，但在遠地，尤其在國外時，臺北不過是地圖上的一點，因而可以用"arrive *at* Taipei"。

She was **at** *home.*（她在家）——"在家"包括房屋的內外。
She was **in** *the house.*（她在屋裏）——僅指在房屋裏面。

I came across him **at** *the corner* of the street.
（我在大街轉角處碰見他）
There is a chair **in** *the corner* of the room.
（在室內一角有一把椅子）

◇ at～ ◇

at the door	在門口
at a bus stop	在一巴士站
at the station	在車站
at the shoemaker's	在鞋店
at the party	參加宴會
at the seaside	在海邊
at home	在家
at school	在學校(上課)
at church	在教堂(做禮拜)
at one's desk	在(一個人的)桌子上工作

at the bottom of	在～底
at the foot of	在～底部
at the end of	在～的末尾
at the back of	在～後面
at the corner of	在轉角處
aim **at**～	向～瞄準
call **at**～	訪問(某處)
look **at**～	注視!
throw **at**～	向～投

◇ in～ ◇

in Asia	在亞洲
in Taiwan	在臺灣
in Kaohsiung	在高雄
in the world	在世界上
in the country	在國內,在鄉下
in the city	在市內
in the street	在街(道)上
in the field	在田野裏
in the house	在屋裏
in the garden	在花園裏
in the box	在箱子裏
in the hand	在手裏

in school	在校,就學
in bed	在床上(臥著)
in the sky	在空中
in the sea	在海裏
in the river	在河裏
in the east	在東方
in the dark	在黑暗裏
in the rain	在雨中
in front of～	在～前面
in the middle of	在～中間
in the corner (of the room)	在(室內)一角
in the chair	在(大)椅子上

(2) **On; Beneath:**

> **on** ①在上面〔緊貼在上面〕 ②在～街,路 ③靠近〔表界線接觸〕
> **beneath** 〔bɪˊniθ〕 在下面〔緊貼在下面〕

There is a map **on** *the wall.* (牆上有一幅地圖)
He lives **on** *Chunghua Road.* (他住在中華路)
New York is situated **on** *the Hudson River.*
(紐約位於哈德遜河邊)

on the chair　在椅子上
on the ceiling　在天花板上
on the grass　在草地上
on the street　在街上，馬路上
on one's back　在(一個人)背上

on the sea　在海上
on the river　在河上，河邊
on the shore　海岸上，近岸
on the bank　在堤岸上
on the left　在左邊

They found it **beneath** *the cover.* （他們在遮布下面找到它）

(3) **Above; Below:**

above　在上〔表示高〕；　**below**　在下〔表示低〕

The moon has risen **above** *the horizon.*
（月升在地平線上）〔ˊrɪzn〕〔həˊraɪzn〕

The sun has sunk **below** *the horizon.*
（日沒在地平線下）

(4) **Over; Under**：

over　越過，在上〔表示在頭頂上〕，遍於～之上 **under**　在下〔直下的位置〕

An airplane flew **over** our *heads.*
（有一架飛機飛過我們頭上）

There is a bridge **over** *the river.*
（有一座橋橫過河上）

We sat **under** *the tree.*
（我們坐在樹下）

(5) **Up; Down**：

up　向上；　**down**　向下

I ran **up** *the hill.* （我跑上山）

The ship sailed **down** *the river.* （船向下游行駛）

【圖解】

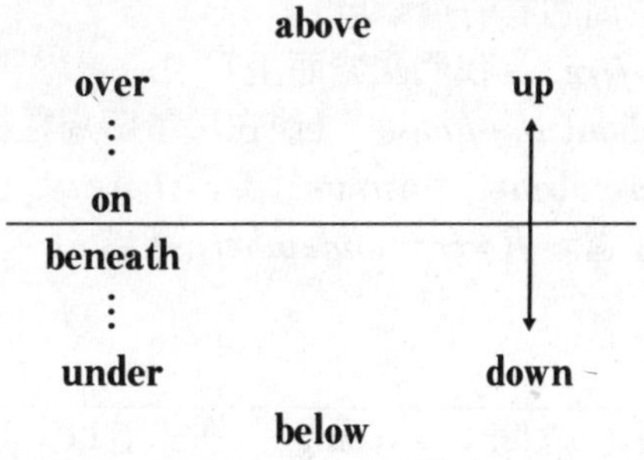

above

over　　**up**
⋮
on
beneath
⋮
under　　**down**

below

(6) **Beside; By; Near:**

beside 在～旁邊； **by** 在～旁邊，近旁； **near** 近，靠近～

Come and sit **beside**（=by）*me.* （來坐在我旁邊）
His house is **beside**（=by）*the river.* （他的房子在河邊）
We had a day by *the sea.* （我們在海邊過了一天）
He lives near *the park.* （他住在公園附近）

(7) **Before; Behind; Beyond**：

before（=in front of） 在～前面 **behind**（=at the back of） 在～後面 **beyond** 越過～，過～那一邊

There is a garden **in front of** *the house.*
（房子前面有一座花園）
There are some trees **behind**（=at the back of）*the house.*
（房子後面有幾棵樹）
He was walking **before** *me.* （他在我前面走著）
Her house lies **beyond** *the river.* （她的家在河的彼岸）
I came from **beyond** *the mountain.* （我來自山的那一邊）

(8) **Round; Around; About**：

round 繞～而行 **around** 在～周圍，(在～附近〔美〕，繞～而行〔美〕 **about** 在～附近，在～四周

The earth goes **round**（=around〔美〕）*the sun.*
（地球繞日而行）
There is a fence **around** *the house.*
（房子的周圍有一道籬笆）
We sat **around** *the fire.* （我們圍爐而坐）
He planted trees **about** *the house.* （他在房屋四周種樹）
He lives somewhere **about**（=around〔美〕）*here.*
（他住在這附近）——*somewhere* 某處

(9) **Between; Among**：

between 在(兩者)之間； **among** (在三者以上)之間

He stood **between** *the two boys.* （他站在兩個男孩中間）
He was **among** *the crowd.* （他在人羣中）
John is the tallest **among** *the three boys.*
（約翰是三個男孩子中個子最高的）

⑽ **In; Into; Out of：**

in 在裏面； **into** 入； **out of** 出，在～外

He was **in** *the room.* （他在室內）
They went **into** *the house.* （他們走進屋裏）
He went **out of** *the room.* （他走出室外）

put **into**	放入	jump **into**	跳入
throw **into**	投入	fall **into**	陷入，落入

⑾ **Inside; Outside：**

ínsíde 在～裏面； ′outsíde 在～外面

Is your school **inside** *the city?* （你的學校在市內嗎？）
No, it's **outside** *the city.* （不，它在市外）
Don't let the dog come **inside** *the house.*
（不要讓狗進屋裏來）

⑿ **Along; Across; Through：**

along 沿著； **across** 橫過，越過； **through** 穿過

We walked **along** *the street.* （我們沿著街道走）
The boy went **across** *the street.*
（這男孩越過馬路）——go **across**＝cross 〔動詞〕橫越
The train went **through** *a tunnel.*
（火車穿過山洞）〔θru〕〔t′ʌnl〕

⒀ **On; Off:**

on 相接觸； **off** 離開

He stood **on** *the floor* with his hat **on** *his head.*
（他站在地板上，頭上戴著帽子）
Take **off** your shoes, please. （請脫鞋）
Keep **off** (＝away from) the grass. （離開草地；勿踐踏草地）

put **on**	穿上，戴上	take **off**	脫(衣帽)
turn **on**	扭開	turn **off**	關掉(收音機等)
get **on**	上(車)	get **off**	下(車)

⒁ **Against; Opposite**：

against 面對，倚，靠； **opposite** 在～對面

He leaned **against** *the wall.* (他靠著牆)
Against *the house* there stands a tree.
(面對著這座房子有一棵樹)
His house is **opposite** *the church.*
(他的房子在教堂對面)

⒂ **From; To; Toward**(**s**)**; For;**

from 從，自 〔表示起點〕
to 至，向 〔表示方向或目的地〕
toward(**s**)〔tə'wɔrd(z)〕向 〔表示運動的方向〕
for 往 〔表示目的地〕

How far is it **from** *Taipei* **to** *Kaohsiung?*
(從臺北到高雄有多遠？)
He went **to** *Taichung.* (他去臺中)
Chia-yi lies **to** *the north* of Tainan. (嘉義位於臺南之北)
【提示】Tainan is *in* the south of Taiwan. (臺南在臺灣的南部)
*The house looks **to** *the south.* (這房子朝南)
We walked **toward**(**s**) *the gate.* (我們向大門走去)
【提示】"**toward**(**s**)(向)"的反義語爲"**away from** (從～離開)"。
He walked **away from** the door. (他從門口走開了)
He will leave **for** *Japan* today. (今天他將啓程前往日本)
start **for**～ 動身前往～ sail **for**～ 駛往～

—— 習 題 57 ——

㈠*Fill the blanks with proper prepositions:* (用適當的介系詞填在空白裏)

1. He was born ______ Taichung, but now he live ______ Wanhua (萬華), ______ Taipei.
2. Someone is knocking ______ the door.

3. She is not _____ home.
4. John arrived _____ Taiwan this morning.
5. Mary arrived _____ school at seven.
6. Her school is _____ Victory (勝利) Road.
7. She lives _____ 125, Chungshan (中山) Road.
8. This is the house which she lives _____.
9. My house is not far _____ here.
10. What is the highest mountain _____ the world?
11. Fish live _____ the water.
12. Bob threw a stone _____ the river.
13. Don't throw stones _____ him.
14. I'll meet you _____ front _____ the building.
15. They are playing _____ the back _____ the house.
16. Betty has some flowers _____ her hand.
17. She usually goes _____ bed at nine.
18. John put _____ his hat and went out _____ the room.
19. They sailed _____ the Atlantic and discovered America.
20. Mary left here _____ Japan yesterday.

(二)*Chooee the correct words:* (選擇正確的字)

1. The children are playing (at, in, on) the garden
2. Some birds are flying (at, in, on) the air.
3. The dog is lying (at, in, on) the grass.
4. John is lying (at, in, on) bed.
5. The woman is carrying her baby (at, in, on) her back.
6. Mr. Smith is working (at, in, on) his desk.
7. Don't sit (at, on, over) that chair.
8. There are some pictures (at, on, over) the wall.
9. He was leaning (on, against, opposite) the wall.
10. The lamp is hanging (on, over, up) the table.
11. We sat (beneath, below, under) a tree to eat lunch.
12. Let him sit (behind, behind of, behind to) you.
13. You must work hard (at, at the, in the) school.
14. He looked (out, out of, outside) the window.

15. The sun rises (at, in, from) the east and sets (at, in, to) the west.
16. The moon moves (about, along, round) the earth.
17. Is there a bookstore (round, around, along) here?
18. He bought it (at, in on) the bookstore (near, about) his school.
19. Put a full stop (句點)(at, in, on) the end of a sentence.
20. John was not (at, in, on) the party last night.
21. I called on Mr. Green (at, in, on) his house.
22. Men take (on, off, out) their hats when they come (at, in, into) a house.
23. I met him (at, in, along) the street.
24. I am waiting for you (at, in, on) the second corner.
25. Go (in, to, along) this street, and you'll find the building (at, in, on) the right side.
26. I usually get (in, on, up) the bus (at, in, from) this stop.
27. John is sitting (between, among) Bill and Tom.
28. He is the strongest (between, among) the five boys.
29. What is the difference (between, among, from) this and that?
30. The boy swam (cross, across, over) the river.
31. Rivers flow (in, into, on) the sea.
32. The Thames flows (into, across, through) London.
33. The village lies (over, between, beyond) the hill.
34. The Philippines lies (in, on, to) the south of Taiwan.
35. The Pacific lies (in, to, between) Asia and America.
36. She started (to, for, across) Europe last week.
37. Bill has gone (to, for, across) the United States.
38. Keep (on, off, from) the grass.
39. Please turn (on, off, out) the light. This room is dark.
40. Please turn (in, on, off) the light. We do not need it now.

第二節　表時間的介系詞

(1) At; In; On：

> **at** (在)——用於表時間上的一點，如時刻等。
> **in** (在)——表較長的時間，用於上下午、週、月、季節、年等。
> **on** (在)——用於日或某日上下午等。

I get up **at** *six* in *the morning.* （我早晨六時起床）
She left here **on** *Thursday.* （她於星期四離開此地）

He was born **in** *January* 〔*or* in 1950〕.
（他是一月〔或一九五〇年〕出生的）
He was born **on** *January* 15, 1950.
（他生於一九五〇年一月十五日）

We don't have English lessons **in** *the afternoon.*
（我們下午不上英文課）
We have no lessons **on** *Saturday afternoon.*
（星期六下午我們不上課）

◇ at～ ◇

at ～o'clock	在～點鐘	**at** present	目前
at noon	在中午	**at** that time	那時
at night	在晚上	**at** the moment	在那一瞬間
at midnight	在半夜	**at** the same time	同時
at dawn	在黎明時	**at** Christmas	在聖誕節
at daybreak	在破曉時	**at** the beginning of	在～初
at sunrise	在日出時	**at** the end of	在～末
at sunset	在日沒時	**at** the age of	在～歲時

◇ in～ ◇

in the morning	在早晨(上午)
in the afternoon	在下午
in the evening	在傍晚(晚上)

in the day (time)	在日間	**in** a week	在一週裏
in the night	在晚間	**in** June	在六月
in the beginning	起初，最初	**in** (the) spring	在春季
in the end	最後，終於	**in** 1964	在一九六四年
in the middle of	在～中間	**in** one's life	一生中
		in the 20th centruy	在二十世紀

◆ on～ ◆

on Sunday	在星期日
on Monday morning	在星期一上午
on the fifth of May	在五月五日
on morning of October the tenth	在十月十日上午
on Christmas Eve	在聖誕節前夕
on New Year's Day	在元旦
on that day	在那一天
on a cold night in February	二月的某一寒夜

【提示】 *today*（今天）, *tomorrow*（明天）, *yesterday*（昨天）, *this morning*（今晨）, *last week*（上星期）等不加介系詞。

(2) **In; Within; After**：

in 過某時就～ 〔以現在為起點的時間的經過〕
within 在某期間內
after ～以後 〔以過去某時為起點的時間的經過〕

He will be back **in** a few days.
（他過幾天就回來）——in＝at the end of （～結束時）
He will be back **within** a week. （在一星期內他會回來）
He *came* back **after** a week. （一星期後他回來了）〔過去式〕

(3) **By; Till**：

by 至遲在～以前 〔表示動作完成的時限〕
till（＝until） 直到 〔表示動作繼續的終點〕

It must be finished **by** the end of this week.
（至遲在本星期終了以前必須把它完成）

I'll wait **till** six o'clock.　(我將等到六點鐘)

(4) **From; To; Since**：

from	自〔表示起點〕；　**to**　至　〔表示終點〕
since	自從，自～以來 〔表示某事繼續至今的起點，常和完成式連用〕

He lived in Taipei **from** 1945 **to**〔*or* till〕1950.
(自一九四五年至一九五〇年他住在臺北)

I have been living in Taichung **since** 1955.
(自一九五五年以來我一直住在臺中)

(5) **For; During; Through**：

for	〔表示期間〕
during	〔表示某狀態繼續的期間〕
through	〔表示自始至終〕

I have lived here **for** two years.　(我已在此地住了兩年)

- **for** an hour　一小時之久
- **for** five days　爲時五天
- **for** a week　一星期之久
- **for** a long time　好久

I was in Tainan **during** the vacation.　(假期中我在臺南)

- **during** the meal　用餐時
- **during** the day　日間
- **during** the night　夜間
- **during** the past two months　過去兩個月的期間
- **during** the winter　冬季中
- **during** the war　戰爭期間
- **during** his life　在他一生中
- **during** my absence　我不在時

He stayed there **through** the summer.
(夏季中他一直住在那裏)

(6) **Before; After; Between**：

before　～之前；　**after**　～之後；　**between**　～之間； **around**　近～時，～左右，差不多〔美語〕

I arrived
- **before** dark.　(天黑之前)
- **after** dark.　(天黑之後)
- at ten **before** nine.　(九點差十分)〔美〕
- at ten **after** nine.　(九點十分)〕〔美〕
- **between** two and three.　(二時至三時之間)
- **around** ten o'clock.　(十點鐘左右)〔美〕

before dawn	黎明前	**after** lunch	午餐後
before sunrise	日出前	**after** sunset	日沒後
before noon	中午以前	**after** April	四月之後

(7) **To; Past**：

to 至； **past** 過

It is
- a quarter **to** ten. （十點差一刻；9：45）
- a quarter **past** ten. （十點一刻；10：15）
- half **past** eleven. （十一點半；11：30）
- five **to** twelve. （差五分十二點；11：55）

—— 習 題 58 ——

(一)*Fill the blanks with proper prepositios:* （用適當的介系詞填在空白裏）

1. I got up ______5:30 this morning.
2. We have lunch ______ noon.
3. School is over ______ half ______ four.
4. The moon comes out ______ night.
5. The moon shines ______ the night.
6. We don't go to school ______ Sunday.
7. I met him ______ Tuesday morning.
8. He was born ______ 1945.
9. She was born ______ April 20, 1950.
10. It is cool ______ autumn.
11. The second term begins ______ February.
12. She has been ill ______ yesterday.
13. He lived in Kaohsiung ______ 1960 to 1965.
14. Mother is busy ______ morning ______ night.
15. He left his home town(家鄉)______ the age of fifteen.
16. He is ______ present in Germany.
17. Don't talk about such things ______ the meal.
18. Wednesday comes ______ Thursday.
19. July comes ______ June.
20. October comes ______ September and November.

(二)*Choose the right words:* （選擇題）

1. School begins (at, from) eight o'clock.
2. We have been studying it (since, for, during) three years.
3. He has been here (since, for, from) three months ago.
4. He did not go to bed (by, to, till) twelve o'clock.
5. It must be finished (by, to, till) three o'clock.
6. Can you finish it (in, on, by) a day?
7. I'll be back (at, in, after) an hour or two.
8. (At, In, On) her birthday she had a party and invited her friends.
9. He left here (at, in, on) the beginning of this month.
10. He arrived (at, in, on) the third of December.
11. I arrived there (in, on) the afternoon of the ninth of March (at, in) half (to, past) two.
12. I called on him the day (on, before, after) yesterday.
13. They are coming to see us the day (on, before, after) tomorrow.
14. He was in the army (since, for, during) the war.
15. I was there (between, through, within) the vacation.

第三節　其他介系詞(一)

(1) **About**

(a)關於　I don't know well **about** him.
（關於他，我不很清楚）

【提示】

of （關於）——關於某人(或事)的存在	
about （關於）——關於某人(或事)的底細	

I know *of* such a man. （我知道有這樣一個人）

know **about**	知道	think **about**	想～
hear **about**	聞知	worry **about**	擔憂～
speak **about**	說及	(*be*) anxious **about**	關懷，擔心
talk **about**	談及		

(b)即將 **about＋to～（不定詞）＝即將～**

The train was **about** to start. （火車即將開行）

【註】 部份文法學者認爲作「即將」用的 *about* 是副詞。

(2) **Across** 遇到

On my way home I cme **across**（＝ran across）John.
（在回家的路上我遇到約翰）

(3) **After**

(a)〔表順序〕 I'll enter **after** you. （您先請，我將隨後進去）
(b)〔表目的〕 A man who runs **after** two hares will catch neither.
（追二兔者將一無所得）
(c)〔表相似〕 He takes **after** his father. （他貌似他的父親）

{ run **after** 追
  seek **after** 尋求

{ look **after** 照料
  take **after** 像，貌似

(4) **Against**

(a)面對 The tree stands **against** the house.
（這一棵樹面對著這所房屋）
(b)反對 Are you for it or **against** it?
（你贊成它還是反對它？）
(c)靠，倚 He leaned **against** the wall. （他靠著牆壁）

(5) **As** 當，充任，作爲

They regarded him **as** a hero. （他們認爲他是個英雄）
He has acted several times **as** Hamlet.
（他扮演過幾次哈姆雷特王子的角色）
I have chosen Japanese **as** my second foreign language.
（我已選日語作爲第二外國語）
as a rule 通常

(6) **At**

(a)〔表目標〕 He aimed **at** the bird. （他向這隻鳥瞄準）

(b)〔表原因〕　He was surprised **at** the news.
(他聽到這消息而吃驚)

(c)〔表狀態〕　The two countries were **at** war.
(兩國在交戰)

*(d)〔表價格，比率〕　He sold his house **at** a good price.
(他以高價售出房屋)

The train is going **at** full speed.
(火車以全速行駛)

(*be*) angry **at**	因(事)發怒	**at** home	在家，不受拘束，熟悉
(*be*) surprised **at**	對～覺驚奇	**at** school	在學校(上課)
(*be*) good **at**	擅長～	**at** table	在用餐
aim **at**	向～瞄準	**at** dinner	在用餐
call **at**	訪問～家	**at** breakfast	在吃早飯
look **at**	注視～	**at** lunch	在吃中飯
laught **at**	譏笑～	**at** supper	在吃晚飯
at once	立刻	**at** work	在工作
at first	起初	**at** play	在遊玩
at last	終於	**at** leisure	在閑暇時
at present	目前	**at** war	在交戰
***at** times	有時，間或	**at** peace	和好
at least	至少	**at** sea	在航海中
at all	全然	***at** the risk of	冒著～的危險
at this	一聽到(或見到)這個	***at** any rate	無論如何

(7) **behind**

(a)晚於　The train is ten minutes **behind** time.
(火車晚到十分鐘)

(b)落後　He is **behind** others in mathematics.
(他數學程度不及人)

(8) **Besides**　於～之外

Besides English, he can speak German.
(除英語外，他也會說德語)

【提示】 **beside**　在旁邊

(9) **But** （＝**Except**）除外

He works every day **but**〔or **except**〕Sunday.
（除星期日外，他每天工作）

(10) **By**

(a)〔表方法，手段〕 He gets his living **by** hard work.
（他藉苦幹謀生）

(b)被〔表動作者〕 The dog was killed **by** him with a stick.
（這隻狗被他用棍子打死）

【提示】表工具用"**with**"。

(c)以 What do you mean **by** this?
（這是什麼意思？）

(d)乘，以〔表交通工具等〕 He came **by** bus. （他乘公共汽車來）

(e)依據 What time is it **by** your watch?
（你的錶幾點鐘？）

(f)〔表單位〕 Pencils are sold **by** the dozen.
（鉛筆以打出售）

(g)〔表程度〕 She is younger than I **by** tow years.
（她比我小兩歲）

(h)〔表時間〕 He walked **by** night and rested **by** day.
（他晚上走路，白天休息）

(i)〔表手所捉之處〕 I took him **by** the hand. （我握住他的手）
He caught me **by** the sleeve.
（他抓住我的袖子）

		by all means	無論如何一定
by bus	乘公共汽車	**by** no means	決不
by car	乘汽車	**by** means of	藉～，利用～
by train	乘火車	**by** accident	偶然，無意中
by boat	乘船	**by** chance	偶然
by plane	乘飛機	**by** heart	靠記憶，記住
by land	由陸路	**by** mistake	由於錯誤
by sea	由海路	**by** name	名叫；就其名而～
by air	由空路	**by** nature	天生，天性
		by oneself	獨自
		by the way	順便提起

(11) **For**

(a)爲，給	I bought a book **for** her. （我買一本書給她）
(b)〔表原因，理由〕	The West Lake is noted 〔*or* famous〕 **for** its scenery. （西湖以風景聞名）
(c)〔表目的〕	People were longing **for** peace. （人們渴望著和平）
*(d)〔表交換〕	I bought it **for** $1,000. （我以一千元買了它）
(e)就～而論	He is tall **for** his age. （就年齡而論，他的身材是高的）
(f)贊成，支持	He voted **for** John. （他投約翰的票）

ask **for**	求	wait **for**	等候
look **for**	尋找	care **for**	喜歡，照顧
long **for**	渴望	stand **for**	代表，擁護
search **for**	尋找	take ～ **for**	把～當作
seek **for**	尋求	mistake ～ **for**	誤認～爲
send **for**	派人請來		
start **for**	前往	(*be*) anxious **for**	渴望
leave **for**	前往	(*be*) sorry **for**	爲～覺可惜，難過
sail **for**	駛往	(*be*) noted **for**	以～著名
for example	例如	**for** the first time	第一次
for instance	例如	***for** the time being	目前，暫時
***for** all that	儘管如此	*for the sake of	爲～緣故

(12) **From**

(a)〔表分離〕	I was very sorry to part **from** them. （我離別他們非常難過）
(b)〔表不同〕	This is quite different **from** that. （這個和那個完全不同） I can't tell this **from** that. （我分辨不清這個和那個）
(c)〔表來源〕	Where do you come **from**? ＝Where are you **from**? （你是那裡人？）——問籍貫

Where did you come **from**?
(你是那裡來的?)——問出發地點

(d)〔表材料〕 Brandy is made **from** grapes.
(白蘭地是用葡萄製成的)

【提示】 表材料的介系詞如下:

of ——由材料製成成品後,仍未變質者 **from**——由材料製成成品後,不再保持原有性質者

Desks are made **of** wood. (桌子是用木頭做的)
Paper is made **from** rags. (紙是用破布做的)
His house is built **of** wood. (他的房子是木造的)

*(e)〔表原因〕 He died **from** drinking too much.
(他飲酒過多致死)

(f)〔表阻止〕 Illness prevented him **from** coming.
(他因病未能來)

Stop him **from** doing such a thing.
(阻止他做那種事)

- come **from** 來自
- (*be*) made **from** 由～製成
- differ / (*be*) different } **from** 不同於
- prevent ～ **from** 阻止(某人)做～,使(某人)不能～
- stop ～ **from** 阻止(某人)做～
- keep ～ **from** 防止

- suffer **from** 患～,受苦
- die **from** ～ 因(過勞,受傷等)而死
- (*be*) absent **from** ～ 缺席不到～

⒀ **In**

(a)在(～方面) He succeeded **in** business. (他事業成功了)
They are different **in** color.
(它們的顏色不同)

(b)以 The letter was written **in** English.
(這封信是用英文寫的)

Don't write a letter **in** red ink.
(不要用紅墨水寫信)

(c)〔表狀態〕 I am **in** good health now. (我現在身體健康)

in danger	在危險中	**in** silence	默默無言地
in pain	在痛苦中	**in** height	在高度上
in trouble	在困苦中	**in** length	在長度上
in vain	徒然，無效	**in** future	從此以後
in fact	事實上	**in** the future	在將來
in truth	實際上	**in** the past	在過去
in short	簡而言之	(*be*) dressed **in**	穿～衣裳
in one word	一言以蔽之	(*be*) interested **in**	對～感興趣
in other words	換言之		
in your place	在你的處境下	believe **in**	信仰，信任
in haste	趕快地	succeed **in**	在～成功
in a hurry	匆忙地，慌張地	fail **in**	在～失敗
in the wrong	錯誤，不正當	consist **in**	在於～
in time	及時	write **in**	用(～文)寫
in all	總計，一共	speak **in**	用(～語)說

(14) **Into** 成爲〔表結果〕

Translate it **into** Chinese. （把它譯成中文）

change **into** ～	變爲	get **into**	陷入
put **into** ～	變爲	divide **into**	分成
turn **into** ～	改爲		

(15) **Like** 像，如

What does it look **like**? （它像什麼？）
Don't talk **like** that. （講話不要像那個樣子）

(16) **Of**

(a)～的〔表所有〕 The roof **of** the house is red.
（這房子的屋頂是紅色的）

(b)〔表同格關係〕 He lives in the City **of** Taipei.
（他住在臺北市）

(c)〔表部份關係〕 He is one **of** the best students.
（他是最好的學生之一）

(d)〔表性質或狀態〕 It is **of** no use. （這毫無用處）
They are **of** the same age. （他們同年）

A man **of** wisdom （賢者）
A man **of** wealth （富豪）

(e)〔表動作者〕 It is very *wise* 〔*foolish, kind*〕 **of** him to do so. （他這樣做是很聰明〔愚蠢，親切〕的）

*(f)〔表來源〕 He was born **of** a noble family.
（他出自名門）

(g)〔表材料〕 This box is made **of** paper.
（這個盒子是紙做的）〔未變質〕
【參看 from 的用法】

(h)〔表包含〕 My family consists **of** six persons.
（我的家庭由六個人組成）

(i)〔表原因〕 He died **of** hunger 〔*or* malaria〕.
（他因饑餓〔瘧疾〕而死）〔məˈlɛrɪə〕

(j)關於〔表關聯〕 What are you thinking **of**?
（他在想什麼？）
He spoke **of** you yesterday.
（昨天他提到你）**【參看 about 的用法】**

*(k)〔表剝奪〕 They robbed him **of** his money.
（他們搶了他的錢）
Illness deprived him **of** his happiness.
（疾病奪去他的幸福）

think **of**	憶及，想到	(*be*) afraid **of**	害怕
know **of**	知有	(*be*) fond **of**	愛好，喜愛
hear **of**	聞知	(*be*) sure **of**	確信，確知
speak **of**	說及	(*be*) full **of**	充滿了
talk **of**	談及	(*be*) proud **of**	以～爲榮
remind (one) **of**	使(人)想起	(*be*) jealous **of**	嫉妒
complain **of**	訴怨	*(*be*) sick **of**	厭煩
consist **of**	由～組成	(*be*) tired **of**	厭倦
die **of**	因～而死	(*be*) made **of**	由～製成
take care **of**	照料	(*be*) built **of**	以～建造
get rid **of**	驅除，擺脫	*(*be*) composed **of**	由～組成

(17) **On**

(a)〔關於〕　I wish to hear your opinion **on** this subject.
(我想聽你對這個問題的意見)

(b)依靠　They rely **on** you.（他們信賴你）
Chinese live **on** rice.（中國人以米爲食）

(c)〔表目的〕　I went to Tainan **on** business.
(我因事去臺南)
I am going **on** a journey.（我將作一次旅行）

- depend **on**〔或 **upon**〕　依靠
- *rely **on**　信賴，依賴
- live **on**　以～爲食，以～爲生
- call **on**　訪問(～人)
- insist **on**　堅持
- congratulate（人）**on**（事）　爲(某事)祝賀(某人)

- **on** business　因事
- **on** { a trip / a journey }　作一次旅行
- **on** an errand　辦差事
- **on** { one's / the } way to　在赴～途中

- **on** time　準時
- **on** foot　徒步，步行
- **on** fire　著火

- ***on** duty　值班
- ***on** purpose〔ˊpɝpəs〕　故意
- ***on** the contrary　相反地
- **on** the other hand　在另一方面

(18) Over

(a)超過　The number of students is **over** 1,200.
(學生人數超過一千二百)

*(b)〔表感情的原因〕　The whole nation rejoiced **over** the glorious victory.
(全國人民因光榮的勝利而歡欣)

*rejoice **over**　因～而欣喜　　*cry **over**　因～而哭

(19) Through

*(a)〔表原因〕　All this was done **through** envy.
(這一切都因嫉妒所致)

*(b)〔表手段〕　We learned it **through**〔*or* **by**〕experience.
(我們藉經驗學得它)

(20) To

(a)向　I want to talk **to** him.（我想和他談話）

(b)至〔表程度〕 Count from one **to** ten. (從一數到十)
(c)〔表結果〕 He was burnt **to** death. (他被燒死)
(d)〔表附加〕 Add three **to** four. (四加三)
(e)〔表比例〕 The score was six **to** one. (比數是六比一)
(f)對於〔表關係〕 It's an honor **to** me. (這是我的光榮)
(g)隨 They danced **to** the music.
(他們隨音樂跳舞)

talk **to**	跟～談話	(*be*) loyal **to**	忠於
listen **to**	傾聽	*(*be*) accustomed **to**	慣於
write **to**	寫信給～	*be* / *get* } used **to**	慣於
point **to**	指向		
pay attention **to**	注意，留心	(*be*) grateful **to** }	感謝
look forward **to**	盼望	(*be*) thankful **to** }	(某人)
agree **to**	同意	thanks **to**	幸虧，靠
belong **to**	屬於		
help oneself **to**	自取吃	**to** one's suprise	令人驚奇的是
prefer～ **to**～	較喜～而不喜～		
compare **to**	喻爲	***to** the point	中肯，切題
get **to**～	到達		

(21) **With**

(a)同，跟，和 I went **with** him. (我同他去)
(b)〔表一致〕 I agree **with** you on this point.
(關於這一點我和你意見相同)
(c)〔表所有〕 The old man **with** white hair is Dr. A.
(那位白髮老人是 A 博士)
What is the matter **with** you?
(怎麼一回事？你有什麼問題嗎？)
What's wrong **with** him?
(他怎麼了？他有什麼毛病嗎？)
(d)〔表工具〕 We see **with** our eyes. (我們用眼睛看)
He cut meat **with** a knife. (他用小刀切肉)
I usually write **with** pen and ink.
(我通常用鋼筆與墨水寫字)
(e)〔表原因〕 He was very pleased **with** the picture.
(他對這張圖畫非常滿意)

with care　小心地
with pleasure　願意，高興地
*with this　說了這話之後

agree **with** ～　贊成(人)
argue **with** ～　與(人)爭論
compare **with**　與～比較
cover **with**　以～覆蓋
fill **with**　以～裝滿
write / see / hear **with**　用～寫 / 看 / 聽
*put up **with**　忍耐

(*be*) angry **with**　對(人)發怒
(*be*) familiar **with**　對～熟悉，相識，精通
(*be*) pleased **with**　對～滿意，覺高興
(*be*) satisfied **with**　對～滿意
(*be*) tired **with**　因～疲乏

(22) **Without**　無

One cannot live **without** air.
(沒有空氣人便不能生存)
He went away **without** saying a word.
(他一句話也沒說就走掉了)

—— 習　題　59 ——

(一)*Fill the blanks with proper prepositions:*
(用適當的介系詞填在空白裡)

1. They are ______ work now.
2. They were ______ trouble.
3. He was ______ danger.
4. He cried ______ help, but ______ vain.
5. I am sorry ______ him.
6. I am thankful ______ you ______ your kind help.
7. We must be kind ______ others.
8. He is kind ______ nature.
9. Fresh air and exercise are good ______ the health.
10. Let's go ______ a walk.
11. It is necessary ______ him to do it.
12. It's nice ______ you to invite me to dinner.
13. Happy birthday ______ you!

14. Thank you ______ coming.
15. Mary was dressed ______ white.
16. Please help yourself ______ anything you want.
17. It's not easy ______ foreigners to get used ______ eating ______ chopsticks.
18. I sent some books ______ Mary.
19. John bought a dictionary ______ his sister.
20. How much did you pay ______ it?
21. You must buy one ______ all means.
22. Have you got money ______ you?
23. Give some money ______ the boy.
24. Shall we go ______ bus or ______ foot?
25. What time is it ______ your watch?
26. The train always starts ______ time.
27. We were just ______ time ______ the train.
28. The train was crowded ______ passengers.
29. The book was written ______ Mr. A.
30. Are there any letters ______ me?
31. The letter was written ______ Spanish.
32. Mary is very good ______ English. She can write an English letter ______ much difficulty.
33. Will you translate it ______ Chinese?
34. I'll do that ______ pleasure.
35. I'll write ______ you as soon as I get there.
36. The teacher writes ______ the blackboard ______ chalk.
37. I write ______ pen and ink.
38. Don't write your exercises ______ red ink.
39. We see ______ our eyes and hear ______ our ears.
40. What are you talking ______?
41. What is the matter ______ Bob?
42. What's wrong ______ him?
43. What do you mean ______ that?
44. Do you know the man ______ a long beard? （〔biəd〕鬍子）
45. A man ______ honor never tells a lie.

46. This is the man ______ whom I spoke to you last time.
47. The man was killed ______ a thief ______ a knife.
48. He was robbed ______ his money.
49. Don't speak ill ______ a man behind his back.
50. The book will be ______ great value ______ you.
51. John and Tom are ______ the same age.
52. He came to Taipei ______ business.
53. I met him ______ chance.
54. I mistook him ______ John.
55. He reminds me ______ his brother.
56. His brother is taller than he ______ two inches.
57. He lives in the city ______ Kaohsiung.
58. He has a lot ______ work to do, and ______ the other hand, he has a great many visitors.
59. Some workers are paid ______ the hour and others ______ the day.
60. Is sugar sold ______ the pound?
61. ______ truth, I know nothing ______ it.
62. ______ fact, he is the richest man in the country.
63. Yesterday I saw John's aunt ______ the first time.
64. There were ______ least fifty people there.
65. ______ first I didn't like it but I do now.
66. ______ last we won the game.
67. ______ any rate, you must try.
68. ______ other words they are thieves.
69. ______ my surprise, the beggar took out a piece ______ gold.
70. We go ______ school every day ______ Sunday.
71. Two plus three is equal ______ five.
72. Learn it ______ heart.
73. The library is open ______ the public.
74. Is your bicycle equipped ______ lights?
75. He took the boy ______ the hand.
76. He took my hat ______ mistake.

77. It happened ______ accident.
78. I did not break it ______ purpose.
79. I am always ______ haste, but never ______ a hurry.
80. ______ the way, would you like to go ______ the movies tonight?
81. Whom do you like to go ______?
82. I don't like to argue ______ people.
83. I am trying to get rid ______ him.
84. The two boys are different ______ character.
85. The fairy（小妖精）changed the prince ______ a cat.

(二) *Underline the right words:*（在對的字下面劃一橫線）

1. (Beside, Besides, Except) English, he can speak French and German.
2. Bread is made (of, from, by) wheat.
3. I came (across, through) him (by, on) my way to school.
4. He was just starting (for, on, to) a journey.
5. He went to Japan (at, by, on) sea.
6. I traveled by (–, a, the) train.
7. The car ran (at, by, with) a speed of fifty miles an hour.
8. I have heard a lot (about, of, on) him.
9. Every child knows (about, by, to) him.
10. He is known (about, by, to) everybody.
11. He is a good man (at, above, after) all .
12. This is the best (at, in, of) all.
13. (As, By, For) a rule, he does not drink much.
14. They took him (as, by, for) a foreigner.
15. He was regarded (as, by, for) a child.
16. Excuse me (for, of, on) my coming late.
17. Don't get (in, into, to) a bad habit.
18. We cannot live (by, with, without) water.
19. You will catch cold if you go out (for, in, of) the rain (on, with, without) a hat.

20. Learn to speak by (speak, to speak, speaking).

(三) *Vocabulary in Context:* 文意語彙(在各題中選擇正確的解釋，把它的號碼填在題前括弧內)

( ) 1. They are *at table* now.
①在開會 ②在用餐 ③在座位上

( ) 2. Make yourself *at home*.
①在家 ②精通 ③不受拘受

( ) 3. We played baseball *after school*.
①在學校後面 ②放學後 ③畢業後

( ) 4. He will be here *in* a few minutes.
①之內 ②之中 ③之後

( ) 5. I arrived there *around* five.
①環繞 ②已過 ③差不多

( ) 6. There was nothing *but* water.
①除～外 ②但是 ③不過

( ) 7. Is he *like* me?
①喜歡 ②愛 ③像

( ) 8. The boy is clever *for* his age.
①爲了 ②由於 ③就～而論

( ) 9. He died *from* overwork.
①從 ②由於 ③免於

( ) 10. He wrote an article (文章) *on* patriotism. (愛國心)
①基於 ②由於 ③關於

( ) 11. The accident happened *through* the driver's carelessness.
①由於 ②經過 ③穿過

( ) 12. *With this*, he left the room.
①帶著這個 ②說了這話之後 ③一聽到這個

(四) *Substitution:* 換字(每個空格限填一字)

1. John lent a book ______ George.
=George borrowed a book ______ John.

2. I like reading.
=I ______ fond ______ reading.

3. I don't like tomatoes.
   =I don't care ______ tomatoes.
4. She fears to stay alone.
   =She ______ afraid ______ staying ______ herself.
5. Who will take care ______ the children?
   =Who will look ______ the children?
6. Please start right away.
   =Please start ______ once.
7. Those books are useless.
   =Those books are ______ no use.
8. You are wrong.
   =You are ______ the wrong.
9. Are you well?
   =Are you ______ good health?
10. He is six feet tall.
   =He is six feet ______ height.
11. Write it carefully.
   =Write it ______ care.
12. They sat silently.
   =They sat ______ silence.
13. Why did you do that?
   =What did you do that ______?
14. It's not difficult ______ all.
   =It's not ______ the least difficult.
15. I arrived ______ the station at 7 o'clock.
   =I got ______ the station at 7 o'clock.
16. As soon as she saw him, she began to cry.
   =______ seeing him, she began to cry.

第四節　其他介系詞(二)

(1)動詞＋介系詞

{ agree **to** (something)　　同意(某事)
{ agress **with** (a person)　　同意(某人)

arrive **at** (a place)	到達(某地)
arrive **in** (a country, a large city)	到達(國，大都市)
ask **for** (a thing)	求(某物)
ask **after** (a person)	問安
ask **about** (a thing)	查問
ask (a favor) **of** (a person)	請求(某人)幫助
believe **in** (God)	信仰(神)
belong **to** (a person, etc.)	屬於(人等)
*call **at** (a house, place)	訪問(家，地方)
call **on** (a person)	訪問(人)
*call **for**～	迎接，需要
care **about** 〔*or* **for**〕	掛念，介意
care **for**	喜歡，照顧
*care **of** (＝c/o)	由～轉交
come **across**～	遇見，碰見
come **from**～	來自
come **to**～	到
compare **to**～	喻爲
compare **with**～	與～比較
complain **of**～	訴怨
congratulate (a person) **on** (a thing)	爲(事)祝賀(人)
consist **in**～	在於
consist **of**～	由～組成，包括
depend **on** 〔*or* **upon**〕	依靠，視～而定
die **of** (a disease)	死於(病)
die **from** (some cause or overwork)	死於(某種原因或工作過度)
differ **from**～	不同於～
divide **between** (the two)	在兩人間分配
divide **among** (many)	分給多人
divide **into** (many parts)	分成(許多部份)
feed **on**～	以～爲食(用於牲畜)
fight **against**～	向～戰
fight **with**～	和～戰
fight **for**～	爲～而戰
fill **with**～	以～裝滿

get **to** (a place)	到達(某地)
get **over** (an illness)	痊癒，克服
get along **with** (a person)	與人相處
get **into** (a bad habit)	陷入，染上(惡習)
get **on** (a bus, train)	上(公共汽車，火車)
get **off** (a bus, train)	下(公共汽車，火車)
get **on** one's nerves	令人精神不安
go **on**～	繼續
graduate **from** 〔*or* **at**〕～	畢業
hear **about**～	聞知
hear **of**～	聞知
hear **from**～	接到～的信
help oneslf **to**～	自取～吃
hunt **for**～	尋求
keep **from** (something)	戒避
keep ～**from**～	阻止，防止
keep **on** (～ing)	繼續
*keep in touch **with** (a person)	與(人)保持聯繫
keep **off**～	不接近
knock **at** (a door)	敲(門)
know **of**～	知有～
know **about**～	知～底細
laugh **at**～	譏笑
listen **to**	傾聽
live **on**～	以～爲食(用於人)
*long **for**～	渴望
look **at**～	注視
look **for**～	尋找
look **after**～	照料
look **into**～	調查
look out **of**～	自～望出
look forward **to**～	盼望
*look down **upon**～	輕視
*look up **to**～	敬重
make faces **at** (a person)	對(某人)扮鬼臉
make friends **with** (a person)	和～親善，與(某人)爲友

pass **by**～	經過，走過
pay attention **to**～	注意，留心
play a trick **on** (a person)	開(某人)玩笑，捉弄(某人)
point **at**～	指(人或物)
point **to**～	指向
prefer (A) **to** (B)	喜愛(A)甚於(B)
prevent (a person) **from**～	阻止(某人)做～
put **on**～	穿，戴
put **to** death	處死
*put up **with**～	忍受
*refer **to**～	參考
regard (a person) **as**～	把(某人)視爲，認爲(某人)是～
*rely **on** (a person)	信賴(某人)
remind (a person) **of**～	使(人)想起
*rob (a person) **of**～	搶(人)(某物)
run **after**～	追
run **across**～	碰見
run **over**～	輾過
search **for**～	尋覓
seek **for**～	尋求
*see **to**～	注意，負責辦理
send **for**～	派人請來
speak **about** (a thing)	說及(某事)
speak **of** (a person, a thing)	說及(某人，某事)
speak **on** (a subject)	論及(某問題)
speak **to** (a person)	跟(某人)說話
stand **for**	代表，支持
*stand **against**	反對，抵抗
succeed **in**～	在～成功
*succeed **to**～	繼承
suffer **from**～	受～之苦，患～
take **after**～	貌似
take care **of**～	照料
take (A) **for** (B)	誤認(A)爲(B)

take **off**~	脫掉
take part **in**~	參加
talk **about** 〔*or* **of**〕	談及
talk **over**~	討論
talk **to** (a person)	對(某人)說話
talk **with** (a person)	與(某人)說話
tell (A) **form** (B)	辨別(A)與(B)
tell **about**~	述及
think **of** 〔*or* **about**〕	憶及,想,想念
think **over**~	考慮
turn **on**~	扭開(收音機,燈等)
turn **off**~	關(收音機等)
turn **out**~	關(燈等)
turn **into**~	改爲
wait **for**~	等候
wait **on**~	侍候
work **at**~	做(某事)
work **for**~	爲~工作
worry **about**~	擔憂
write **to** (a person)	寫信給(某人)

(2)形容詞・分詞+介系詞

(be) absent **from**~	缺席不到~
*(be) accustomed **to**~	慣於~
(be) afraid **of**~	怕~
(be) angry **at** (a thing)	對(事,物)發怒
(be) angry **with** (a person)	對(人)發怒
*(be) anxious **about**~	關懷,擔心
*(be) anxious **for**~	渴望,焦慮
*(be) ashamed **of**~	以~爲恥
*(be) aware **of**~	知道
(be) contented **with**~	對~感滿足
(be) different **from**~	不同於
(difference **between**~)	(兩者間的差別)
(be) eager 〔ˊigɚ〕 **for**~	切望,熱望

(be) faithful **to**~	忠於
(be) familiar **to** (a person)	爲(某人)所熟悉
(be) familiar **with** (a person, a language)	對(某人)熟悉，精通(語言等)
(be) famous (=noted) **for**	以~聞名
(be) fond **of**~	愛好，喜愛
(be) full **of** (persons or things)	充滿了(人或物)
(be) good **at**~	擅長~
(be) good **to** (a person)	對(人)和善
(be) good **for**~	適宜於
(be) grateful 〔*or* thankful〕 **to** (a person) **for** (a thing)	因(某事)感謝(某人)
*(be) inferior **to**~	次於~，較~爲劣
(be) kind **to** (a person)	對(人)和善
(be) loyal **to** (the country)	忠於(國家)
(be) made **of**~	由~製成(成品未變質者)
(be) made **from**~	由~製成(成品已變質者)
(be) necessary **to**~	爲~所必需
(be) next **to**~	與~相鄰，次於
*(be) noted **for**~	以~聞名
(be) pleased **with** (a thing, a person)	對(人，物)滿意，高興
(be) pleased **at** (a matter)	對(事)滿意，高興
(be) polite **to** (a person)	對(人)有禮貌
(be) proud **of**~	以~爲榮，誇耀~
(be) rich **in**~	富於
(be) satisfied **with**	對~滿意
*(be) sick **of**~	厭惡
*(be) sick **with**~	患~病
*(be) sick **for**~	懷念，戀慕
(be) sorry **for**	爲~覺可惜，難過
(be) sure **of**	確信，確知
(be) surprised **at**~	對~覺驚奇
(be) tired **of**~	厭倦
(be) tired **with**~	因~而疲乏
(be) worthy **of**~	值得

—— 習 題 60 ——

(一)*Fill the blanks with proper preposition:*
(用適當的介系詞填在空白裡)

1. My table is made ______ wood.
2. This wine is made ______ rice.
3. Are you fond ______ apples?
4. What are you afraid ______ ?
5. What are you thinking ______ ?
6. We are thinking ______ going to the Sun-moon Lake.
7. Whether we go or not depends ______ the weather.
8. What is the difference ______ A and B?
9. A is different ______ B ______ color.
10. They all belong ______ our club. (俱樂部)
11. Our class consists ______ fifty students.
12. Listen ______ me, please.
13. Pay attention ______ your lessons.
14. Don't laugh ______ him.
15. John is good ______ English and mathematics.
16. I called ______ Mr. Lin yesterday.
17. I called ______ his house.
18. Listen, someone is knocking ______ the door.
19. I'll be waiting ______ you at the corner.
20. He looked ______ me with a smile.
21. Will you look ______ my dog while I am away?
22. We are looking forward ______ the holidays.
23. They are looking ______ the lost child.
24. He is proud ______ his clever son.
25. Don't be jealous ______ others.
26. He prefers working ______ playing.
27. Are you sure ______ it?
28. Do Americans live ______ rice?
29. The sheep feed ______ grass.
30. I agree ______ your opinion.

31. I cannot agree ______ him on this point.
32. He was very angry ______ the boy.
33. She was angry ______ his words.
34. I am tired ______ doing the same kind of work every day.
35. I was tired ______ walking and stopped to rest.
36. We were interested ______ the story.
37. I was surprised ______ the news.
38. He is satisfied ______ my answer.
39. He was pleased ______ the book.
40. John complained ______ a pain in his stomach.
41. Mary suffers ______ a headache.
42. I sent ______ the doctor.
43. She was absent ______ class yesterday.
44. Have you got ______ your cold? Thank you, I am much better today.
45. His face is familiar ______ me.
46. I am familiar ______ these names.
47. May I ask a favor ______ you?
48. Don't come to ask ______ money so often.
49. Don't worry ______ that.
50. John was prevented ______ coming.
51. He insisted ______ doing that.
52. Bob compared his pen ______ mine.
53. Life is often compared ______ a candle.
54. He died ______ an illness.
55. They were put ______ death by the king.
56. Do you believe ______ God?
57. He fell down and was run ______ by the car.
58. The police ran ______ the thief but couldn't catch up ______ him.
59. The three thieves divided the money ______ themselves.
60. The house is divided ______ six rooms.
61. Our national flag stands ______ our country.
62. We should be loyal ______ our country.

63. We must fight ______ liberty.
64. The country is rich ______ oil and coal.
65. Japan is famous ______ its scenery.
66. The top of the mountain is covered ______ snow.
67. People were longing ______ peace.
68. The fox was hunting ______ food.
69. To keep ______ getting wet, I stayed under a tree.
70. Please go ______ writing; I don't mind waiting.
71. Stop your singing. You are getting ______ my nerves.
72. I cannot get along ______ him.
73. Bob made friends ______ Tom.
74. He made faces ______ me.
75. He likes to play tricks ______ me.
76. I can't put up ______ him any longer.
77. There is a key ______ the problem.
78. Your answr is not ______ the point.
79. He was successful ______ the examination.
80. We congratulated him ______ his success.

(二)*Substitution:* 換字(每個空格限填一字)

1. The boy looks like his father.
   =The boy takes ______ his father.
2. You make me think ______ you father.
   =You remind me ______ your father.
3. The theater was full ______ people.
   =The theater was filled ______ people.
4. These are not the same ______ those.
   =These are different ______ those.

(3)片語介系詞(Phrase Preposition)

兩個以上的單字合在一起用作介系詞的叫做片語介系詞。

According to 按照,依據

Do **according to** what I have told you.
(照我告訴你的去做)

As for（=as to）　至於

　　As for me, I will say I prefer tea to coffee.

　　　（至於我，我要說茶與咖啡我較喜歡茶）

***As regards**（with regard to）　至於，關於

　　As regards money, you don't need to worry.

　　　（至於錢的問題，你不必煩惱）

As to　至於，關於

　　As to that matter, I only believe one half of it.

　　　（至於那件事，我只相信一半）

　　Many plans were discussed **as to** the future.

　　　（關於將來的問題，有許多計劃被討論過）

At home in　熟悉，精通

　　He is **at home in** English grammer.

　　　（他精通英文法）

At the back of　在～後面

　　There is a pond **at the back of** the house.

　　　（屋後有一池塘）

At the beginning of　在～之初

　　The book will be out **at the beginning of** next month.

　　　（該書將於下月初出版）

At the end of　在～末尾

　　You can find the answers of all the exercises **at the end of** this book.

　　　（在本書後面，你可找到所有習題的答案）

***At the mercy of**　任～的擺佈

　　The boat is **at the mercy of** the waves.（小舟隨波漂流）

***At the risk of**　冒～之險

　　He saved the child **at the risk of** his own life.

　　　（他冒著生命的危險救了這孩子）

Because of　因為，由於

　　I didn't go out **because of** the rain.

　　　（我因雨而未出門）

By means of　以，藉

　　Thoughts are expressed **by means of** words.

　　　（思想是用語言來表達的）

***By way of**　經由

　　He went to Japan **by way of** Hongkong.

　　　（他經由香港赴日）

For fear of 因恐

He ran away **for fear of** being hurt.

(他因恐受傷而跑開)

***For the purpose of** 爲了～目的

She went to Italy **for the purpose of** studying music.

(她爲研究音樂而赴義大利)〔pɝpəs〕

***For the sake of** 爲～緣故

Never do wrong **for the sake of** money.

(千萬不可爲金錢而做不正當的事)

***For want of** 因缺乏～之故

He could not go abroad **for want of** money.

(他因缺款而未能出國)

In addition to 加上～，除～外

In addition to swimming, he likes tennis.

(除游泳外，他還喜歡打網球)

In answer to 作爲回答，應～而

I wrote this letter **in answer to** his question.

(我寫這封信來回答他的問題)

In case of 假如

We shall not start **in case of** rain.

(如果下雨我們就不出發)

In charge of 管理

Who is **in charge of** the team? (誰在管理這球隊？)

***In favor of** 贊成，支持，有利於

Are you **in favor of** this proposal?

(你讚成這個提議嗎？)

The score is 2 to 1 **in favor of** our team.

(我們的隊以二比一的比數得勝)

In front of 在～前面

There is a garden **in front of** the house.

(房子前面有一座花園)

***In honor of** 紀念，以對～表敬意

A ceremony was held **in honor of** those killed in battle.

(爲紀念陣亡的戰士曾舉行儀式)

In memory of 紀念

We had a meeting **in memory of** him.

(我們開會紀念他)

In place of (=instead of) 代替

We use chopsticks **in place of** knives and forks.
(我們用筷子代替刀叉)

In need of 需要

In want of 需要，缺少

He is **in need** 〔*or* want〕 **of** money. (他需要錢)

***In regard to** 關於

***With regard to** 關於

In 〔*or* With〕 **regard to** our business, I'll write to you later.
(關於我們的業務，我以後會寫信給你)

In search of 尋找

I am at present **in search of** a house. (我現在正在找房子)

In spite of 雖然，不顧，儘管

They came **in spite of** the rain. (他們冒雨而來)

***In the face of** 面臨

***In presence of** 在～面前，面臨

Be calm **in the face** 〔*or* presence〕 **of** danger.
(臨危要鎮靜)

He felt awkward **in the presence of** strangers.
(他在生人面前覺得忸怩不安)

In the middle of 在～中間，在～中央

He is standing **in the middle of** the road.
(他站在路中央)

Instead of 代替，～而不～

I'll have this **instead of** that. (我將拿這個代替那個))

Out of 在外面，在～範圍外，沒有，由於

He went **out of** the house. (他走出屋外)
The ship has gone **out of** sight. (船已看不見了)
He is **out of** work now. (他現在失業)
We are **out of** coffee. (我們沒有咖啡了)
*I helped him **out of** pity. (我由於同情而幫助他)

***On account of** (=because of) 由於

***Owing to** (=because of) 由於

He could not come **on account of** (=owing to) his illness.
(他因病未能來)

Thanks to 幸虧，由於

Thanks to your help, we succeeded.
（幸虧你的幫助，我們成功了）

—— 習 題 61 ——

(一)*Fill the blanks with suitable words:* （用適當的字填在空白裡）

1. According ______ the papers, we shall have rain this afternoon.
2. Instead ______ working hard, he played all day.
3. Thanks ______ John's kind help, we finished early.
4. The plane was soon out ______ sight.
5. I don't know anything as ______ that.
6. Do you have anything to say ______ regard ______ his proposal?
7. I am ______ favor ______ his opinion.
8. We express our thought ______ means ______ words.
9. Dr. A is ______ home ______ physics.
10. He is ______ charge ______ the laboratory.（實驗室）
11. He succeeded ______ spite ______ many difficulties.
12. They are ______ great need ______ it.
13. He came here ______ the beginning ______ April.
14. There is a pond ______ front ______ the house.
15. The child was playing ______ the middle ______ the road.
16. He saved the child ______ the risk ______ his life.
17. Bob feels awkward ______ the presence ______ strangers.
18. They had a welcome party ______ honor ______ the new ambassador（大使）.
19. ______ the sake ______ our old friendship, do not leave me now.
20. He bought the land ______ the purpose ______ building his house on it.

(二)*Substitution:*　換字(每個空格限填一字)

1. ______ you need anything?

=Are you ______ want ______ anything?

2. I am searching ______ the lost dog.

=I am ______ search ______ the lost dog.

3. ______ addition ______ English, he studies Japanese.

=______ English, he studies Japanese.

4. He is working ______ place ______ his father.

=He is working ______ of his father.

5. If it rains, do not wait for me.

=______ case ______ rain, do not wait for me.

6. The plane could not take off because ______ the bad weather.

=The plane could not take off ______ to the bad weather.

第八章

連接詞

Conjunctions

連接詞是用以連接單字、片語、子句或句子的字。
連接詞依其用法可分類如下：

對等連接詞(**Co-ordinate Conjunctions**)
and, but, or, nor, for, so, therefore, yet, still, howevr, *etc.*
從屬連接詞(**Subordinate Conjunctions**)
that, if, whether, when, while, as, since, till, before, after, because, unless, though, than, where, how, when, who, what, which, *etc.*

依其形狀可分爲：

簡單連接詞(**Simple Conjuncations**)
and, when, if, …… *etc.*
片語連接詞(**Phrase Conjunctions**)
as soon as, as if, …… *etc.*
相關連接詞(**Correlative Conjunctions**)
either～or, so～that, …… *etc.*

第一節　對等連接詞

用以連接同等地位的單字、片語或子句的連接詞叫做對等連接詞。

(1)對等連接詞

1. **And** 和，並且，而又

John **and** Tom are classmates.
(約翰和湯姆是同班同學)
We sang **and** they danced.
(我們唱歌，他們跳舞)
I want soup, fish, meat, **and** vegetables.
(我要湯、魚、肉和蔬菜)

Work hard, and you'll be able to get it.
(=If you work hard, you'll be able to get it.)
　　(努力工作你就能得到它)
Go **and** buy one. (=Go to buy one.) (去買一個)
Come **and** see ～ (=Come to see ～) (來看～)

【提示】 連接三個以上的單字時，只在最後一字前面加 *and*，其餘的均以逗點代替。

2. **Or**　或，否則

It is sweet **or** sour?
　　(它是甜的還是酸的？)
Study hard, **or** you will fail.
　　(努力用功，否則你將失敗)

3. **But**　但是

He is poor **but** honset.
　　(他雖窮，但誠實)

4. **Nor**　亦不

He did not go, **nor** did I.
　　(他沒去，我也沒有)

5. **For**　因爲

He was not afraid, **for** he was a brave man.
　　(他不怕，因爲他是一個勇者)
He must be ill, **for** he is absent today.
　　(他一定是病了，因爲今天他沒有到)〔表推測的理由〕

〔比較〕 He did not go out, *because* he was ill.
(=He did not go out *because of* his illness.)
　　(他因病沒有出門)〔解釋原因或理由〕

【提示】 ① *for* 常用以表示推測某事的理由。
② 口語中不用 *for*。

2. **So**　所以

He was ill, **so** he did not come.
　　(他病了，所以沒有來)

7. **Therefore**　因此

He was not there, **therefore** he is innocent.
(他不在場,因此他無罪)〔ˈɪnəsənt〕

8. **Yet** 然而,卻,但是

He worked hard, **yet** he failed.
(他曾努力工作,但卻失敗了)

9. **Still** 然而,但是

He failed, **still** he was not discouraged.
(他雖失敗,但並不灰心)〔dɪsˈkɝɪdʒd〕

10. **However** 然而,不過

It may be possible or not; **however**, we shall see.
(這也許可能也許不可能;不過,我們將會看出來的)

(2)對等相關連接詞

1. **Both ~ and** ~和~兩者都,既~而又~

Both you **and** he are right.
(你和他兩個都對)

The book is **both** good **and** interesting.
(這本書既好而又有趣)

2. **Not only ~ but (also)** 不但~而且
As well as (=in addition to) 亦,且,加上~

He is **not only** honest **but** (also) hard-working.
(他不但誠實而且勤奮)
He is hard-working **as well as** honest.
(他誠實且又勤奮)

Not only you **but also** *John is* dishonest.
(不但是你,約翰也一樣不誠實)
John **as well as** you *is* dishonest.
(同你一樣,約翰也不誠實)

【提示】 動詞須和 *as well as* 前面的主詞一致。

3. **Either ~ or** 或~或

Either you **or** he is to go.
(你或他，要去一個)

4. **Neither ～ nor**　～和～兩個都不，既不～又不

Neither you nor she is wrong.
(他和她兩個都沒有錯)
He is **neither** the manager **nor** a clerk.
(他既不是經理又不是店員)〔klɝk〕

第二節　從屬連接詞

引導**從屬子句**的連接詞叫做**從屬連接詞**。

(1)從屬連接詞

1. **That**

That the earth is round is certain.
＝*It* is certain **that** the earth is round.
(地球是圓的一事是確實的)——*that* 不能省略
He said (**that**) he would come.
(他說他願意來)——*that* 可以略去。

2. **If**　假若，是否

If you cannot come, please let me know.
(你如果不能來，請通知我一聲)——"*if*～"是副詞子句。
He asked me **if** (＝*whether*) you could help him (or not).
(他問我，你能否幫助他)——"*if*～"是名詞子句。

3. **Whether**　是否，抑～或

I dno't know **whether** he will come or not.
(我不知道他是否會來)

4. **When**　當～時

He was very young **when** he wrote this book.
(他寫這本書時還很年輕)

I was writing a letter **when** you telephoned.
=**When** you telephoned, I was writing a letter.
（你打電話來時，我正在寫信）

5. **While** 當～時，然而，雖

While I am writing this, you can be doing something.
（我在寫這個的時候，你可以去做一些事情）
Some men are rich **while** others are poor.
（有些人富有，另一些人卻貧窮）

6. **As** 當～時，因爲，如

As I was going to school, I met his brother.
（我上學時遇見他的哥哥）
As it was raining, we did not go out.
（因爲天在下雨，我們沒有出去）
He is as tall **as** I.
（他的身材和我一樣高）
He is not so strong **as** you.
（他不如你强壯）
We can fly **as** a bird does.
（我們能像鳥一樣飛）
（=We can fly like a bird.）

7. **Since** 自從，自～以來，既然

He has stayed here **since** his father died.
（他自父親死後就一直留在這裡）
Since life is short, we must not waste time.
（人生既然是短促的，我們切勿浪費時間）
【提示】 用作「既然」的 *since* 常置於句首。

8. **Till, Until** 直到

I'll wait **till** you come. （我將等到你來）
He did not enter the room **until** after they had left.
（直到他們離開之後，他才進入室內）

9. **Before** ～之前； **after** ～之後

I left **before** he arrived. （他到達之前我已離開）

He arrived **after** I left.
（我離開之後他才到達）

【提示】 *after* 與 *before* 之後可以不用完成式。

10. **Because** 因爲

I took my umbrella, **because** I was afraid it would rain.
（我帶了雨傘，因爲我怕天會下雨）
Why didn't you come yesterday? **Because** I was ill.
（你昨天爲什麼沒有來？因爲我病了）

【提示】 問答中常用 *because* 表明理由。

11. **Unless**（＝If ～ not） 除非

Unless you study harder, you will never pass the examination.
（除非你更加努力用功，你將永遠考不及格）
（＝If you don't study harder, you will never ……）

12. **Though; Although** 雖然

Though he is young,（yet）he is very wise.
（他年紀雖小，但很聰明）。
〔誤〕 Though he is young, *but* he is wise.

【提示】 *though* 之後不可再用 *but*。

13. **Than** 比

He runs faster **than** I. （他跑得比我快）

【提示】 「比較級＋**than**＋主格名詞或代名詞」

14. 關係代名詞、關係副詞和用於間接問句的疑問代名詞、疑問副詞等有連接詞性質。

I don't know
- （the place） **where** he lives.
- （the time） **when** he will come.
- （the way） **how** he did it.
- （the reason） **why** he did not come.
- **what** his name is.
- **who** he is.
- **which** he likes.

He is the teacher { **who** teaches us English. / **whom** we like best. / **whose** father is an artist. （藝術家）

(2) 從屬相關連接詞

1. **So**（＋形容詞，副詞）**that** 如此～以致 〔表結果〕

He is so honest **that** everybody trusts him.
（他是那麼誠實，以致人人都信任他）

2. **Such**（＋名詞）**that** 如此～以致 〔表結果〕

She is **such** a diligent girl **that** every teacher likes her.
（她是如此用功的一個女孩子，以致每一位老師都喜歡她））

3. { **that** / **so that** / **in order that** } ～ **may**〔*or* **can, will**〕 以求，為欲

We study hard { **that** / **so that** / **in order that** } we **may** succeed.
（我們用功讀書以求成功）

【提示】①"**in order that**＋子句（＝In order to～〔不定詞〕）"用以表目的。

I got up early **in order that I might** catch th first train.
（為求趕上第一班火車我起得早）
＝I got up early **in order to** catch the first train.

②"**so that**＋子句（＝so as to～〔不定詞〕）"用以表目的和結果。

He went early **so that he might** get a good seat.
（他去得早以便佔一個好座位）
＝He went early **so as to** get a good seat.

4. **Lest** / ***For fear that** } ～ **should**　惟恐，以免

【提示】*lest ～ should = in order that ～ might not*

He studied hard **lest** (=for fear that) he should fail in the examination.
(他用功讀書以免考試不及格)
(=He studied hard *in order that* he *might not* fail ……)

*5. **No sooner ～ that** (=As soon as)　一～就

She had no **sooner** seen me **than** she wept aloud.
=No sooner had she seen me **than** she wept aloud.
(=She wept aloud as soon as she saw me.)
(她一見了我就放聲大哭))

【提示】*No sooner ～ that* (*scarcely ～ when, hardly ～ before*)等是誇張的語法，僅用於文言。

(3)從屬片語連接詞

1. **As soon as**　一～即

I will go to see you **as soon as** I get through with my work.
(我工作一完成就去看你)
As soon as we started, it began to blow hard.
(我們一出發就刮起大風來了)

2. **As long as**　在～期間，只要

I shall keep your present **as long as** I live.
(我將終生保存著你的禮物)
As long as there is life, there is hope.
(只要有生命，即有希望)

3. **So long as**　只要

You may stay here **so long as** you keep quiet.
(只要你們保持肅靜，就可以留在這裡)

4. **So far as** 至此程度

So far as I know, he has never been here.
（據我所知，他未曾到過此地）

5. **In case**（=if） 假若

In case I am prevented from coming, please excuse me.
（假如我不能來，請原諒）

6. **Now that**（=since） 既然

Now that you are here, you had better stay.
（你既然到了這裡，還是留下的好）

7. **As if; As though** 好像，儼若

He talks **as if** he were very rich.
（他說起話來好像很有錢似的）

8. **Evan if; Even though** 即使，縱令

Even if I were to get a million dollars, I would not do such a thing.
（即使我將獲得一百萬元，我也不願意幹這種事）

9. **No matter how**（**when, where, what, who,** *etc.*）
不論怎樣(何時，何處，什麼，誰……)

No matter how hard it may be, you have to learn it.
（無論怎樣難，你得學習它）

No matter where（=Wherever）you go, I'll be with you.
（無論你到那裡，我都會跟你在一起）

【提示】 從屬子句如放在句首，後面須加一逗點以免意義混亂。

—— 習 題 62 ——

㈠*Fill the blanks with suitable words:*（用適當的字填在空白裡）

1. Which do you like better, this ______ that?
2. What is the difference between this ____________ that?
3. He is clever ______ lazy.

4. Hurry up, ______ you will miss the train.
5. You won't be in time for the train, ______ you make haste.
6. It was late, ______ we went home.
7. John can't go with you, ______ can Mary.
8. It is not only good ______ ______ cheap.
9. Both John ______ James were here.
10. Either you ______ he has to go.
11. He is neither clever ______ hard-working.
12. The man is so tall ______ he looks ______ ______ he were a foreigner.
13. Mr. Green is ______ a nice teachr that all the students like him.
14. I shall repeat ______ I said in order ______ all of you may remember it.
15. Ask him ______ he likes it ______ not.
16. I wonder ______ it will be fine tomorrow.
17. ______ he works hard, he will succeed.
18. We have not seen him ______ he left us.
19. ______ he is rich, he is not happy.
20. He studies harder ______ I.
21. I'll wait ______ he comes.
22. It is true ______ he is the richest man in the country.
23. ______ he was here can be proved.
24. Work ______ you work, play ______ you play.
26. This is the house ______ I lived before.
27. That is the house ______ we live in now.
28. Do yo know the reason ______ he did not come?
29. Nobody knows ______ her name is.
30. He ran as fast ______ he could.
31. George is not so strong ______ John.
32. The boy ran away as ______ as he saw me.
33. He can speak German as ______ as English.
34. I will take care of you as ______ as I live.
35. Even ______ it costs much, I'll buy it.

㈡*Choose the correct words:* （選擇正確的字）

1. Put on your coat, (and, but, or) you will catch cold.
2. He is old (and, but, or) strong.
3. Work hard, (and, or, for) you will succeed.
4. I was tired with walking, (as, so, for) I sat down to rest.
5. (As, For, Therefore) she was tired, she went to bed early.
6. (As, Because, －) John was ill, so he did not come to school.
7. He is lying in bed, (because, because of, so) he is ill.
8. He must be ill, (as, so, for) he looks pale (蒼白).
9. Why didn't you go? (As, Because, For) I didn't want to.
10. Both you and he (have, has) to go.
11. Neither John (or, nor) Bill (was, were) present.
12. My brother as well as I (am, is, are) fond of it.
13. Though he is a Chinese, (and, but, －) he can not speak Chinese well.
14. Write it down lest you (shall, should, should not) forget it.
15. The boy talks (like, as, as if) he were a man.

㈢*Substitution:* 換字(每個空格限填一字)

1. If it rains, we shall not go.

   =______ ______ it rains, we shall not go.

2. If you don't tell me the truth, I'll never speak to you again.

   =______ you tell me the truth, I'll never speak to you again.

   =Tell me the truth, ______ I'll never speak to you again.

3. In spite of the rain, he went there.

   =______ it was raining, he went there.

4. Now ______ you are ill, you had better stay at home.

   =______ you are ill, you had better stay at home.

5. John is ______ kind that they all like him.

=John is ______ a kind boy ______ they all like him.

6. He works hard in order ______ pass the examination.

=He works hard in order ______ he ______ pass the examination.

7. We got up early so ______ ______ see the sunrise.

=We got up early ______ ______ we might see the sunrise.

8. He walked quickly lest he ______ be late for school.

=He walked quickly ______ ______ that he might ______ be late for school

(四) *Vocabulary in Context:* 文意語彙

(　)1. Make haste, *or* you'll be late.

①或者　②否則　③或是

(　)2. I asked him *if* he could help me.

①假如　②倘若　③是否

(　)3. He does not speak *as* the other people do.

①像　②當　③因爲

(　)4. There is an organ (風琴) *as well as* a piano in the room.

①一樣　②一樣好　③及

(　)5. *Since* you have finished your work, you may leave now.

①自從　②既然　③既使

(　)6. We work *that* we may live.

①以求　②以致　③因而

第九章

Interjections

感嘆詞是用以表强烈的情緒或感情的一種聲音或叫喊，與句中其他部分並無文法上的連繫。

【提示】①感嘆詞後面常跟有感嘆號"！"。
②O 常作大寫，有時可不加感嘆號。
③部分感嘆詞由兩個以上單字而成。

1. 表喜悅：Hurrah!〔hʊ'rɑ〕（好哇！萬歲）
2. 表悲哀：Oh〔o〕(啊呀！) Ah〔ɑ〕（啊呀！）
   *Alas〔ə'læs〕（鳴呼！悲哉！） O〔o〕（啊呀！）
3. 表驚愕：Oh!（啊！） Oh, dear!（啊！）
   Dear me!（啊呀！） My!（啊呀！）
   Good heavens!（天啊！） *Gosh（哎啊！）
   What!（什麼！怎麼！）
   Why!（為什麼！嘿！當然！）
4. 表稱讚：Bravo〔'brɑvo〕（好極了！） Good!（好！）
   Well done!（好！做得好！）
5. 表同意：Well（噢，好）
   【提示】*Well* 用以表驚愕，同意，安慰，期待，允諾，讓步等。
6. 表安慰或得意：***There! there!***（好啦！好啦！）
   ***There now**, it's just as I expected.*
   （你看，完全和我所預料的一樣）
7. 表懷疑：Hum! Humph!〔hm〕（哼！）
8. 表輕蔑：Pooh!〔pu〕(呸！) Bah!〔bɑ〕（呸！）
9. 呼喚：Hallo!〔hə'lo〕（喂，哈囉）
   Hi〔haɪ〕（嗨！） Hey〔he〕（喂！）
   Hello!〔hɛ'lo〕（喂，哈囉）
   (I) Say!（喂！） Look!（看！） Listen!（聽！）
10. 問候：Good morning!（早安） Good afternoon!（午安）
   Good-by(e)（再見） So long!（再見）
   Good evening（晚安） Good night（晚安，再見）
11. 笑聲：Ha, ha!（哈，哈！） He, he!〔hi hi〕（嘻！）
   Aha!〔ɑ'hɑ〕（啊哈！）
12. 擬聲：Bow wow!〔'baʊ waʊ〕 汪汪（狗吠聲） Mew!〔mju〕，Miaow!〔mɪ'aʊ〕咪咪（貓叫聲），Baa!〔bɑ〕 咩咩（羊叫聲），Cock-a-doodle-doo! 喔喔喔！（雞鳴），Buzz!〔bʌz〕 營營！（蜂鳴聲），Bang!〔bæŋ〕砰！（關門聲，槍聲），Ding-dong!〔'dɪŋ,dɔŋ〕 叮噹（鐘聲）

—— 習 題 63 ——

Choose the right words：(選擇對的字)

1. (Hurrah, So long)! we won the game.
2. (Bravo, Alas)! the poor old man is dead.
3. (Hallo, Good-bye)! how are you?
4. (Good evening, Good night)! I hope you'll have a good sleep.
5. (What, Why)! Is he late again?
6. " I can't do it." "(What, Why), it's quite easy."
7. (Hi, Pooh), I don't believe it.
8. (Good, Well), here we are at last.

第十章 句 Sentence

第一節　八大詞類
(The Eight Parts of Speech)

英文單字(Word)依其在句中的作用，可分爲如下八種詞類：

1. 名　詞(**Noun**)〔簡寫爲 **n.**〕……… *mother, China, etc.*
2. 代名詞(**Pronoun**)〔**pron.**〕……… *I, you, it, who, etc.*
3. 形容詞(**Adjective**)〔**adj.**〕……… *big, every, the, etc.*
4. 動　詞(**Verb**)〔**v.**〕……… *go, is, did, been, etc.*
5. 副　詞(**Adverb**)〔**adv.**〕……… *clearly, very, how, etc.*
6. 介系詞(**Preposition**)〔**prep.**〕……… *of, at, for, etc.*
7. 連接詞(**Conjunction**)〔**conj.**〕……… *and, but, if, etc.*
8. 感嘆詞(**Interjection**)〔**interj.**〕……… *Ah! Oh!, etc.*

●應注意事項●

有些單字可作若干種詞類用：

We have had a lot of **rain** this summer. ………〔名　詞〕
(今年夏天雨下得多)
Will it **rain** today? (今天會下雨嗎？)………〔動　詞〕

Please **open** the door. (請開門)………〔動　詞〕
The door is **open.** (門是開著的)………〔形容詞〕

This is a **hard** question. (這是一個難題)………〔形容詞〕
He works **hard.** (他工作勤奮)………〔副　詞〕

That bicycle belongs to me. (那一部腳踏車是我的)………〔形容詞〕
That is my bicycle. (那是我的腳踏車)………〔代名詞〕
You know **that** the bicycle is mine. ………〔連接詞〕
(你知道那腳踏車是我的)

I have seen him **before.** (我以前見過他)………〔副　詞〕
I'll be back **before** two o'clock. ………〔介系詞〕
(我將在兩點鐘以前回來)
He left **before** we arrived. (我們到達之前他已離開)………〔連接詞〕

——習 題 64——

㈠*Tell the Part of Speech which each of the underlined words belongs to*：(指出句中畫線的字的詞類)

Ex. He is a student.

is…… *Verb*　　student…… *Noun*

1. This book is not mine.
2. This is the man whom I met yesterday.
3. There are six windows in our classroom.
4. Yes, I perfer freedom to wealth.
5. No, I have no money.
6. Hello! where are yo going?
7. I am much taller than John and his brother.
8. What are you afraid of?
9. How many books do you want?
10. If you want a pencil, I will lend you one.
11. The boy did not work hard, so he failed.
12. It looks very hard.
13. Thank you very much.
14. I am quite well.
15. He has lived here since he was born.

㈡*Choose the right answer*：選擇題(選出正確的答案，把它的號碼寫在左邊的括弧內)

(　)1. We went for a *walk*.　①*noun* ②*pron.* ③*verb*

(　)2. Let's go *home*.　①*noun* ②*verb* ③*adv.*

(　)3. How far is it from *here*?　①*noun* ②*adj.* ③*adv.*

(　)4. Do it *like* this.　①*noun* ②*verb* ③*prep.*

(　)5. We shall arrive there *before* sunset.
①*adverb* ②*prep.* ③*conj.*

(　)6. We shall arrive there *before* the sun sets.
①*adverb* ②*prep.* ③*conj.*

第二節　主部與述部
(Subject and Predicate)

1. 句(**Sentence**)——能表達完整的思想的字羣叫做句。

如：I am a student. （我是個學生）

Do you know him? （你認識他嗎？）

Come in. （進來）

What a brave man he is! （他是多麼勇敢的一個人呀！）

句的兩大部——句通常由主部和述部所組成。

主部(**Subject**)——句的主題部份。
述部(**Predicate**)——說明主部的部份。

2. 句(**Sentence**)＝主部(**Subject**)＋述部(**Predicate**)

主　　部	述　　部
1. **I**	*go.*
2. My **brother**	*likes* to go there.
3. **John** and **Tom**	*are* good students.
4. **Who**	*knows* it?
5. (**You**)	*Come* and *sit* by me.

述　　部	主　　部	述　　部
1. *Do*	**you**	*know* him?
2. When *did*	**the boy**	*see* it?
3. How foolish	**they**	*are*!
4. What a nice picture	**it**	*is*!

3. A.主部(**Subject**)與主詞(**Subject Word**)：

主部中作爲主體或中心的字叫做主詞，其餘的字均爲主的修飾語；主部如只含一字，該字即爲主詞。

上例中 **I, brother, John, Tom, Who, you, boy, they, it** 等即是主詞。

B.述部(**Predicate**)與述詞(**Predicate Verb**)：

述部中作爲主體或中心的動詞叫做述詞(或述部動詞)，其餘的字爲述詞的受詞或補語或修飾語；述部如只含一字，該字即爲述部。上例中 *go, likes, are, know(s), Come, sit, see, is* 等即是述詞。

【提示】 ① "*Subject*"一字除作"主部"外，亦可用作"主詞"。
② "*Predicate*"一字除作"述部"外，亦可用作"述詞"。
③ 祈使句的主詞通常被省略。
④ 一句中可以同時用兩個以上的主詞或述詞。

主部(**Subject**)	主詞(**Subject Word**) 修飾語(**Modifier**)
述部(**Predicate**)	述詞(**Predicate Verb**) 受　詞(**Object**) 補　語(**Complement**) 修飾語(**Modifier**)

Little　**birds** | *sing* merrily.（小鳥快樂地唱）
(修飾語)(主詞)(動詞)(修飾語)
The　**man** | *speaks* English well.（這個人英語說得好）
(修飾語)(主詞)(動詞)(受詞)(修飾語)
He | *is* very kind.（他很和善）
(主詞)(動詞)(修飾語)(補語)

4. 主詞的形態(**Forms of Subject**)：
主詞通常為名詞或名詞相等語。　**主　詞**

Birds are singing merrily.（鳥兒快樂地唱著）〔名　詞〕
He is a good boy.（他是個好孩子）〔代名詞〕
To teach is to learn.（教即是學；教學相長）〔不定詞〕
Walking is a good exercise.（散步是良好的運動）〔動名詞〕
How to live is an important problem.〔名詞片語〕
（怎樣生活是一個重要的問題）
What he said is true.（他所說的話是眞的）〔名詞子語〕

── 習　題 65 ──

Pick out the subject and the predicate verb in each sentence：
(把下列各句的主詞和述詞選出來)

Ex. The boy is clever. (*boy*〔*S*〕, *is*〔*P*〕)

1. My sister always goes to school with me.
2. The two boys study and play together.

3. One of my brothers is a teacher.
4. John and I were not there.
5. There are some children in the garden.
6. Here comes John.
7. What are you doing?
8. Who wants it?
9. Where is Mary?
10. Do cats catch mice?
11. What a pretty flower this is!
12. Wait a minute.
13. To talk is easier than to act. （說比做容易）
14. That the earth is round is certain.
15. Whether he will come or not matters（關係）little.

第三節　子　句(Clauses)

含有主詞和動詞，並構成句子的一部份的字羣，叫做子句。

He is poor but **he is honest.** （他雖窮但誠實）
子句　　　　子句

子句依其構造分類如下:

對等子句(**Coordinate Clause**) 主要子句(**Main** 〔*or* Principal〕 **Clause**) 從屬子句(**Subordinate Clause**)

(1)對等子句(**Coordinate Clause**)：
以對等連接詞(**and, but, or** 等)連接的兩子句叫做對等子句。
如：**You must study hard**, *or* **you will fail.**
對等子句　　　　對等子句
（你必須努力用功，否則你將失敗）

(2)主要子句(**Main Clause**)與從屬子句(**Subordinate Clause**)：以從屬連接詞連接的兩子句中，從屬連接詞所引導的子句叫做從屬子句，另一子句叫做主要子句。
如：*If it rains*, I shall not go.
從屬子句　　主要子句

=I shall not go *if it rains.*（如果下雨，我就不去）
主要子句　　　從屬子句

▲從屬子句依其在句中的作用可分爲下列三種：

1. 名詞子句（**Noun Clause**）：

That the earth is round is true.　〔主　詞〕
（=It is true that the earth is round.）
（地球是圓的一事是眞的）
——名詞子句"*That the earth is round*"用作全句的主詞。

Do you know **where he lives?**　〔受　詞〕
（=Do you know his address?）（你知道他住的地方嗎？）
——名詞子句"*where he lives*"用作"及物動詞 *know*"的受詞。

The question is **who will bell the cat.**　〔補　語〕
（問題是誰要給貓繫鈴）

2. 形容詞子句（**Adjective Clause**）：

This is the book **which I bought yesterday.**
（這就是我昨天買的那本書）
——形容詞子句"*which I bought yesterday*"修飾"名詞 *book*"

Heaven helps *those* **who help themselves.**
（天助自助者）
——形容詞子句"*who help themselves*"修飾"代名詞 *those*"（那些人）。

This is the *reason* **why I was angry.**
（這就是我生氣的原因）

3. 副詞子句（**Adverb Clause**）：

I was working **when you telephoned.**　〔表時間〕
（你打電話來時，我正在工作）
——副詞子句"*when you telephoned*"修飾"動詞 *was working*"。

Where there is a will, there is a way.　〔表地方〕
（有志之處即有路；有志者事竟成）

Do **as I have told you.**（照我告訴你的去做）　〔表方法〕

As it was very cold, I did not go out.　〔表理由〕
（因爲天氣很冷，我沒出去）

If you don't work hard, you will fail.　〔表條件〕
（如果不努力用功，你將會失敗）

He works hard **so that he may succeed.**　〔表目的〕
（他努力用功以求成功）

He worked **so** hard **that he succeeded**. 〔表結果〕
（他工作如此勤奮以致終獲成功）

Though he is poor, he is honest. 〔表讓步〕
（他雖窮但誠實）

He is as tall **as I am.** （他同我一樣高） 〔表比較〕

—— 習 題 66 ——

Classify each Subordinate Clause in the following sentences：
（把下列各句中的從屬子句加以分類）

Ex: That he will win is certain. （*Noun Clause* 名詞子句）

1. I want a man who can speak good English.
2. Whether we go or not depends on the weather.
3. I asked if his father was at home.
4. If he comes, please tell him to wait.
5. He was very angry at what the boy had done.
6. It was certain that he had done it.
7. He worked hard that he might win the prize.
8. The house in which he lives is very large.
9. This is the town where he was born.
10. Tell me when he will arrive.
11. We love Taiwan, because it is our country.
12. You had better write it while you are here.

第四節　片　語（Phrases）

不含主詞和述詞，連在一起具有類似一種詞類的作用的字羣，叫做片語。片語通常分爲下列三種：

1. 名詞片語（**Noun Phrase**）：

To tell a lie is wrong. （說謊是不對的）
——名詞片語"*To tell a lie*"用作主詞。

I don't know **what to do.** （我不知道該做什麼）
——名詞片語"*what to do*"用作"及物動詞 *know*"的受詞。

2. 形容詞片語(**Adjective Phrase**)：

A man **of honor** never tells a lie. (正直的人從不說謊)

——形容詞片語"*of honor*"修飾"名詞 *man*"

The boy **sitting behind you** is my cousin.

(坐在你後面的那個男孩是我的表哥)

——形容詞片語"*sitting behind you*"修飾"名詞 *boy*"。

Do you have anything **to eat**?

——形容詞片語"*to eat*"修飾"代名詞 *anything*"。

3. 副詞片語(**Adverb Phrase**)：

Let's *go* **at once.** (我們立刻走吧)

——副詞片語"*at once*"修飾"動詞 *go*"

They *came* the day before yesterday. (他們前天來過)

——副詞片語"*the day before yesterday*"修飾"動詞 *came*"。

He *went* there **by himself.** (他獨自去那裏)

I am *sorry* to **hear that**. (我聽那個覺得難過)

He *stood* up **in order to see better.**

(爲了看清楚些，他站了起來)

【提示】 除上列三種外，尙有下列幾種片語：

①動詞片語(**Verb Phrase**)：

He **put on** his hat and went out.

(他戴上帽子出去了)

She **takes care of** the children. (她照顧孩子)

He **has been living** here for ten years.

(他已在這裏住了十年了)

②介系詞片語(**Preposition Phrase**)：

He stood **in front of** the door.

(他站在門前)

〔提示〕"*in front of* (＝before)"是介系詞片語，但"*in front of the door*"即爲副詞片語。

③連接詞片語(**Conjunction Phrase**)：

I was tired **as well as** hungry.

(我既餓而又疲倦)

④感嘆詞片語(**Interjection Phrase**)：

Good heavens! It's you.

(我的天哪！是你啊)

—— 習 題 67 ——

(一)*Classify each phrase in the following sentences*：

（把下列的各句中的片語加以分類）

1. Tell me how to use it.
2. Early to bed and early to rise makes a man healthy, wealthy and wise.
3. He will come in a few days.
4. The book on the desk is mine.
5. I put it on the desk.
6. The old man with a long beard is Dr. Brown.
7. Do it with care.
8. It is of no use.
9. I like playing tennis.
10. I am glad to have met you.

(二)*Change the underlined parts into clauses*：

（把劃底線的部份改為子句）

1. He could not come beacuse of illness.
2. He does not believe my words.
3. Tell me the reason of your not doing the exercise.
4. We thought him to be honest.
5. People living in town do not know the pleasure of the country life.
6. He went to Japan in order to study physics.
7. The girl with blue eyes is Mary.
8. I want a house to live in.

第五節　句的種類（Kinds of Sentences）

A.句子依其構造可分類如下：

(1)單字(**Simple Sentence**)：——不含子句的句子。

I want to buy it.（我想買它）

Mary and Betty are classmates.（瑪麗和貝蒂是同學）
Seeing me, he ran away.（他看到我就跑掉了）

(2)合句(**Compound Sentence**)：

合句＝對等子句＋對等子句

對等子句　　　對等子句
They went up, and **we came down.**（他們上去，我們下來）
He is poor, but **he is happy.**（他雖然窮，但是幸福）

(3)複句(**Complex Sentence**)：

複句＝主要子句＋從屬子句

主要子句　　從屬子句
I know *where he lives.*（我知道他住在那裡）
從屬子句　　主要子句
If he comes, I'll let you know.（假如他來，我會通知你）

(4)複合句(**Compound-complex Sentence**)：

複合句＝對等子句＋對等子句＋從屬子句

對等子句　　　　　　　　對等子句
It is true *that he is old,* but **he is still strong.**
主要子句　從屬子句
（誠然他年紀老了，但他還强壯）

B. 句子依其內容可分類如下：

(1)敍述句(**Declarative Sentence**)：
He is kind.（他和善）〔肯定〕
He is not kind.（他不和善）〔否定〕

(2)疑問句(**Interrogative Sentence**)：
(a)用"**Yes**"或"**No**"回答的：
Are you busy?（你忙嗎？）〔肯定〕
Are you not (＝Aren't you) busy?（你不忙嗎？）〔否定〕
(b)不能用"**Yes**"或"**No**"回答的：
①以疑問詞起首的疑問句：
What is your name?（你的名字叫什麼？）
When did you see her?（你什麼時候看到她？）

②表選擇的疑問句:

Is he an American **or** a Chinese?
(他是美國人還是中國人?)

Do you drink beer **or** wine?
(你要喝啤酒還是酒?)

(3)祈使句(**Imperative Sentence**):

Be kind.	(要和善)	〔肯定〕
Don't be selfish.	(不要自私)	〔否定〕
Stand up.	(起立)	〔肯定〕
Please **don't** sit down.	(請不要坐下)	〔否定〕

【提示】 ①祈使句主詞常被省略。
②祈使句動詞用原式。

(4)感嘆句(**Exclamatory Sentence**):

How+{形容詞 / 副 詞}+主詞+動詞+!

How *intelligent* he is! (他是多麼聰明呀!)
How *kind* they are! (他們多和善!)
How *beautiful* she is! (她多美麗!)
How *well* she sings! (她唱得多麼好聽啊!)
How *nice* it is! (它多好!)

What+名詞+主詞+動詞+!

What a kind *man* he is! (他是多麼仁慈的一個人呀!)
What a nice *picture* (it is)! (多麼美麗的一張圖畫!)
What *fools* they are! (他們是何等愚蠢的人啊!)

【提示】 1.感嘆句的主詞和動詞常被省略。
*2. *What* 亦稱"感嘆形容詞"(Exclamatory Adjective)
*3. *What a beautiful* flower! (多美麗的一朵花!)
=*How beautiful a* flower!

—— 習 題 68 ——

(一)*Classify the following sentences by their structure:*
(依其構造把下列各句加以分類)

1. While they were going along, the moon came up.
2. They always study and play together.
3. He answered him by telling him a story.
4. The land where I was born lies far across the sea.
5. He is rich, but he is not happy.
6. I know that he is a student of your school, but I don't know his name.

㈡*Change each of the following sentences into:*

①*Interrogative Sentence* ②*Imperative Sentence* ③*Exclamatory Sentence:* （把下列各敍述句改爲 ①疑問句 ②祈使句 ③感嘆句）

1. John is honest.
2. You are a good boy.
3. You work hard.

㈢*Substitution:* 換字（每個空格限塡一字）

1. Tell me what to do.（單句→複句）
   ＝Tell me what ______ ______ do.
2. December 10 is John's birthday. （單句→複句）
   ＝December 10 is the day ______ ______ John ______ born.
3. Study hard, or you will fail. （合句→複句）
   ＝______ you ______ study hard, ______ will fail.
4. I am sure of his success. （單句→複句）
   ＝I am sure that ______ ______ succeed.
5. He is too old to work. （單句→複句）
   ＝He is ______ old ______ ______ cannot work.
6. Nobody told me of his death. （單句→複句）
   ＝Nobody told me that ______ ______ dead.
7. I went to see him in spite of the rain. （單句→複句）
   ＝______ ______ ______ raining, I went to see him.
8. Being ill, he could not come.（單句→複句）
   ＝______ ______ ______ ill, he could not come.
9. Having finished my work, I went out for a walk.
   ＝After ______ ______ ______ my work, I went out for a walk.

10. ______ diligent Tom is!
= ______ a diligent boy ____________!

第六節 主詞與述詞的一致
（Agreement of Subject and Predicate）

(1) 單數主詞＋單數動詞

John sometimes *goes* to school by bus.
（約翰有時乘公共汽車上學）

There *is* **a book** on the desk. （桌子上有一本書）

(2) （單數主詞＋單數主詞）＋複數動詞

He and I *are* good friends.
（他和我是好朋友）

The doctor and the teacher *are* schoolmates.
（這位醫生和這個老師是同學）

Hunting and fishing *are* my hobbies.
（打獵和釣魚是我的嗜好）

(3) 複數主詞＋複數動詞

All **men**	（所有的人）	＋複數動詞（**are, have, do** 等）
No **stars**	（沒有一顆星）	
Many **children**	（許多小孩）	
Few **women**	（極少數的婦人）	
A number of **people**	（一些人）	
Most **students**	（大多數學生）	
Clothes	（衣服）	
Cattle	（牛，牲畜）	
The poor	（窮人）	

(4) **every**（每）, **each**（各）, **many a**（多）, **either**（二者中任一）＋單數名詞＋單數動詞

Every boy and **every** girl *is* fond of it.
（每一個男孩子和女孩子都喜歡它）

Many a man *knows* it. （有許多人知道這個）

(5) 不可數名詞＋單數動詞

(抽象名詞)
- **news** (消息)
- **mathematics** (數學)
- **physics** (物理學)
- enough **sleep** (足夠的睡眠)
- much **time** (很多時間)
- a little **English** (一點點英語)
- no **hope** (沒有希望)

＋單數動詞 {**is** / **has** / **does** 等}

(物質名詞)
- all the **money** (所有的錢)
- much **rain** (許多雨)
- little **water** (很少一點點水)
- some **sugar** (一些糖)
- no **rice** (無米)

＋單數動詞 (**is, does** 等)

(6) 名詞相等語 (不定詞，動名詞，名詞片語，名詞子句等) ＋單數動詞

不定詞	To know	(知)
動名詞	Reading books	(讀書)
名詞片語	How to live	(怎樣生活)
名詞子句	That the earth is round	(地球是圓的)

＋單數動詞 (**is, does, makes** 等)

(7) 單數性質複數名詞＋單數動詞

一　國：	the United States	(美國)
一　人：	the doctor and writer	(兼作家的醫生)
一　物：	bread and butter	(塗奶油的麵包)
一　事：	Early to bed and early to rise	(早睡早起)
一單位：	two thousand miles	(兩千哩)
同　上：	ten thousand dollars	(一萬元)
同　上：	eight hours	(八小時)

＋單數動詞 (**is, does** 等)

(8) {~**one** / ~**body** / ~**thing**} ＋單數動詞(**is** 等)

Someone *is* knocking at the door. （有人在敲門）
Nobody *likes* it. （沒有一個人喜歡它）
*I*s there **anything** for me? （有沒有要給我的東西？）

(9)

all, half（一半），**some,** **any, part**（部分），**rest**（其餘）， **most**（大多數），**a lot of**（許多）	（表數目時）＋複數動詞 （表量時）＋單數動詞

All the books *are* here. （所有的書都在這裏）
All the money *is* here. （所有的錢都在這裏）
Here *are* **some tickets.** （這裏有幾張票）
Here *is* **some food.** （這裏有一些食物）

(10)

no＋不可數名詞 **no**＋單數名詞	＋單數動詞(**is** 等)
no＋複數名詞＋複數動詞(**are** 等)	

There *is* **no time.** （沒有時間）
There *is* **no ticket.** （沒有票）
No men *were* present. （沒有人出席）
No teacher and **no student** *was* there.
（沒有一個老師和學生在那裏）

(11) 兩主詞用 **either……or**（或～或～），**neither……nor**（既不～又不～），**not only ……but also**（不但～而且～）等連結時，動詞須和第二個主詞一致。

Either you or **he** *has* to go. （你或他，必須去一個）
Neither you nor **he** *is* wrong. （你和他兩個都沒錯）
Not only you but also **John** *is* wrong.
（不但是你，約翰也不對）

(12) 兩主詞用 **as well as**（亦，且），（**together**）**with** ～（連同）等連結時，動詞須和第一個主詞一致。

John as well as you *is* wrong.
（和你一樣，約翰也不對）
He (together) with his sons, *is* at work.
（他同他的孩子們正在工作）

(13) 關係子句動詞須和前述詞一致

I, who *am* your friend, should help you.
(我是你的朋友，應該幫助你)

This is one of the **books** that *are* worth reading.
(這是值得讀的書籍之一)

(14)
the number (數目)＋**單數動詞**(**is** 等)
a number of (一些)～＋**複數動詞**(**are** 等)

The number of students *is* increasing.
(學生的人數在增加中)

A number of **people** *were* absent.
(有一些人缺席)

—— 習　題　69 ——

Choose the right words：(選擇對的字)

1. Both she and I (am, are) interested in this book.
2. Every boy and girl (like, likes) it.
3. Each hour and each minute (is, are) important.
4. Many an officer and soldier (was, were) killed.
5. Mathematics (is, are) easy to learn.
6. No news (is, are) good news.
7. There (is, are) little food left.
8. There (is, are) a lot of people.
9. Here (come, comes) our teacher.
10. He always (come, comes) by bicycle.
11. Each man should do (his, their) duty.
12. No one (know, knows) it.
13. No students (was, were) seen to come.
14. No boy and no girl (is, are) fond of it.
15. Somebody (has, have) stolen his money.
16. There (is, are) something wrong with the machine.
17. One of my friends (know, knows) it.
18. Some of his classmates (is, are) very poor.
19. All of them (was, were) present.
20. All of his money (is, are) spent on books.
21. Most of his time (is, are) spent in reading.
22. All my family (is, are) fond of reading.

23. My family (consist, consists) of six persons.
24. Half the passengers (was, were) killed.
25. Two-thirds of the money (was, were) stolen.
26. Ten feet (is, are) long enough.
27. A hundred thousand dollars (is, are) a large sum.
28. The United States (is, are) a rich country.
29. The scholar and poet (is, are) dead.
30. A red and a white flower (is, are) in her hand.
31. Bread and butter (is, are) his usual food.
32. Early to bed and early to rise (make, makes) a man healthy.
33. Reading books (make, makes) one wise.
34. Whether we go or not (depend, depends) on the weather.
35. The rich (is, are) not always happy.
36. The number of students (is, are) over 2,000 now.
37. A number of pupils (was, were) seen to play in the garden.
38. It is you that (is, are) in the wrong.
39. This is one of the mistakes that (is, are) often made.
40. John or Tom (is, are) to go.
41. Either you or John (is, are) to do it.
42. Neither he nor I (am, is) rich.
43. Not only George but also John (was, were) absent.
44. Bill as well as you (is, are) to come.
45. The captain with his men (was, were) saved.
46. The courage of the captain and his men (is, are) admirable. [ˊædmərəbl](令人欽佩的)
47. Neither of them (is, are) here.
48. Baseball and tennis (is, are) my favorite sports.
49. "The New York Times" (is, are) one of the most famous newspapers in the world.
50. What he said (is, are) true.

第七節 時態的一致 (Sequence of Tenses)

(1)　主要子句動詞爲現在式、現在完成式、未來式時，從屬子句可用任何時式的動詞。

主要子句	從屬子句
He **thinks**（他認爲～）	we *are* happy.（我們是幸福的）
He **will think**（他將以爲～）	we *were* happy.（我們過去是幸福的）
He **has thought**（他一直以爲～）	we *shall be* happy.（我們將會快樂）
	we *have been* happy.（我們一直是幸福的）

(2)　主要子句動詞爲過去式時，從屬子句動詞須用過去式或過去完成式。

I **think** he *is* honest.（我認爲他是誠實的）
I **thought** he *was* honest.（我過去以爲他是誠實的）

He **says** that he *will* come.（他說他要來）
He **said** that he *would* come.（他曾說過他要來）

He **will know** who *made* it.（他將知道誰做了它）
He **knew** who *had made* it.（他知道誰做了它）

主要子句	從屬子句	
I **think**（現在式）	(that) she **sings**	①
I **have thought**（現在完成試）	(that) she **is singing.**	②
I **shall think**（未來式）	(that) she *has sung.*	③
	(that) she **has been singing.**	④
	(that) she *sang.*	⑤
	(that) she **was singing.**	⑥
	(that) she *had sung.*	⑦
	(that) she **had been singing.**	⑧
	(that) she **will** *sing.*	⑨
	(that) she **will** *be singing.*	⑩
	(that) she **will** *have sung.*	⑪
	(that) she **will** *have been singing*	⑫
I **thought**（過去式）	(that) she **sang.**	①
	(that) she **was singing.**	②
	(that) she *had sung.*	③⑤⑦
	(that) she **had been singing.**	④⑥⑧
	(that) she **would** *sing.*	⑨
	(that) she **would** *be singing.*	⑩
	(that) she **would** *have sung.*	⑪
	(that) she **would** *have been singing*	⑫

● 應注意事項 ●

1. 不變的眞理不必更改時式：
   They did not know that the earth is round.
   （他們不知道地球是圓的）

2. 至現在仍無變化的事實不必更改時式：
   He told me *this morning* that he **is** going with us *tomorrow.*
   （今天早上他告訴我明天將和我們一同去）
   He said that he **takes** a walk *every morning.*
   （他說他每天早晨散步一次）

3. 表比較時可依其需要使用各種時式：
   I **was** *then* much younger than you **are** *now.*
   （我那時比現在的你還要年輕的多）

4. 歷史上的事實用過去式，不必用過去完成式。
   Our teacher told us that the French Revolution **broke out** in 1789.
   （我們的老師告訴我們說，法國革命於一七八九年發生）

5. 假設法動詞不必更改時式：
   He said that if he **had** money, he **would buy** a car.
   （他說，假如他有錢，他要買一輛汽車）

—— 習　題　70 ——

Choose the correct words：（選擇正確的字）

1. John said that he (knows, knew) it.
2. They thought he (is, was) a good man.
3. We hoped that he (will, would) come.
4. He worked hard that he (may, might) pass the examination.
5. He ran away as fast as he (can, could).
6. We were very glad to hear that he (has, had) won the first prize
7. Our teacher told us that Columbus (discovered, had discovered) America in 1492.
8. I told him if he (worked, had worked) harder, he could learn more quickly.

9. He said that he (lost, has lost, had lost) his money on his way home.
10. They could not understand why the earth (goes, went, had gone) round the sun.

第八節　敍述法(Narration)

直接敍述(或直接引句)(**Direct Narration**):
——是直接引用原發言者的話，須加引號(“ ”)。
間接敍述(或間接引句)(**Indirect Narration**)：
——是以報告方式敍述發言者的說話內容，不用引號。

(1)時式的變化

1. 介引句的**傳達動詞**(**Reporting Verb**)爲**現在式**、**現在完成式**、**未來式時**，**引句的時式不變**。

   { She **says**, “He *is* very kind.” (她說：「他很和善」)
   { She **says** that he *is* very kind. (她說他很和善)

   { She **says**, “He *was* very kind.”
   { She **says** (that) he *was* very kind.

   【提示】 ① **直接引句前後須加引號，而句首須以大寫字母開始**。
   ② **傳達動詞與直接引句之間須加一逗點(，)**。
   ③ **間接敍述時，連接詞**“*that*”**可以省去**。

2. **傳達動詞爲過去式**、**過去完成式時**，引句時式的變化如下：

   { **現在→過去**
   { **過去，現在完成，過去完成→過去完成**

   { He **said**, “It *is* true”. (他說：「這是眞的」)
   { He **said** that it *was* true. (他說那是眞的)

   { He **said**, “It *was* true”.
   { He **said** that it *had been* true.

● 應注意事項 ●

不變的眞理和事實、歷史上的事實、假設法動詞等的時式不變。

"Two and two **make**(s) four" said he.
He said that two and two **make**(s) four.
(他說二加二等於四)

I said to him, "Our school **begins** at eight."
I told him that our school **begins** 〔或 began〕 at eight.
(我告訴他，我們的學校八點鐘開始上課)

The teacher said, "Columbus **discovered** America in 1492."
The teacher said that Columbus **discovered** America in 1492.
(老師說，哥倫布於一四九二年發現美洲)

I **said to** you, "If I **were** you, I **would** go."
I **told** you if I **were** you, I **would** go.
(我曾對你說，假如我是你，我願意去)

(2) 人稱的變化

He said, "**I** am happy." (他說：「我快樂」)
He said that **he** was happy. (他說他快樂)

She said to me, "**I** met **your** father."
(她對我說：「我遇到你的父親」)
She told me that **she** had met **my** father.
(她告訴我說，她遇到我父親)

You said to him, "**We** saw **you** there."
(你曾對她說：「我們在那裏見過你」)
You told him that **you** had seen **him** there.
(你曾經告訴他說，你們在那裏見過他)

He said to Tom, "**We** have made a mistake."
(他對湯姆說：「我們犯了一個錯誤」)
He told Tom that **they** had made a mistake.
(他告訴湯姆說，他們曾犯了一個錯誤)

	直接敍述		間接敍述
He **said**,	"I **do**." ……①	He **said**	(that) **he did**. ……①
	"I **am** *doing*."		(that) he **was** *doing*.
	"I **have** *done*."		(that) he **had** *done*.
	"I **have** *been doing*."		(that) he **had** *been doing*.
	"I **did**." ……⑤		(that) **he had done**. ……⑤

He said,	"I was *doing*."	He said	(that) he **had** been *doing*.
	"I **had** *done*."		(that) he **had** *done*.
	"I **had** *been doing*."		(that) he **had** *been doing*.
	"I **shall do**." ⋯⋯⑨		(that) he **would do**. ⋯⋯⑨
	"I **shall** *be doing*."		(that) he **would** *be doing*.
	"I **shall** *have done*."		(that) he **would** *have done*.
	"I **shall** *have been doing*."		(that) he **would** *have been doing*.

(3)代名詞・形容詞・副詞等的變化

直接敍述	間接敍述	
now（現在）	→then（那時）	
here	→there〔或 here〕	〔依需要而變〕
this	→that〔或 this〕	〔同　上〕
these	→those〔或 these〕	〔同　上〕
ago（自今以前）	→before（那時以前）	
today	→that day〔或 today, yesterday〕	
tomorrow（明天）	→{(the) next day. / the following day}（第二天，翌日）	
yesterday（昨天）	→{the day before / the previous day}（前一天）	
last night（昨晚）	→{the night before / the previous night}（前夜）	
go	→come〔或 go〕	〔依需要而變〕

They said, "We are going to see Mr. A(**now**)."
（他們說：「我們(現在)正要去拜訪 A 先生」）
They said that they were going to see Mr. A(*then*).
（他們說，他們正要去拜訪 A 先生）

He said, "I will go **tomorrow**." （他說：「我明天要去」）
He said that he would {go / come} {tomorrow. / (the) **next day.**}
（他說他明天〔第二天〕要去〔來〕）

He said to me, "I read it **yesterday.**"
He told me that he had read it { yesterday. / **the day before.** }
(他告訴我說，他昨天〔前一天〕已讀過它)

She said to me, "I came back an hour **ago.**"
She told me that she had come back an hour **before.**
(她告訴我她在一小時前回來)

(4)疑問句的變化

(a)以疑問詞起首的問句：
——利用原疑問詞改爲間接問句。

I said to him, "**Who is she?**"
I asked him **who she was.** (我問他，她是誰)

He asked me, "**What do you want?**"
He asked me **what I wanted.** (他問我要什麼)

(b)無疑問詞的問句：
——加"**whether**"或"**if** (是否)"後改爲間接問句。

He asked me, "**Are you fond** of reading?"
(他問我：「你喜歡讀書嗎？」)
He asked me **if** 〔或 **whether**〕 **I was fond** of reading.
(他問我是否喜歡讀書)

He asked me, "**Do you know** Mr. B?"
He asked me **if** 〔或 **whether**〕 **I knew** Mr. B.
(他問我認不認識 B 先生)

He said to us, "**Did you have** a good time?"
He asked us **if** 〔或 **whether**〕 **we had had** a good time.
(他問我們是否過得愉快)

I said to him, "**May I open** the window?"
I asked him **if I might open** the window.
(我問他可不可以開窗子)

(5)祈使句的變化

I siad to him, "**Do** it at once."
I told him **to do** it at once. (我叫他立刻做那個)

He said to me, "**Shut** the window, please."
He asked me **to shut** the windows.
（他請求我關窗子）

The doctor said to me, "**Don't drink** too much."
The doctor advised〔或 told〕me **not to drink** too much.
（醫生勸我酒不要喝的太多）

(6)感嘆句的變化

He said, "How happy I am!"（他說：「我是多麼快樂！」）
He said that he was very happy.（他說他非常快樂）

He said, "Hurrah! we have won."
（她歡呼道，「好哇！我們贏了」）
He exclaimed with joy that they had won.

(7) Will與 Shall的變化

I said to you, "I **will** help you."
I told you that I **would** help you.
（我對你說過，我願意幫助你）

He said to me, "I **shall** be back soon."
He told me that he **would**〔或 *should*〕be back soon.
（他告訴我說，他馬上會回來）

She said to John, "You **shall** not do it."
She told John that he **should** not do it.
（她告訴約翰說，不許他做那個）

—— 習 題 71 ——

(一)*Put the following sentences into the indirect narration*：
（改爲間接敍述）

1. He says, "I like it."
2. He said, "I am a student, and I have studied English for three years."
3. She said to me, "I was ill yesterday."
4. John asked me, "Do you like to go?"
5. Mary asked me, "Did you see my brother?"
6. I asked him, "Where are you going?"

7. He said, "I will never do it again."

8. He said, "Honesty is the best policy." (最上策)

9. I said to him, "Start at once."

10. He said to me,"If I were a bird, I would fly to you."

(二)*Put the following sentences into the direct narration*:
(改爲直接敍述)

1. He asked me what my name was.

2. I asked her when she had bought the dictionary.

3. He asked me if I had ever seen a lion.

4. He asked his mother if he might go swimming.

5. Our teacher told us not to leave till five o'clock.

6. John told me that his uncle was coming the next day.

(三)*Correct the errors*:(改錯)

1. I don't know who is he.

2. Do you know that where does he live?

3. She asked me that if I want to go with her.

4. Did he tell you when will he come?

5. He said that he wrote it the day before.

6. John told me that he has seen it once.

(四)*Substitution*:換字(每空格限填一字)

1. Yesterday you said to me, "I called on your father three days ago."
=Yesterday you ______ me that ______ ______ called on ______ father three days ______.

2. I said to her, "Have you read it?"
=I ______ her ______ ______ ______ read it.

3. The girl said that she didn't understand what I meant.
=The girl said, "______ ______ understand what ______ ______."

4. They exlcaimed with joy that they had no school that day.
=They said "______! ______ ______ no school ______."

索　引 INDEX

(一)文法用語(Grammatical Terms)

A

C

R

(二)單字索引(Index of Words)

A

B

E

F

G

H

I

J

K

L

Q

R

S

T

U

劄
記

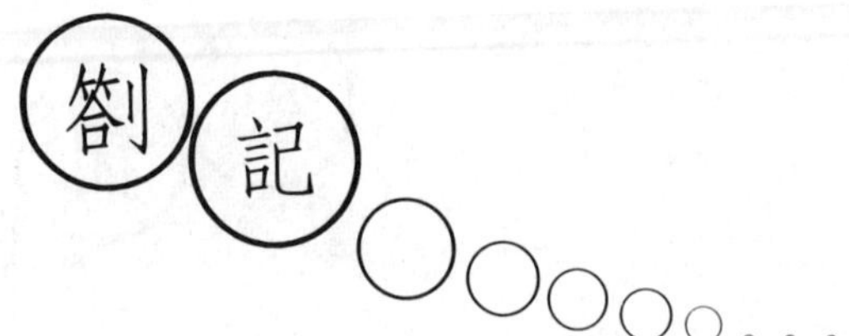
劄
記

劄
記

美國K.K.音標一覽表

母　音

種類	美國 K.K.音標	例	字	英國 Jones音標
單	〔i〕	**eat**〔it〕吃	**leave**〔liv〕離開	〔iː〕
	〔ɪ〕	**it**〔ɪt〕它	**live**〔lɪv〕住	〔i〕
	〔ɛ〕	**egg**〔ɛg〕蛋	**bed**〔bɛd〕床	〔e〕
	〔æ〕	**apple**〔ˊæpl〕蘋果	**bad**〔bæd〕壞	〔æ〕
	〔ɑ〕	**father**〔ˊfɑðɚ〕父親	**hot**〔hɑt〕熱	〔ɑː〕〔ɔ〕
	〔ɑr〕	**arm**〔ɑrm〕臂	**far**〔fɑr〕遠	〔ɑː〕
母	〔ʌ〕	**cup**〔kʌp〕杯	**mother**〔ˊmʌðɚ〕母親	〔ʌ〕
	〔ə〕	**ago**〔əˊgo〕以前	**China**〔ˊtʃaɪnə〕中國	〔ə〕
	〔ɚ〕	**sister**〔ˊsɪstɚ〕姊妹		〔ə〕
	〔ɝ〕	**early**〔ˊɝlɪ〕早	**girl**〔gɝl〕女孩	〔əː〕
	〔u〕	**food**〔fud〕食物	**cool**〔kul〕涼快	〔uː〕
音	〔ʊ〕	**foot**〔fʊt〕腳，呎	**full**〔fʊl〕滿的	〔u〕
	〔ɔ〕	**ball**〔bɔl〕球	**saw**〔sɔ〕看見	〔ɔː〕
	〔e〕	**age**〔edʒ〕年齡	**face**〔fes〕臉	〔ei〕
準	〔o〕	**old**〔old〕老	**go**〔go〕去	〔ou〕
雙	〔ɪr〕	**ear**〔ɪr〕耳朵	**here**〔hɪr〕這裏	〔iə〕
母	〔ɛr〕	**air**〔ɛr〕空氣	**hair**〔hɛr〕頭髮	〔ɛə〕
音	〔or〕〔ɔr〕	**door**〔dor; dɔr〕門		〔ɔː〕〔ɔə〕
	〔ʊr〕	**poor**〔pʊr〕貧窮	**sure**〔ʃʊr〕確定	〔uə〕
雙	〔aɪ〕	**ice**〔aɪs〕冰	**kind**〔kaɪnd〕親切	〔ai〕
母	〔aʊ〕	**out**〔aʊt〕外	**house**〔haʊs〕房屋	〔au〕
音	〔ɔɪ〕	***oil**〔ɔɪl〕油	**boy**〔bɔɪ〕男孩	〔ɔi〕

【提示】① K.K.音標與 Jones 音標之子音部份完全相同。

② 子音〔j〕和〔w〕因其音與母音相近，故亦稱半母音。

劄記

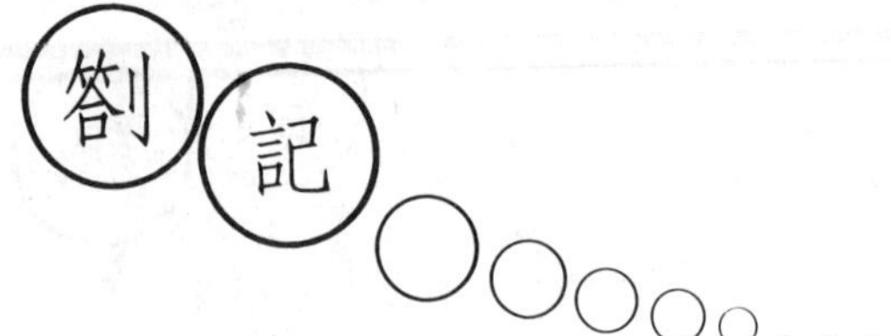
劄
記

國家圖書館出版品預行編目資料

新英文法 = New English grammar / 柯旗化編著.
-- 修訂版. -- 高雄市 : 第一, 民85
面 ; 公分
ISBN 957-98939-0-X(精裝). --ISBN 957-98939-1-8(平裝)

1. 英國語言 - 文法

805.16 85010294

新英文法 平裝本 定價： 300 元

□編 著 者／柯旗化
□執行編輯／賴淑惠
□出 版 者／第一出版社
地址／高雄市八德二路37號
電話／（07）221-7198
傳眞／（07）281-9737
郵政劃撥帳號／00400138
□發 行 人／柯旗化
□出版登記證／局版台業字第〇五四〇號
□電腦排版打字／龍虎電腦排版股份有限公司
□印 刷 者／新錦裕印刷廠

中華民國四十九年九月初版一印（第1印）
中華民國八十五年十二月修訂版一印（第120印）

美國K.K.音標一覽表

母　　音

種類	美國 K.K.音標	例	字	英國 Jones音標
單母音	〔i〕	**eat**〔it〕吃	**leave**〔liv〕離開	〔iː〕
	〔ɪ〕	**it**〔ɪt〕它	**live**〔lɪv〕住	〔i〕
	〔ɛ〕	**egg**〔ɛg〕蛋	**bed**〔bɛd〕床	〔e〕
	〔æ〕	**apple**〔ˊæpl〕蘋果	**bad**〔bæd〕壞	〔æ〕
	〔ɑ〕	**father**〔ˊfɑðɚ〕父親	**hot**〔hɑt〕熱	〔ɑː〕〔ɔ〕
	〔ɑr〕	**arm**〔ɑrm〕臂	**far**〔fɑr〕遠	〔ɑː〕
	〔ʌ〕	**cup**〔kʌp〕杯	**mother**〔ˊmʌðɚ〕母親	〔ʌ〕
	〔ə〕	**ago**〔əˊgo〕以前	**China**〔ˊtʃaɪnə〕中國	〔ə〕
	〔ɚ〕	**sister**〔ˊsɪstɚ〕姊妹		〔ə〕
	〔ɝ〕	**early**〔ˊɝlɪ〕早	**girl**〔gɝl〕女孩	〔əː〕
	〔u〕	**food**〔fud〕食物	**cool**〔kul〕涼快	〔uː〕
	〔ʊ〕	**foot**〔fʊt〕腳，呎	**full**〔fʊl〕滿的	〔u〕
	〔ɔ〕	**ball**〔bɔl〕球	**saw**〔sɔ〕看見	〔ɔː〕
準雙母音	〔e〕	**age**〔edʒ〕年齡	**face**〔fes〕臉	〔ei〕
	〔o〕	**old**〔old〕老	**go**〔go〕去	〔ou〕
	〔ɪr〕	**ear**〔ɪr〕耳朵	**here**〔hɪr〕這裏	〔iə〕
	〔ɛr〕	**air**〔ɛr〕空氣	**hair**〔hɛr〕頭髮	〔ɛə〕
	〔or〕〔ɔr〕	**door**〔dor; dɔr〕門		〔ɔː〕〔ɔə〕
	〔ʊr〕	**poor**〔pʊr〕貧窮	**sure**〔ʃʊr〕確定	〔uə〕
雙母音	〔aɪ〕	**ice**〔aɪs〕冰	**kind**〔kaɪnd〕親切	〔ai〕
	〔aʊ〕	**out**〔aʊt〕外	**house**〔haʊs〕房屋	〔au〕
	〔ɔɪ〕	***oil**〔ɔɪl〕油	**boy**〔bɔɪ〕男孩	〔ɔi〕

【提示】① K.K.音標與 Jones 音標之子音部份完全相同。

② 子音〔j〕和〔w〕因其音與母音相近，故亦稱半母音。

子 音

種 類	美 國 K.K.音標	例	字
無聲	〔p〕	**map**〔mæp〕地圖	**pen**〔pɛn〕鋼筆
有聲	〔b〕	**baby**〔ˈbebɪ〕嬰孩	**book**〔bʊk〕書
無聲	〔t〕	**hat**〔hæt〕帽子	**ten**〔tɛn〕十
有聲	〔d〕	**head**〔hɛd〕頭	**dog**〔dɔg〕狗
無聲	〔k〕	**sick**〔sɪk〕生病的	**cake**〔kɛk〕蛋糕
有聲	〔g〕	**big**〔bɪg〕大	**good**〔gʊd〕好
有聲	〔m〕	**time**〔taɪm〕時間	**my**〔maɪ〕我的
有聲	〔n〕	**find**〔faɪnd〕發現	**nine**〔naɪn〕九
有聲	〔ŋ〕	**sing**〔sɪŋ〕唱	**ink**〔ɪŋk〕墨水
無聲	〔f〕	**life**〔laɪf〕生命，人生	**four**〔for; fɔr〕四
有聲	〔v〕	**live**〔lɪv〕住	**five**〔faɪv〕五
有聲	〔w〕	**well**〔wɛl〕好	**wife**〔waɪf〕妻
有聲	〔j〕	**yes**〔jɛs〕是	**you**〔ju〕你
無聲	〔θ〕	**month**〔mʌnθ〕月	**think**〔θɪŋk〕想
有聲	〔ð〕	**smooth**〔smuð〕平滑	**they**〔ðe〕他們
無聲	〔s〕	**this**〔ðɪs〕這	**say**〔se〕說
有聲	〔z〕	**is**〔ɪz〕是	**zoo**〔zu〕動物園
無聲	〔ʃ〕	**fish**〔fɪʃ〕魚	**ship**〔ʃɪp〕船
有聲	〔ʒ〕	**usually**〔ˈjuʒʊəlɪ〕通常	
無聲	〔ts〕	**cats**〔kæts〕貓	**that's**〔ðæts〕那是
有聲	〔dz〕	**birds**〔bɝdz〕鳥	**cards**〔kɑrdz〕卡片
無聲	〔tʃ〕	**catch**〔kætʃ〕捕	**child**〔tʃaɪld〕小孩
有聲	〔dʒ〕	**large**〔lɑrdʒ〕大	**John**〔dʒɑn〕約翰
有聲	〔r〕	**car**〔kɑr〕汽車	**read**〔rid〕讀
有聲	〔l〕	**call**〔kɔl〕叫	**lead**〔lid〕引導
無聲	〔h〕	**have**〔hæv〕有	**his**〔hɪz〕他的
有聲	〔hw〕	**when**〔hwɛn〕何時	**why**〔hwaɪ〕為什麼